A BELEZA E A DOR

A marca FSC® é a garantia de que a madeira utilizada na fabricação do papel deste livro provém de florestas que foram gerenciadas de maneira ambientalmente correta, socialmente justa e economicamente viável, além de outras fontes de origem controlada.

PETER ENGLUND

A beleza e a dor
Uma história íntima da Primeira Guerra Mundial

Tradução do sueco
Fernanda Sarmatz Åkesson

COMPANHIA DAS LETRAS

Copyright © 2009 by Peter Englund
Todos os direitos reservados
Publicado mediante acordo com Stilton Literary Agency e
Vikings of Brazil Agência Literária e de Tradução Ltda.

*Grafia atualizada segundo o Acordo Ortográfico da Língua Portuguesa de 1990,
que entrou em vigor no Brasil em 2009.*

Título original
Stridens skönhet och sorg

Capa
Claudia Espínola de Carvalho

Foto de capa
© Barbara Singer/ The Bridgeman Art Library

Preparação
Cacilda Guerra

Revisão
Huëndel Viana
Ana Maria Barbosa

Dados Internacionais de Catalogação na Publicação (CIP)
(Câmara Brasileira do Livro, SP, Brasil)

Englund, Peter
    A beleza e a dor : uma história íntima da Primeira Guerra
Mundial / Peter Englund; tradução do sueco Fernanda Sarmatz
Åkesson. — 1ª ed. — São Paulo : Companhia das Letras, 2014.

    Título original : Stridens skönhet och sorg.
    ISBN 978-85-359-2450-3

    1. Guerra Mundial, 1914-1918 — Narrativas pessoais I. Título.

14-03730	CDD-940.48

Índice para catálogo sistemático:
1. Guerra Mundial, 1914-1918 : Narrativas pessoais   940.48

[2014]
Todos os direitos desta edição reservados à
EDITORA SCHWARCZ S.A.
Rua Bandeira Paulista, 702, cj. 32
04532-002 — São Paulo — SP
Telefone: (11) 3707-3500
Fax: (11) 3707-3501
www.companhiadasletras.com.br
www.blogdacompanhia.com.br

Dedicado à memória de Carl Englund, soldado do Exército australiano, nº 3304, Terceira Divisão, 11ª Brigada, 43º Batalhão de Infantaria. Participou das batalhas de Messines e Passchendaele, em 1917. Morto em combate em Amiens, em 13 de setembro de 1918. Sepultado em lugar desconhecido.

Tudo o que atraiu a agonia e o temor nos locais de execução, nas câmaras de tortura, nos hospícios, nas salas de operações, embaixo das pontes no final do outono: tudo isso é constante, tudo isso está fora do alcance e permanece, com ciúmes daquilo que é duradouro em sua terrível realidade. As pessoas gostariam de poder esquecer, o sono deslizando com suavidade pelos sulcos da mente, mas os sonhos chegam, rejeitam o sono e preenchem os sulcos com novas imagens. Elas acordam, suspiram e, à luz de velas, bebem a luz do amanhecer como se fosse uma tranquilizante água com açúcar. Mas não, na borda estreita não conseguem equilibrar essa segurança. Basta uma pequena torção para que o olhar abandone o conhecido, o amigável e recente contorno consolador, para que se transforme em uma linha de horror.

Rainer Maria Rilke, *Os cadernos de Malte Laurids Brigge*, 1910

O verão tinha sido maravilhoso e prometia ser melhor ainda, enxergávamos o mundo sem preocupação. Lembro-me de que, no último dia em Baden, eu caminhara com um amigo por uma vinha, e um velho vinicultor nos dissera: "Não tínhamos um verão assim há muito tempo. Se o tempo permanecer como está, teremos um vinho inigualável este ano. As pessoas sempre se lembrarão do verão de 1914!".

Stefan Zweig, *O mundo que eu vi*, 1942

Sumário

Apresentação	11
Dramatis personae	13
1914	15
1915	67
1916	175
1917	279
1918	381
Epílogo	455
Coda	465
Referências bibliográficas	467
Créditos das imagens	473
Índice remissivo	477

Apresentação

Caro leitor,

Este é um livro sobre a Primeira Guerra Mundial. Não sobre *o que foi* essa guerra — ou seja, suas causas, seu desenrolar, seu final ou suas consequências —, e sim *como* foi esse conflito. O leitor não encontrará aqui tantos fatores, mas pessoas. Não encontrará tantos eventos e processos, mas impressões, experiências ou estados de ânimo. O que tentei reconstruir aqui foi o mundo emocional em primeiro lugar, e depois o curso dos acontecimentos.

O leitor acompanhará dezenove indivíduos, todos reais (o livro não contém nada fictício, pois seu conteúdo se baseia nos diferentes tipos de documentos que essas pessoas nos deixaram), todos eles resgatados do anonimato ou esquecidos e situados nas camadas mais baixas das hierarquias. Enquanto a Primeira Guerra Mundial, como é percebida em geral, veio a ser sinônimo da lama da Frente Ocidental, muitas dessas pessoas se encontravam em outros palcos de guerra, como a Frente Oriental, os Alpes, os Bálcãs, a África Oriental e a Mesopotâmia. A maioria delas é muito jovem, tendo por volta de vinte anos.

Desses dezenove indivíduos, dois morrerão em combate, dois serão aprisionados, dois se tornarão heróis e dois sofrerão danos físicos permanentes. Muitos deles veem a guerra como algo positivo, mas que, mais tarde, aprenderão a odiar. Alguns nutrem um sentimento de ódio pelo conflito, desde o primeiro dia. Há um que ama a guerra, do início ao fim.

Uma dessas pessoas perderá literalmente a razão, indo parar em um hospital psiquiátrico. Outra nunca ouvirá uma arma ser disparada. E assim por diante. Apesar de suas diferenças quanto ao destino, ao seu papel, ao sexo e à nacionalidade, todos têm algo em comum. A guerra os privará da juventude, das ilusões, da esperança, da humanidade, da vida.

A maior parte dessas dezenove pessoas passará por situações dramáticas e atrozes, mas o que se pretende enfocar aqui é o cotidiano da guerra. Em resumo, este texto é um pedaço de anti-história, em que procurei me concentrar nos elementos mais atômicos e mais ínfimos, ou seja, no indivíduo e nas suas vivências. Um acontecimento que, por onde quer que se olhe, ficou marcado na memória.

Sobre o melancólico ceticismo de minha própria profissão, que impulsiona esta abordagem, talvez eu venha a falar em outra ocasião.

Peter Englund
Segunda-feira, 30 de junho de 2008,
com chuva batendo na janela

Dramatis personae

Elfriede Kuhr — Estudante alemã, doze anos.[1]
Richard Stumpf — Marinheiro alemão, 22 anos.
Pál Kelemen — Membro da cavalaria austro-húngara, vinte anos.
Andrei Lobanov-Rostovski — Engenheiro do Exército russo, 22 anos.
Florence Farmborough — Enfermeira inglesa do Exército russo, 27 anos.
Kresten Andresen — Soldado dinamarquês do Exército alemão, 23 anos.
Michel Corday — Funcionário público francês, 45 anos.
Alfred Pollard — Soldado da infantaria britânica, 21 anos.
William Henry Dawkins — Engenheiro do Exército australiano, 21 anos.
Sophie Botcharski — Enfermeira do Exército russo, 21 anos.
René Arnaud — Soldado da infantaria francesa, 21 anos.
Rafael de Nogales — Membro da cavalaria otomana, venezuelano, 35 anos.
Harvey Cushing — Cirurgião do Exército americano, 45 anos.
Angus Buchanan — Soldado da infantaria britânica, 27 anos.
Willy Coppens — Piloto da Força Aérea belga, 22 anos.
Olive King — Motorista do Exército sérvio, australiana, 28 anos.

1. A idade dos personagens data do início da guerra.

Vincenzo D'Aquila — Membro da infantaria italiana, americano de origem italiana, 21 anos.

Edward Mousley — Membro da artilharia britânica, neozelandês, 28 anos.

Paolo Monelli — Caçador de montanha do Exército italiano, 23 anos.

1914

Ir para a guerra não pelos bens ou pelo ouro, não pela pátria ou pela honra, nem mesmo para eliminar os inimigos, mas para fortalecer a personalidade. Fortalecê-la com poder e vontade, hábitos, motivação e seriedade. Por isso quero ir à guerra.

Cronologia

28/JUN. O arquiduque Francisco Ferdinando, herdeiro do Império Austro-
-Húngaro, e sua esposa são assassinados em Sarajevo.

23/JUL. O Império Austro-Húngaro envia um ultimato à Sérvia.

28/JUL. O Império Austro-Húngaro declara guerra à Sérvia.

29/JUL. A Rússia se mobiliza contra o Império Austro-Húngaro, a favor da
Sérvia.

31/JUL. A Alemanha exige que a Rússia interrompa sua mobilização, o que
não acontece.

01/AGO. A Alemanha se mobiliza, assim como a França, agora aliada da Rússia.

02/AGO. Tropas alemãs invadem a França e Luxemburgo, enquanto os russos
invadem a Prússia Oriental.

03/AGO. A Alemanha exige que a Bélgica permita a passagem das tropas alemãs. A exigência não é atendida.

04/AGO. A Alemanha invade a Bélgica. A Grã-Bretanha declara guerra à Alemanha.

06/AGO. Tropas francesas invadem a colônia alemã do Togo.

07/AGO. A Rússia invade a parte alemã da Prússia Oriental.

13/AGO. O Império Austro-Húngaro invade a Sérvia. A campanha é malsucedida.

14/AGO. Tropas francesas entram na Lorena, mas são derrotadas.

18/AGO.   A Rússia invade a Galícia austro-húngara.

20/AGO.   Bruxelas sucumbe. Tropas alemãs seguem para o sul, em direção a Paris.

24/AGO.   A colônia alemã de Camarões é invadida pelos Aliados.

26/AGO.   A Batalha de Tannenberg tem início. Os russos reagem na Prússia Oriental.

01/SET.   Começa a Batalha de Lemberg, com grandes perdas para a Áustria--Hungria.

06/SET.   Contraofensiva britânica e francesa no Marne. A marcha alemã para Paris é impedida.

07/SET.   A segunda invasão da Sérvia, pelos austro-húngaros, é iniciada.

11/SET.   A partida para o mar tem início.

23/SET.   O Japão declara guerra à Alemanha.

12/OUT.   Começa a primeira das muitas batalhas em Flandres.

29/OUT.   O Império Otomano entra na guerra, aliando-se à Alemanha.

03/NOV.   A Rússia invade a Armênia, província do Império Otomano.

07/NOV.   A colônia alemã de Tsingtao, na China, é conquistada por tropas japonesas e britânicas.

08/NOV.   Início da terceira invasão da Sérvia.

18/NOV.   Ofensiva otomana no Cáucaso.

21/NOV.   Tropas britânicas ocupam a cidade de Basra, na Mesopotâmia.

07/DEZ.   Começa o segundo conflito em Varsóvia.

1. TERÇA-FEIRA, 4 DE AGOSTO DE 1914

Elfriede Kuhr vê o 149º Regimento de Infantaria partir de Schneidemühl

Noite quente de verão. Música suave ao longe. Elfriede e seu irmão encontram-se dentro de casa, na Alte Bahnhofstrasse, 17, mas assim mesmo ouvem o som da canção, que vem se aproximando. Eles logo percebem o que está para acontecer. Saem correndo para a rua, rumo à estação de trem, uma construção de cor amarelada que lembra mais uma fortaleza. Em frente ao prédio, concentra-se uma multidão, e todas as luzes estão acesas. Elfriede acha que o reflexo das luzes batendo na folhagem das castanheiras faz com que ela pareça de papel.

Ela sobe na cerca de ferro que separa a estação do local onde a multidão se aglomera. A música se aproxima. Ela vê um trem de carga parado, à espera, na plataforma número 3. Vê que sai vapor da locomotiva. As portas dos vagões estão abertas, e lá dentro ela vislumbra os soldados reservistas vestidos à paisana, prontos para a partida. Os homens se inclinam para fora, acenam e riem. Ao mesmo tempo, a música fica cada vez mais alta, mais clara, nessa noite quente de verão. O irmão de Elfriede anuncia: "Eles vêm vindo! O 149º!".

É por eles que todos estão aguardando: o 149º Regimento de Infantaria, a unidade militar da cidade. Eles irão para a Frente Ocidental. "Frente Ocidental", uma expressão nova. Até hoje Elfriede nunca tinha ouvido falar nisso. A guerra é coisa dos russos, todo mundo sabe; é para enfrentar as forças russas que o Exército alemão foi mobilizado, elas logo atacarão, todos já sabem disso também.[1] A ameaça do leste é constante, em especial para os que vivem na Pomerânia, e Schneidemühl não é nenhuma exceção. A fronteira russa fica a menos de 160 quilômetros dali, e a cidade é cortada pela ferrovia que liga Berlim a Königsberg, o que a torna um alvo fácil para o poderoso inimigo oriental.

Para a população de Schneidemühl, vale o mesmo que para os políticos e generais que, tateando e tropeçando, desastrados, levaram a Europa à guerra: há informações, mas são quase sempre incompletas ou desatualizadas, e a falta de fatos acaba sendo preenchida por adivinhações, suposições, falsas esperanças, medos, ideias fixas, teorias conspiratórias, sonhos, pesadelos, rumores. Aqui em Schneidemühl, como em milhares de cidades e vilarejos no continente, vão-se produzindo sobretudo rumores — uma imagem adulterada dos acontecimentos e dados enganosos. Elfriede Kuhr tem doze anos, é uma menina inteligente e inquieta, de tranças louro-avermelhadas e olhos verdes. Ela ouviu dizer que aviões franceses bombardearam Nuremberg, que a ponte ferroviária perto de Eichenried foi atacada, que tropas russas estão por perto de Johannisburg, que agentes russos tentaram matar o príncipe herdeiro em Berlim, que um espião russo tentou explodir a fábrica de aviões na periferia, que um agente russo tentou contaminar a água da cidade com o vírus do cólera e que um agente francês tentou explodir as pontes do rio Küddow.

Nada disso corresponde à verdade, o que só ficará esclarecido mais adiante. Hoje parece que o povo está preparado para acreditar em qualquer coisa, por mais incrível que pareça.

Para as pessoas de Schneidemühl, assim como para quase todos os alemães, trata-se de uma guerra defensiva, uma guerra da qual foram obrigados a participar, e agora não há outro caminho que não seja ir até o fim. Os alemães e seus semelhantes em cidades e vilarejos na Sérvia, na Áustria-Hungria, na Rússia, na França, na Bélgica e na Grã-Bretanha têm temores, esperanças e um forte sentimento de justiça, pois agora os aguarda uma luta fatídica contra as forças das trevas. Uma poderosa onda de emoções passa por Schneidemühl,

---

1. A informação se confirmou: antes do final do mês de agosto, a Alemanha teve seu território invadido pelo Exército russo.

Alemanha e Europa, levando consigo tudo e todos. Mas o que entendemos como escuridão é como luz para os inimigos.

Elfriede ouve o irmão chamá-la e logo vê o que está acontecendo. Lá vêm eles, enfileirados, os soldados fardados de cinza, com coturnos de cano curto e couro claro, carregando mochilas imensas e capacetes pontiagudos forrados de tecido cinzento. Em frente à tropa marcha uma banda militar e, à medida que eles se aproximam da estação, a multidão começa a acompanhar aquela melodia já tão conhecida. Os soldados cantam e, quando chegam no refrão, a plateia passa a acompanhá-los. A canção soa como um poderoso rugido nessa noite do mês de agosto:

> *Lieb' Vaterland, magst ruhig sein,*
> *Lieb' Vaterland, magst ruhig sein,*
> *Fest steht und treu die Wacht, die Wacht am Rhein!*
> *Fest steht und treu die Wacht, die Wacht am Rhein!*[2]

O ar se enche do ruído dos tambores, do som das botas pisoteando o chão e dos gritos entusiásticos. Elfriede anota em seu diário:

> Então veio o 149º, ombro a ombro, e se espalhou pela plataforma como uma maré cinzenta. Todos os soldados tinham guirlandas de flores em volta do pescoço ou presas no peito. De dentro dos rifles saíam arranjos de ásteres, folhas e rosas, como se eles fossem atirar nos inimigos usando flores à guisa de munição. Os soldados tinham uma expressão séria. Eu imaginava que eles estariam rindo, exultantes.

Elfriede vê então um soldado às gargalhadas, um tenente que ela reconhece de imediato. Ele se chama Schön e ela o observa enquanto se despede de sua família e depois desaparece no meio da multidão. Ela repara que o soldado, o tempo todo, recebe tapas de encorajamento nas costas, abraços e beijos do povo. Ela quer gritar: "Olá, tenente Schön!". Mas não tem coragem.

A música continua a soar, acima da multidão forma-se uma nuvem de chapéus e lenços se agitando, o trem que leva os soldados reservistas apita e

---

2. "Mantenha-se calma, pátria querida,/ Firme e fiel é o guarda do Reno!", em tradução livre. A canção "Die Wacht am Rhein" tinha o status de hino não oficial da Alemanha desde o século XIX.

começa a partir, todos gritam entusiasmados e acenam. Logo o 149º partirá também. Elfriede desce da cerca de ferro, é envolvida pela multidão e sente medo de ser esmagada, sufocada. Ela avista uma senhora com os olhos marejados. A senhora solta gritos de cortar o coração: "Paul! Onde está meu pequeno Paul? Deixem-me pelo menos ver o meu filho!". Elfriede não tem a menor ideia de quem seja Paul, ela encontra-se no meio de uma aglomeração de costas, braços, barrigas e pernas. Abalada, ou talvez apenas sentindo-se agradecida por poder desviar seus pensamentos dessa confusão de imagens, sons e sentimentos esmagadores, Elfriede começa a rezar: "Meu Deus, proteja o Paul! Traga-o de volta para essa senhora! Eu lhe peço, por favor, por favor por favor!".

Ela vê que os soldados começam a marchar e a seu lado um menino pequeno enfia a mãozinha através da grade e diz: "Soldado, adeus!". Um dos soldados uniformizados pega a mão do menino e lhe dá uma leve sacudida: "Adeus, irmãozinho!". Todos riem, a banda toca "Deutschland, Deutschland, über alles", alguns acompanham cantando. Um trem comprido enfeitado de flores se aproxima da plataforma número 1. Ouve-se um toque de corneta, e os soldados logo começam a embarcar. Ofensas, piadas, ordens de comando no ar. Um soldado retardatário passa correndo por Elfriede, que se encontra atrás da grade. Ela cria coragem, estende-lhe a mão e diz, tímida: "Boa sorte!". Ele a vê, sorri e segura seu pulso: "Até a volta, menina!".

Elfriede o segue com o olhar. Ela vê o soldado subir no vagão de carga. Ele se vira, e os dois trocam olhares. O trem começa a se movimentar, primeiro devagar e então cada vez mais rápido.

Os gritos de entusiasmo se transformaram em rugidos, os rostos dos soldados encheram as portas abertas, flores voavam ao redor e muitas pessoas começaram a chorar ao mesmo tempo.

"Até logo! Nós nos encontraremos aqui de novo!"

"Não tenham medo! Voltaremos logo!"

"Vamos celebrar o Natal com mamãe!"

"Sim, sim, sim, voltem sãos e salvos!"

De dentro do trem surge uma poderosa música. Elfriede só tem tempo de entender uma parte do refrão: "*In der Heimat, in der Heimat, da gibt's ein Wie-*

dersehen!".[3] E, assim, os vagões vão desaparecendo na noite. Nessa noite escura e quente de verão.

Elfriede está emocionada. Ela volta para casa com vontade de chorar. A mão que o soldado segurou vai estendida à sua frente, como se estivesse carregando algo muito valioso e ao mesmo tempo muito frágil. Ao subir a escada mal iluminada que leva até a Alte Bahnhofstrasse, 17, ela beija rápido a própria mão.

2. QUINTA-FEIRA, 20 DE AGOSTO DE 1914
Richard Stumpf encontra-se a bordo do SMS Helgoland *e copia um poema*

Ele está muitíssimo aborrecido. Mais uma declaração de guerra, mais um Estado que se une aos inimigos da Alemanha. Agora, o Japão. Os governantes de Tóquio já se mobilizaram, entre os primeiros de uma longa fila de oportunistas. Querem aproveitar esse momento de insegurança para abocanhar alguma coisa, de preferência um pedaço significativo de território. O Japão já apresentou um ultimato ao ministro das Relações Exteriores em Berlim, exigindo que todos os navios de guerra alemães saiam da Ásia e que a colônia alemã de Tsingtao seja devolvida aos japoneses.[4]

A raiva de Stumpf transborda e o faz descarregar a invectiva racista: "Só mesmo esses asiáticos amarelos de olhos puxados seriam capazes de vir com essa reivindicação absurda". Mas ele está mais do que convencido de que as tropas alemãs na Ásia darão uma verdadeira lição nesses "macacos amarelos ladrões".

Richard Stumpf é um marinheiro de 22 anos, da Marinha alemã, oriundo da classe trabalhadora, que há dois anos se sustentava como funileiro, antes de se alistar; é também católico praticante, membro de uma associação cristã e nacionalista declarado. Como tantos outros, está embriagado de alegria por

---

3. "No nosso lar, no nosso lar, vamos nos reencontrar!"

4. Tsingtao — agora Qingdao — fica numa península da costa da província chinesa de Shandong. Foi entregue à Alemanha no final do século XIX, como compensação pelo assassinato de alguns missionários alemães (a herança germânica é perceptível na qualidade da cerveja produzida na região). O Japão, cujas ambições imperialistas no continente asiático já tinham levado à guerra com a Rússia e a China, prosseguiu com seus planos expansionistas, ainda que sob o disfarce da aliança com a Grã-Bretanha, até 1902. Desde a metade de agosto, ou seja, uma semana antes do citado ultimato, os japoneses estavam prontos para atacar Tsingtao.

causa da eclosão da guerra, que significa poder acertar as contas com os traidores ingleses, já que "a verdadeira causa" para a Grã-Bretanha participar do conflito é "a inveja das nossas conquistas econômicas". "Que Deus castigue a Inglaterra", dizem muitos dos soldados uniformizados quando entram em algum recinto, como forma de cumprimento. Todos respondem em coro: "Que assim seja".

Stumpf é inteligente, chauvinista, curioso e preconceituoso. Tem talento para a música e gosta muito de ler. Em sua fotografia podemos ver um jovem sério, o rosto em formato oval, olhos unidos e boca pequena e bem desenhada. Hoje Stumpf se encontra no mar, perto do estuário do Elba, a bordo do grande navio de guerra SMS *Helgoland*, em que tem servido desde seu alistamento.[5] É onde também se encontrava quando a guerra eclodiu.

Richard se lembra de que o humor geral da tripulação estava meio em baixa quando o navio aportou. É que, quando em alto-mar, eles não tinham sido alcançados pelas notícias emocionantes — em todos os lugares se ouvia o povo reclamando de "todo este barulho por nada". Apesar de ser permitido desembarcar, não foi isso que fizeram. Às cinco e meia, após o sinal de "todos os homens ao convés", eles ali se enfileiraram. Um dos oficiais da belonave, com ar sombrio e um papel na mão, anunciou que tanto o Exército quanto a Marinha haviam sido mobilizados. "Vocês sabem o que isto significa: guerra!" A orquestra do navio tocava uma canção patriótica, e todos a cantavam, entusiasmados. "Nossa alegria e empolgação eram sem limites e duraram a noite toda."

No meio de toda essa animação já se percebe uma notável assimetria. A

---

5. O SMS *Helgoland*, lançado em 1909 em Kiel, era a encarnação da corrida armamentista do pré-guerra, construído como resposta ao britânico HMS *Dreadnought*. Este, o maior e mais potente navio de guerra da época, com suas turbinas a vapor, sua armadura e seu armamento pesado, diante do qual as demais belonaves ficaram ultrapassadas, fez com que muitas outras frotas no mundo tivessem seu orçamento prejudicado. O armamento do SMS *Helgoland* estava no mesmo nível daquele do HMS *Dreadnought*, possuindo uma armadura ainda mais espessa. (Os navios de guerra alemães não foram planejados para ter o mesmo alcance que os britânicos, de modo que, nesse caso, o peso que se economizou em carga de carbono pôde ser usado como proteção extra.) Com seus doze canhões de 30,5 centímetros, era um dos mais modernos navios de guerra da Marinha alemã, junto com os três outros navios da mesma frota, *Ostfriesland*, *Thüringen* e *Oldenburg*, que, juntos, despertavam grandes expectativas na população, nos almirantes, na tripulação e até mesmo no cáiser Guilherme II. Todos sabiam que a dispendiosa (e idiota) Marinha era um dos projetos favoritos do imperador. Foi a implementação dela, antes da guerra, que fez a Alemanha e a Grã-Bretanha entrarem em conflito.

energia no ar arrebata todo mundo. Stumpf nota, com satisfação, que muitos escritores antes radicalmente críticos ao governo do cáiser Guilherme mudaram de tom e agora se mostram patriotas. O que se esconde nessa tempestade de emoções de alta tensão é a pergunta crucial: *por que* se luta? Assim como Stumpf, muitos afirmam saber "do que se trata", ou acham que encontraram "a verdadeira razão", mas essas causas e razões já estão desaparecendo por trás do fato de que há uma luta. A guerra dá sinais de estar se tornando um fim em si mesma. Poucos falam agora sobre Sarajevo.

Parte da propaganda contra o número crescente de opositores já alcançou seu limite, na opinião de Stumpf. Como um vulgar cartão-postal que ele acabou de ver em uma loja, que mostra um soldado alemão pondo um inimigo sobre os joelhos para espancá-lo no traseiro, ao mesmo tempo que diz aos companheiros: "Não empurrem! Cada um terá sua vez!". E os famosos versos inventados por moleques de rua e rabiscados com giz nos vagões de trem que transportam soldados mobilizados: *"Jeder Schuss ein Russ, Jeder Stoss ein Franzos, Jeder Tritt ein Britt"*.[6] Mas outras coisas o sensibilizam profundamente, como aquele poema feito pelo popular escritor Otto Ernst, publicado no nacionalista *Der Tag*, que comenta o fato de a Alemanha estar em guerra com sete países. Ele fica tão emocionado com o poema que acaba copiando-o, palavra por palavra, em seu diário. Duas das estrofes são as seguintes:

> *O mein Deutschland wie musst du stark sein*
> *Wie gesund bis ins innerste Mark sein*
> *Dass sich's keiner allein getraut*
> *Und nach Sechsen um Hilfe schaut.*

> *Deutschland wie must du vom Herzen echt sein*
> *O wie strahlend hell muss dein Recht sein*
> *Dass der mächtigste Heuchler dich hasst*
> *Dass der Brite von Wut erblasst.*[7]

---

6. "Cada tiro, um russo, cada estocada, um francês, cada chute, um inglês." Na época também foi acrescentado mais um verso à rima: *"Jeder Klaps ein Japs"*, ou seja, "cada estrondo, um japonês". Muitas rimas de mau gosto como essas foram criadas.

7. "Minha Alemanha, quão forte não tens de ser,/ Quão saudável até o fundo,/ Quando ninguém

E a estrofe final:

Morde den Teufel und hol dir vom Himmel
Sieben Kränze des Menschentums
Sieben Sonnen unsterblichen Ruhms.[8]

A agitação retórica e o tom estridente da propaganda não são sinais de que há muito em jogo, e sim o oposto. Há muitos conflitos por resolver, mas nenhum deles tão insolúvel que a guerra seja necessária, e decerto não tão grave que a torne inevitável. Quando as razões são vagas e os objetivos incertos, necessita-se de toda energia possível, seja em palavras que inspirem, seja em propaganda que levante os ânimos.

Richard Stumpf caminha, embriagado ainda com as palavras. O cinzento sms *Helgoland*, balançando na água, imenso, pesado, aguarda. Não se avistou nenhum inimigo ainda. Certa impaciência paira no ar.

3. TERÇA-FEIRA, 25 DE AGOSTO DE 1914
Pál Kelemen atinge o front em Halicz

A princípio ele teve dificuldade de entender que não se tratava, mais uma vez, de um exercício de treinamento. Tudo começou em Budapeste. Pál se lembra de como todos o olharam quando ele colocou suas malas em uma carruagem e como, uniformizado de calça vermelha, túnica bordada azul e botas de couro de cano longo, se infiltrou na grande multidão da Estação Oriente, tudo para acabar de pé no corredor do vagão. Ele também se lembra de como as mulheres choravam, uma delas teria caído no chão desmaiada se não tivesse sido salva por um estranho. Uma das últimas cenas que vislumbrou, quando o trem deixava a estação, foi um senhor de idade correndo atrás do comboio, tentando se despedir do filho.

---

tem coragem só, /Quando todos pediram ajuda. //Alemanha, quão honesto teu coração não tem de ser, /Quão radiante e limpo teu direito, /Para que o hipócrita mais poderoso te odeie/ E o inglês empalideça de fúria."
8. "Mata o diabo e agarra da altura do céu/ As grinaldas da vitória da humanidade,/ Sete sóis de honra imortal."

Apesar do calor, a viagem foi suportável. Ao chegar, ele se apresentou no regimento dos hussardos em Szeben. O oficial que trabalhava no recrutamento nem lhe dirigiu o olhar, apenas disse para onde deveria ir. Na mesma tarde, sob o sol quente de agosto, Kelemen foi para o local de mobilização em Erfalu e se acomodou na casa de um agricultor, como de hábito.

Depois as atividades rotineiras: recebimento de material, incluindo cavalo e sela; distribuição dos soldos; uma longa e interminável explicação sobre toda a parte prática, em uma sala abafada demais, onde pessoas desmaiavam mas o bombardeio de palavras só continuava.

Mais tarde, a confiança começou a declinar.

Primeiro, a marcha noturna até o local onde o trem os aguardava. Depois a lenta viagem, as paradas em cada estação para serem saudados pela multidão entusiasmada, "música, tochas, vinho, delegações, bandeiras. Júbilo: Viva o Exército! Viva, viva!". A seguir o descarregamento, a primeira marcha. Mas nada ainda de guerra real, apenas o ronco dos canhões e coisas assim. Ainda *podia* ser um exercício. Céu azul, cheiro de excremento de cavalo, suor e feno.

Pál Kelemen tem vinte anos, nasceu em Budapeste, frequentou a escola de latim e tocou violino sob a regência do famoso maestro Fritz Reiner. De muitas maneiras, é o típico jovem do início do século XX da Europa Central urbana: viajado, culto, aristocrático, irônico, refinado e com um fraco por mulheres. Já cursou universidade em Budapeste, Munique e Paris e até frequentou a Universidade de Oxford por um curto período. Quando entraram cavalgando em Stanislau, a principal cidade da Galícia austríaca — ele, um jovem e elegante tenente hussardo (existe alguém mais elegante que um tenente hussardo?) —, Kelemen não pensava na guerra, e sim nas mulheres, em primeiro lugar. Ele acha que se pode contemplá-las à vontade, já que se encontram em uma pequena província. "Elas têm pele branca, são muito pálidas e os olhos são como labaredas." (Já nas grandes cidades é o contrário, pensa ele, pois lá as mulheres têm o olhar mais cansado, mais dissimulado.)

Quando a divisão atinge Halicz, é como se acabasse o sonho de que se trata de mais uma manobra de treinamento.

No caminho, encontraram agricultores e judeus em fuga. Na cidade há um clima de grande preocupação e confusão, ouve-se falar que há russos se aproximando. Kelemen anota em seu diário:

Estamos dormindo nas barracas. Por volta de onze e meia da noite: alarme! Os russos se aproximam da cidade. Acho que todos estão com medo. Eu me visto às pressas e saio para me juntar ao meu pelotão. No caminho a infantaria já se encontra perfilada. Os canhões parecem rosnar. Quinhentos metros à frente, os rifles estão preparados. Automóveis passam zunindo na estrada. A luz das lâmpadas de carboneto iluminam toda a estrada, de Stanislau até Halicz.

Passo pelos guardas, pulo por cima das cercas vivas, atravessando as valas de aterro. O meu pelotão me espera, em pé, e estamos prontos para acatar as próximas ordens.

Quando amanhece, a população começa a deixar a cidade, em longas filas. Em carroças, a pé, a cavalo. Todos fazem o possível para se salvar. Todos carregam o que podem. Em cada rosto se vê exaustão, poeira, suor e pânico. Um terrível desânimo, dor e sofrimento. Eles trazem medo nos olhos, fazem movimentos tímidos e estão oprimidos pelo pavor. É como se uma nuvem de poeira tivesse se unido a eles, sem poder flutuar em outra direção.

Estou deitado, insone, à beira da estrada e observo este caleidoscópio infernal. Dá até para ver carroças de militares envolvidos no fluxo de refugiados, e nos campos soldados batem em retirada, a infantaria recua em pânico, a cavalaria está perdida. Nenhum deles ainda possui o equipamento completo. O povo, esgotado, se espalha pelo vale. Foge-se de volta para Stanislau.

Kelemen, deitado na beira da estrada, assiste ao resultado de uma das primeiras colisões sangrentas e confusas com os russos invasores. Como todos os outros envolvidos, ele tem uma visão deturpada do que de fato aconteceu. Vai levar alguns anos até que se chegue a um consenso sobre os reais acontecimentos da chamada Batalha de Lemberg. Mas que foi uma perda colossal e inesperada para o Exército austro-húngaro, isso, sim, não é preciso ser nenhum general para entender.

4. QUARTA-FEIRA, 2 DE SETEMBRO DE 1914
Andrei Lobanov-Rostovski vê o sol desaparecer em Mokotov

Agora chegou a vez deles. As informações são contraditórias. Algo deu errado na Prússia Oriental com a invasão russa. O exército de Rennenkampf está recuando e o de Samsonov está em fuga. Será que é isso mesmo? Na Galícia as coisas parecem estar indo melhor para as forças invasoras russas. Lemberg deve cair a qualquer instante. São necessários mais reforços contra os alemães no norte do que contra os austríacos na Galícia. A artilharia de Lobanov-Rostovski está destinada ao front sul, para que termine de expulsar o já fragilizado Exército austro-húngaro junto à fronteira da Polônia.[9]

Agora mesmo estão em reserva, em Varsóvia, acampados em um grande campo em Mokotov. Andrei Lobanov-Rostovski é sapador do Exército russo e tenente da guarda — este último, um cargo que ele ocupa mais por sua origem de nascimento do que por talento. Tem 22 anos, é sensível e muito culto. Gosta de ler, sobretudo romances franceses e história. Estudou direito em Petrogrado e prosseguiu os estudos em Nice e Paris. É um pouco ansioso e não tem um físico robusto. (Seu pai é diplomata.)

A eclosão da guerra foi um acontecimento um tanto estranho. A cada momento de folga ele ia à cidade para, junto com tantas outras pessoas, se aglomerar e ler as notícias e telegramas que chegavam sobre o assunto. A excitação chegou ao auge quando souberam que Belgrado havia sido atacada. Demonstrações espontâneas de apoio à guerra ocorreram nas mesmas ruas que, apenas alguns dias antes, tinham testemunhado passeatas de grevistas. Ele viu os bondes serem parados pelo povo, que puxava para fora os oficiais, que, qual heróis, eram depois celebrados e carregados pela cidade. Ele se lembra, em especial, de como um trabalhador embriagado abraçou e beijou um oficial que passava. Os circunstantes caíram na gargalhada. Agosto foi um mês de muito calor e poeira, e, apesar de, como tenente, estar a cavalo durante os longos deslocamentos, ele quase teve um colapso com a insolação.

Ainda não participou de batalha alguma. O pior que viu até agora foi a invasão de uma pequena cidade polonesa, onde ocorreu um grande incêndio: os soldados recém-recrutados, empolgados demais, mataram oito judeus, que, segundo alegaram, estavam impedindo que se apagasse o fogo.[10] O clima ficou muito tenso depois disso.

Às duas da tarde, a brigada inteira se enfileira no campo de batalha, em frente

9. As tropas russas possuem unidades praticamente independentes, com forças de reserva próprias, trens, manutenção e objetivos próprios. É impossível pensar em uma repentina transferência de recursos, já que os generais russos cuidam tão bem de seus domínios.
10. Não ficou comprovado que o motivo do incêndio era avisar os alemães da aproximação das tropas russas, como eles achavam.

às pequenas barracas. Está na hora da missa. Na metade da cerimônia, ocorre algo bastante estranho. O calor insuportável de repente diminui. Quando os soldados olham para cima, percebem o que houve. Um eclipse parcial do sol. A maioria considera esse acontecimento arrepiante. Sobretudo os mais supersticiosos.

Assim que termina o serviço religioso, todos se dispersam. Começam a carregar os trens, que já estão à espera. A manobra leva mais tempo que o normal. Quando chega a vez da unidade de Lobanov-Rostovski, já anoiteceu. O trem vai avançando sem pressa através da escuridão em direção ao sul. Isto é o que se experimenta nos trens em 1914: lentidão. Muitas vezes, esses comboios lotados de militares andam na mesma velocidade que uma pessoa de bicicleta.[11] As estradas de ferro encontram-se lotadas de trens, as quais se deslocam na mesma direção e com um único objetivo. Para o front.[12]

Não é a primeira vez que Lobanov-Rostovski se encontra preso em uma ferrovia, onde a tropa está literalmente alinhada. Levam um dia inteiro para fazer uma viagem de três ou quatro quilômetros. Seria muito mais rápido se fossem marchando, mas ordens são ordens.

5. SETEMBRO, 1914
Florence Farmborough vê um morto pela primeira vez em Moscou

"Eu queria vê-la, queria ver a morte." É como ela relata para si mesma. Até agora nunca viu uma pessoa morta, nem em estado terminal. Algo que até pa-

---

11. A razão é lógica. Os exércitos seguem uma tabela de horários muito complexa e minuciosa, que envolve cálculos exatos de todas as partidas, chegadas e movimentações. Alguns afirmavam que durante essas viagens era possível até colher flores no caminho, devido à extrema lentidão dos trens, o que nunca ficou comprovado.

12. Nesse momento, a Rússia já havia iniciado um programa de modernização e reconstrução das estradas de ferro na parte russa da Polônia, o que provocara pânico no Exército alemão. Era axiomático que quanto mais rapidamente um exército pudesse ser reunido e posto em movimento, maior sua chance de vitória. O plano Schlieffen, dos alemães, era mais uma estratégia de defesa do que um plano. Com base no memorando de 1905, que surgiu devido à grande derrota da Rússia pelo Japão, partia do princípio de que os russos não conseguiriam prosseguir sem antes derrotar os franceses. As ferrovias eram um fator crucial. Ainda em 1910, o Exército russo tinha apenas 250 trens à sua disposição. (Nessa época, só o tráfego regional na região da cidade de Colônia era servido por cerca de setecentos comboios.) Mas o programa de modernização significava um maior número deles, que poderiam chegar até a fronteira alemã.

rece estranho, levando em conta que já tem 27 anos. A explicação é que até o mês de agosto de 1914 tivera uma vida bastante protegida. Florence Farmborough nasceu e cresceu no interior da Inglaterra, em Buckinghamshire, mas vive na Rússia desde 1908. Ela trabalha em Moscou, como governanta das filhas de um famoso cirurgião russo.

A crise internacional que cresceu durante o final do verão de 1914 passou em branco para ela, já que se encontrava com a família do patrão na datcha deles, fora de Moscou. De volta à capital, foi atingida como todos os demais pelo mesmo "entusiasmo juvenil e patriótico". Sua terra natal e a Rússia estavam unidas contra o mesmo inimigo, a Alemanha. Essa jovem ativa e empreendedora logo começou a pensar sobre de que forma poderia ajudar na guerra. A resposta não tardou a aparecer: como enfermeira. Seu patrão, o famoso cirurgião, conseguiu convencer os responsáveis por um hospital militar privado a aceitar Florence e as duas filhas dele como voluntárias. "Estávamos tão eufóricas que nos faltavam palavras. Até nós iríamos ajudar nosso país nesta guerra."

Os dias têm sido maravilhosos. Depois de um tempo começaram a chegar os feridos, dois, três de cada vez. No início havia muita coisa desagradável nesse trabalho e ela às vezes recuava diante de um caso mais sério ou um ferimento grave. Mas com o tempo foi se acostumando. Além disso, o clima é muito agradável no hospital. Há ali um senso muito forte de união, mesmo entre os soldados:

> Há sempre um sentimento de camaradagem entre eles: bielorrussos se afinam melhor com ucranianos, caucasianos com o povo do Ural, tártaros com cossacos. São homens tolerantes, agradecidos pelos cuidados e pela atenção que recebem; raramente, ou nunca, reclamam de alguma coisa.

Muitos dos feridos estão ansiosos para voltar para o front o mais rápido possível. O otimismo é grande entre os soldados e entre os funcionários do hospital. Logo as feridas estarão curadas, logo os soldados voltarão à luta, logo a guerra será vencida. O hospital tem como regra o atendimento apenas de ferimentos leves, e talvez seja por isso que ela ainda não viu nenhum morto, mesmo depois de três semanas de trabalho.

Na manhã de hoje, quando chega ao hospital, Florence percebe que uma das enfermeiras do turno da noite se encontra um tanto "cansada e tensa". A mulher lhe diz, a propósito: "Vassíli faleceu hoje cedo". Vassíli é um dos homens que Florence ajudou a tratar. Era militar, mas apenas cavalariço de um oficial. Seu ferimento não fora causado pela guerra. Ele levara um coice de cavalo na cabeça. Quando foi operado, descobriram que tinha um tumor incurável no cérebro. Durante três semanas, ficou deitado quieto em sua cama. Um homem pálido, frágil, pequeno, que vinha definhando a cada dia, já que tinha dificuldade para se alimentar e queria apenas beber água. E agora morreu, sem drama, tão quieto e sozinho quanto viveu.

Florence decide ver o corpo. Ela entra discretamente na sala usada como capela funerária e fecha a porta com cuidado. Silêncio. Aí está Vassíli, ou o que foi Vassíli, deitado em uma maca. Eis como ela o descreve: "Ele estava tão magro e encolhido que parecia mais uma criança do que um homem. Seu rosto rígido estava cinza, nunca em minha vida eu vira um rosto com uma cor tão estranha, e suas bochechas estavam murchas".

Nas pálpebras há cubos de açúcar, para que permaneçam fechadas. Ela sente um mal-estar, não tanto por causa do cadáver, mas mais pelo silêncio e pelo abandono. Pensa: "A morte é muito solitária e imóvel". Ela faz uma breve oração pela alma do morto e sai rápido dali.

6. SÁBADO, 26 DE SETEMBRO DE 1914
Richard Stumpf participa dos preparativos do SMS Helgoland *para a batalha*

O toque de alvorada foi dado às quatro da manhã. O navio e a tripulação já acordam em frenética atividade. A tarefa principal: liberar trezentas toneladas de carvão o mais rápido possível. Normalmente, os oficiais não passam informações para os homens, mas os rumores dão conta de que a frota inglesa está a caminho e se encontra no mar Báltico. Alguém diz que ela já atingiu o estreito de Great Belt, na Dinamarca. Stumpf vê que a primeira e a terceira esquadras também chegaram ao porto. "Algo importante está para acontecer."

Stumpf conclui que a liberação do carvão tem o objetivo de aliviar o peso do navio, para que este possa se movimentar o mais rápido possível e atravessar o canal de Kiel.[13]

Ele anota em seu diário:

13. Ao se desfazer da carga extra, o navio tem possibilidade de navegar meio metro mais alto no mar.

Toda a tripulação trabalhou com muito esforço durante a parte da manhã. Na hora do almoço, quando havíamos liberado 120 toneladas de carvão, recebemos o sinal da esquadra: "Suspendam os preparativos". Grande decepção, mais uma vez. Malditos ingleses! Parece que estamos bem informados sobre o movimento da frota deles.

Depois ele acrescenta: "Nada de importante ocorreu nos dias e semanas que se seguiram".

7. SEGUNDA-FEIRA, 28 DE SETEMBRO DE 1914
Kresten Andresen aprende a fazer curativo em ferimento a bala em Flensburg

Logo chegará a hora. Pode levar um dia, dois, até três. Mas não vai demorar muito agora. Não se trata apenas de conversa de caserna. Há muitos boatos ou suposições que são tratados como verdades, esperanças que se transformam em acontecimentos, temores disfarçados. A incerteza faz parte da natureza da guerra.

Mas há também muitas evidências. Todas as permissões foram negadas, e é proibido sair da caserna. Hoje eles também não fizeram muitos exercícios. Receberam instruções sobre primeiros socorros, sobre como fazer curativos em ferimentos causados por armas de fogo, regras quanto aos suprimentos de emergência, sobre como se comportar no transporte ferroviário, o que acontece em casos de deserção (pena de morte). É o resumo da vida de um soldado em tempos de guerra: batalha, abastecimento, locomoção, obrigação.

Kresten Andresen está chateado, preocupado e assustado. Ele não sente a menor vontade de ir para o front. Pertence a uma daquelas minorias nacionais que, de repente, são forçadas a participar de uma guerra na qual não têm real interesse. Ele se encontra como que paralisado. Muitos se preparam para morrer e matar por um país com que não têm a menor ligação ou pelo qual não nutrem nenhum sentimento patriótico. Alsacianos e poloneses, rutenos e cassubianos, eslovenos e finlandeses, sul-tiroleses e siebenburgueses, bálticos e bósnios, tchecos e irlandeses.[14] Andresen pertence a um desses grupos: o dina-

14. Deve-se também ressaltar que havia minorias que escolheram participar ativamente da guerra, porque desejavam obter mais respeito. Foi uma estratégia pela qual muitos judeus, até os mais

marquês é sua língua materna, ele tem cidadania alemã, reside na antiga área dinamarquesa ao sul da Jutlândia, que há mais de meio século pertence ao território alemão.[15]

Em todos os países onde há minorias nacionais, há muita preocupação com os problemas que elas possam criar com a eclosão da guerra. O que já está ocorrendo nas regiões de idioma dinamarquês na Alemanha. Quando mal haviam sido publicadas as listas de recrutamento, centenas de dinamarqueses foram presos, devido ao temor de que fossem líderes ou rebeldes. Um deles, detido durante a noite e levado em um automóvel coberto, era o pai de Andresen.[16] Esse foi o clima nas semanas seguintes: júbilo misturado com histeria, expectativa e pavor, medo transformado em agressividade. E, depois, rumores, rumores e rumores.

Para Kresten a deflagração da guerra foi também um acontecimento extraordinário. Ele tinha acabado de dar os toques finais num manuscrito: "Um livro sobre a primavera e a juventude", um longo poema em prosa sobre a natureza humana e a busca do amor pelos jovens. O manuscrito em si era como um ato de amor, com sua capa azul-clara, suas vinhetas coloridas e capitulares com ornamentos feitas pelo próprio Andresen. As frases com que ele o havia concluído eram estas: "Um sino silencia. E outro. E mais outro. Os sinos estão cada vez mais silenciosos, cada vez mais fracos, quase sumindo. Morte, onde está a sua vítima? Inferno, onde está a sua vitória?". No mesmo instante em que ele terminava de escrever as últimas palavras, seu pai entrou no quarto e contou sobre o início da mobilização. Kresten escreveu, às pressas: "Que Deus tenha pena de nós, que lá estaremos. E quem sabe quando estaremos de volta?".

---

assimilados, optaram em países como a Alemanha e a Rússia; os primeiros foram mais bem--sucedidos que os últimos, já que o antissemitismo em seu país era muito menor que o russo (e o francês). Na Alemanha, jornais da época informavam que muitos judeus alemães que viviam na Palestina voltaram para a terra natal a fim de se alistar voluntariamente para lutar na guerra.

15. Os ducados de Schleswig, Holstein e Lauenburg passaram a pertencer à Prússia após a guerra entre a Alemanha e a Dinamarca em 1864 (episódio que ficou conhecido como o último suspiro do escandinavismo). Mesmo naquela época uma parcela significativa da população deles tinha o alemão como língua materna.

16. Em relação aos que tinham o dinamarquês como língua materna, como Andresen, havia uma desconfiança prévia de que fossem espiões ou até traidores. Eles foram presos, mas soltos em seguida. Uma descrição detalhada da histeria e da desconfiança que havia na Alemanha em 1914, baseada na experiência da própria autora, é encontrada no ensaio "Krigsfångenskap" [Prisioneiro de guerra], de Klara Johanson.

Andresen já está vestindo o uniforme alemão há sete semanas. Quando chegou à caserna de Flensburg, ela já estava lotada. Ele ouviu que receberiam treinamento durante quatro semanas e depois seriam mandados para a França. Na mesma noite, ouviu um batalhão armado, marchando a caminho do front e cantando: "Die Wacht am Rhein". Depois disso, vieram dias intermináveis de exercícios, debaixo do sol forte — fazia um verão muito quente. Andresen está achando tudo melhor do que esperava. São poucos os que falam dinamarquês, mas ele não se sente excluído por causa disso. E, apesar de haver oficiais subalternos metidos a valentões, estes estão sob o comando dos oficiais e podem ser punidos por algum desvio de comportamento ou algo que não esteja de acordo com as rígidas regras da caserna. O que ele acha mais difícil de aguentar é que até no tempo livre só se fala na guerra. É o único assunto. Andresen até está se acostumando com a ideia do que o espera, mas faria de tudo para não ter que fazer parte desta guerra. Ele é excelente atirador. Seus primeiros escores foram dois dez e um sete.

A essa altura, muitos contingentes já se puseram a caminho, cantando, ao encontro de seu destino incerto. Andresen ainda está na caserna devido, simplesmente, à falta de equipamento e porque os voluntários são enviados em primeiro lugar. Ele nunca se candidata. Quando a companhia se enfileira após os exercícios, vem a pergunta: "Quem são os voluntários?".

Quase todos os soldados levantam as mãos, menos três. Um deles é Andresen, que não deseja ir para o front. Os demais lhe perguntam a razão, mas não insistem e o deixam em paz. Mais tarde, junto com outro dinamarquês, ele vai visitar um amigo e comem juntos a galinha que a mãe de Andresen lhe mandou. À noite, ele escreve em seu diário:

> Estamos como que anestesiados e, com calma, partimos para a guerra, sem lágrimas, sem medo. Mesmo sabendo que estamos a caminho do inferno. Uniformizados, o coração bate mais forte. Estamos diferentes, não somos mais humanos, somos apenas uma máquina automática, fazendo tudo sem pensar. Meu Deus, queria ser gente de novo!

O verão, que foi quente desde a eclosão da guerra, parece chegar ao fim. O outono vem se aproximando de Flensburg. Um vento forte sacode as folhas. As castanhas caem ao pé das árvores.

8. DOMINGO, 4 DE OUTUBRO DE 1914
Andrei Lobanov-Rostovski participa da luta em Opatov

Nessa madrugada cinzenta, a artilharia abriu fogo de novo. Andrei Lobanov-Rostovski acordou de imediato com o estrondo. Estava um tanto cansado, pois havia dormido poucas horas. Seus passos são oscilantes. Da colina onde montaram acampamento para passar a noite, podem ver as nuvens de fumaça se formarem ao longe. Ele vê as nuvens se espalharem ao sul e a oeste. Elas se dissipam como se fossem uma erupção vulcânica que acabou de acontecer. Ele vê um clarão se aproximar e atingir a cidade. As pessoas correm de um lado para o outro, em pânico. Opatov está circundada pela fumaça das granadas detonadas e dos prédios incendiados. Apenas a torre de uma igreja é visível no meio das nuvens de fumaça espessa.

O fogo da artilharia aumenta. Estrondos ensurdecedores em ondas os atingem por todos os lados. Detonações de granadas, tiros de rifles, balas zunindo. Eles não conseguem ver o que está acontecendo e continuam ilesos, mas pelo barulho pode-se concluir que estão sendo cercados. A companhia continua no mesmo lugar, segundo as ordens dadas: "Permaneçam no mesmo local e aguardem instruções". Estas são recebidas às onze horas: devem recuar um pouco.

Meia hora depois, Lobanov-Rostovski olha para trás. Uma imensa nuvem de fumaça cobre o céu nesse mês de outubro. Opatov está sendo devorada pelas chamas. Não apenas Opatov: todos os vilarejos ao redor também já estão em chamas. Fica cada vez mais difícil avançar em meio a todas as pessoas em pânico, homens, mulheres e crianças que correm desesperados de um lado para o outro. A companhia faz uma parada repentina.

O que aconteceu realmente? A perseguição dos russos pelos austríacos, ao sul da Cracóvia, cessou. As razões dessa parada são o lamaçal do outono, os problemas de manutenção (é quase sempre assim: os avanços rápidos e bem organizados acabam sendo manobras complicadas demais) e a inesperada aparição de tropas alemãs.[17]

---

17. O marechal Hindenburg e o general Ludendorff realizaram, mais uma vez, um movimento estratégico que os russos nem podiam imaginar: os alemães deslocaram suas tropas de um local seguro (Prússia Oriental) para um local ameaçado (sul da Polônia). Isso não equivaleu, contudo, a uma nova Batalha de Tannenberg. Os dois lados marcharam em frente, sem ter um plano bem

Por volta do meio-dia, a companhia de Lobanov-Rostovski encontra-se encurralada dentro da área de fogo. Ninguém sabe o que está acontecendo. Pelo barulho, suspeitam de outros confrontos atrás deles, para os lados de Sandomierz. Eles ainda não estiveram no meio da batalha, mas as explosões das granadas se aproximam cada vez mais. A cavalaria passa por eles. Após uma breve conversa com um oficial desconhecido, Lobanov-Rostovski recebe ordens de comandar um comboio de vinte carroças da companhia carregadas de explosivos e outros equipamentos. Perseguirão a seção de atiradores pela retaguarda, fora do cerco. Ele recebe a ajuda de vinte soldados. O restante da companhia permanece onde está.

Lobanov-Rostovski vai a cavalo, os vinte homens conduzem as vinte carroças, e o mais surpreendente: uma vaca, que seria abatida para o jantar, segue agora com eles. Lobanov-Rostovski está muito preocupado, já que a cavalaria se movimenta com muita rapidez, mal deixando rastros atrás de si. Mais tarde ele contará: "Eu não tinha nenhum mapa comigo e não fazia a menor ideia de como era a região em que eu me encontrava nem onde ela ficava". Perto de uma ponte em que três estradas se cruzam, ficam presos em um imenso congestionamento. Há refugiados, rebanhos, cavalos e ambulâncias puxadas por cavalos e carregadas de feridos. A ponte está bloqueada por uma carroça de refugiados, duas de suas rodas pendendo acima da água. Enquanto os soldados tentam pôr o veículo de volta no lugar, granadas de mão[18] explodem acima de sua cabeça:

---

detalhado, sem topar com adversários ou sem saber que estavam lá. O que aconteceu foi que os dois exércitos acabaram se encontrando por acaso fora de Opatov, com os alemães na posição de ataque e os russos batendo em retirada. Essa luta não teve grande significado. Os dois lados consideraram que tiveram sucesso nesse confronto.

18. A granada de mão era o projétil de artilharia de campo mais usado por todos os exércitos no início da guerra. É um ótimo exemplo de arma que funcionava bem apenas na teoria. Continha centenas de balas de chumbo, que eram ejetadas do corpo do artefato com a ajuda de um pequeno carregador de pólvora no fundo, que fazia com que o conjunto funcionasse como um poderoso tiro de espingarda. O efeito pretendido era a explosão imediata junto ao alvo, tarefa nada fácil. Um estrondo acima da cabeça significava que as balas haviam passado adiante. Além disso, era necessário que o alvo se encontrasse acima da terra, o que já configurava um desperdício de munição, pois muitos combatentes se refugiavam em trincheiras. A pólvora fazia com que as detonações de granadas deixassem sua marca característica: nuvens brancas pairando no ar.

Era impossível descrever a consternação dos camponeses. Mulheres e crianças gritavam de pavor, homens tentavam conter seus animais em pânico e uma mulher histérica, agarrada no meu cavalo, gritava: "Senhor oficial, qual é o caminho mais seguro para sair daqui?". Eu não tinha resposta para essa pergunta. Um homem havia acabado de empurrar três vacas para um lado da estrada, que acabou sendo atingido pelas granadas. Ele tentou ir para o outro lado, mas este também foi atingido. Ele estava tão confuso que voltou, às pressas, para a sua aldeia em chamas.

Após enfim passarem sobre a ponte, Lobanov-Rostovski descobre que o caminho está lotado de civis em fuga carregando seus pertences. Decide guiar o seu pequeno grupo através do campo. Dos atiradores a cavalo, nada se vê. Lobanov-Rostovski não tem ideia de onde se encontram. Ele tenta se orientar pelo barulho da batalha. Ouve granadas caindo ao redor e balas zunindo. Tenta adivinhar o caminho a seguir.

Quando se encontram a caminho de mais uma ponte, quase são atingidos pelas granadas. O oficial na liderança, tomado de pavor, começa a conduzir sua carroça morro abaixo. Para evitar que todos sejam contagiados pelo pânico, Lobanov-Rostovski o alcança e faz algo que nunca imaginou fazer em sua vida: ergue seu chicote e bate no homem. A ordem é restaurada, eles conseguem atravessar o riacho e seguem ao longo de uma ravina.

Presenciam uma cena caótica. Alguns atiradores tentam empurrar três canhões que ficaram atolados. Feridos chegam em número cada vez maior, para ficarem em segurança. Lobanov-Rostovski pergunta o que aconteceu e a que batalhão pertencem. Os homens ensanguentados estão confusos demais para que possam responder a qualquer pergunta. Um oficial com a bandeira do regimento jogada sobre a sela do cavalo passa galopando muito rápido. Um vislumbre dos atavismos de 1914: nunca deixar a bandeira cair em mãos inimigas — quase uma questão de honra. O oficial é saudado com gritos de entusiasmo: "Tenha cuidado!". Explosões de granada por todos os lados. Poeira e odor de fumaça pairando no ar.

Depois de ter andado por algum tempo pela ravina consultando a bússola, acompanhado por seu próprio batalhão e por mais trezentos ou quatrocentos feridos, Lobanov-Rostovski percebe, com temor, que se encontram encurralados. O caminho que estão seguindo, atravessando o precipício, os levará até

Sandomierz. O problema é que a artilharia alemã está perto demais. Os alemães começam a atirar contra o grupo russo assim que estes iniciam a subida. Lobanov-Rostovski e os demais devem recuar no mesmo instante. Ao longe, à direita, vislumbram outras tropas alemãs. Lobanov-Rostovski sente-se desencorajado e indeciso.

Então ocorre algo estranho, mas não de todo incomum.

Os canhões alemães são atingidos pelos seus conterrâneos que se encontram do outro lado da estrada. Foram confundidos com tropas russas. A artilharia alemã começa um duelo feroz consigo mesma. Enquanto isso, Lobanov-Rostovski e os seus aproveitam a oportunidade para escapar do cerco. A artilharia alemã logo descobre o erro, mas o inimigo já se encontra bem distante dali. De todas as outras estradas surgem tropas que já haviam recuado. Juntas, formam "uma longa linha preta de carroças carregadas de feridos e soldados desiludidos".

É chegada a hora de outro atavismo: um regimento de cavalaria, em perfeita posição de batalha, cavalga em direção à estrada. Uma imagem dos tempos das guerras napoleônicas. Serão alemães? Não, hussardos russos. Seu sorriso calmo chega a ser um contraste bizarro com a desolação e o pavor reinantes entre os soldados em retirada. A cavalaria não tem a menor ideia do que aconteceu ou do que está acontecendo.

Quando Lobanov-Rostovski e seu pequeno grupo se aproximam de Sandomierz, parece que o pior já passou. Uma tropa de infantaria recém-chegada está cavando trincheiras em ambos os lados da estrada. O grupo chega à cidade, e Lobanov-Rostovski vê que as ruas são muito estreitas e estão apinhadas de gente. Então decide que as carroças ficarão à espera na margem da estrada. Ele percebe que a vaca ainda os acompanha. O céu está nublado.

No fluxo confuso de tropas que surgem a todo instante, Lobanov-Rostovski reconhece uma delas. É o regimento de infantaria que ele encontrou na noite passada, quando estavam descansando ao ar livre nas ruas de Opatov, um grande enxame de cabeças, pernas, braços e corpos, descoloridos à luz da lua. Eram 4 mil homens, hoje são trezentos, e mais seis oficiais. O regimento foi quase aniquilado, mas não derrotado. Ainda carregam suas bandeiras. Tudo sob controle.

Ao anoitecer, começa a chover. Lobanov-Rostovski se dá conta de que não comeu nada o dia inteiro. Ele nem sentiu fome, com tanta preocupação e excitamento. Por volta das onze horas, aparece o resto da companhia. Vêm trazendo, por sorte, as carroças de cozinha. Todos farão uma refeição. Ao longe, estrondos de canhões. No final, silêncio. A Batalha de Opatov chega ao fim.

A chuva continua intensa. Agora é meia-noite.

Lobanov-Rostovski e os outros se deitam embaixo das carroças, para se proteger do aguaceiro. A princípio sentem-se bastante confortáveis, mas com o aumento da chuva começam a ficar encharcados.

O resto da noite eles passam sentados, aguardando com paciência a chegada de um novo dia.

9. SÁBADO, 10 DE OUTUBRO DE 1914[19]
Elfriede Kuhr ouve histórias de guerra em uma reunião em Schneidemühl

O outono se aproxima. O céu está bastante cinzento neste mês de outubro. Ar gelado. A professora trouxe um telegrama para ler na sala de aula: dois dias atrás, a cidade de Antuérpia foi atacada, e agora o último forte também se rendeu. Isso significa que o cerco prolongado chegou ao fim, e o avanço alemão, ao longo da costa de Flandres, pode continuar. Elfriede mal consegue ouvir as últimas palavras da professora, já que todas as crianças gritam, entusiasmadas.

Cada vez que um triunfo alemão é divulgado, ouve-se essa algazarra na escola, como se fosse uma espécie de ritual. Elfriede acha que muitos festejam dessa maneira porque esperam que a vitória seja comemorada com um dia de folga. Ou esperam que o diretor, um senhor um tanto rígido de pincenê e barba branca, fique comovido com esse patriotismo juvenil e acabe deixando os alunos sair mais cedo da escola. (Quando foi confirmada a adesão à guerra, o diretor ficou tão emocionado que até chorou e quase perdeu a fala. Ele havia decretado a proibição do uso de palavras estrangeiras na escola. Os alunos que o desacatassem seriam punidos. "*Mutter*", não "*Mama*"! "*Auf Wiedersehen*", não "*Adieu*"! "*Kladde*", não "*Diarium*"! "*Fesselnd*", não "*interessant*", e assim por diante.) Elfriede também festeja a vitória sobre o forte Breendonck, não tanto porque espere ganhar um dia de folga, mas porque acha divertido. "Acho maravilhoso ter permissão para gritar bem alto por uma causa justa. Ainda mais em um lugar

---

19. Elfriede Kuhr se referiu a esse dia como 11 de outubro, mas pode-se afirmar que foi um equívoco, pois a rendição mencionada ocorreu no dia 10 de outubro e, além disso, as crianças alemãs não frequentavam a escola aos domingos.

onde se costuma exigir silêncio." Na sala de aula há um mapa no qual são registradas todas as conquistas do Exército alemão. Nele são colocadas bandeirinhas pretas, vermelhas e brancas, presas com alfinetes. O humor geral na escola e na Alemanha é agressivo, presunçoso, chauvinista e triunfante.

Depois da aula, Elfriede vai ao encontro da avó e de mais algumas pessoas. Seus pais são divorciados. Ela não tem contato com o pai, e a mãe trabalha muito — administra uma pequena escola de música em Berlim. Por essa razão, ela e o irmão moram com a avó em Schneidemühl.

O tema da conversa, como sempre, é a guerra. Alguém viu novos prisioneiros russos sendo transportados, na estação de trem. Antes chamavam a atenção, "com seus longos casacos marrons e suas calças rasgadas", mas agora ninguém mais se importa com eles. À medida que o Exército alemão avança, os jornais informam sobre o aumento do número de prisioneiros de guerra. A contagem do dia foi 27 mil em Suwalki e 5800 a oeste de Ivangorod. (Além disso, há mais acontecimentos ou fatos que simbolizam a vitória alemã: nos jornais, mencionam que foram necessários 1630 vagões de trem para transportar todos os prisioneiros feitos na conquista de Tannenberg.) O que irão fazer com tantos prisioneiros? A professora Ella Gumprecht, uma senhora de meia-idade, solteira, muito decidida, rosto arredondado e cabelos bem ondulados, dá a sua opinião: "Por que não fuzilam todos de uma vez?". Os outros acham uma péssima ideia.[20]

Os adultos trocam histórias de guerra. A srta. Gumprecht conta sobre um homem que foi jogado pelos cossacos em uma casa em chamas. Ele conseguiu fugir de bicicleta, vestido de mulher. As crianças relatam uma história de Berlim, que sua mãe lhes contou:

> Um oficial alemão da reserva, professor de línguas românicas em Göttingen, tem a tarefa de escoltar um grupo de prisioneiros franceses de Maubeuge para a Alemanha. Ao longe, ouvem-se os canhões. De repente, o tenente em serviço vê que o professor está envolvido em uma séria discussão com um francês. Este parece muito nervoso e gesticula, exaltado. Por trás dos óculos do professor, percebe-se

---

20. Naquele tempo, os prisioneiros de guerra da Frente Oriental foram muito mais bem tratados do que na Segunda Guerra Mundial, como Alon Rachamimov já relatou. Durante a Primeira Guerra Mundial, eles viviam em boas condições, e mais de 90% voltaram vivos para casa. (Os prisioneiros alemães e austro-húngaros que caíram nas mãos dos russos sofreram mais, já que muitos morreram de fome ou de tifo.)

que seus olhos estão cheios de raiva. O tenente vai até eles, pois teme que a discussão acabe em violência. Separa os dois. O professor explica então que o prisioneiro francês, cujas botas rasgadas foram consertadas com cordões, era professor na Sorbonne. Os dois senhores estão discutindo porque não concordam sobre o uso do modo subjuntivo em antigos poemas provençais.

Todos acham muita graça no episódio. A professora Gumprecht ri tanto que se engasga com um pedacinho de chocolate. A avó se vira para Elfriede e para o seu irmão: "Crianças, me digam, é ou não é uma pena que dois professores universitários precisem matar um ao outro? Os soldados deveriam largar as armas e dizer: 'Não queremos mais fazer parte desta guerra'. Deveriam voltar para casa". A srta. Gumprecht fica furiosa e diz, com voz estridente: "E o nosso imperador? E a nossa honra alemã? E a boa reputação dos nossos soldados?". A avó levanta a voz e responde: "Todas as mães deveriam ir até o imperador dizer: 'Paz, agora!'".

Elfriede se surpreende. Sabe que a avó recebeu a notícia da adesão à guerra com muito pesar. Esta já é a terceira guerra que ela presencia: primeiro contra os dinamarqueses em 1864, depois contra os franceses em 1870. Apesar de ter certeza, como todos os outros, de que a Alemanha mais uma vez sairá vencedora, a velha senhora não se convence de que a guerra seja por uma boa causa. Mas falar dessa maneira? Elfriede nunca ouviu algo assim vindo da avó.

10. TERÇA-FEIRA, 13 DE OUTUBRO DE 1914
Pál Kelemen passa a noite na montanha perto de Łużna

Para a frente e para trás. Para a frente mais uma vez. Os primeiros meses da guerra em direção à Galícia, confrontando os russos invasores, resultaram em uma batalha com muito sangue derramado (a Batalha de Lemberg). Depois a retirada e a fuga confusa entre um rio e outro até se depararem com os Cárpatos e a fronteira com a Hungria. Pausa, silêncio, nada. Novas ordens de avanço, deixando os Cárpatos para trás, descendo em direção às planícies localizadas a nordeste e a cidade sitiada de Przemyśl. As perdas foram enormes.[21]

O inverno chegou mais cedo este ano. Começou com uma forte tempesta-

---

21. Até hoje não se sabe com exatidão quantos pereceram, mas provavelmente foram cerca de 400

de de neve, que deixou todas as estradas intransitáveis. Assim, fica impossível para as unidades austro-húngaras se mover, seja para a frente, seja para trás. A divisão de Pál Kelemen se encontra presa no meio de uma dessas montanhas congeladas. Em volta dos cavalos, formam-se montes de neve. Soldados enregelados tentam se aquecer ao redor de pequenas fogueiras, em vão. "Ninguém diz nada."

Pál Kelemen anota em seu diário:

Há apenas uma pequena hospedaria na montanha, localizada na fronteira.[22] Eles instalaram um telégrafo na primeira sala. Na segunda sala estão alojados os oficiais da cavalaria. Cheguei aqui às onze da noite e mandei uma mensagem para o quartel-general, na qual expliquei a impossibilidade de prosseguir. Depois me deitei em um canto, em um colchão, e me cobri.

O vento passa através do telhado frágil e faz com que as janelas sacudam muito. Lá fora está escuro como breu. Aqui dentro só há uma pequena lâmpada funcionando. O telégrafo trabalha sem parar, passando instruções para o ataque de amanhã. Na entrada e no sótão se encontram os soldados que não tinham condições de continuar, estão fracos demais, enfermos, com ferimentos leves, e amanhã tentarão voltar.

Estou deitado, exausto. Alguns oficiais descansam ao meu redor, deitados sobre o feno. Os homens que estão do lado de fora fizeram uma fogueira usando as tábuas do estábulo mais próximo, e as chamas atraem cada vez mais soldados perdidos.

Um sargento entra e pede permissão para trazer seu camarada. O homem em questão mal está consciente e, sem dúvida, morreria se ficasse lá fora no frio. Eles o deitam perto da porta, sobre um monte de feno, encolhido, com os olhos entreabertos e a cabeça afundada entre os ombros. Sua capa foi perfurada por várias balas e a barra está queimada. Suas mãos estão rígidas de frio e seu rosto sofrido está coberto pela barba crescida.

A fadiga toma conta do meu corpo e adormeço, apesar do barulho incessante do telégrafo.

Durante a madrugada, sou acordado pelo ruído dos homens que se preparam

---

mil homens em menos de um mês. O historiador Norman Stone escreveu: "O padrão da guerra agora se definiu: a oeste, um beco sem saída, e a leste uma crise austro-húngara constante".

22. Na fronteira entre a Galícia e a Hungria.

para marchar adiante. Sentindo tonturas e entorpecido pelo sono, olho ao redor. Através das janelas baixas, cobertas de gelo, entra uma luz cinzenta que enche a sala com sua claridade pálida. Apenas aquele soldado que foi trazido ontem permanece deitado, virado para a parede.

A porta interna se abre, e um dos ajudantes de ordens, o príncipe Schönau--Gratzfeld, entra. Bem barbeado, está de pijama e fuma um longo cachimbo turco.

Ele percebe o soldado, que, deitado, nem se move. Aproxima-se, mas recua, apavorado. Indignado, dá ordens para a remoção do cadáver. O soldado havia contraído cólera. Em seguida, volta para o seu quarto. Atrás dele, vão dois soldados carregando uma banheira (decorada com o brasão familiar) com água quente.

11. DOMINGO, 25 DE OUTUBRO DE 1914[23]
Michel Corday pega o trem de volta para Bordeaux

Há momentos em que ele se sente como um ser de outro planeta entre as pessoas, cercado de opiniões absurdas. Será este o mundo dele? A resposta é não. Michel Corday tem 45 anos e é funcionário do Ministério do Comércio e do Correio, mas também socialista, homem de letras e defensor da paz. É crítico literário e escreve sobre política em jornais e revistas. Autor de vários livros, alguns bem vendidos. (Já foi militar e muitas de suas obras — por exemplo, *Intérieurs d'officiers*, lançada em 1894, e *Coeurs de soldats*, lançada em 1897 — tratam deste assunto, enquanto outras falam da sociedade ou de desilusões amorosas.)

Michel Corday era originalmente um *nom de plume*,[24] e este homem tímido e de bigode é um típico representante do intelectual da virada do século que

23. A data é estimada. A datação no diário de Corday, de 1914 até 1918, é bastante excêntrica: as anotações são cronológicas, mas não é possível saber quando as datas estão misturadas umas com as outras. Sua visita à família em Saint-Amand-Longpré ocorreu entre 22 e 26 de outubro, segundo ele. Sabe-se que Corday trabalhava durante a semana, então é mais provável que a viagem tenha acontecido no fim de semana de 24 e 25 de outubro.
24. Ele adotou o nome Corday porque sua família tinha certo parentesco com Charlotte Corday, a mulher que matou o líder revolucionário Marat em 1793 — crime imortalizado por Jacques--Louis David em seu quadro *Marat assassinado*. A escolha desse nome por um republicano convicto como Michel Corday é inusitada e demonstra certa vaidade ou um desejo de tentar acrescentar um toque de notoriedade ao seu passado.

leva uma vida dupla: ele não consegue se sustentar como escritor e, por isso, tem necessidade de manter seu emprego burocrático no ministério. Ao mesmo tempo, não há uma grande diferença entre essas duas formas de vida. Ele trocou de nome e até no trabalho é chamado de Corday. Todos sabem que ele escreve e que é muito amigo de Anatole France.

Nos primeiros dias de setembro, quando parecia impossível conter os alemães, o governo saiu de Paris, levando todos os funcionários dos ministérios. Saíram da cidade em pânico, de carro — "Na estação, os refugiados pisoteavam uns aos outros como se estivessem em um teatro em chamas" —, e decidiram ir para Bordeaux. O ministério de Corday foi alojado em uma instituição para surdos-mudos, localizada na Rue Saint-Sernin. Agora, que já se passou mais de um mês que os alemães foram derrotados perto do Marne, cada vez mais gente anda dizendo que está na hora de o governo e os ministérios retornarem a Paris. A família do próprio Corday evacuou para Saint-Amand-Longpré. Esta noite ele está voltando a Bordeaux, depois de tê-los visitado.

Para Corday, a eclosão da guerra foi uma vergonha e um golpe baixo, e ele ainda não se conformou com a situação. Ele havia estado doente e ficara se recuperando em um vilarejo perto da costa. Por essa razão tinha recebido as notícias por telefone ou lido sobre o assunto nos jornais. Devagar a imagem foi tomando forma em sua cabeça. Ele tinha tentado se distrair com a leitura, mas a tentativa foi inútil.

> Todo e qualquer pensamento e acontecimento sobre a guerra vai me amargurando. Estou mais que convencido de que a ideia sobre o progresso constante vai contra a felicidade. Nunca imaginei que isso fosse acontecer. Isso significa que não tenho mais fé. A guerra é como acordar no meio de um sonho que tive, desde que comecei a raciocinar.

Crianças brincavam de guerra na praia: as meninas eram enfermeiras, e os meninos, soldados feridos. De sua janela ele viu uma tropa de artilharia marchando e cantando. Caiu no choro.

Do júbilo e do caos surgia um novo mundo naqueles dias quentes de verão.

As mudanças eram grandes: mulheres sem maquiagem "por razões patrióticas"; uniformes por todos os lados, pois eram a última moda; filas intermináveis para missas e confessionários; centenas de refugiados carregando seus pertences; inúmeras ruas escuras; estradas bloqueadas por militares despóticos; tropas em direção ao front; feridos retornando.

Sem contar as inúmeras mudanças internas: a constante criação de novos discursos patrióticos, tensos e obrigatórios; a postura inflexível — "o desaparecimento da bondade e do senso de humanidade"; o tom histérico na propaganda e nas conversas sobre a guerra (uma mulher lhe disse que não se deve chorar por causa dos que marcham para o front, pois são os homens que não podem participar da guerra que merecem piedade); a mistura confusa entre generosidade e egoísmo; a repentina incapacidade de se perceber diferentes nuances — "Ninguém tem coragem de criticar a guerra. A guerra se transformou em Deus". Mas Corday cumpre as suas obrigações de funcionário público.

Durante a viagem de trem até Saint-Amand-Longpré, o trem foi invadido por mulheres que serviam frutas, café, leite, sanduíches, chocolates e cigarros a todos que vestiam uniforme. Em uma cidade ele viu meninos com capacetes policiais imitando padioleiros a transportar feridos. É impossível encontrar uma sala de espera nas estações de trem. Todas estão sendo usadas como hospitais provisórios para os feridos ou como depósito para o armamento militar. Na volta, entre Saint-Pierre e Tours ele ouve uma conversa entre duas famílias: "Ambas conversaram sobre seus familiares mortos na guerra com tamanha resignação como se falassem de vítimas de uma catástrofe da natureza".

Em Angoulême, um homem ferido é carregado para dentro do trem e alojado na cabine ao lado. Tem ferimentos nas costas, causados por estilhaços de granada. Agora está paralisado. Há uma enfermeira que o acompanha e trata de seus ferimentos e também uma mulher loura, que Corday desconfia ser sua esposa ou amante. Ele ouve a mulher dizer à enfermeira: "Ele não quer acreditar que ainda o amo". Quando a enfermeira sai para lavar as mãos, a mulher e o homem ferido passam a se beijar apaixonadamente. Quando a enfermeira volta, faz que não os vê. Olha apenas para a escuridão lá fora.

Na mesma cabine em que está Corday viaja um oficial que acabou de retornar do front. Eles trocam algumas palavras. Às quatro da manhã, o trem para em uma estação, e o oficial desce. Uma moça se joga em seus braços. Corday pensa: "Imagine quanto o amor de todas as mães, irmãs, esposas e namoradas tem sido impotente contra tanto ódio".

Pelas estações por onde passam, podem-se ver os quiosques vendendo revistas publicadas nos primeiros dias de agosto. Desde então não há novas publicações. Como se houvesse iniciado uma nova contagem do tempo.

12. QUARTA-FEIRA, 4 DE NOVEMBRO DE 1914
Pál Kelemen é ferido ao norte de Turka

Noite de lua cheia e céu estrelado. O cavalo sai do estábulo para o frio da noite, contrariado. As tropas, mais uma vez, encontram-se em posição de retirada. As ordens são para que não se aglomerem e não fiquem paradas. Uma nova linha de defesa está sendo organizada. Por volta de duas da manhã eles já devem estar preparados, com a troca da guarda a caminho. A tarefa que Kelemen e seus hussardos foram incumbidos de executar é quase impossível, já que está bastante escuro. No caminho, apenas caos. Vão cavalgando devagar contra o fluxo, através de uma torrente de homens, cavalos, carroças, canhões, carroças de munição e burros de carga.

Kelemen entrevê algo à luz da lua que mais parece um traço negro riscando a neve branca. São as trincheiras recém-cavadas. Ele ouve o som das armas de fogo. São os russos avançando. Percebe a diminuição do número de recuados, mas vê que ainda há muitos tentando escapar. Kelemen e seus homens mostram o caminho. A estrada está congelada e escorregadia. Eles precisam descer dos cavalos e guiá-los a pé. Kelemen escreve em seu diário:

> A artilharia russa abriu fogo ao longo de todo o setor frontal. Monto de novo em meu cavalo e me dirijo ao canhão que parece estar em ação. A lua está se pondo, o céu se torna nublado e o ar fica muito frio. Granadas explodem sob as nuvens.
>
> Alguns veículos do Exército estão abandonados no caminho. Não há homens nem cavalos. Assim que passamos, sinto uma forte pancada atingir o meu joelho esquerdo, e ao mesmo tempo o meu cavalo fica inquieto. Imagino, na escuridão, que bati em alguma coisa. Toco a perna e ergo instintivamente a mão enluvada até meu rosto. Minha mão está quente e úmida. Agora sinto uma dor forte, penetrante.
>
> Mogor cavalga ao meu lado e lhe digo que acho que fui atingido. Ele chega mais perto e descobre que o meu cavalo também tem um leve ferimento. Mas cavalo e cavaleiro podem continuar. Não há nenhum posto de socorro por perto, e tentar

chegar à estação de primeiros socorros, que está na linha de frente, não é uma boa ideia. É até mais perigoso que voltar.

Mogor tenta, de todas as maneiras, desviar a minha atenção do ferimento. Ele me consola, dizendo que logo encontraremos um médico que cuidará de mim.

O dia está clareando. A leste, o sol surge. O céu brilha, as montanhas cobertas de neve contrastam com o verde da floresta. Minha perna parece estar aumentando de tamanho. Sinto o rosto muito quente e seguro as rédeas com as mãos bem apertadas. Meu cavalo, este belo e inteligente animal, dá passos cuidadosos através da neve.

Passamos as encostas ao sul. Aqui, protegida do vento, a estrada não está tão congelada, e quando o sol ilumina o vale podemos ver algumas casas de um vilarejo.

Na praça central encontramos Vas, que, preocupado, pergunta a razão de estarmos tão atrasados. Ele fica bastante nervoso quando relatamos o ocorrido. Durante a noite a escola do vilarejo foi transformada às pressas em posto de socorro. Com Vas de um lado e Mogor do outro, cavalgo até a entrada da escola.

Começo a passar mal. Não consigo descer do cavalo. Minha perna esquerda está entorpecida. Dois enfermeiros me erguem da sela e Mogor afasta o cavalo de mim. Com cuidado, eles me carregam para baixo. Quando o meu pé esquerdo toca o chão, o sangue acumulado borbulha e escorre. Não consigo ficar de pé. Vas, com toda a ingenuidade da sua juventude, segura seu espelho de bolso na minha frente. Não reconheço o rosto que vejo como meu, pois o que vejo é o rosto de um estranho, um tanto velho e amarelado.

13. DOMINGO, 8 DE NOVEMBRO DE 1914[25]
Alfred Pollard cava uma trincheira na periferia de la Bassée

Na verdade eles não seriam necessários aqui, e esta ideia de mandá-los cavar serve mais para mantê-los distraídos do que para qualquer outra coisa. Estão aguardando novas ordens de marcha.[26] Ninguém os avisou para ter cuidado.

---

25. A data talvez não esteja correta. Pode ser o dia anterior ou, o que é mais provável, o dia seguinte.
26. O comandante dessa unidade havia esperado reforços da artilharia, mas, por causa de um simples mal-entendido, receberam uma unidade de infantaria, ou seja, o batalhão de Pollard.

Há muitas coisas novas com as quais ainda não estão acostumados. A linha da Frente Ocidental se encontra parada, e no momento verdadeiras batalhas estão ocorrendo em Flandres. A primeira foi em Ypres. Os dois lados estão tentando se proteger nas trincheiras, o que não é fácil. O que ninguém previu nessa guerra é a ausência de educação militar, a falta de preparo e a inexperiência. Mais tarde Pollard poderá afirmar: "Em 1914 as trincheiras eram péssimas". O escoamento de água e o saneamento não funcionam. Não há abrigos nem bunkers, só algumas partes cobertas que no máximo protegem das chuvas, nada mais que isso. Toda a situação da guerra é nova, incluindo o vazio enganoso que se sente. Onde, realmente, está o inimigo? Não há sinal dele aqui. E onde está a guerra neste silêncio todo?

Então se dirigiram até este ponto, muito perto da linha de frente, a menos de um quilômetro. Com a certeza de que não havia inimigos por perto, começaram a cavar. No primeiro dia foram deixados em paz pelos alemães, não precisaram nem de camuflagem para executar suas tarefas à luz do sol. Já no segundo dia foi diferente, os alemães, é óbvio, acharam que eles já haviam feito o suficiente.

Este é o terceiro mês de Pollard no Exército. Às cinco da tarde do dia 8 de agosto, ele deixou o seu trabalho de auxiliar de escritório em uma empresa de seguros na St. James's Street para nunca mais voltar. Foi uma decisão fácil. Alguns dias antes ele estivera no meio de uma multidão perto de um dos quartéis do Exército em Londres. Tinha visto os soldados da guarda passarem marchando a caminho da guerra. Todos gritavam de júbilo, inclusive ele. Ficara emocionado de ver os homens marchando juntos, no mesmo ritmo. Ele não havia chorado de orgulho, como muitos outros, nem mesmo se sentira emocionado com esse momento tão sério, o reconhecimento de que seu país, sem aviso prévio, tinha sido envolvido em uma guerra — e uma grande guerra, não mais uma disputa colonial, que ameaçava virar o mundo de cabeça para baixo. A guerra prometia grandes mudanças, mas também não fora isso que o levara a chorar. Suas lágrimas haviam sido causadas pela inveja. Ele queria ser um deles. "Por que eu não pude ir junto?"

A guerra era uma promessa de grandes mudanças para muitos, e para Pollard a situação era atraente sob vários aspectos. Ele não estava satisfeito com seu trabalho e havia até pensado em emigrar. A guerra chegara como solução. Ele tinha 21 anos.

Durante quase três horas ficara na fila para se alistar, como muitos outros. Quando os portões do quartel se abriram, ele e um conhecido seu do clube de tênis furaram a fila e correram tanto quanto podiam para chegar antes dos demais ao prédio de alistamento. E se o número de lugares fosse limitado? E se a guerra acabasse antes que eles tivessem ido para o front? (Seu irmão havia se alistado voluntariamente na mesma divisão, mas logo desertara. Tinha se alistado de novo, com nome falso, em outra divisão, que seria uma das primeiras a ser mandadas para a guerra.)

Pollard adorou os exercícios, achou as longas marchas "divertidas", mal pôde conter a empolgação quando recebeu seu rifle. "Estou armado. Esta arma foi feita para matar. Quero matar." Muitas vezes, em segredo, brincava com sua baioneta, sentindo o gume afiado. "Meu desejo de chegar ao front havia se transformado em obsessão." Eles marcharam pelas ruas de Londres ao som de uma banda. O treinamento com armas consistiu em dar quinze tiros. A convocação foi tão rápida que ele nem teve tempo de avisar seus pais. Quando o trem para Southampton passou por uma estação, ele jogou pela janela um bilhete endereçado à sua mãe. A mensagem chegou até ela.

Depois de toda essa espera, Pollard enfim se encontra no front. Está cavando, e já em seu segundo dia de trabalho. Sente-se no ar um cheiro de terra e folhas apodrecidas. De repente, ouve-se um barulho, "como um trem em alta velocidade", seguido de um estrondo metálico. Uma nuvem vai se formando em volta deles. Pollard larga a pá e observa, "fascinado":

> Eu estava mesmo sob o bombardeio. Meu pulso martelava de exaltação. Uma segunda granada veio após a primeira. Depois uma terceira. Todos correndo para todos os lados. Alguém passou apressado, procurando um médico. Tínhamos nosso primeiro ferido.

14. SEXTA-FEIRA, 13 DE NOVEMBRO DE 1914
William Henry Dawkins se encontra a bordo do Orvieto *e escreve à sua mãe*

Calor, brisa do mar. A vida a bordo do navio de transporte das tropas é maravilhosa. Ele nunca viveu com tanto conforto. William Henry Dawkins é tenente recém-formado e, por ser já oficial, recebeu uma cabine de primeira classe em um dos melhores e mais modernos navios da Linha Oriental. A cabine tem chuveiro com água quente e fica próxima do refeitório, que é muito bem decorado e oferece três refeições por dia. "As nossas refeições são superiores às dos hotéis mais caros de Melbourne." Há também uma banda que toca para os militares.

A única coisa que atrapalha esta perfeição é o mau cheiro que vem dos porões, onde os cavalos estão acomodados. O calor também é difícil de suportar, já que o HMAT[27] *Orvieto* e os outros navios que fazem parte da frota estão se deslocando para o norte pelo oceano Índico sob um sol escaldante. À noite, muitos dos soldados dormem no convés, na esperança de se refrescar. Dawkins completou 22 anos a bordo. Uma fotografia tirada momentos antes do embarque mostra um jovem sorridente, com rosto oval, nariz fino e olhar inquisitivo. Seu bigode está crescendo, e a gravata do uniforme está bem ajustada.

Mas, mesmo que ele e os outros oficiais levem uma vida de luxo, seus dias não são nada pacatos. Levantam às 5h45, todos os dias. Fazem exercícios físicos, treinam os soldados, participam de competições esportivas e frequentam cursos, como de francês e de boxe. (A ideia é que ele, os 20 mil australianos e os 8 mil neozelandeses que se encontram no comboio sejam enviados para a Frente Ocidental.) *Le prochain train pour Paris part à quelle heure?**

No início da viagem, a guerra parecia algo muito distante.[28] O *Orvieto* navegava com sua sinalização de paz, o que no caso de uma bela embarcação como essa significava milhares de lâmpadas de cores gritantes iluminando a noite. Mas agora ele deve ficar às escuras e até é proibido fumar no convés depois do pôr do sol. As tropas temem os barcos alemães que navegam no oceano Índico e que já afundaram cerca de vinte navios mercantes aliados. A saída do comboio da Austrália foi adiada devido ao conhecimento da existência de um esquadrão alemão nas proximidades.[29] Agora navegam para noroeste, cercados

---

27. Sigla de His Majesty's Australian Transport.

* Em francês, "A que horas sai o próximo trem para Paris?". (N. T.)

28. O primeiro tiro da guerra entre a Alemanha e a Grã-Bretanha foi dado na Austrália, no porto de Sydney, em 4 de agosto. Um navio mercante alemão tentou sair para o mar, mas foi impedido por um tiro de advertência.

29. Era o famoso Esquadrão do Pacífico, comandado pelo almirante Maximilian von Spee, que espalhou pânico e destruição ao seu redor enquanto navegava para o leste. A essa altura o esquadrão já tinha atingido a costa oeste da América do Sul, onde, em 1º de novembro, havia vencido

de navios aliados. Quando Dawkins olha a estibordo, vê o cruzador japonês *Ibuki*, cujas largas chaminés, por alguma razão, soltam mais fumaça que os navios britânicos ou australianos. As 38 embarcações que compõem o comboio são uma visão impressionante. Hoje, Dawkins se encontra em sua cabine e escreve à sua mãe:

> É maravilhoso o poder da Grã-Bretanha no mar. O imenso comboio vai em frente, sem parar, seguindo seu curso e ritmo próprios. Às vezes surge algum navio, como o *Osterley*, a caminho da Austrália ou dela voltando. Cruzadores com a nossa bandeira hasteada aparecem a todo instante. Tudo isso demonstra o nosso intenso poder sobre o mar. Hoje soubemos o que ocorreu em Tsingtao e trocamos muitos cumprimentos com a belonave japonesa.

William Henry Dawkins havia pensado em ser professor. Sua família não tinha posses nem estudo (quando ele nasceu, a mãe era costureira, e o pai, operário). Os pais logo perceberam que o filho era muito inteligente. Graças a uma bolsa de estudos, ele pôde se educar em um colégio interno em Melbourne. Com apenas dezesseis anos, começou a estagiar como professor auxiliar[30] em uma escola que ficava a quarenta quilômetros de casa. Dawkins talvez fosse feliz com a escolha dessa profissão, que também apreciava muito, mas viu, por acaso, o anúncio da nova escola de cadetes em Duntroon. Ele se inscreveu, fez os testes e, para sua surpresa, foi chamado.

A escola de cadetes não estava pronta quando ele e os outros alunos começaram a frequentá-la. Os arredores da instituição o decepcionaram, já que ela se localizava em um lugar seco, frio e isolado. As acomodações também deixavam a desejar, eram muito simples, quase espartanas, simples pavilhões de um andar, construídos em alvenaria. A educação era de alto nível, e Dawkins, muito ambicioso, tirou nota máxima tanto nas matérias teóricas quanto nas práticas. Ele não é alto, tem apenas 1,67 metro de altura, corpo delgado, e é óbvio que

---

um esquadrão britânico na baía de Coronel, no Chile. Grandes reforços britânicos se encontravam, agora, a caminho do Atlântico Sul, para, a todo custo, vingar Coronel e derrotar o esquadrão de Von Spee.

30. Os professores recém-formados (*junior teachers*) na Austrália trabalhavam sob a orientação de professores mais experientes e recebiam salário.

esse fator, aliado a suas habilidades intelectuais, fez com que escolhesse uma especialização em que o uso da inteligência superava o da força física. A maioria dos outros formandos no ano de 1914 (37 homens) foi em busca de vagas na infantaria e na cavalaria, enquanto ele e outro cadete, que também tinha notas altas, acabaram na tropa de engenharia, o que combinava muito com seu temperamento. Por mais que lhe agrade fazer parte da força expedicionária australiana e tenha comemorado o sucesso das forças britânicas, ele ainda não está influenciado pela violência da guerra. O que se revela em suas cartas é um jovem ambicioso, calmo e prudente. Um educador de uniforme. Ele aprecia ir à igreja, é o mais velho de seis irmãos, sendo as mais novas as gêmeas Zelda e Vida, de nove anos, a quem ele sempre dedicou muito tempo e atenção.

Para ele, a eclosão da guerra não foi uma grande surpresa, já que tantos rumores a precederam. Ao mesmo tempo, poucos levaram os rumores a sério; se algo fosse acontecer, seria do outro lado do mundo e afetaria lugares desconhecidos, de que ninguém tinha ouvido falar. Quando entenderam que seu país também fora envolvido, Dawkins e seus camaradas passaram dias se perguntando o que seria deles. Ainda faltavam quatro meses para terminar o curso. Então veio a decisão de que sua formatura seria adiantada, para que se juntassem ao novo grupo expedicionário. Satisfeitos, empacotaram seus pertences e doaram ou venderam o que era desnecessário. Emocionados, tiveram um jantar de encerramento e despedida em sua homenagem. Agora estão a caminho.

Mesmo estando a Europa ainda tão longe, Dawkins já viu um pouco da guerra. Ou quase, pode-se dizer. Há quatro dias, quando passaram pelas ilhas Cocos, o comboio tomou a rota oriental em vez da ocidental, mais costumeira. A causa da mudança foi o temor da proximidade do navio alemão SMS *Emden*.[31] As medidas preventivas mostraram-se acertadas, já que o *Emden* se encontrava naquela rota. Um telegrama avisou o comboio, e o maior dos navios de guerra foi mandado até lá. Às 10h25 chegou uma mensagem ao *Orvieto*: "Atacar o inimigo". Alguns homens a bordo ouviram um tiro de canhão ao longe.

O *Emden* foi atacado e afundou, em um combate que durou 25 minutos.

---

31. O SMS *Emden* já afundara dezessete navios mercantes. Tinha boa reputação, pelo fato de seu capitão, Müller, tratar os inimigos com benevolência. Costumava auxiliar a tripulação dos navios derrotados, tratando-a bem e deixando-a em terra firme. Esse comportamento de cavalheiro superava as expectativas que todos tinham da guerra.

Agora há o rumor de que os feridos e os prisioneiros serão embarcados no navio de Dawkins, o que ele vê com certa curiosidade. Estão se aproximando do Ceilão, de onde ele espera conseguir mandar a carta para a mãe. Ele a termina com estas palavras:

> Espero que você esteja bem. Eu estou ótimo e a minha saúde está perfeita. Espero que tia Mary se recupere. Mande lembranças minhas a todos. Encerro por aqui e espero receber a sua carta quando chegarmos a Colombo. Abraços a todos, de Willie [e] xxxxxxxxxx às meninas.

15. QUINTA-FEIRA, 19 DE NOVEMBRO DE 1914
Kresten Andresen examina o seu equipamento antes da viagem ao front francês

Um após o outro, seus amigos já partiram. Ele tem evitado se oferecer como voluntário e vai ficando na caserna enquanto pode. Sente-se deprimido com a partida dos demais, tendo sido Thöge Andresen um dos últimos. Thöge escolheu ir para o front. O motivo? Thöge quer "encontrar a sua masculinidade na guerra". Kresten Andresen compreende o pensamento dos outros. Escreve em seu diário:

> Ir para a guerra não pelos bens ou pelo ouro, não pela pátria ou pela honra, nem mesmo para eliminar os inimigos, mas para fortalecer a personalidade. Fortalecê--la com poder e vontade, hábitos, motivação e seriedade. Por isso quero ir à guerra. Mas não vou de espontânea vontade, pois o objetivo pode ser alcançado de outras maneiras.

Andresen sabe agora que não vai demorar muito. Ele se sente agradecido pelo tempo a mais que teve. Ontem foram vacinados contra tifo e cólera. Hoje, contra difteria. Ele revisa seu equipamento, que agora está completo:

> Uniforme cinza com debrum vermelho e botões de bronze
> Capa escura
> Capacete pontiagudo, com cobertura verde, R 86

Gorro cinza

Botas (minhas), compradas em Vejle

Botas militares amarelas

Mochila de couro de bezerro

Cinto belga amarelo

Cinto de cartuchos

Cinto de couro e correias

Barraca[32] e ganchos

Panelas de alumínio

Caneca de alumínio

Cantil de alumínio

Pá

Luvas cinza

Saco de pão

Duas latas para café

Uma lata de óleo para as armas

Ração: dois pacotes de bolachas, uma lata de carne em conserva e um pacote de ervilhas

Duas ataduras

Rifle modelo 97

Cordel de limpeza para rifle

Dois blusões de lã

Duas camisas

Dois pares de cueca, uma azul

Blusão preto grosso

Cachecol cinza

Luvas de pele

Dois cintos

Um par de joelheiras

Um par de luvas finas

Placa de identidade, ANDRESEN, KRESTEN K. E. R. R. 86

Quatro pares de meias, sendo um fino e bordado (presente de amor)

---

32. Cada soldado levava consigo uma barraca, que havia sido batizada por eles de "caixão heroico", já que com frequência era usada como mortalha para os feridos enterrados no campo de batalha.

Capuz

Braçadeira branca, para ser usada à noite

Um saco de sal com cordão de seda

Meio quilo de presunto

Meio quilo de manteiga

Uma lata de manteiga de frutas[33]

O Novo Testamento

Hjortens Flugt[34]

Cartões-postais, trinta unidades

Papel para escrever

Óleo de anis

Curativos

Kit de costura

Mapa

Três cadernos

Bandeira dinamarquesa (em falta agora)[35]

Baioneta

150 cartuchos afiados

Meio quilo de carne de porco

Uma salsicha

Um pão preto

A bagagem pesa cerca de trinta quilos. Andresen escreve em seu diário que "deve ser suficiente". Os jornais falam sobre tropas formadas por jovens estudantes que, ao atacarem em Langemarck, cantaram "Deutschland, Deutschland, über alles". O inverno se aproxima.

---

33. Espécie de geleia feita de maçã e laranja.

34. Romance popular do escritor dinamarquês Christian Winther (1796-1876).

35. Mais tarde Andresen levava consigo no campo de batalha uma pequena bandeira dinamarquesa, que, com o romance de Winther, ele considerava "o bem dinamarquês mais valioso". Andresen era também nacionalista, um privilégio não apenas alemão.

16. SÁBADO, 28 DE NOVEMBRO DE 1914
Michel Corday almoça com dois ministros em Bordeaux

O grupo é formado por seis pessoas, que trocam ideias sobre os mais variados assuntos. A conversa com frequência se desvia para a guerra. Fala-se, por exemplo, que há uma palavra para a mulher que perdeu seu marido ("viúva"), mas não há uma palavra para a mulher que perdeu seu filho. Ou que é possível para os zepelins alemães bombardear Paris. Ou que em Londres estão colocando abajures na iluminação das ruas, criados pela famosa coreógrafa Loie Fuller. Ou que está se espalhando uma estranha corrente de orações por carta, em que se deve copiar as orações recebidas e enviá-las para outras nove pessoas, do contrário "ocorrerá uma tragédia pessoal ou com algum ente querido mais próximo".

É difícil evitar o assunto, ainda mais quando dois dos homens sentados à mesa trabalham para o governo.

Um deles é Aristide Briand, ministro da Justiça, político antigo e um tanto pragmático (alguns o chamariam de oportunista), com uma leve inclinação para o socialismo e anticlerical assumido. O eloquente Briand é uma figura política importante e muitos outros ministros o invejam, pois esteve no front. Este mês, ele começou a propagar a seguinte ideia: já que a guerra no Oriente está estagnada, por que não mandar um exército franco-britânico para outro local, por exemplo, os Bálcãs? O outro homem à mesa é Marcel Sembat, ministro das Obras Públicas, advogado, jornalista e um dos líderes do Partido Socialista francês. Ambos assumiram seus postos após a eclosão da guerra. A entrada de Briand no governo não foi nenhuma surpresa. Ele é conhecido como carreirista, acostumado às exigências e às possibilidades do poder. Já a posse de Sembat foi totalmente inesperada, sobretudo entre os radicais: muitos consideram isso uma traição no mesmo estilo da aceitação dos créditos de guerra pelos social-democratas alemães.[36]

Durante a conversa fica muito claro que nem mesmo os ministros têm noção de quantos soldados há no Exército. Os militares de alto escalão se calam a respeito do assunto, além de os registros estarem totalmente desorganizados

---

36. Sembat havia trabalhado junto do líder socialista Jean Jaurès, que tentou evitar a adesão à guerra convocando uma greve geral, mas acabou sendo assassinado em 31 de julho por um jovem nacionalista francês. Além disso, Sembat era conhecido como autor de um manifesto pacifista.

desde a grande mobilização no final do verão. Sem falar na Batalha do Marne, no outono, que trouxe grandes perdas. (A quantidade de soldados mortos é um segredo que ficará guardado até o final do conflito.) Nenhum ministro civil tem coragem de levantar a voz para os generais, que, em estado de guerra, têm o mesmo status de infalíveis deuses do trovão. Uma estimativa das perdas pode ser feita utilizando-se o número de refeições servidas no Exército todos os dias. Com base nesses números, pode-se calcular quantas garrafas de champanhe o governo deverá distribuir para as tropas por ocasião do Natal.

Após o almoço, Corday ainda se encontra em estado de choque. Seu antigo ídolo, Sembat, parece gostar do papel de ministro e *adorar* o seu novo título. Corday escreve em seu diário:

> Acontecimentos excepcionais tornaram possível a eles o benefício de uma posição de poder, que antes rejeitaram como uma questão de princípios. É lamentável ver esses homens agora. Ver como circulam em seus carros, como pegam lugares especiais nos trens e como se deleitam às claras com seu poder.

17. SEXTA-FEIRA, 11 DE DEZEMBRO DE 1914
Kresten Andresen é testemunha do saque de Cuy

Quando eles saíram de Flensburg, a cidade estava coberta de neve molhada. O ritual foi o de costume. Mulheres da Cruz Vermelha distribuíram uma grande quantidade de chocolates, bolos, nozes e cigarros para ele e para os outros soldados. Também colocaram flores na boca dos fuzis. Ele aceitou os presentes, com exceção das flores: "Ainda não estou preparado para um funeral". A viagem de trem levou 96 horas. Ele quase não dormiu. Estava preocupado, deprimido, mas ao mesmo tempo curioso. Sentado à janela da cabine (muitos outros viajavam nos trens de carga), observou tudo com muita atenção: o campo de batalha ao redor de Liège, onde cada casa parecia ter sido destruída ou queimada em agosto (o primeiro enfrentamento importante no oeste); a paisagem exuberante do vale do Meuse, com seus túneis; os campos verdes do noroeste da Bélgica; o horizonte marcado por explosões de granadas e armas de fogo; vilarejos e cidades poupados da guerra e mergulhados na mais profunda paz; vilarejos e cidades profundamente marcados pela guerra e pelos seus efeitos malignos. Por fim, desembarcaram em Noyon, no noroeste da França, e marcharam para o sul, à luz da lua. No caminho foram ultrapassados por peças de artilharia, carroças e automóveis, enquanto ouviam muitas explosões ao longe.

O regimento se encontra agora junto a um aterro, na periferia da cidade de Lassigny, na Picardia. Andresen constata com certo alívio que, apesar do bombardeio desagradável mas um tanto ineficaz,[37] a região é sossegada. O serviço não é tão extenuante: quatro dias dentro das trincheiras enlameadas e quatro dias de descanso. Montam guarda, à espera, enquanto alguém fica no posto de escuta. Os franceses se encontram a pouco menos de trezentos metros deles. Os combatentes estão separados apenas por cercas de arame farpado[38] e um campo de plantação. Neste, os restos da colheita de centeio de 1914

---

37. Andresen percebeu o mesmo que muitos outros soldados: a munição mais usada, a granada de mão, tem um efeito desprezível nas tropas que já se encontram dentro das trincheiras.

38. O arame farpado que conhecemos foi criado nos Estados Unidos, para auxiliar na agropecuária — separar os animais ou mantê-los em certo local. A primeira menção a ele em uso militar ocorreu na Guerra Franco-Prussiana (1870-1). Durante a Guerra Hispano-Americana, em 1898, já se sabia que as tropas americanas o utilizavam para proteger os seus campos. Embora se falasse no uso do arame farpado em 1888 pelos britânicos, os exércitos envolvidos não levaram o material em 1914: esperava-se que a guerra seria muito fácil e logo terminaria. Quando as primeiras trincheiras começaram a ser cavadas, no outono de 1914, haviam sido improvisadas barreiras de arame farpado proveniente dos vilarejos mais próximos. (Muitos na época se referiam a "cercas de arame espinhoso", pois não estavam acostumados com o uso do arame farpado, e acabavam usando qualquer tipo de arame que encontravam.) As barricadas eram um tanto frágeis, constituídas por uma fileira de colunas unidas por três ou quatro fios de arame. Em seguida começou-se a produzir arame especial para a guerra. O arame farpado que se usava na agropecuária tinha, em regra, sete pares de farpas por metro, enquanto o de uso militar tinha catorze farpas, ou até mais, por metro. Além disso, as barricadas foram se tornando mais largas e mais espessas. Um regimento francês em 1915 tinha barricadas formadas por duas fileiras de postes com uma distância de três metros, ao passo que um regimento inglês de 1917 estipulou que a cerca de arame farpado deveria ter, no mínimo, nove metros de largura. Além disso, eram usados outros tipos, alguns móveis, como "cavaleiros espanhóis", "cubos", "ouriços", "groselha" e "suporte de faca". Os regimentos ingleses citados também possuíam vários tipos de barricadas fixas, como *apron, double apron, fence and apron, trip and loose wire, concertina* (ou *Brun wire*), *trip and crossed diagonals, rapid double fence, low wire, French rapid wire, high and low combination,* tendo esta última uma variação de seis tipos diferentes. Por algum tempo foram feitas experiências com cercas eletrificadas, que não foram consideradas práticas. O francês Olivier Razac escreveu que o arame farpado nunca foi uma metáfora para a Primeira Guerra Mundial, mas mesmo assim teve nela um papel importante, "retratando a sublimidade monstruosa das forças destrutivas que a guerra moderna liberou".

apodrecem. Não há muito para ver, e sim para ouvir: as balas dos rifles *tsji--tsju*, os tiros de metralhadoras *dadera-dadera* e as granadas detonando *pum--tsiu-u-i-u-u-pum*.[39] A comida é ótima. Eles recebem duas refeições quentes por dia.

Muitas coisas são melhores do que Andresen temia, mas também há coisas piores do que ele imaginou… O Natal vem chegando e ele está com saudades de casa. O que torna a situação ainda mais difícil é a falta que sente de receber cartas da família. A pequena cidade onde estão alojados, sempre sob ameaça de bombardeios, vai aos poucos se esvaziando. Hoje ficaram sabendo que os últimos franceses abandonaram o lar. Mal os civis deixaram suas casas, os alemães já se puseram a saqueá-las.

É permitido aos homens pegar o que quiserem dos prédios vazios e abandonados. Por essa razão as trincheiras e bunkers são decorados e mobiliados com o produto dos saques dos lares franceses, de fogões a lenha e camas macias a utensílios domésticos e belos sofás e cadeiras.[40] (Os bunkers costumam ser ornamentados com frases irônicas. Uma muito na moda é: "Nós, alemães, nada tememos, somente a Deus e a nossa própria artilharia".) Agora que as últimas moradias estão sendo abandonadas, segue-se a ordem costumeira: os oficiais podem pegar o que quiserem primeiro, depois é a vez dos outros.

Andresen vai até lá com dez homens, sob as ordens de um sargento. Lassigny oferece uma visão deprimente. Das belas casas brancas com persianas nas janelas restam apenas ruínas, amontoados de pedras e pedaços de madeira. Nas ruas há cartuchos de balas e restos de granadas. A pequena cidade está desaparecendo. A igreja parece apenas uma carcaça vazia e quebrada. Lá dentro, o velho sino balança, pendurado nas vigas prestes a ceder. Quando cair, ele tocará pela última vez. O crucifixo na frente da igreja foi partido ao meio por uma granada. Andresen está abatido.

---

39. A onomatopeia é de Andresen.
40. Esse cuidado em mobiliar e decorar as trincheiras — os abrigos tinham luz elétrica, tapetes e painéis nas paredes — se devia ao fato de que o Exército alemão já estava pensando em manter uma defesa a longo prazo no oeste. Por motivos ideológicos, o Exército francês não queria dar a impressão de que pretendia permanecer em suas trincheiras e, por isso, durante toda a guerra elas se mantiveram relativamente improvisadas. Já o Exército austro-húngaro, no leste, queria se acomodar com conforto, equipando seus abrigos com vidros nas janelas.

Como a guerra é cruel e intransigente! Desconsideração total para com os valores da nossa sociedade: cristianismo, moralidade, lar e família. Ao mesmo tempo, fala-se em cultura. Como dar crédito à cultura quando todos os outros valores são desrespeitados?

Eles chegam às casas abandonadas. O sargento, que na vida civil é professor, entra primeiro. Ele mexe nos armários, ansioso. Não há muito para escolher, pois quase tudo já foi saqueado. O caos é indescritível. Andresen está parado um pouco atrás, com as mãos nos bolsos, sentindo-se cada vez mais desconfortável, mas não diz uma palavra.

Na porta de uma loja recém-pilhada, encontram uma mulher bem vestida, de capa com gola de pele, porém sem chapéu. Ela pergunta aos soldados onde pode encontrar seu marido. Andresen responde que não faz ideia. Seus olhares se cruzam. Ele não consegue interpretar o olhar da mulher. Pode ser desespero ou desprezo. Andresen sente-se embaraçado e deseja apenas "correr para bem longe e se esconder".

18. TERÇA-FEIRA, 15 DE DEZEMBRO DE 1914
Elfriede Kuhr auxilia na alimentação dos soldados na estação de Schneidemühl

Geada, neve, frio. Muitas das crianças menores estão passando tanto frio que não querem mais brincar de soldado. Elfriede, que é a mais velha, não encontra argumentos para convencê-los a continuar com a brincadeira. Eles têm de ser fortes. "As tropas estão passando mais frio que nós." O pequeno Fritz Wegner está muito resfriado. Elfriede é obrigada a assoar o nariz dele a todo momento, o que julga não ser um trabalho digno para alguém como ela, que é oficial das tropas.

Mais tarde, ela vai para a estação de trem. Sua avó trabalha lá quase todos os dias, como voluntária da Cruz Vermelha. Ela costuma servir comida aos soldados que fazem uma parada ali. O trem de carga funciona dia e noite. Vagões carregados de soldados saudáveis, homens cantando, a caminho do leste e dos confrontos que estão acontecendo lá. Vagões voltando, com soldados quietos e ensanguentados. Hoje estão para chegar vários trens trazendo feridos. Haverá muito o que fazer.

Embora seja proibida de fazê-lo, Elfriede auxilia na alimentação de trezentos trabalhadores civis que vêm da Prússia Oriental. Lá eles construíram trincheiras e outras fortificações. Ela vê os homens famintos comerem, muito quietos e com medo de serem descobertos. Eles recebem sopa, pão e café. Devoram, às pressas, setecentos sanduíches e voltam para o trem, que está à espera. Ela ajuda a preparar rapidamente mais sanduíches. A salsicha acabou, então os voluntários utilizam banha de porco e adicionam mais água à sopa de ervilhas, mas quando o trem com os feridos se aproxima, eles não ouvem nenhuma reclamação.

Ao anoitecer, Elfriede é encarregada de comprar mais salsichas, o que a obriga a ir a dois açougues para achar tudo o que necessita. No caminho de volta, encontra Gretel, uma de suas amigas. "Para se proteger do frio, ela estava com tanta roupa que apenas se viam seu nariz e seus olhos azuis. Pendurei as salsichas de alho em seu pescoço e disse: 'Venha me dar uma mão e você não será contaminada pela preguiça.'"

Na estação, as duas carregam grandes garrafas com café de um lado para o outro. Pouco antes das dez da noite são recompensadas com sopa de ervilhas e sanduíches de salsicha. Depois vão para casa, exaustas, mas muito satisfeitas. Lá fora começou a nevar bastante. "É tão bonito ver os flocos de neve caindo e girando à luz dos lampiões a gás."

19. TERÇA-FEIRA, 22 DE DEZEMBRO DE 1914
Michel Corday testemunha a sessão de abertura da Câmara dos Deputados em Paris

O governo e os ministérios retornaram à capital, e a Câmara dos Deputados é reaberta. Como alto funcionário de um dos ministérios, Corday pode acompanhar tudo de um dos balcões. Não foi fácil organizar o evento: uma das questões debatidas, até o nível do governo, era se os deputados poderiam se apresentar fardados ou deveriam usar trajes civis. Todos em posição de fazê-lo gostariam de comparecer de uniforme militar. Decidiram, afinal, tornar a sobrecasaca obrigatória, assim como o *bonjour*.[41]

41. O respeito pela hierarquia definiu a questão: como seria se um tenente se levantasse e fizesse perguntas indiscretas a seu chefe maior, o ministro da Guerra?

Corday sente vergonha dos discursos e do efeito deles nos ouvintes: "Oh! Como as palavras enfeitiçam as pessoas!". Ele acha que certos homens que estão no poder têm a capacidade de, com seus gestos e eloquência, convencer todos os outros a ir até o final, "custe o que custar".

Depois da sessão, encontra no corredor um homem que agora é ordenança de um importante general, mas que ele já conhecia da vida civil como diretor da Opéra Comique. O homem lhe conta que todas as noites tem que mandar embora do teatro mais de 1500 frequentadores, sendo a grande maioria formada por mulheres de luto. "Elas vão para chorar. Só a música pode lhes aliviar a imensa dor que sentem."

O homem também lhe conta uma história sobre seus meses como oficial superior. Havia uma mulher que se recusava a se separar do marido, um capitão. Ela acabou seguindo junto com ele até o front. Em Compiègne iriam tomar caminhos diferentes, pois estava na hora de ele assumir seu posto, mas ela continuava se recusando a deixá-lo. Era proibido aos civis, incluindo as esposas dos militares, visitar a linha de combate, já que sua presença poderia desconcentrar os soldados. (A única exceção eram as prostitutas, que recebiam passaportes especiais para exercer seu ofício, brecha que foi aproveitada por outras mulheres desesperadas que desejavam reencontrar o marido.) O comando decidiu que, nesse caso específico, a única coisa a fazer seria dispensar o capitão do serviço no front e mandá-lo de volta ao local de mobilização. O que fez o homem perante tal decisão? Matou a própria esposa.

20. SÁBADO, 26 DE DEZEMBRO DE 1914
William Henry Dawkins senta-se junto às pirâmides e escreve à sua mãe

Os sentimentos das tropas australianas foram da expectativa à decepção, repetidas vezes, no grande comboio a caminho da Europa — ou do que os soldados pensaram que seria a Europa. Mais de quatro semanas no mar fizeram com que o entusiasmo inicial se transformasse em desânimo. As saudades de casa se intensificaram, já que muitos nunca tinham se afastado da família. (O serviço postal, por razões compreensíveis, era irregular e precário.) A depressão a bordo ficava cada vez mais palpável. A água potável estava quase no fim, pois era muito consumida naqueles dias quentes. Quando foi anunciado que eles não tinham permissão para desembarcar em Áden, a insatisfação se tornou generalizada. Alguns dias depois, foram avisados de que a viagem à Europa fora abreviada. Iriam desembarcar no Egito. Muitos, como Dawkins, estavam contrariados por ter de passar o Natal no Egito. Haviam planejado celebrar as festas de fim de ano na Inglaterra.

A maior razão da mudança de planos foi a adesão do Império Otomano à guerra. Os Aliados temiam que esse novo inimigo atacasse o canal de Suez, um importante ponto estratégico. Deixar as tropas australianas e neozelandesas fazerem uma incursão no Egito não parecia de todo mau, pois constituiriam uma força de reserva significativa se o pior acontecesse. Além disso, os comandantes em Londres podiam tirar proveito da guerra para converter o Egito,[42] então nominalmente sob o domínio do Império Otomano, em um protetorado britânico, e aqueles 28 mil soldados seriam muito úteis caso houvesse algum tipo de protesto por parte dos egípcios.[43]

A decisão do desembarque no Egito deixou William Henry Dawkins um tanto decepcionado, mas ele logo deixou esse sentimento para trás e passou a ver as vantagens da situação. O acampamento fica junto às pirâmides, é muito bem organizado, há bastante comida e água potável, lojas, cinema e até um teatro. O clima é bastante agradável para esta época do ano. Dawkins acha-o parecido com a primavera do sul da Austrália, mas com menos vento e chuva. Além de tudo isso, há um trem para o Cairo, distante apenas quinze quilômetros. O trem costuma ficar apinhado de soldados, à procura de diversão. Muitas vezes a lotação é tanta que muitos passageiros são obrigados a viajar sobre o teto dos vagões. Todas as noites, as ruas da cidade do Cairo ficam tomadas de soldados australianos, neozelandeses, britânicos e indianos.

Dawkins divide uma barraca de bom tamanho com quatro oficiais inferiores. A areia está coberta por tapetes coloridos, há camas, cadeiras e uma mesa com toalha. Cada homem tem seu armário e uma estante. Do lado de fora, há uma banheira. Nas noites quentes, a barraca é iluminada por velas e uma lâmpada de acetileno. Dawkins está escrevendo à mãe:

---

42. O Egito estava, de fato, sob o controle britânico desde 1882. Nessa época, os governantes já tinham começado a planejar a dissolução e o desmembramento do Império Otomano, o que significaria uma grande expansão entre os Aliados no Oriente Médio. Constantinopla, por exemplo, havia sido oferecida à Rússia.

43. Não houve nenhum protesto ou revolta.

Ontem foi Natal e os nossos pensamentos estavam com vocês, na Austrália. Alguns homens do meu grupo tiveram um jantar estupendo, de uns seis pratos. Disseram que, fechando os olhos, sentiam-se em casa. Temos várias bandas e, de madrugada, tocaram músicas natalinas. Mãe, quem sonharia em celebrar o Natal junto às pirâmides? É mesmo muito estranho.

Ninguém sabe o que os espera mais adiante. Passam o tempo fazendo cursos e treinamentos. Mais treinamentos e mais cursos. No momento, Dawkins e seus soldados engenheiros estão cavando trincheiras e galerias, como parte de seu treinamento, o que não é fácil nas areias instáveis do deserto. Ele costuma cavalgar muito. Seu cavalo perdeu um pouco da crina e do pelo durante a longa viagem de navio, mas continua disposto. Dawkins encerra a carta: "Pois é, mãe. Tenho que terminar por aqui e espero que tenham tido um Feliz Natal e recebido meu telegrama. Sempre seu, Willie. Xxxxxxxxxxx às meninas".

1915

As experiências pessoais nisso que chamamos de guerra são, nos melhores casos, o renascimento de memórias provindas de um sonho incompreensível e confuso. Alguns acontecimentos isolados emergem mais claros que outros, uma nitidez procedente dos grandes perigos pelos quais passamos. Depois, mesmo as situações mais arriscadas começam a fazer parte do cotidiano, até que os dias se sucedem sem outro interesse que não a perene proximidade da morte. Mas até esta ideia, tão proeminente no início, acabamos reprimindo, já que não podemos ignorar a sua forte presença e desprezível grandeza.

Cronologia

01/JAN.   A terceira batalha em Varsóvia tem início, e a Rússia é vitoriosa.

JAN.   As batalhas entre russos e austríacos na Galícia e nos Cárpatos continuam até o mês de abril.

04/JAN.   A ofensiva otomana no Cáucaso é interrompida após uma catástrofe em Sarikamis.

14/JAN.   Tropas britânicas invadem o Sudoeste Africano alemão.

03/FEV.   Tropas otomanas atacam o canal de Suez, sem êxito.

08/MAR.   A ofensiva britânica em Neuve Chapelle tem duração de uma semana, com vitórias irrelevantes.

22/MAR.   A cidade de Przemysl rende-se aos russos.

25/ABR.   Forças britânicas desembarcam em Galípoli, com o objetivo de abrir caminho para o Bósforo.

ABR.   O Império Otomano inicia os massacres de armênios.

28/ABR.   Uma grande ofensiva alemã-austríaca tem início no leste.

07/MAIO   O navio americano de passageiros *Lusitania* é atacado por um submarino alemão.

23/MAIO   A Itália declara guerra ao Império Austro-Húngaro, invadindo o Tirol e a Dalmácia.

23/JUN.	A primeira ofensiva italiana tem início no Isonzo, com pequenas vitórias.
09/JUL.	O Sudoeste Africano alemão se rende.
15/JUL.	Retirada russa no leste.
18/JUL.	Segunda ofensiva italiana no Isonzo. Mais uma vez com vitórias irrelevantes.
05/AGO.	Varsóvia é invadida por tropas alemãs.
19/SET.	Invasão alemã-austríaca da Sérvia.
25/SET.	Grande ofensiva franco-britânica no oeste. Pequenas vitórias.
26/SET.	Um regimento britânico avança no rio Tigre.
03/OUT.	Um exército franco-britânico chega a Salônica para ajudar os sérvios.
09/OUT.	Queda de Belgrado. A decadência sérvia tem início.
11/OUT.	A Bulgária declara guerra à Sérvia, invadindo-a imediatamente.
18/OUT.	Terceira ofensiva italiana no Isonzo. Nenhuma vitória.
10/NOV.	Quarta ofensiva italiana no Isonzo. Pequenas vitórias.
22/NOV.	Batalha em Ktesifon. O avanço britânico para Bagdá é interrompido.
05/DEZ.	Regimento britânico que não conseguira chegar a Bagdá é cercado em Kut al-Amara.
10/DEZ.	A evacuação das forças aliadas tem início em Galípoli.

21. DOMINGO, 17 DE JANEIRO DE 1915
Richard Stumpf esfrega o convés do SMS Helgoland

Frio, mar revolto. Clima de expectativa. Não estiveram em conflito nem sequer uma única vez. Nunca viram nem sinal do inimigo. Durante a Batalha de Heligoland Bight, no final de agosto, *ouviram* o som dos canhões ao longe. Sem a chance de intervir. Stumpf vê o fato como "um dia negro" para ele e para o resto da tripulação. O mais perto que chegaram de um conflito foi durante o Natal, quando ouviram o ruído dos dirigíveis ingleses. Como o SMS *Helgoland* estava cercado por forte neblina, não foram atacados, mas mais longe um dos dirigíveis atirou bombas contra um cruzador e um navio de carga, incendiando um deles. O navio de Stumpf reagiu e atirou após escutar o barulho, totalmente às cegas.

Não que o SMS *Helgoland* e os outros navios de guerra alemães fiquem se escondendo, mas a estratégia deles é escolher os combates em que se envolvem contra a superior Marinha britânica. Os submarinos é que devem fazer o trabalho mais pesado, como cortar o fornecimento de combustível para as ilhas britânicas e, passo a passo, enfraquecer o adversário.[1] Ainda não aconteceu ne-

---

1. Isso havia se iniciado de maneira eficaz, já que o submarino alemão *U9* afundou três navios ingleses em apenas uma hora, em setembro. Os navios ingleses eram antigos.

nhuma batalha naval de grande porte. Os almirantes, dos dois lados, estão conscientes de que poderiam perder a guerra em apenas uma tarde. Na Alemanha, a falta de sucesso no mar é compensada com outras histórias de guerra. Quando o conflito começou havia muitas esquadras alemãs espalhadas pelos mares, em geral perto de suas colônias. Logo teve início um jogo de gato e rato entre esses pequenos barcos escondidos da frota alemã e a frota naval inglesa.[2] A Marinha alemã havia se contentado, até então, em patrulhar suas próprias águas, para proteger o país dos inimigos e para realizar pequenos ataques contra a costa do mar do Norte.[3]

Desde o Natal, o SMS *Helgoland* tem patrulhado, todos os dias. Uma tarefa extenuante. Além de extenuante, muito monótona. Stumpf anota em seu diário: "Nunca acontece nada que valha a pena mencionar. Se eu fosse anotar o que faço a cada dia, escreveria sempre as mesmas coisas".

Hoje a rotina segue igual.

Stumpf e os outros marinheiros esfregam meticulosamente o convés. Depois passam a limpar todos os metais que encontram. Por último, passam em revista os uniformes. A última tarefa deixa Stumpf furioso. Ele escreve em seu diário:

> Apesar de a lã estar em falta há muito tempo e de não termos a possibilidade de trocar o que se encontra um tanto gasto em nossos uniformes, o chefe da divisão[4] os inspeciona à procura de vincos e manchas. Ele rejeita qualquer explicação com a seguinte frase: "Meu Criador, este tipo de comportamento me deixa tão cansado da frota". A maioria de nós nem se incomoda mais com tais comentários. Ficamos contentes que nem todos os oficiais sejam como esse.

Stumpf se controla durante a "desagradável inspeção", mas gostaria que um avião inimigo aparecesse e "jogasse uma bomba na cabeça do velho". Ele se consola pensando nas horas livres que terá durante a tarde.

---

2. Como mencionado, a esquadra alemã do oceano Pacífico teve uma vitória inesperada em Coronel, no dia 1º de novembro de 1914. Ela foi derrotada mais tarde, no dia 8 de dezembro, nas ilhas Falkland.

3. Em meados de dezembro de 1914, navios alemães bombardearam Scarborough, Hartlepool e Whitby. Os danos maiores ocorreram em Scarborough, onde o farol foi destruído e dezenove civis foram mortos.

4. Nesse contexto, uma divisão é uma unidade distinta de artilharia de um navio de guerra.

Chega, então, uma ordem. O sms *Helgoland* deve voltar para Wilhelmshaven, para entrar em doca seca. "Maldição", escreve ele, "mais um domingo arruinado." A guerra continua destruindo as suas expectativas. A tarde é desperdiçada com as dificuldades de se atravessar os canais. As tentativas não são bem-sucedidas durante o dia.

22. SEXTA-FEIRA, 22 DE JANEIRO DE 1915
Efriede Kuhr recebe a visita de um aprendiz de padeiro em Schneidemühl

Já é tarde. A campainha toca. Elfriede abre a porta. Lá fora, no frio, está o aprendiz de padeiro, vestido com suas roupas brancas de trabalho, tamancos de madeira nos pés, coberto de farinha. Ele segura uma cesta coberta. Na cesta há pães recém-saídos do forno. Eles costumam receber pão fresco pela manhã, mas o que é isso? Trocaram o horário de entrega para a noite? O rapaz começa a rir: "Tivemos que mudar, senhorita". Ele conta que há novas restrições de guerra, no que diz respeito ao uso de farinha. Não é mais permitido assar pão à noite. Ele não está triste com a novidade, pois agora poderá dormir como as outras pessoas. Ele vai andando, às pressas, e dizendo: "É por causa da guerra".

A avó de Elfriede acha a decisão muito boa. Os alemães comem pão demais. Os jornais alertam sobre a contenção de grãos: "A pessoa que usar cereais para alimentar o gado estará traindo a nação e será severamente punida". O padrão de alimentação do povo alemão está prestes a mudar de maneira radical. Em vez de se ingerir calorias através do caminho tortuoso de comer carne, deverá consumir a maior parte delas em seu estado vegetal de origem. (Os cereais fornecem quatro vezes mais calorias do que quando são convertidos em carne primeiro.) Verduras e legumes estarão sobre a mesa dos alemães, e não carne, como antes. Nesta região, grande parte da população trabalha na agropecuária. Isso não significa que todos vivam sob as mesmas condições. Pequenos agricultores e camponeses já começaram a sentir os efeitos da privação, o que não acontece com os grandes produtores. Elfriede ouviu falar dos fazendeiros ricos que, apesar da proibição, continuam a alimentar o gado e os cavalos com cereais — pode-se perceber isso observando o corpo rechonchudo e o brilho do pelo dos animais.

Os fazendeiros ricos e os grandes proprietários ainda não foram atingidos pela guerra:

Todas as manhãs, eles comem pães maravilhosos no desjejum. Feitos da mais pura farinha de trigo, recheados com passas e amêndoas. Comem ainda ovos, salsichas, queijos, presunto defumado, ganso defumado, vários tipos de geleia e muito mais. Quem quiser pode tomar leite fresco, e também há café e chás. Chegam a adoçar o chá com colheres cheias de geleia de frutas.

A indignação e a inveja que Elfriede sente dos hábitos dos grandes agricultores são hoje atenuadas por sua consciência pesada. Até ela peca contra a sua pátria, pois gosta tanto de cavalos que, às vezes, quando encontra um, divide com ele o que está comendo, em segredo. Pode ser um pedaço de pão ou uma maçã. Não se veem mais tantos cavalos como antes da guerra; todos os que são menos necessários na agricultura foram confiscados pelo Exército.

23. QUARTA-FEIRA, 3 DE FEVEREIRO DE 1915
Michel Corday encontra um herói em Paris

Mais um daqueles almoços. O convidado mais ilustre à mesa é, sem dúvida, o famoso escritor, aventureiro, viajante e membro da academia Pierre Loti.[5] Outro que está à mesa é o excêntrico tenente Simon, também professor de francês na Inglaterra, além de tradutor. Tradutor? Simon traduziu apenas um livro do inglês para o francês, que não fez muito sucesso. O tema do livro é um certo alemão (Goethe). Apesar de seus escassos méritos literários, o tenente merece o seu lugar no grupo. Ele é veterano da Batalha do Marne, onde perdeu um olho e foi ferido em um dos braços. Faz muito frio em Paris.

Uma aura especial envolve a Batalha do Marne. A causa é bastante óbvia: nessa ocasião o invencível Exército alemão foi contido, Paris foi salva e evitou-se a iminente derrota. (Além disso, o triunfo no Marne pôde ocultar uma grande decepção: a fracassada e dispendiosa ofensiva francesa em Lothringen, no início do conflito.) Há uma razão para isso. O campo de batalha está disponível. As zonas de batalha costumam ser hermeticamente fechadas, nenhum civil tem acesso a elas e exige-se autorização até para se fazer uma chamada telefônica. (Mesmo os políticos mais influentes encontram dificuldades quando

5. Loti era muito admirado por Proust, talvez fosse essa a razão de sua fama na época.

querem fazer uma visita ao front, algo que julgam muito bom para sua imagem e que lhes dá a oportunidade de usar a farda. Uma vez, quando Briand esteve no front, alguém achou que ele fosse o motorista do grupo.) Os lugares onde aconteceram os combates da Batalha do Marne se encontram abertos ao público e ficam bem perto de Paris. Esses lugares são muito visitados. As pessoas vão até lá, recolhem o que sobrou e levam para casa como suvenir. Podem ser capacetes, gorros, botões, cartuchos de balas, estilhaços de granada. Para aqueles que não aguentam ou não podem fazer esse passeio, há suvenires autênticos à venda em alguns mercados da cidade.

O tenente Simon começa a descrever suas experiências durante a batalha e a contar como foi ferido. Corday percebe, desanimado, que as outras pessoas da mesa vão ficando desatentas e até param de escutar o que o tenente está relatando. Já há heróis de sobra e demasiadas histórias de guerra sendo contadas. Ele se recorda de um oficial que teve as duas pernas amputadas e disse: "Neste momento, sou um herói, mas daqui a um ano serei apenas mais um aleijado".

Ainda é impossível dizer que se quer paz. Muitos que ouvem isso reagem de imediato: "Que absurdo!". Os restaurantes voltaram a ficar cheios de clientes.[6]

24. SÁBADO, 6 DE FEVEREIRO DE 1915
William Henry Dawkins senta-se junto às pirâmides e escreve à sua mãe

"Minha querida mãe", começa ele, "infelizmente não recebemos nenhuma correspondência esta semana, pois não há barcos-correios disponíveis." O correio das tropas australianas no Egito não funciona de maneira eficaz. Há três semanas, chegaram cartas que eram aguardadas desde novembro — 176 sacos. Antes disso, nada. Foram tantas cartas que eles nem tiveram tempo de responder a todas. Neste momento, de novo, não estão recebendo nada.

Dawkins ficou sabendo de novidades sobre sua família. Todos com saúde,

---

6. Talvez valha a pena mencionar que, nesse mesmo dia, foram enforcados três dos homens que haviam participado do atentado de Sarajevo, no final do mês de junho do ano anterior. O que matou o arquiduque e sua esposa, Gavrilo Princip, escapou da pena de morte em razão da pouca idade. Tinha vinte anos e se encontrava preso em Theresienstadt, condenado a vinte anos de prisão. Ele morreria de tuberculose em 28 de abril de 1918, sem o menor indício de remorso por todo o mal que causou.

as gêmeas estiveram no dentista, as flores que ele tentou mandar para uma amiga não chegaram, os preços na Austrália aumentaram. Ele está de bom humor e se acostumando com a situação e com o Egito. Os exercícios militares continuam, e eles são atingidos pela primeira tempestade de areia do ano. Até agora desconhecem o que vai acontecer, se irão para a Europa ou se continuarão no Egito.

A guerra se aproxima, aos poucos, mas ainda está longe para que possa ser vista ou ouvida. Uma semana atrás, aviões de observação britânicos descobriram tropas otomanas locomovendo-se através do deserto do Sinai e do canal de Suez, e há três dias aconteceu o ataque. Dois batalhões da infantaria australiana foram mandados como reforços para os pontos mais ameaçados, em Ismailia, e logo o ataque foi contido.[7] Dawkins e muitos outros soldados estão com certa inveja daqueles que marcharam em direção ao canal, o que se pode perceber pela carta que ele escreveu à sua mãe:

> Têm acontecido coisas estranhas junto ao canal, mas vocês irão ler, sem dúvida, todas as notícias e muito mais. A quinta-feira foi um dia memorável para nós, as primeiras unidades destinadas à defesa, o 7º e o 8º batalhões, marcharam a caminho do canal. William Hamilton[8] está no 7º e o meu antigo chefe, o major McNicholl [sic], também. Todos os invejam, mas acho que o tempo que passarão lá não será totalmente agradável, pois deve ser um bocado monótono ficar aguardando os turcos, que, pelo visto, são qualquer coisa, menos bons soldados.

Ele próprio passou quase todo o tempo construindo, derrubando e transportando pontes flutuantes.[9] Hoje é dia de folga. Junto com um oficial, Dawkins cavalgou até as ruínas da antiga cidade de Mênfis. O que mais o impressionou foram as duas estátuas gigantescas de Ramsés II. Ele escreve em sua carta:

---

7. O ataque otomano no leste não era a única ameaça contra a presença britânica no Egito. Até o final de 1915, um grupo de inspiração wahhabita na Líbia, que em nome do islã estava lutando contra a expansão colonial francesa e italiana no norte da África, iniciou uma série de ataques na fronteira ocidental do Egito. Esses ataques tiveram apoio de tropas otomanas e só foram contidos depois de muito esforço das forças britânicas. (A propósito dos problemas norte-africanos: os conflitos iniciados no Marrocos em 1912, quando este se tornou protetorado francês, continuavam.)

8. Um velho conhecido da escola de cadetes de Duntroon.

9. Em seu resumido diário desse período, aparece muitas vezes a palavra "pontooning", em vez da expressão correta "pontoon bridges".

"Foram esculpidas com perfeição e devem ter levado anos para ficar prontas". Já é noite e ele está em sua barraca: "Quando receberem esta carta, deverá estar fazendo muito calor aí. Espero que depois da colheita fique mais barato conseguir farinha ou trigo. Estou muito cansado, por isso vou encerrando por aqui. Lembranças carinhosas do Will [e] xxxxxxxxx às meninas".

25. SEXTA-FEIRA, 12 DE FEVEREIRO DE 1915
Florence Farmborough examina o seu guarda-roupa em Moscou

Agora aquilo tudo já faz parte do passado; os seis meses no hospital militar em Moscou, o esforço nos estudos para ter o diploma de enfermeira (a parte prática ela já dominava bem, o problema era a complicada teoria em russo), a graduação, a cerimônia de encerramento na igreja ortodoxa (o padre teve dificuldade em pronunciar o nome dela: "Floronz"), sua tentativa de ser aceita no novo hospital móvel número 10 (o que conseguiu, de novo, graças aos contatos de seu ex-empregador, o famoso cirurgião cardíaco).

Florence escreve em seu diário:

Os preparativos para a minha partida estão em pleno andamento. Estou tão ansiosa para ir, mas ainda há muito por fazer e a própria unidade ainda não está totalmente pronta. Meus uniformes de enfermeira, aventais e toucas também já estão prontos, e comprei uma jaqueta de couro forrada de flanela. Junto com a jaqueta veio um colete de pele de carneiro, para ser usado no inverno, e seu nome em russo é *dushegreychka*, que significa "aquecedor da alma". Ouvi falar que a nossa unidade vai estar estacionada, durante certo tempo, no front russo--austríaco nos Cárpatos e que teremos que andar a cavalo, então botas de cano alto e calças de couro preto foram acrescentadas ao meu guarda-roupa.

26. SÁBADO, 13 DE FEVEREIRO DE 1915
Sophie Botcharski revê o cemitério de Gerardovo

Geada, céu nublado. Eles compreendem que o combate chegou ao fim, o barulho das explosões foi diminuindo e a chegada de feridos também. Uma semana de trabalho ininterrupto. Sophie e as outras enfermeiras estão exaustas. Seu chefe tem pleno conhecimento disso, e ela e mais duas enfermeiras recebem ordem de realizar uma tarefa fora do hospital improvisado. Elas são mandadas para a Quarta Divisão, para distribuir presentes para os soldados. Os presentes foram enviados pelo correio e ficaram amontoados em um canto durante o conflito. Os remetentes são compatriotas dos soldados.

Um automóvel as aguarda. Elas embarcam e se dirigem a seu destino. A estrada está escorregadia, devido à camada de gelo que se formou em sua superfície neste inverno rigoroso. Elas passam pelo cemitério militar que Sophie viu ao chegar a Gerardovo. Ela observa que ele triplicou de tamanho, tornou-se "um mar de cruzes de madeira". Essa constatação não a surpreende.

Apenas uma semana se passou, mas é como se fosse um século para os mortos e para ela mesma. Antes disso, ela era apenas mais uma moça inexperiente, cheia de ideais e um pouco arrogante, como muitas outras jovens da classe alta, que, tomadas de ideias de patriotismo e de fervor em relação à guerra, se alistaram como enfermeiras voluntárias, apesar de a eclosão do conflito não ter sido sequer comemorado onde ela vive. Sophie se lembra de um homem que chegou galopando à propriedade de sua família e deixou um bilhete. No dia seguinte, os cavalos foram levados ao vilarejo mais próximo, para serem escolhidos e postos à disposição do Exército. Os homens mais jovens, vestidos em suas roupas de domingo, iam andando e cantando pela estrada, acompanhados das mães ou das esposas. As mulheres jogavam sem parar seus aventais sobre a cabeça, para mostrar a tristeza que sentiam, enquanto sua voz chorosa ia aumentando de volume. Já era final do verão. Ela se lembra de ter olhado para o vale lá embaixo, visto o rio e o grande bosque. As estradas foram ficando apinhadas de pessoas, cavalos, vários tipos veículos em movimento, todos indo na mesma direção: "Tão longe quanto se podia ver, multidões por todos os lados, como se a própria terra tivesse criado vida".

Sophie foi aceita na Cruz Vermelha. O uniforme de enfermeira foi considerado chique. Ela tem pouquíssimo conhecimento do ofício. Quando, certo dia, foi chamada para limpar o chão da sala de cirurgia, ficou chocada e sem saber o que fazer, pois nunca havia realizado uma tarefa daquelas. Durante a maior parte do tempo, ela e suas colegas ficaram apáticas, à espera de que alguma coisa acontecesse. A ofensiva alemã se iniciou catorze dias atrás.

Então, pela primeira vez ela percebeu o que é de fato uma guerra. Uma detonação foi seguida de outras, estrondos, o solo sendo sacudido, vidros de janelas se espatifando, o céu escuro da noite iluminado por clarões. Depois de uma semana escutando esses ruídos típicos de guerra, ela e uma colega foram mandadas para Gerardovo. No caminho, passaram por inúmeros carregamentos de feridos. Alguns estavam deitados sobre o feno, outros sobre almofadas coloridas, provenientes de alguma casa saqueada. Os cocheiros iam ao lado, saltitando e correndo para suportar o frio de janeiro. Sophie e suas colegas chegaram, afinal, a seu destino. Era uma grande fábrica, cujo pátio estava lotado de veículos de todos os tipos. A ambulância em que haviam viajado precisou estacionar junto ao portão externo do edifício.

As tropas russas que invadiram a Prússia Oriental haviam sido derrotadas. O comando superior alemão fizera várias tentativas de chegar ao sul, na direção de Varsóvia e das planícies ao redor do rio Vístula. A empreitada não teve o sucesso esperado, apesar do uso de gás tóxico, pela primeira vez na história.[10] O último ataque também fora interrompido com rapidez e poderia ter parado por ali, se os adversários russos não tivessem prosseguido.

As perdas foram tão grandes que o sistema de saúde russo entrou em colapso. Fora da fábrica, viam-se macas com feridos por todos os lados. Não havia lugar para eles no já lotado hospital e muitos haviam morrido congelados durante a noite. Dentro da fábrica, feridos estavam acomodados nas escadas, entre as máquinas, muitos deitados sobre macas ou sobre fardos de algodão. As poucas pessoas que ali trabalhavam não tinham tempo de retirar os mortos do lugar. Quando Sophie entrou no edifício, suas narinas foram atingidas por um odor de apodrecimento, o que quase a fez desmaiar. Estava escuro e havia sangue escorrendo pelo chão. Feridos gritavam por socorro, de todos os lados. A saia dela foi puxada de leve por alguém. A maioria dos homens era muito jovem. Estavam desesperados, amedrontados, tremiam de frio e choravam. Eles a chamavam de "mãezinha", apesar de terem a mesma idade que ela. Outros fala-

---

10. Esse fato ocorreu quase três meses antes do início do uso de gás de mostarda no oeste, em Ypres, em abril de 1915, e costuma ser mencionado como a primeira vez que foi empregado. Os únicos recursos com que os russos contavam para sanear as trincheiras contra os efeitos do gás tóxico (ou gás de mostarda) eram argila e amônia. O gás não teve o efeito esperado devido às baixas temperaturas da estação.

vam sem parar, compulsivamente. Nas salas maiores, luzes de lanternas se moviam "como olhos nervosos".

Assim continuou. Dia após dia.

Com a ajuda dos fragmentos de histórias contadas pelos feridos, Sophie tinha, agora, uma imagem aproximada do que havia acontecido. Um dos feridos dissera: "Na minha mente, eu ainda vejo o campo de batalha. Não havia nenhum lugar para nos protegermos, nem mesmo uma árvore. Fomos obrigados a atravessar aquele campo aberto sob a chuva de balas dos alemães". E outro: "Eles mandaram os meus homens para o campo aberto, sem baionetas. O que eles estavam pensando?". Um terceiro relatou: "Todos os dias chegavam novos soldados nas nossas trincheiras, e quando vinha a noite restavam muito poucos". Então ela ouviu a história do quarto soldado: "Nós não podemos usar granadas como os alemães, só podemos gastar recursos humanos". Um dos piores combates tinha acontecido perto de uma destilaria de conhaque, cujo pátio ficara lotado de cadáveres de cavalos, mortos pelas granadas.

O automóvel pega uma estrada secundária. Sophie vê árvores cortadas. Ela observa que o terreno aos poucos fica mais aberto à direita. O campo está coberto de neve e ela repara nos buracos deixados pelas granadas. Um oficial, que serve de guia, aponta para longe. Lá fica a famosa destilaria. Ela olha com um binóculo. Ouve "um barulho como um assobio", seguido de um estrondo. Uma grande quantidade de terra é levantada do lado direito do carro. Outro estrondo, agora à esquerda. Eles seguem em frente, rápido, ao longo de uma alameda, até chegarem a uma mansão. Entram, passam pela recepção, onde há algumas telefonistas, e chegam a um salão em que dois oficiais superiores estão debruçados sobre uma imensa mesa.

São convidados para o chá. Sophie senta-se ao lado do chefe da divisão, o correto e bem vestido general Mileant. Ele está satisfeito, explica que o conflito é "uma grande vitória para o Exército russo". E acrescenta: "Só na minha divisão foram perdidas 6 mil baionetas". Sophie se surpreende com a declaração, pois "nunca havia imaginado perdas em termos de baionetas, e sim de feridos e mortos". O clima fica mais leve quando aparece a esposa de um major da artilharia, que Sophie já encontrou em outra ocasião, "a mulher mais elegante de Petrogrado". O encontro foi bastante agradável, há um sentimento de alívio e sucesso no ar. Sophie Botcharski está satisfeita com seu desempenho entre pessoas tão importantes. Muitas risadas foram dadas durante o chá.

27. DOMINGO, 28 DE FEVEREIRO DE 1915
René Arnaud compreende a lógica de como se escreve a história nos arredores do rio Somme

Manhã fria de primavera. O sol ainda não nasceu, mas o porta-bandeira René Arnaud já está acordado. Ainda no escuro ele faz a sua inspeção de sempre. Vai até as trincheiras, verifica as sentinelas — que se alternam a cada duas horas —, verifica também se o inimigo não está para atacar. Todos sabem que esta é a hora perfeita do dia para um ataque. Não que isso seja assim tão comum nos arredores do Somme.

Esta é uma zona bastante calma. Os perigos são mínimos. Uma granada alemã talvez passe por aqui de tempos em tempos, mas nada de pesado, apenas uma 77 milímetros, com o seu característico "shooooo... booooom". E há os atiradores, que enganam os mais descuidados, e as barricadas, subindo a colina, onde alemães estão à espreita para abrir fogo. Foi lá que seu antecessor foi morto, atingido por uma bala na cabeça. Foi também a primeira vez que Arnaud viu um soldado morto. Quando a maca passou levando o corpo, com a cabeça e os ombros cobertos por um pedaço de lona e a calça vermelha do uniforme escondidas sob um plástico preto, Arnaud não ficou muito impressionado, apesar da sua falta de experiência no assunto. "Eu estava tão cheio de vida que não poderia me imaginar no lugar dele, deitado sobre uma maca, com aquele ar de indiferença que todos os mortos exalam."

Arnaud havia comemorado a eclosão da guerra. Ele acabara de completar 21 anos, mas não parecia ter mais que dezesseis. Seu único medo era de que a guerra terminasse antes de ele chegar ao front: "Não seria humilhante não poder participar da maior aventura da minha geração?".

Estas últimas horas de escuridão podem ser muito estressantes para alguém sem experiência:

> Quando parava junto às trincheiras e observava o campo aberto, eu achava, muitas vezes, que os postes das nossas cercas de arame farpado eram a silhueta de uma patrulha alemã, pronta para nos atacar. Eu olhava para os postes, via que se moviam, ouvia os casacos arrastando no chão e o tinido das baionetas. Então me voltava para o soldado que estava de guarda e sua tranquilidade me acalmava.

Enquanto ele não visse alguma coisa, essa coisa não estava lá, era apenas o resultado das minhas alucinações e nervosismo.

Então chega aquele momento em que o horizonte vai clareando, os pássaros começam a cantar e as formas da paisagem se revelam de maneira imperceptível, através da luz fraca da manhã.

Ele ouve um tiro. Depois mais um, dois e muitos outros. Em menos de um minuto é intenso o tiroteio ao longo das trincheiras. Arnaud vai apressado acordar os outros soldados. Na porta do abrigo, já encontra homens saindo e empunhando armas, ao mesmo tempo que tentam colocar suas mochilas nas costas. Ele vê um sinalizador vermelho ser lançado do lado inimigo. Sabe o que é: um sinal para a artilharia alemã.[11] Em seguida, as consequências: uma tempestade de granadas sobre as trincheiras francesas. O ar se enche de "confusões, zumbidos e explosões". O odor dos gases explosivos é pungente. "Meu coração batia muito forte, eu devia estar pálido e tremia de medo. Acendi um cigarro, pois achei que isso iria me acalmar nessa situação. Percebi os homens se abaixando na estreita trincheira, com as mochilas sobre a cabeça, à espera do cessar-fogo."

Arnaud chega à conclusão de que os alemães devem estar a caminho, através do campo aberto. Ele passa por cima dos outros soldados em direção a uma inclinação na trincheira, pois sabe que dali pode enxergar a linha inimiga. O ruído é extremo. Agora ele se ocupa em observar os alemães: "O que eu tinha de fazer me deixou tão ocupado que acabei esquecendo do medo". Ele fica o tempo todo à espreita, mas nada acontece.

Aos poucos o tiroteio vai cessando, até morrer.

Há muita poeira. O silêncio retorna. Informes começam a chegar. Dois mortos no grupo ao lado e mais cinco na companhia à direita.

Arnaud começa a ter uma ideia do que aconteceu. Duas das sentinelas, cansadas de ficar sem fazer nada, resolveram atirar contra um bando de aves migratórias, que estavam a caminho da Escandinávia. O tiro acabou enganan-

---

11. Durante a Primeira Guerra Mundial, o vermelho, o verde e o branco eram as cores iconográficas da noite. Todos os Exércitos usavam sinalizadores dessas cores, que eram combinados de diferentes formas, de acordo com a mensagem a ser enviada. Vermelho costumava significar "Ataque inimigo!", enquanto verde era sinal de que a própria artilharia estava atirando muito perto e precisava aumentar o alcance de seus disparos.

do as outras sentinelas, que, temendo um ataque, também começaram a atirar. Não passou muito tempo até que os homens nas trincheiras reagissem. Esse tiroteio repentino fez com que os alemães acionassem a sua própria artilharia.

O relatório oficial chega no dia seguinte, um comunicado do quartel--general francês, no qual se lê: "Em Bécourt, perto de Albert, fizemos cessar um ataque alemão, graças ao trabalho da nossa artilharia". O comentário de Arnaud: "É assim que a história é escrita".

No mesmo dia, 28 de fevereiro, William Henry Dawkins escreve à sua mãe:

> Esta semana recebi sua carta datada de 26 de janeiro, e talvez seja a última que recebo aqui no Egito, já que em breve iremos embora. Ninguém sabe para onde. Durante o dia a Terceira Brigada, a Terceira Ambulância de Campo, a Primeira Companhia de Campo e a Quarta Unidade de Serviço do Exército marcharam para Alexandria e, dentro de catorze dias, também seguiremos para lá. Acho que iremos para o Dardanelos, mas pode ser ainda algum lugar na França, na Turquia, na Síria ou até em Montenegro. De qualquer maneira, vamos nos movimentar e, enfim, entrar em ação.

28. QUARTA-FEIRA, 3 DE MARÇO DE 1915
Andrei Lobanov-Rostovski e a tempestade de neve em Lomza

O inverno está chegando ao fim. A ofensiva alemã de fevereiro também. Ambos são fenômenos imprevisíveis, apesar das leis de meteorologia e dos planos dos estrategistas. O regimento de Lobanov-Rostovski recebe ordens de atacar, pela última ou penúltima vez, para aplainar uma pequena inclinação na linha de frente, ou para eliminar algum posicionamento ameaçador, ou ainda para fixar algo mais que só aparece na abstrata escala 1:84 000 dos mapas do estado-maior. Acontece, então, uma tempestade de neve.

Esse inverno tem sido muito rígido no noroeste da Polônia. A última ofensiva de Hindenburg não surtiu grande efeito,[12] e a frente russa nessa área se moveu aqui e ali, mas manteve a sua posição.

Andrei Lobanov-Rostovski pertence a uma divisão da guarda, aquele tipo de esquadrão de elite confiável, também utilizado como corpo de bombeiros, que se dirige para onde o perigo é maior. Mais uma vez ele conseguiu evitar os piores combates. Primeiro esteve doente, de cama, em Varsóvia, depois passou muitos dias viajando de trem, enquanto os generais tentavam decidir onde a divisão era mais necessária: "Essas oscilações em nosso itinerário mostravam que a situação mudava de minuto a minuto". Afinal, pararam em Lomza e a divisão marchou para uma linha marcada no mapa, localizada a noroeste da estação. "Quando o inimigo se aproximou, a linha se transformou no front."

O inverno e as batalhas invernais devem estar no fim. Agora trata-se apenas de uma disputa "de interesse local". A tempestade de neve não impede o ataque russo, que é executado segundo o plano. Mais uma vez Lobanov--Rostovski observa os acontecimentos. Ele é sapador e não é requisitado em situações como essa. Ver a recusa dos generais em se curvarem perante as forças da natureza é assustador, de certa forma: "O ruído dos preparativos da artilharia e o barulho dos canhões misturam-se aos uivos do vento e ao redemoinho da neve". As perdas são extremas, mesmo para os padrões desta guerra, porque os feridos, em sua maioria, morrem congelados no lugar em que foram atingidos. E os sobreviventes do vento, da neve e das baixas temperaturas acabam com os membros congelados. O hospital fica lotado de soldados amputados.

Andrei Lobanov-Rostovski sente-se mal. É sobretudo o que ocorre no front que o deixa sem ânimo. Ele considera a passividade e a falta de atividades "muito deprimentes". A monotonia só é quebrada quando aeroplanos alemães sobrevoam a área e jogam algumas bombas, de madrugada ou tarde da noite.

---

12. Os alemães tiveram, sem dúvida, vários êxitos localizados: eles levaram a cabo um cerco completo em Augustov, onde um regimento russo inteiro (o 20º, de Bulgakov) foi eliminado, e a imprensa alemã foi rápida em fazer a propaganda da Batalha de Tannenberg. As perdas russas haviam sido imensas, mas as perdas alemãs também foram notáveis e inúteis.

29. DOMINGO, 7 DE MARÇO DE 1915
Kresten Andresen pinta o retrato de um asno em Cuy

O padre do acampamento lhes dá os parabéns durante a missa. Depois cantam "Deus é nosso refúgio e fortaleza", mas deixando de lado o segundo verso, pois este pode ser interpretado como se tivessem dúvidas sobre o poder das armas.[13] Foram meses estranhos, de escassos e distantes enfrentamentos. Durante todo o tempo em que esteve no front, Andresen só deu três tiros, e ele está convencido de que as balas dos tiros que deu ficaram cravadas na barreira deles, logo à frente. Muitas vezes, quando tudo estava bastante calmo, um sentimento de irrealidade o dominava. Esse sentimento, mais cedo ou mais tarde, atingia os outros participantes também, pois era muito difícil imaginar que uma guerra estava mesmo acontecendo.

Talvez o silêncio e a calma dos últimos tempos seja a causa da sensação de que a guerra está prestes a terminar. Seja como for, ele tem criado muitas fantasias sobre épocas de paz. Andresen tem sonhado bastante também. Como na noite passada. Ele sonhou que andava pelas ruas de Londres, vestido em seu terno de crisma, e em seguida estava na casa de seus familiares, onde arrumava a mesa para o jantar.

O canto dos pássaros, um céu de azul forte e uma paisagem em que os tons de amarelo com marrom vão ganhando mechas de um verde brilhante. A primavera chegou à Picardia. O açafrão está florescendo, violetas brotam e, entre as antigas ruínas, Andresen encontra heléboros e campânulas brancas. Normalmente seria época de semeadura, mas não aqui e neste momento, apesar de ele ter ouvido o ruído de uma debulhadora a vapor em algum beco do vilarejo. Os cereais que a máquina está colhendo não ajudarão os agricultores franceses, já que é proibido arar a própria terra — proibição que foi decretada depois que já haviam começado o trabalho, que para eles agora não terá utilidade.

Andresen sente muita pena do povo francês que ainda se mantém nos vilarejos, logo atrás da linha de batalha. A alimentação deles

---

13. "Nossa própria força não pode ajudar/ Nós estaríamos logo dispersos", e assim por diante.

é sempre igual. O prefeito lhes dá alguns pães redondos, grandes como rodas de carrinho de mão, metade de trigo, metade de centeio. Na maioria das vezes eles comem só pão, às vezes complementam com um pedaço de carne ou algumas batatas fritas. Tirando isso, eles se sustentam com leite, vagem e beterrabas.

Como também vem de um ambiente rural, Andresen tem facilidade em entender o sofrimento e as queixas dos camponeses franceses, pois há muito desperdício nesta época de guerra. Nos primeiros tempos na França, as tropas usavam trigo novo para fazer suas camas todas as noites. Em Lassigny, cidade destruída pelos combates, uma camada grossa de aveia cobre algumas ruas, para diminuir o barulho das rodas das carroças.

Talvez seja mesmo o camponês em Andresen que o fez gostar de um pequeno asno, Paptiste, que vive em uma das fazendas de Cuy. O animal zurra quando alguém tenta se aproximar e mostra que pretende dar chutes também. Andresen o acha bastante cômico em sua burrice e em sua preguiça natural. Neste domingo de sol de primavera, ele aproveita para pintar um pequeno retrato do asno, no pasto da fazenda. Pretende mandar o retrato para casa quando estiver pronto.

Andresen conheceu algumas pessoas, além do asno. Em Cuy, fez amizade com duas francesas, uma loira e uma morena. Elas são refugiadas de um vilarejo nas proximidades e foram parar em terra de ninguém. A amizade foi facilitada pelo fato de ele não ser alemão, e sim dinamarquês. A mulher morena tem uma filha de onze anos, de nome Suzanne, mas chamada de Sous, que se refere a Andresen como "Kresten le Danois". A mulher morena não tem contato com o marido desde o final de agosto. "Ela está muito nervosa." "Outro dia me perguntaram quando teríamos paz de novo, mas eu sabia tão pouco quanto elas. Tentei consolá-las da melhor maneira possível, elas choraram muito. Não costumam chorar, apesar de terem motivos suficientes para isso."

Andresen ajudou a mulher morena a escrever para a agência da Cruz Vermelha em Genebra, para tentar obter alguma informação sobre o marido. Ele também deu uma boneca para Sous, chamada de Lotte. A menina empurra, contente, a boneca em uma caixa de cigarros vazia. Ele toma a decisão de construir um carrinho de boneca para ela.

30. SEXTA-FEIRA, 12 DE MARÇO DE 1915
Rafael de Nogales chega à guarnição de Erzurum

O que mais o impressiona, durante a longa e difícil marcha através das montanhas cobertas de neve, é o fato de que não se vê nenhuma árvore no caminho. Nem pássaros. Ele achava que pelo menos alguns corvos ou abutres deveriam aparecer por ali, já que na direção do final da marcha viu os restos da tragédia de Sarikamis, na forma de milhares de cadáveres congelados de cavalos e camelos. "Este lugar deve ser amaldiçoado, pois até as aves de rapina evitam pousar por aqui."

Ele não demonstra o menor sinal de angústia. É exatamente isso que ele quer.

Quando a guerra eclodiu em agosto, foram muitos que fizeram de tudo para chegar à Europa e participar do que estava acontecendo. A pergunta é se o caminho de Rafael de Nogales para chegar à guerra não foi o mais longo de todos. Foi, sem sombra de dúvida, o mais complicado. Se alguém merece o título de "aventureiro internacional", esse alguém é ele. Nascido na Venezuela, em uma antiga família de conquistadores e piratas (seu avô paterno lutou pela independência do país), cresceu e estudou na Alemanha e tem uma natureza aventureira.

Rafael Inchauspe de Nogales Méndez é indiferente ao fervor nacionalista e às energias semiutópicas que moveram milhões de pessoas. Ele também não precisa provar nada para ninguém ou para si mesmo. Há muito tempo vem se preparando para tudo isso, sem medo, impaciente e despreocupado. Ele lutou na Guerra Hispano-Americana em 1898, participou (do lado errado) da rebelião na Venezuela em 1904, o que o obrigou a fugir do país, foi voluntário (e ferido) na guerra entre a Rússia e o Japão em 1904, esteve à procura de ouro no Alasca (e se considera um dos fundadores da cidade de Fairbanks) e trabalhou como caubói no Arizona. Rafael de Nogales tem agora 36 anos, e é um homem de personalidade intensa, fascinante, orgulhoso, duro, educado, moreno e de baixa estatura, de rosto oval, orelhas de abano e olhos separados. Na aparência, Nogales pode ser descrito como uma espécie de Hercule Poirot latino — veste-se com muita elegância e possui um bigode muito bem aparado.

Assim que a notícia da guerra chegou até ele, embarcou para a Europa, decidido a participar do conflito. O nome do navio era *Cayenne*. Sua chegada a

Calais foi bastante dramática. As ruas estavam apinhadas de refugiados, a maioria mulheres e crianças, carregando as "peças patéticas" de seus pertences que haviam conseguido salvar. Seguidamente, uma tropa de soldados ou uma bateria de artilharia aparecia, e as pessoas eram pressionadas contra as paredes das casas. Do lado oposto vinham muitos automóveis, carregados de feridos trajados nos mais diversos uniformes. "Um combate parece ter ocorrido, só Deus sabe onde." Ele se lembra, em especial, de dois ruídos. Em primeiro lugar, do zumbido ameaçador dos aeroplanos, que de vez em quando voavam sobre suas cabeças, "como águias de aço". Em segundo lugar, do barulho dos tamancos de madeira de milhares de pessoas sobre as pedras das ruas. Todos os hotéis estavam lotados. Nogales foi obrigado a passar sua primeira noite em uma poltrona.

Devido à sua criação, Nogales inclinava-se a apoiar partidos de centro, mas as notícias de que tropas alemãs haviam entrado em um dos menores países vizinhos fez com que ele "tivesse que sacrificar suas simpatias pessoais e colocar-se à disposição da pequena, mas heroica, Bélgica". A ideia não foi muito apreciada pela Bélgica, que, de forma educada, refugou a oferta. Ele, então, recorreu às autoridades francesas, que lhe negaram acesso ao exército comum. Um tanto desgostoso com a situação, foi aconselhado a oferecer seus serviços a... Montenegro. O que resultou em sua prisão, como espião. Até as autoridades sérvias e russas também se negaram a recebê-lo em seus exércitos. O diplomata russo que ele conheceu na Bulgária lhe sugeriu fazer uma tentativa com o Japão, "talvez eles...". A decepção de Nogales, a essa altura, era tão grande que ele estava prestes a desfalecer quando aguardava no belo hall da embaixada russa em Sófia.

Rafael de Nogales não sabia o que fazer. Voltar para casa estava fora de questão. Ele também não podia ficar "e nada fazer, já que isso significaria fracasso pessoal e até morte por inanição". Um encontro casual com o embaixador da Turquia em Sófia fez a vida de Nogales tomar um novo rumo. Ele tomou a decisão de alistar-se no lado oposto. No início de janeiro, inscreveu-se no Exército turco e três semanas mais tarde saiu de Constantinopla[14] em direção ao front no Cáucaso.

Agora, com as montanhas brancas ao fundo, eles passam, cavalgando, pelos pequenos fortes que formam a fortaleza. O céu acima deles está cinza, cobrindo "a paisagem desolada como uma tampa de chumbo". Por todos os lados

---

14. Até os turcos, nessa época, chamavam a cidade de Constantinopla.

há novas trincheiras, ou seriam valas comuns? Ele vê cadáveres congelados sendo devorados por cães. (Mais adiante, ficam sabendo da grande epidemia de tifo que está se alastrando.) O pequeno destacamento chega a Erzurum. A cidade não oferece nenhuma visão edificante. Suas ruas estreitas estão cobertas de neve, mas, apesar do frio, ela se mantém em intensa atividade. Nos bazares há muitos comerciantes, vestidos de peles, pernas cruzadas, fumando "seus eternos narguilés", e na guarnição soldados vão e vêm, caravanas de material chegam e partem. Aqui fica o quartel-general do Terceiro Exército, ou o que ainda resta dele.

Nogales faz sua inscrição, à tarde, com o comandante do forte, um coronel.

A guerra está parada devido ao frio e à neve profunda. Ninguém teria coragem de iniciar uma campanha de inverno agora, depois das perdas do final do ano, quando 150 mil homens se puseram em marcha e apenas 18 mil retornaram. Toda a operação teve custos altíssimos. Os russos estão mais que satisfeitos com a inesperada vitória e aguardam em suas posições na montanha em frente a Köprüköy.

De vez em quando, ouvem-se os ruídos da artilharia russa. O estrondo ecoa entre as montanhas, e as explosões com frequência causam avalanches no topo do Ararat: "Imensos blocos de gelo foram se movimentando até que com um grande estrondo caíram sobre as silenciosas praias do Araxe".

31. QUINTA-FEIRA, 18 DE MARÇO DE 1915
Pál Kelemen olha à sua volta em uma sala de aula vazia nos Cárpatos

Não se feriu com gravidade. Após a internação no hospital em Budapeste, passou um tempo de sua convalescença como responsável pelos *remonters*[15] na cidade vizinha de Margita. Lá iniciou um romance com uma jovem da alta burguesia, moça alta e elegante, mas agora está de volta ao front e o relacionamento não teve tempo de se desenvolver.

O patrulhamento nas montanhas dos Cárpatos não trouxe nenhum resultado positivo. Durante os últimos meses, os dois lados conquistaram uma pequena parte do território, mas ao mesmo tempo perderam muitos soldados,

---

15. "Remonters" é uma palavra de origem francesa usada pela cavalaria para designar os cavalos que serão treinados para substituir os que foram feridos ou mortos na guerra.

sobretudo por causa do frio, enfermidades e falta de alimentos.[16] Kelemen já sentiu o odor repulsivo que repousa agora sobre a área, quando os cadáveres começam a descongelar depois do inverno. São poucos os que falam sobre o final da guerra estar próximo.

A unidade de Kelemen trabalha agora atrás do front, como policiamento extra, protegendo e auxiliando a companhia de manutenção. É uma tarefa fácil e segura. Ele não sente a menor falta de estar na linha de frente. Kelemen e seus hussardos costumam, como hoje, ficar nas escolas vazias dos vilarejos húngaros. Ele escreve em seu diário:

> Nas salas de aula destruídas, transformadas em estábulos sujos com a cobertura de feno, as carteiras escolares parecem rebanhos de animais assustados, amontoados uns sobre os outros. Os tinteiros lembram botões arrancados de uma roupa de passeio e há lixo nos cantos e nos parapeitos das janelas.
>
> Nas paredes, a letra e a música do hino nacional e também um mapa da Europa. O quadro-negro está caído sobre a mesa do professor. Na estante, jogados, há cadernos, livros, lápis e canetas. Tudo mera quinquilharia, mas muito interessante para mim, que passo horas presenciando atrocidades. Quando leio esses livros de criança, suas palavras simples — terra, água, ar, Hungria, adjetivo, substantivo, Deus —, de algum modo reencontro aquele equilíbrio que perdi, pois me sinto como um navio pirata, sem leme, lançado em mares desconhecidos.

32. SÁBADO, 3 DE ABRIL DE 1915
Harvey Cushing elabora uma lista sobre casos interessantes em um hospital militar em Paris

Cinza, preto e vermelho. Essas foram as cores que ficaram gravadas em sua mente quando ele e os outros, dois dias atrás, viajaram de ônibus desde a Gare d'Orléans, passaram sobre o rio e pela Place de la Concorde e chegaram ao

---

16. Desde o final do ano o Exército Austro-Húngaro havia perdido 800 mil homens, mortos devido a ferimentos, enfermidades e o frio intenso da época. Esses números só seriam divulgados em 1918. Todos os países faziam segredo de suas cifras negativas, e perguntar sobre o assunto era considerado traição.

hospital em Neuilly. Ele olhou curioso, na verdade avidamente curioso, para as ruas da cidade. Cinza em todos os veículos militares, pintados na mesma tonalidade: automóveis, ambulâncias, tanques de guerra. Preto em todos que estão de luto — "Todas as pessoas que não usavam uniforme vestiam roupas negras". Vermelho nas calças dos militares e nas cruzes das ambulâncias e hospitais. O seu nome é Harvey Cushing e ele é um médico americano proveniente de Boston. Veio à França para estudar cirurgia de guerra e, dentro de alguns dias, completará 46 anos.

Hoje Cushing encontra-se no Lycée Pasteur em Paris, agora chamado de Ambulance Américaine.[17] É um hospital militar privado, fundado no início da guerra por empreendedores americanos residentes na França e financiado por diversos doadores. Os que trabalham aqui vêm sobretudo dos Estados Unidos, voluntários da área médica de diversas universidades, que ficam a serviço do hospital por um período de três meses. Alguns vieram movidos por seus próprios ideais e outros, como Cushing, pelo interesse de aperfeiçoamento. Aqui ele pode tratar de ferimentos praticamente desconhecidos em seu país, que, devido à sua política de neutralidade, está em uma posição de certo isolamento. Sua especialidade é cirurgia cerebral — é um dos melhores de sua profissão[18] — e ele espera aprender muito mais na França. Harvey Cushing não quer se posicionar nem a favor nem contra ninguém nesta situação de guerra. Pessoa sensata e instruída que é, encara com certo ceticismo irônico muitas das elaboradas histórias de horror que ouve sobre as atrocidades cometidas pelos alemães. Cushing tem a tez clara, é baixo e magro. O seu olhar é penetrante e a boca, pequena e comprimida. Ele dá a impressão de ser um homem acostumado a conseguir tudo o que quer.

Ontem, Sexta-Feira Santa, foi o seu primeiro dia no hospital, e Cushing já começou a ter uma ideia do que será o seu trabalho. Ele visitou os feridos, homens pacientes e quietos, com seus corpos fragilizados por ferimentos infectados, que levam muito tempo para sarar. O que se retira desses ferimentos não são apenas balas e estilhaços de granada, mas também o que se chama de projé-

---

17. "Ambulance", na época, era a designação para hospital militar, na França.

18. Cushing já tinha boa fama entre seus colegas de Yale e Harvard. Aos 32 anos, já havia se tornado professor de cirurgia na renomada Johns Hopkins University, além de pesquisador dos centros cerebrais e suas funções.

teis secundários, como pedaços de roupa, pedras, restos de madeira, cartuchos vazios, partículas de equipamentos militares e até fragmentos de corpos de outras pessoas. Ele também já teve tempo de ver alguns dos problemas mais sérios. Em primeiro lugar, os pés inflamados, enegrecidos, congelados e quase imprestáveis de muitos soldados, consequência de terem ficado, dia após dia, em trincheiras frias e úmidas. (O termo "pés de trincheira" ainda não começou a ser usado.) Em segundo lugar, os que simulam estar doentes e os que exageram seus problemas, por vergonha ou vaidade. Em terceiro lugar, as chamadas "cirurgias de suvenir" — operações com risco de vida para a retirada de balas ou estilhaços de granada que poderiam ser deixados no corpo, mas que os próprios feridos desejam guardar como lembrança de guerra para exibir como troféus. Cushing balança a cabeça ao se deparar com esses casos.

Hoje é sábado, véspera de Páscoa. Os dias frios e claros foram substituídos por uma chuva contínua.

Cushing passa o turno da manhã vistoriando a sala quase lotada e anotando os casos neurológicos mais interessantes. Há poucos, mas graves, casos de lesões cranianas; então ele anota também os tipos de danos nervosos. Os pacientes vêm, quase todos, do sudeste do front. Franceses na sua maioria, alguns soldados coloniais negros (alguém conta a Cushing que os alemães não fazem dos negros seus prisioneiros de guerra, mas ele não acredita) e um pequeno grupo de ingleses (eles são, em geral, mandados para o hospital no canal da Mancha ou para casa). Logo a lista fica pronta:

Onze casos de lesões nervosas nos membros superiores, variando de ferimento no plexo braquial até pequenas lesões nas mãos; cinco deles de paralisia muscular dorsal com fraturas complicadas.

Dois casos de lesões nervosas nas pernas; Tauer já realizou a operação e suturou.

Três casos de paralisia facial. Um dos feridos foi atingido por *un morceau d'obus*,[19] grande como a palma de uma mão, que estava inserido em sua bochecha e ele, com orgulho, mostrava a todos — o estilhaço de granada, é lógico.

Uma paralisia cervical no sistema nervoso simpático em um homem atingido através da boca.

Dois casos de ruptura da coluna vertebral, um deles em estado terminal, o ou-

---

19. Um estilhaço ou, mais exatamente, um pedaço de granada.

tro em recuperação. Uma viga que segurava o abrigo caiu sobre o paciente, quando uma granada foi detonada perto de onde ele se encontrava.

Apenas uma lesão gravíssima; um certo Jean Ponysigne, ferido há cinco dias nos Vosges e trazido para cá, de ambulância.

Na hora do almoço, uma das enfermeiras relata a Cushing que alguns dias atrás viu um veterano da guerra de 1870-1, sem as pernas, apoiar-se em suas muletas para fazer uma reverência para um homem 45 anos mais jovem que ele, uma das vítimas do atual conflito, também sem as pernas. À tarde, Cushing faz uma visita ao departamento de cirurgias dentárias e fica muito impressionado com os métodos novos, engenhosos e efetivos desenvolvidos ali. "É notável o alto grau que eles conseguiram atingir quanto à adaptação de dentes à mandíbula de indivíduos que tiveram grandes porções de seus rostos destruídas."

33. SEXTA-FEIRA, 9 DE ABRIL DE 1915
Angus Buchanan espera por um trem na Estação Waterloo

Mais um dia chuvoso. Quando o crepúsculo cai sobre Londres, a cidade toda fica cinzenta e úmida. Ele está na plataforma de número 7 desde as seis da tarde e o trem ainda não apareceu. Há muitas outras pessoas à espera também, a plataforma está lotada de gente, não apenas homens em uniformes cáqui, mas muitos civis. São parentes e amigos que foram até a Estação Waterloo para se despedir dos soldados. O tempo pode estar ruim, mas o humor dos que estão ali é muito bom. Eles conversam e dão risadas em pequenos grupos. Ninguém demonstra o menor sinal de impaciência devido ao atraso do trem.

Os soldados que esperam pelo trem fazem parte, sobretudo, do batalhão de voluntários, o 25º Batalhão do Royal Fusiliers, que dará início à sua longa jornada até a África Oriental. Todos já sabem das grandes dificuldades encontradas pelas unidades europeias nessa região da África, mas a maioria dos homens uniformizados já tem experiência no que se refere a climas quentes ou a caprichos da natureza. Esta "legião de rastreadores e guardas de fronteira" vem dos mais variados lugares, como Hong Kong, China, Ceilão, Malaca, Índia, Nova Zelândia, Austrália, África do Sul e Egito; o batalhão inclui exploradores polares e caubóis aposentados. Quando a guerra eclodiu, Buchanan se encontrava em solo canadense, longe da civilização, ocupado em colher exemplares da flora e da fauna árticas, e por isso não ficou sabendo do que havia acontecido até o final de outubro. Ele logo se dirigiu para o sul, conseguiu chegar ao primeiro vilarejo mais populoso na época do Natal, mas continuou sua viagem, já que tinha como objetivo seu pronto alistamento.

A companhia de Buchanan é liderada pelo experiente caçador de animais selvagens Frederick Courtney Selous, conhecido por dois livros muito populares sobre a África.[20] Selous é o típico explorador vitoriano: corajoso, otimista, imprudente, inocente, firme e curioso. Ele tem uma barba curta e grisalha e já completou 64 anos, porém exibe a agilidade de um homem de trinta. (Os integrantes do batalhão devem ter no máximo 48 anos, mas muitos dos homens são bem mais velhos e mentem sobre sua idade — ainda existe esse grande entusiasmo aqui e ali.)[21]

Desde o início de suas atividades, o batalhão tem a aura de ser uma tropa de elite composta apenas por aventureiros escolhidos a dedo. Entre os que esperam na plataforma, há vários soldados que desertaram de outras unidades, com o objetivo de se integrar a ele. Este é o único batalhão em todo o Exército britânico que não passou por treinamento militar. Os homens são considerados tão experientes que qualquer preparação seria mais que supérflua, ou até mesmo uma ofensa, para esses *gentlemen adventurers*. Não é de estranhar que justo esta noite haja no ar "*a spirit of romance*".[22]

A maioria dos homens não se conhece e muitos desses individualistas não estão acostumados a ver sua própria individualidade, em geral tão evidente,

---

20. *A Hunter's Wandering in Africa* e *Travel and Adventure in South-East Africa*. Selous, como outros aventureiros e descobridores, fez fama ao relatar suas experiências em palestras em diversos lugares do planeta. Conquistou seu lugar na história por ter sido o primeiro, junto com Cecil Rhodes, a indicar o planalto da Rodésia como um lugar adequado para os britânicos se estabelecerem e praticarem a agricultura em grande escala. Por ironia, mais tarde ele mesmo descobriu as enormes dificuldades envolvidas nesse projeto, dificuldades que qualquer um que tenha lido os romances e contos de Doris Lessing sobre a África compreende perfeitamente, mas que Selous, em sua exaltação colonial, subestimou.

21. O comandande do batalhão, coronel Daniel Patrick Driscoll, havia tomado a iniciativa de formá-lo. Durante a Guerra dos Bôeres, ele comandara uma famosa força armada irregular — chamada de Driscoll's Scouts —, e a ideia era que esse novo batalhão fosse similar ao anterior.

22. Expressão difícil de traduzir. Pode ser entendida como espírito de aventura e grande expectativa no ar.

oculta por um uniforme. Todos estão ansiosos para se conhecer. Angus Buchanan tem 28 anos, é botânico e zoólogo, com um interesse especial em aves. Ele quer aproveitar seu tempo livre para pesquisar a fauna e a flora na África Oriental.

As horas passam. O ruído e as risadas aumentam. Há mais pessoas chegando. Por volta das onze horas, contudo, os parentes e amigos dos soldados começam a se cansar da espera e vão desaparecendo da plataforma, com certa tristeza. Depois da uma da manhã, só há homens uniformizados na plataforma. O trem chega, afinal. Quando estão para partir, chega a polícia e inicia uma minuciosa busca por desertores. Estes foram avisados com antecedência e, ligeiros, embarcam no trem pelo outro lado. Lá ficam escondidos, aguardando o término da revista policial.

Às duas da manhã o trem sai da Estação Waterloo, com destino a Plymouth. Lá eles tomarão um navio a vapor, o HMTS[23] *Neuralia*, que os levará até a África Oriental.

34. QUINTA-FEIRA, 15 DE ABRIL DE 1915
Willy Coppens vê um zepelim nos arredores de De Panne

O enorme dirigível se movimenta, majestoso, praticamente em silêncio no céu noturno. A visão é assustadora e impressionante ao mesmo tempo, quase sublime. O fato de a aeronave ser inimiga é irrelevante nesse contexto. Willy Coppens sente aumentar mais ainda seu desejo de ser piloto quando vê um belo exemplar como esse. A vontade de ser piloto surgiu bem aqui em De Panne, mais ou menos no mesmo lugar onde ele agora se encontra e observa o zepelim alemão sobrevoando o canal da Mancha.

Na época, ele tinha cinco anos. Entre as dunas de areia, viu a sua primeira pandorga levantar voo, com ajuda da brisa marítima. Depois de determinado tempo, achou que aquela pandorga "possuía certa força oculta, que, de uma forma irresistível e inexplicável, me levou para a infinitude do céu". Quando a linha fina ficou esticada ao vento e fez um ruído muito especial, ele tremeu de excitação — e medo.

Willy Coppens é soldado do Exército belga, ou do que sobrou dele depois

---

23. Sigla de His Majesty's Troop Ship.

da invasão alemã em agosto do ano passado. Essa invasão do território de um país neutro forneceu o motivo oficial para que a Grã-Bretanha entrasse na guerra.[24] Ele se encontra nas trincheiras localizadas em uma faixa do território belga que não foi ocupada. Esta faixa vai de Nieuwpoort, perto do canal da Mancha, até Ypres e Messines, na fronteira francesa. Seus pais e irmãos estão no outro lado do front, em Bruxelas. Quando as ordens de mobilização chegaram, em agosto do ano passado, ele vestiu o uniforme da Terceira Companhia do Terceiro Batalhão do Segundo Regimento de Granadeiros, e seu número de serviço era 49 800. Depois tiveram que adiar a mobilização. Essa espera incerta era "terrível", segundo ele, e "a declaração da guerra foi enfim um alívio".

O ataque ao seu país e a ocupação de sua cidade natal lhe dão energia e motivação. As atrocidades cometidas pelos alemães durante aquelas semanas em agosto (os massacres em Dinant, Andenne e Tamines,[25] a devastação de Louvain e assim por diante), que a propaganda dos Aliados aborda seguidamente, descrevendo, dramatizando e embelezando os acontecimentos, a um ponto tal que os verdadeiros horrores cometidos na época começaram a desaparecer por trás de uma colorida colcha de clichês, são coisas às quais ele nunca se refere. Será Coppens uma daquelas pessoas que não mais acreditam na propaganda? Existirão, talvez, novas histórias desagradáveis substituindo as antigas? Ou terá o espírito de aventura dominado a todos? Ele tem apenas 22 anos.

Claro que Coppens sente muita amargura e um grande ódio contra os alemães. Mais tarde, ao pensar no episódio com o zepelim nos arredores de De Penne, dirá que sempre lamentou "nunca ter tido a oportunidade de bombardear o inimigo, dentro do nosso próprio país". Não é isso que ele tem em mente nesta noite de abril, quando vê o dirigível desaparecer sobre o mar. Os homens

---

24. Como Niall Ferguson mostrou, havia entre os políticos britânicos uma grande dúvida sobre se deveriam ou não entrar na guerra. Por que se colocar ao lado da autocrática Rússia contra a Alemanha, que em muitas áreas, como a legislação social, as artes, as ciências, era considerada um modelo para o resto da Europa? A maioria dos políticos e do governo, no início, foi contra a adesão. Alguns até estavam preparados para tolerar, dentro de certos limites, os crimes cometidos pela Alemanha contra a neutralidade belga. Outros queriam, em uma situação de emergência, deixar as forças britânicas entrar em guerra, algo de que mais tarde se falava muito discretamente.

25. Em Dinant, 612 pessoas foram mortas; em Andenne, 211; e em Tamines, 384; entre as vítimas havia mulheres e crianças. Os soldados alemães haviam entrado em pânico quando ouviram falar de grupos locais de guerrilheiros.

na aeronave não são alvo de seu ódio, mas sim de sua inveja. Quando observa o zepelim ser engolido pela luz, ele pensa: "Que sensação maravilhosa deve ser para os homens a bordo".

Coppens já pediu transferência da infantaria para a Força Aérea, em janeiro, mas não recebeu resposta.

O zepelim já desapareceu na escuridão quando dois aviões belgas se aproximam, à sua procura. Coppens observa que "são biplanos, quase pré-históricos, inúteis na guerra". Ele desconfia que foram mandados apenas como apoio moral — afinal, devem fazer alguma coisa. Nenhum piloto jamais conseguiu atingir e derrubar um zepelim.[26] Os dirigíveis ainda têm uma aura de alta tecnologia, invulnerabilidade e brutalidade. É por essa razão que os alemães utilizam os seus, a despeito de sua sensibilidade ao vento e às demais intempéries. Eles amedrontam. São as primeiras armas de terror.[27]

O zepelim que Coppens vê desaparecer sobre o canal integra um grupo de três que esta noite atacará o sudeste da Inglaterra. O dirigível L 7 faz uma curva grande ao longo da costa de Norwich, mas não encontra nenhum alvo que valha a pena atacar. O dirigível L 5, sob o comando do capitão-tenente Böcker, bombardeia Henham Hall, Southwold e Lowestoft, porém não consegue acertar em nada.

O único dos três zepelins que atinge algo é o L 6, sob o comando do primeiro-tenente barão Von Buttlar. Seu dirigível atinge a parte nordeste de Londres, mas, como ainda vigora a proibição de ataques à capital inglesa, ele toma a resolução de jogar cinco bombas demolidoras e trinta bombas incendiárias sobre Maldon e Heybridge.

Em seguida, volta para o mar, deixando para trás uma casa destruída e uma menina ferida.

---

26. Na noite de 7 de junho foi derrubado o primeiro zepelim (LZ 37), por um avião adversário. Não é correto dizer que ele foi bombardeado; na verdade, o piloto britânico que executou a tarefa, R. A. J. Warneford, estava prestes a atacar o grande hangar de dirigíveis localizado em Berchem, quando deparou com o LZ 37. Warneford sobrevoou o zepelim, bombardeando-o e fazendo-o cair. Foi condecorado com a Cruz Vitória. Dez dias depois, perdeu a vida em um acidente banal.

27. O que mais assustava era o fato de essa ser uma nova arma usada na guerra. Em primeiro lugar, atingia os civis em grande escala, e, em segundo lugar, a ameaça vinha do ar. A insatisfação com os dirigíveis na Grã-Bretanha era geral e havia até a exigência de se executar os pilotos capturados.

35. SEXTA-FEIRA, 16 DE ABRIL DE 1915
William Henry Dawkins se encontra no porto de Lemnos e escreve
uma carta à sua mãe

Enfim a caminho. Agora não há mais dúvida sobre o destino: Dardanelos. Desde fevereiro houve rumores de que uma operação estava sendo planejada. Eles receberam a notícia de que navios de guerra aliados atacaram, sem grande estardalhaço, baterias de artilharia otomanas que estavam bloqueando o estreito. Um ataque fracassado, como o do mês passado.[28] Já no final de março, uma grande parte da brigada de Dawkins desapareceu quando navegavam no Mediterrâneo, em direção à ilha de Lemnos, no mar Egeu. Ele permaneceu por mais algum tempo no quartel no Cairo. Já havia percebido que algo grande estava para acontecer. Em uma carta para casa, escreveu: "Há rumores de que seremos um exército gigantesco, francês, russo, balcânico e britânico, com a tarefa de derrotar a Turquia e, depois, marchar para a Áustria".[29]

Já está na hora de acontecer alguma coisa. Os meses de inatividade — aí incluídos os exercícios — abalaram o moral e, sobretudo, a disciplina dos soldados. Os australianos têm se mostrado cada vez mais desrespeitosos em sua convivência com os oficiais britânicos, ao mesmo tempo que soldados de todas as nacionalidades têm se comportado muito mal no Cairo. Há duas semanas,

---

28. O objetivo dessa operação mal planejada e presunçosa era que os navios de guerra conseguissem atravessar os Dardanelos e, em seguida, o Bósforo para transportar equipamento bélico para os russos. Além disso, queriam descarregar o material no Cáucaso, onde a ofensiva otomana já fora interrompida devido ao frio, à neve e ao caos. Havia ainda esperanças de se derrotar o Império Otomano. Existia um debate constante entre os que eram chamados de "ocidentais" e os "orientais", no qual os primeiros, em geral militares, queriam dar prioridade de ataque à Frente Ocidental, enquanto os últimos, em geral políticos, queriam atacar as Potências Centrais, iniciando por seu lado mais fraco, ou seja, os Bálcãs e o Mediterrâneo. A operação do Dardanelos foi uma criação do jovem, manipulador e controvertido primeiro lorde do Almirantado, Winston S. Churchill. A Marinha britânica, já em 1907, havia investigado o caso e chegado à conclusão de que um simples ataque marítimo talvez fosse um fracasso, mas essa realidade mundana não agradava nem um pouco a Churchill, com seu espírito aventureiro.

29. Esse é um resumo bastante fantasioso, mas não de todo inexato, do que foi planejado. As tropas eram necessárias, já que a experiência lhes havia mostrado que não era possível para os navios de guerra atravessar o Dardanelos sem ajuda externa. Uma unidade militar iria, em primeiro lugar, tomar conta da artilharia costeira que estava causando grandes transtornos para as forças navais aliadas, sobretudo por sua habilidade em acertar os caça-minas que acompanhavam a frota.

na Sexta-Feira Santa, ocorreram graves tumultos na zona de meretrício. Alguns dizem que o Cairo é uma das cidades mais pecaminosas do mundo, com grande quantidade de bordéis e antros de jogos, onde quem busca prazer pode encontrar de tudo, de drogas a dançarinas nuas. De acordo com a velha lei da oferta e da procura, esses lugares proliferaram, já que de repente apareceram milhares de jovens soldados com fartos recursos financeiros. Os problemas resultam em parte da erosão da disciplina interna e em parte dos conflitos crescentes entre os militares e a população local.[30]

Assim, na Sexta-Feira Santa centenas de soldados, sobretudo australianos e neozelandeses, iniciaram um tumulto em uma rua da zona de meretrício. Num acesso destrutivo, arrebentaram bares e bordéis, jogando os móveis na rua e ateando fogo neles. A multidão barulhenta foi crescendo, com a chegada de mais soldados ao local. Policiais tentaram intervir e, recebidos a garrafadas, atiraram e feriram quatro soldados. Chamados para controlar a confusão, militares britânicos chegaram com baionetas, foram desarmados e tiveram suas armas queimadas ali mesmo. Uma tentativa de usar a cavalaria para dominar os desordeiros também falhou. Aos poucos, porém, o tumulto se dissolveu espontaneamente. Dawkins tinha estado lá, ajudando a bloquear uma das ruas. Nos dias que se seguiram, soldados violentos incendiaram uma cantina e um cinema do acampamento.

Há uma semana, a unidade de Dawkins deixou o Egito para trás, com grande alívio. O porto de Alexandria estava lotado de navios das tropas. Dois dias mais tarde, chegaram à ilha de Lemnos, que é bem pequena para comportar todos. Muitos dos soldados tiveram que permanecer a bordo. Hoje, William Henry Dawkins está no *Mashobara*, atracado no porto de Lemnos, e escreve à sua mãe:

Aqui há moinhos antigos e graciosos que são usados para grãos. São grandes construções de pedra com enormes velas de pano. O local é bem limpo, assim como as pessoas, graças a Deus, um verdadeiro contraste. Os campos são muito bonitos, cobertos de grama verde, repletos de papoulas vermelhas e margaridas. Ontem levamos toda a companhia para terra firme, para praticar um pouco de

---

30. Em suas cartas, Dawkins já havia feito comentários sobre o ressentimento crescente contra os egípcios, referindo-se a eles como "desprezíveis".

exercícios e conhecer a ilha. As pessoas aqui são exatamente como em outros lugares, tentam ganhar dinheiro explorando os soldados. Não há lojas grandes, então passeamos e observamos os moradores. Havia um homem com um queijo redondo embaixo do braço, outro com um pacote de figos, um terceiro com os bolsos cheios de nozes, um quarto com um saco de biscoitos... Todos tentavam vender o que tinham para os outros. Nós nos divertimos muito.

Dawkins sabe que logo irão adiante e sabe qual tarefa o espera com sua companhia. Eles serão responsáveis pelo abastecimento de água das brigadas. A bordo do *Mashobara* há bombas de água, canos, ferramentas e equipamentos para cavar. Um dos navios está se transformando em uma embarcação especial, com grandes portas de desembarque. Eles receberam mapas e indicações para onde deverão se dirigir. O lugar chama-se Galípoli e é uma longa e estreita península localizada na entrada do mar de Mármara. Ele não se refere a este fato em sua carta. E a encerra, assim: "Como não tenho mais nada para contar, vou parando por aqui. Lembranças carinhosas a todos. De seu amado filho, Willie. Xxxxxxxxxx às meninas".

36. DOMINGO, 25 DE ABRIL DE 1915
Rafael de Nogales vê dois santuários da cidade de Van serem demolidos

Ele desperta de seu sono, de madrugada, deitado sobre penas de ganso e seda verde. O quarto onde está é decorado com luxo. No teto, um lustre árabe de bronze, com cristais de diversas cores. No chão, tapetes trançados à mão e uma cômoda ornamentada de aço de Damasco. Também há caríssimas estatuetas de porcelana de Sèvres. Ele percebe que é um quarto de mulher, por causa do lápis *kajal* e do batom vermelho atirados sobre uma mesinha.

Ao longe, a artilharia turca começa a entrar em ação. As baterias vão abrindo fogo. No ar há uma mistura de ruídos típicos de uma batalha: explosões, pancadas, baques, estrondos, berros, tiros e gritos de dor.

Mais tarde, ele irá a cavalo inspecionar o setor oriental.

Rafael de Nogales se encontra na periferia de Van, em uma província no nordeste do Império Otomano, perto da Pérsia e a uns 150 quilômetros da fronteira com a Rússia. Nesta antiga cidade armênia está ocorrendo uma revolta. Nogales pertence à tropa destinada a silenciar esta revolta.

A situação está muito complicada. Rebeldes armênios dominam a antiga muralha da cidade e o subúrbio de Aikesdan. As tropas do governador turco controlam a cidadela na montanha, acima da cidade, assim como as edificações à sua volta. Em algum lugar ao norte há um exército russo, parado no momento devido às dificuldades de atravessar a cadeia de montanhas em Kotur Tepe, mas, ao menos em teoria, a um dia de marcha dali. Dos dois lados os ânimos variam da esperança ao desespero, do medo à confiança. Os armênios cristãos não têm escolha, sabem que precisam aguentar até a chegada dos russos. Seus adversários muçulmanos sabem que o conflito deve ser vencido antes de os russos aparecerem no horizonte e sitiantes e sitiados trocarem de lugar uns com os outros.

A brutalidade é exagerada nos conflitos ocorridos em Van. Nenhum dos dois lados faz prisioneiros de guerra. Em todo o seu tempo em Van, Nogales vê apenas três armênios vivos: um ordenança, um intérprete e um homem que foi encontrado em um poço, onde permanecera nove dias, após ter fugido, por alguma razão, de sua própria gente. O homem é interrogado, os inimigos lhe dão algo para comer para que se recupere um pouco e, então, lhe dão um tiro "sem cerimônia". As crueldades cometidas são inúmeras, o que não surpreende, já que a maioria dos envolvidos é de soldados irregulares, sem qualquer tipo de instrução militar. São entusiastas, voluntários, civis, que de repente foram presenteados com armas e com a oportunidade irrestrita de se vingar de antigas desavenças, reais ou imaginárias, e de impedir futuros conflitos, reais ou imaginários. Na tropa que Nogale comanda há guerreiros curdos, gendarmes locais, oficiais de reserva do Exército turco, circassianos e bandidos em geral.[31]

---

31. O massacre dos cristãos já havia ocorrido, e o conflito entre os armênios e as autoridades centrais otomanas era antigo, mas se aprofundara durante as últimas décadas. A Grande Guerra levou a uma repentina e imprevisível oportunidade de massacre. Muitos turcos eram obcecados por uma espécie de ansiedade de sobrevivência. Quando os governantes em Constantinopla, em outubro de 1914, decidiram ficar ao lado das Potências Centrais, o Império Otomano acabara de perder outra guerra (a chamada Primeira Guerra dos Bálcãs, entre 1912 e 1913, na qual Sérvia, Grécia, Bulgária e Romênia haviam vencido unindo suas forças) e mais uma vez sofrera a perda de territórios habitados sobretudo por cristãos. Outros lugares do império, como o Egito e o Líbano, se encontravam, na prática, sob o controle da Frente Ocidental. Iria a erosão continuar?

A guerra cria pretextos, espalha boatos, suprime notícias, simplifica o raciocínio, banaliza a violência. Há cinco batalhões de armênios voluntários que lutam ao lado dos russos, e surge entre eles um sentimento de revolta contra o Império Otomano. Pequenos grupos armados de ativistas armênios realizam sabotagens e ataques de menor porte. E desde o final do ano de 1914 armênios desarmados vêm sendo massacrados seguidamente em represália pelos atos perpetrados pelos ativistas, como um aviso para outros armênios e como vingança pelo fiasco no front.[32] Ou apenas porque eles *podem* ser massacrados. Ao desencadear os massacres, o comandante turco local, em seu cinismo obstinadamente idiota, tem insuflado o tipo de revolta que deveria prevenir.

Rafael de Nogales já soube dos boatos, ouviu as suspeitas e viu o resultado: refugiados, igrejas incendiadas, corpos mutilados de armênios junto às estradas. Em uma pequena cidade a caminho de Van, presenciou a perseguição e o linchamento de todos os armênios homens locais — com exceção dos sete que conseguiu salvar, empunhando sua pistola.[33] Ele sentiu-se mal com o ocorrido. Aqui em Van, porém, a situação é diferente. Ele é oficial do Império Otomano e sua tarefa é acabar com a rebelião. E fazê-lo o mais rápido possível, antes que as comportas em Kotur Tepe se rompam. Além disso, Nogales não gosta de armênios. Admira a fé que eles têm no cristianismo, mas considera-os, no geral, mentirosos, gananciosos e ingratos. (Seu entusiasmo com judeus e árabes também é bastante limitado. Ele aprecia os turcos, pois são os "cavalheiros do Oriente". E respeita os curdos, mesmo tendo dificuldade de confiar neles: chama-os de "uma nação jovem e vigorosa".)

A tarefa de derrotar a rebelião em Van é complicada. Os armênios são capazes de tudo para se defender, com a coragem selvagem e desesperada que vem da

---

Para piorar a situação, surgia mais um elemento fatal: o nacionalismo moderno. Entre os governantes de Constantinopla já havia a ideia, desde antes de outubro de 1914, de uma migração em grande escala, com o objetivo de criar um Estado de homogenia étnica ou, pelo menos, livrar províncias importantes de "tumores" não muçulmanos. Ao mesmo tempo, entre as minorias cada vez mais pressionadas — em especial os ativistas armênios —, o nacionalismo despertou fantasias separatistas e a esperança de um Estado próprio.

32. Na verdade múltiplos fiascos, pois não foi apenas a invasão do Cáucaso que acabou mal. A invasão da Pérsia pelo Império Otomano foi um fracasso. As tropas russas que se encontravam agora em Kotur Tepe iam sair vitoriosas da operação.

33. Ele deixou os homens com um alto funcionário local, que lhe prometeu protegê-los. Mais tarde, Nogales ficou sabendo que o funcionário mandou enforcar os prisioneiros naquela mesma noite.

compreensão de que derrota e morte são sinônimos. Muitos dos soldados que integram a tropa de Nogales são indisciplinados, inexperientes, teimosos e praticamente inúteis em um conflito sério. Para completar, o bairro velho de Van é um labirinto de bazares, becos estreitos, casas com paredes de barro difíceis de vigiar e de invadir. Assim, a conquista da cidade foi deixada, em grande parte, para a artilharia otomana. Os canhões de tiro curvo que possuem são muito antiquados, mais como peças de museu,[34] mas Nogales descobriu que suas balas grosseiras fazem estragos maiores nas casas de barro do que as granadas modernas, que só entram em linha reta, saindo logo pela próxima habitação.

Dessa maneira, a cidade vai sendo arrasada, bairro por bairro, casa por casa, "com o cabelo suado, o rosto coberto de pólvora enegrecida, ensurdecido com os estrondos dos canhões e dos rifles disparados à queima-roupa". Quando uma casa é reduzida a ruínas e seu defensor a cadáver, é comum incendiá-la, para evitar que os armênios retornem em busca de proteção ao cair da noite. Dia e noite aquela nuvem de fumaça espessa permanece sobre a cidade.

Durante o caminho ao longo do setor leste, Nogales descobre um canhão de campanha que acabou de ser soterrado pelas ruínas de uma casa. Ele desce do cavalo, com a arma em punho e sob imenso perigo, e consegue resgatar a peça. Um soldado ao seu lado foi atingido no rosto por uma bala.

Uma hora mais tarde ele se encontra junto ao parapeito da cidadela, de onde acompanha, através de seu binóculo, um ataque aos vilarejos armênios fora da cidade. Ao seu lado está o governador da província, Djevded Bey, um homem na casa dos quarenta anos, que adora conversar sobre literatura, veste-se segundo a última moda em Paris e gosta de comer sua ceia de terno e gravata branca, e com uma flor fresca na lapela. Em outras palavras, a julgar pelas aparências, um gentleman. Com as boas relações que mantém com os governantes em Constantinopla e sua falta de empatia, é um dos principais vilões da tragédia. Djevded Bey pertence a uma nova geração de tiranos: assassinos bem articulados, convincentes e bem vestidos, que coordenam massacres diretamente de seus gabinetes.

Ao lado do governador, Nogales observa os vilarejos sendo devastados. Vê trezentos curdos a cavalo cortarem as rotas de fuga para os armênios e matarem

34. Mais adiante, usariam morteiros de mais de quinhentos anos de idade, algo bastante arriscado para os artilheiros.

os sobreviventes, esfaqueando-os. De repente, os tiros se aproximam dele e do governador. Os tiros estão sendo dados por armênios que conseguiram escalar a catedral de São Paulo, na parte velha de Van. Até hoje, os dois lados respeitaram este antigo santuário, mas agora o governador dá ordens para que a catedral seja destruída. A tarefa leva duas horas para ser executada, até que a catedral se transforme em uma nuvem de poeira. Ao mesmo tempo, atiradores armênios escalam um dos minaretes da grande mesquita. Dessa vez o governador não é tão rápido em suas ordens de abrir fogo.

Nogales não hesita e diz apenas: "Guerra é guerra".

"Assim foi", relata Nogales, "em apenas um dia, Van perdeu seus mais importantes templos, que durante novecentos anos estiveram entre os mais famosos monumentos históricos."

No mesmo dia, William Henry Dawkins desembarca em Galípoli.

Ele desperta às três e meia da manhã e toma um banho quente. Enquanto isso, o navio continua cruzando o mar rumo ao nordeste, com suas lanternas apagadas. Quando amanhece, jogam as âncoras. Ao redor, sombras de outros navios e, à frente, a península de Galípoli, uma vaga silhueta pintada em aquarela. Depois tomam o café da manhã e se preparam para desembarcar. Ouvem os estrondos dos canhões. Dawkins e seus homens embarcam em um contratorpedeiro que os leva mais próximo da terra firme. Do contratorpedeiro eles são transferidos para corvetas motorizadas.

Amanhece e, no mar, há muitas ondas. Os estrondos vão aumentando. Dawkins vê seus primeiros feridos, vê estilhaços de granada caírem na água e formarem centenas de chafarizes. A praia está próxima. Ele pula do barco e a água o alcança até a altura da coxa. Ouve armas de fogo ao longe. A praia é pedregosa.

Às oito horas, todos os seus homens estão enfileirados na praia, armados de suas baionetas. Dawkins escreve em seu diário:

Na praia, aguardamos durante uma hora. O general[35] e seu pessoal passam por ali. Ele parece animado, o que é um bom sinal. Ninguém sabe o que está acontecendo.

35. O chefe da Primeira Divisão australiana, William Bridges, que Dawkins conhecia bem, já que também havia comandado a escola de cadetes em Duntroon.

O resto da nossa companhia desembarca. Eu e uma patrulha nos dirigimos para o sul da praia, em busca de água potável. Encontramos um buraco cheio de água nas proximidades de um casebre turco, onde os pertences das pessoas ali residentes estão espalhados por todos os lados. Passamos por perto de um morro encravado em um precipício, mas os soldados atrás de nós gritam para que retornemos. Mando um grupo escavar um poço perto do casebre, enquanto outro procura água no mesmo precipício e um terceiro realiza melhorias em uma pequena fonte de água próximo à praia. Nas proximidades do casebre há um enxame de balas, que não atingiram seu alvo. Os soldados no morro em frente gritam o tempo todo, frenéticos, para nos avisar que estamos sendo atacados. É óbvio que estamos.

Dawkins e seus homens correm entre as balas, escavam, perfuram, carregam canos. Dois de seus subordinados são feridos, um deles no cotovelo e o outro no ombro. Um detonador de granada atinge sua bota, mas não deixa nenhum ferimento. Mais tarde, ele ouve um intenso tiroteio, "um som poderoso", vindo da parte mais alta da praia: é um contra-ataque turco.[36] O tempo todo há homens sendo atingidos do outro lado. Ele presencia uma cena em que um confuso coronel, talvez em estado de choque, ordena que atirem contra o morro onde suas próprias tropas se encontram. Dawkins ajuda a descarregar mais munição de um dos cargueiros.

Ele se deita por volta das nove, "morto de cansaço". É acordado após uma hora e meia de sono por um major, que lhe conta que a situação está crítica. Durante o resto da noite, Dawkins ajuda a levar mais reforços e mais munição para a infantaria na linha de frente. O tiroteio avança pela madrugada. Quando Dawkins vai descansar, são três e meia da manhã.

---

36. A infantaria otomana que defendeu Galípoli naqueles dias era conhecida por sua bravura. Mal equipados, eles estavam em número menor e simplesmente sendo usados como bucha de canhão. Esse fato é bem resumido em uma célebre declaração dada pelo chefe da 19ª Divisão otomana da época, o famoso tenente-coronel Mustafa Kemal. Em uma situação crítica nesse dia, em Ariburnu, quando enviou um regimento que estava quase sem munição para deter um perigoso ataque de tropas das Forças Armadas da Austrália e da Nova Zelândia, ele gritou para seus soldados: "Eu não estou dando ordem para vocês atacarem, estou ordenando que vocês morram". Essa unidade, o 57º Regimento, foi de fato aniquilada.

37. SÁBADO, 1º DE MAIO DE 1915
Florence Farmborough presencia a retirada em Gorlice

A despedida na estação ferroviária foi uma experiência sublime para muitos que lá se encontravam. Uma multidão se reuniu na plataforma da Estação Alexander, em Moscou. As pessoas cantaram o hino da Rússia, abençoaram-se e abraçaram-se, desejaram boa sorte, distribuíram flores e chocolates. Quando o trem iniciou a sua partida, muitos ainda permaneciam na estação, dando gritos entusiasmados e acenando. Esperança e incerteza estavam estampadas no rosto de todos. Florence sentiu um "júbilo selvagem": "Estávamos a caminho, a caminho do front! Minha alegria era tão grande que eu mal conseguia falar".

Agora ela está com sua unidade, instalada em Gorlice, uma cidade pequena e pobre do interior, localizada na Galícia, na Áustria-Hungria, e ocupada pelos russos há seis meses. Gorlice fica junto ao front. A artilharia austríaca ataca a cidade todo dia, sem qualquer planejamento. Parece não se importar que suas vítimas estejam também subordinadas ao imperador em Viena. A torre da igreja está partida ao meio. Antes da guerra, a cidade tinha 12 mil habitantes, mas restam agora apenas 2 mil, vivendo escondidos em seus porões. Até o momento Florence e as outras enfermeiras têm auxiliado a população local em suas necessidades mais urgentes. A primeira tarefa é a distribuição de alimentos, já que a carência é muito grande. O clima de primavera é muito agradável.

O hospital móvel número 10 é composto de três partes. Há duas unidades móveis que podem ser facilmente transferidas para onde for mais necessário; cada uma conta com um oficial, um subordinado, dois médicos, um assistente, quatro enfermeiros, quatro enfermeiras, trinta auxiliares de primeiros socorros, duas dúzias de ambulâncias puxadas por cavalos (com a cruz vermelha pintada em suas lonas) e o mesmo número de cocheiros e cavalariços. Já na unidade de base há mais leitos hospitalares, depósito e outros recursos de transporte, ou seja, dois automóveis à disposição. Florence faz parte de uma das unidades móveis. Eles organizaram um hospital improvisado em uma casa abandonada, que agora está limpa, foi pintada e possui uma sala de cirurgia e uma farmácia.

Como Gorlice está localizada junto ao front, ao pé dos Cárpatos, granadas caem todos os dias entre as casas da cidade. Apesar disso, reina uma tranquilidade geral entre os russos, e uma sensação de indiferença se apoderou dos militares. Qualquer pessoa que chegar à linha de frente pode perceber isso. Não há por aqui nenhuma fortificação, como se vê na Frente Ocidental.[37] As trincheiras são rasas, mal construídas e até parecem valas, protegidas apenas por cercas finas de arame farpado. Durante o inverno foi bastante difícil escavar. Agora, apesar de o solo já ter descongelado, não foram realizadas melhorias, devido à preguiça dos soldados em geral e à falta de equipamento necessário.

A artilharia russa responde de forma esporádica ao desordenado bombardeio austríaco. Muitos acreditam que isso se deva à falta de munição, mas há granadas suficientes no depósito localizado mais para trás. Os burocratas de uniforme, que ditam as ordens, estão aguardando acontecimentos maiores. O Exército russo planeja uma nova ofensiva mais ao sul, junto à famosa passagem dos Cárpatos (a porta para a Hungria!) e, para isso, precisarão de todos os recursos disponíveis. Durante vários dias, uma grande preocupação se espalhou entre a unidade em Gorlice. Corre o boato de que os austríacos receberam reforços da infantaria e da artilharia pesada alemãs.

Neste sábado, Florence e seus colegas no hospital são despertados pelo fogo pesado da artilharia, antes de amanhecer.

Ela se levanta rápido e satisfeita por ter dormido de uniforme. Todos, com exceção de Radko Dimitriev, o chefe do Terceiro Exército russo, já haviam previsto que algo estava para acontecer. Estrondos dos mais variados tipos se ouvem. A artilharia russa responde e o fogo vai ficando cada vez mais próximo. Projéteis de granadas detonadas atingem ruas e telhados da cidade.

Através da janela, Florence observa o jogo de luz no céu ainda escuro. Ela vê as chamas se alastrando, as luzes dos sinalizadores brilhando e misturando-se com as labaredas dos incêndios causados pela artilharia pesada. Eles tentam se proteger e se mantêm agachados dentro do hospital. As paredes e o chão sacodem.

Os primeiros feridos começam chegar.

No início, foi possível ajudar todos que chegavam. Mais tarde ficamos sobrecarregados com o grande número de feridos. Eles vinham às centenas, de todos os cantos. Alguns conseguiam andar, outros engatinhavam ou se arrastavam pelo chão.

---

37. O sistema de construção de trincheiras no leste raramente era expandido e labiríntico como no oeste. No oeste o front era mais variável. A distância entre as linhas inimigas no oeste podia ser de cerca de duzentos metros ou até menos, mas no leste poderia ser de dois quilômetros ou até mais.

Numa situação desesperadora como essa, os enfermeiros e médicos não têm condições de atender todos de maneira adequada. A triagem é feita de acordo com as necessidades mais urgentes. Os feridos que conseguem andar não recebem socorro — são encaminhados para as unidades de base. Os soldados com ferimentos graves são tantos que ficam deitados em filas do lado de fora do hospital, ao ar livre, onde recebem medicação para aliviar a dor e aguardam a sua vez de serem examinados. "Era penoso ouvir seus gritos e gemidos." Florence e seus colegas tentam ajudar da melhor maneira possível, mas a quantidade de feridos não para de aumentar.

As horas passam. De tempos em tempos, o local fica silencioso.

O dia começa a clarear, a penumbra diminui.

Entre gritos e choros, figuras sombrias se movem, iluminadas pela luz distante.

De manhã, por volta das seis horas, Florence e os outros escutam um barulho assustador, repentino e vibrante, que lembra uma corrente de água. São novecentas peças de artilharia, de todos os calibres, abrindo fogo ao mesmo tempo, uma para cada meio metro do front. Segundos mais tarde, ecoa o estrondo de metais, que vai aumentando de intensidade, como se fosse uma espécie de força da natureza.

Há algo de novo e desagradavelmente sistemático nessa artilharia e no modo como ela atinge a linha de frente russa. O termo técnico alemão é *glocke*, ou seja, sino. As chamas atingem todos os lados, ao longo das linhas russas até as trincheiras de conexão. O que está acontecendo agora não é apenas o bombardeio ocasional da artilharia austríaca, e sim um exemplo da ciência da artilharia, calculada ao mínimo para ter efeito máximo. É algo novo na guerra.

Eles escutam a ordem tão temida: "Recuar!".

Em seguida, filas irregulares de soldados sujos de lama, de rostos cansados, começam a passar. Então vem a última ordem, largar tudo e abandonar os feridos. Abandonar os feridos? Sim, abandonar os feridos! "Rápido, rápido! Os alemães estão entrando na cidade!"

Florence apanha seu casaco e sua mochila e sai às pressas do prédio. Os feridos gritam, imploram, choram, praguejam. "Não nos abandonem, pelo amor de Deus!" Alguém segura a barra da saia de Florence, que afasta a mão com um movimento brusco. Ela vai com os outros para a estrada. É um dia quente de primavera, mas não tão claro como de costume. Os tanques de óleo, fora da cidade, começam a queimar e no ar há uma fumaça negra e espessa.[38]

38. QUARTA-FEIRA, 12 DE MAIO DE 1915
William Henry Dawkins sucumbe em Galípoli

Ele não sabe o que o distraiu mais, se foi o combate na praia ou a dor de dente. Talvez tenha sido o primeiro. Dawkins é mesmo leal e ambicioso. Sua consulta ao dentista foi motivada pela dor de dente, que já vem sentindo há bastante tempo,[39] e os últimos dias foram uma estranha combinação de epopeia com assuntos de âmbito privado. Ele até já perdeu a noção de que dia da semana é.

Desde que desembarcaram, há duas semanas, o tempo esteve bom e fez um pouco de frio à noite. Agora começou a chover muito. Devido à quantidade de pessoas e animais que se movimentam entre a praia e as trincheiras, os caminhos se tornaram lamacentos e escorregadios, sobretudo nas subidas íngremes do local. William Henry Dawkins divide a habitação atual com seu cabo. Eles dormem em uma fenda coberta junto à praia. O único móvel que possuem é uma poltrona velha, que apareceu na praia há alguns dias. Dawkins senta-se ali quando tem de dar ordens. Quando acorda nesta manhã está chovendo sem parar.

Todos percebem que a grande operação não teve o sucesso esperado.

Os Aliados só conseguiram criar duas cabeças de ponte. A primeira, na ponta sul da península, e a segunda, aqui no lado oeste de Galípoli, perto de Gaba Tepe.[40] Dawkins e os outros cometeram o erro de ir parar a mais ou menos

---

38. Nessa área há quase o mesmo número de cemitérios de guerra que em Flandres, e hoje eles podem ser vistos da estrada 977, que liga Tarnów a Gorlice. Ao contrário de Flandres, muitos desses cemitérios encontram-se em ruínas, o que pode às vezes ser considerado romântico, mas com frequência é deprimente. Soldados de diferentes exércitos estão enterrados ali.

39. Quando ainda estavam no Egito, Dawkins fora ao dentista várias vezes devido à dor de dente, mas nem todos os problemas haviam sido resolvidos. Ele teve que procurar ajuda médica de novo no dia 10 de maio, na praia, pois estava com muita dor.

40. O lugar hoje é mais conhecido como enseada Anzac, por ter sido o local de desembarque das tropas das Forças Armadas da Austrália e da Nova Zelândia (Australian and New Zealand Army Corps — Anzac), em 25 de abril de 1915.

um quilômetro ao norte de seu objetivo, o que, de certa forma, foi sorte, pois a defesa otomana era bem mais fraca nessa área. Isso se deve ao fato de o terreno ser tão pedregoso que os otomanos julgavam impossível a aproximação dos Aliados justo por ali.[41] A consequência foi que os combatentes puderam prosseguir por terra, sem perdas maiores, mas tiveram muita dificuldade em continuar devido ao confuso labirinto de precipícios íngremes e cumes afiados que terminam na praia. Quando a infantaria turca atingiu o local e iniciou os contra-ataques, as companhias australianas e neozelandesas haviam se deslocado muito pouco, no máximo dois quilômetros para o interior, não conseguindo mais avançar. Era a imagem típica da estagnada Frente Ocidental. Exatamente como na França e na Bélgica, os ataques e contra-ataques foram se sucedendo até que os dois lados, exaustos e insatisfeitos, perceberam que o adversário não era fácil de derrotar e se perderam, mais uma vez, na guerra das trincheiras.

O cuidado e a manutenção de trincheiras, inclusive seu abastecimento de água e alimentos, não é tarefa fácil. Os responsáveis pela ideia de fato pensaram em tudo. Eles já sabiam da dificuldade que teriam para abastecer as trincheiras com água, sobretudo agora que a época mais quente do ano se aproxima. Então, ao desembarcar, trouxeram suas barcaças com água de Lemnos, na quantidade necessária aos primeiros tempos, até que os engenheiros das tropas pusessem os poços para funcionar. Dawkins e seus homens trabalharam muito rápido, construindo vários poços e organizando diversos locais para que pessoas e animais encontrem a água que necessitam.

A água é bastante racionada. Para cuidar da higiene pessoal, os homens utilizam água do mar. Mas foram aconselhados a nunca usá-la para escovar os dentes, pois o mar está cheio de cadáveres de animais e de dejetos dos navios ali ancorados. Um dos problemas é o grande desperdício de água potável, causado pelo rompimento dos canos de água. Muitos fatores podem contribuir para esse rompimento, mas os principais são a artilharia inimiga ou soldados descuidados que passam com carroças ou canhões sobre os frágeis encanamentos.

41. Não havia mais espaço para o elemento surpresa agora. Os ataques consecutivos da frota contra Galípoli durante os últimos meses haviam despertado a curiosidade dos generais otomanos, liderados pelo comandante-chefe alemão Otto Liman von Sanders, que tinha mandado todos os reforços possíveis para o local.

Dawkins e seus homens têm estado ocupados em escavar o solo e enterrar a tubulação de água.

O dia está cinzento e é como outro dia qualquer. Dawkins organiza seus soldados em diversos grupos e distribui as tarefas. Uma delas é continuar a obra do encanamento, serviço pouco glorioso, que não dá manchete de jornal, mas bastante importante. Calhou de vários dos soldados mais encrenqueiros da companhia terem vindo parar em seu pelotão. Mas a seriedade do momento e o talento de Dawkins para a liderança — em especial o cuidado que ele tem com seus homens — ajudaram a acalmar os ânimos nas vezes em que isso foi necessário, e um notável senso de solidariedade se desenvolveu entre esses reclamões aparentemente incorrigíveis e seu jovem e calmo capitão.

É cedo quando eles iniciam suas tarefas.

A chuva continua.

Na manhã de hoje uma etapa perigosa do trabalho aguarda o grupo responsável. Em uma área localizada a cem metros de distância, há umas trinta mulas mortas, atingidas por granadas turcas. A vala já foi cavada durante a noite. Agora só resta instalar a tubulação no lugar e uni-la aos demais canos. Ainda está tudo calmo e silencioso. Nada se ouve da artilharia turca. A única coisa desagradável é esse grupo de criaturas mortas, com o estômago dilatado e as patas enrijecidas. A vala passa ao lado, embaixo e através dos cadáveres dos animais. Os sete soldados ficam banhados em sangue. Dawkins está com eles. São 9h45.

Então, ouvem o assobio de uma granada.

É a primeira da manhã. O assobio se transforma em uivo. O uivo se dissolve e se converte em estrondo. A granada explode acima da cabeça dos soldados agachados, ocupados com a instalação dos tubos de água. Eles saem ilesos, já que os projéteis atingem o solo a quinze metros de distância de onde estão.[42]

---

42. Se fosse apenas um obus, Dawkins sairia ileso do ataque, enquanto seus soldados dentro da vala ficariam feridos ou até seriam mortos. A granada de metralha espalha seus projéteis a longa distância, em frente, ao passo que o obus espalha seus estilhaços mais para os lados. Assim, é possível evitar os danos causados por um obus detonado a apenas alguns metros de distância. Além disso, a metalurgia era pouco desenvolvida na época, de modo que às vezes esse tipo de arma explodia em poucos mas grandes fragmentos, razão pela qual muitas pessoas conseguiam sobreviver a seu ataque, mesmo encontrando-se próximas da detonação. Uma teoria era que justamente esse tipo de experiência causava uma sensação de vácuo, que, acreditava-se, causava danos cerebrais.

Um dos soldados, um homem chamado Morey, olha para trás. Ele vê William Henry Dawkins ser atingido e cair daquela maneira que só os gravemente feridos fazem, quando o corpo não é mais controlado pela motricidade normal, e sim pela lei da gravidade.

Eles correm até lá. Dawkins foi atingido na cabeça, na garganta e no peito. Eles o levantam do chão úmido e o carregam, em busca de um lugar protegido. Atrás do grupo explode mais uma granada, com um estrondo curto e poderoso. Sangue e água da chuva se misturam. Dawkins não diz nada e morre diante dos olhos dos seus soldados.

39. SEXTA-FEIRA, 14 DE MAIO DE 1915
Olive King esfrega o chão em Troyes

Faz frio e está ventando muito. Uma guinada climática, já que tem feito um calor bastante agradável nos últimos tempos. Elas até tiveram a oportunidade de dormir ao luar em um bosque de pinheiros nas imediações, descansando nas macas recém-chegadas. Não foi o calor que as levou a passar a noite ao ar livre, e sim o fato de que a pequena propriedade confiscada para isso, o Château Chanteloup, estava vazia e imunda. Além disso, a maior parte do equipamento delas está desaparecida. Sem barraca e sem cozinha não há condições de receber os feridos. A propriedade fica em um lugar muito bonito, à beira da estrada, tem árvores frutíferas, uma horta e um pequeno bosque.

Olive King levantou cedo, como de costume. Às 7h45, já está na direção da ambulância. O objetivo do dia é encontrar mesas e cadeiras para mobiliar a propriedade. A sra. Harley, chefe dos transportes, a acompanha. Olive May King é australiana, nascida em Sydney, e tem 29 anos. Seu pai é um rico homem de negócios, e eles são muito chegados. (A mãe de Olive faleceu quando ela tinha apenas quinze anos.)

Sua criação e educação foram bastante convencionais, e ela concluiu os estudos em Dresden, onde o currículo incluía aulas de pintura em porcelana e música, porém depois de terminar a escola sua vida tomou um novo rumo. Olive é inquieta e tem espírito aventureiro, mas ao mesmo tempo sonha em casar e ter filhos. Nos anos que antecederam a guerra, ela viajou muito pela Ásia, América do Norte e Europa, sempre acompanhada por algum empregado. Olive é a terceira mulher no mundo a ter escalado o vulcão ativo Popocatépetl, de 5452 metros de altura, que fica a sudeste da Cidade do México, e foi a primeira entrar na sua cratera. Apesar da vida agitada que leva, falta-lhe algo para alcançar a felicidade plena. Em um poema que escreveu em 1913, pedia a Deus: "Mande-me uma dor [...] para despertar a minha alma deste estupor em que se encontra". Ela é mais uma dessas pessoas que esperam que a guerra transforme sua vida.

Não é surpresa alguma que Olive, movida por seu espírito aventureiro e seu patriotismo, tenha passado de espectadora a participante ativa logo após a eclosão do conflito. Ela ingressou no serviço médico, o único caminho para as mulheres, em 1914, que desejavam tomar parte na guerra. Tampouco surpreende que, em vez de ter sido treinada para atuar como enfermeira, a excêntrica Olive ocupe a função de motorista de uma ambulância da marca Alda que ela comprou com o dinheiro do pai. Dirigir um veículo motorizado ainda é uma habilidade bastante exclusiva, em especial para uma mulher. A organização para a qual ela está trabalhando se chama The Scottish Women's Hospital. É uma das muitas unidades de saúde privadas que surgiram durante o outono de 1914, mas um tanto exótica, já que foi fundada por iniciativa de sufragistas radicais e só admite integrantes do sexo feminino.[43]

Olive dirige sua própria ambulância nesta manhã — é a de número 9862, mas chamada de Ella (apelido derivado de "Elefanta"). Grande, quase um pequeno ônibus, o veículo comporta dezesseis passageiros sentados. O espaço para cargas é bastante pesado e é raro que King consiga andar a mais que 45 quilômetros por hora.

Por volta de onze horas já estão de volta. Com a ajuda de outra motorista, a sra. Wilkinson, elas descarregam os bancos e mesas que ganharam e põem tudo no jardim. Olive e a sra. Wilkinson trocam de roupa e começam a fazer a limpeza da casa. Escovam, esfregam, enxáguam várias vezes e só param quando o chão está completamente limpo. Elas pensaram em colocar papel de parede em um dos quartos, mas isso pode esperar.

---

43. É provável que não tenha sido a política de gênero que atraiu Olive King para essa organização, mas uma questão prática. A primeira unidade de saúde que Olive integrou foi desfeita logo após a chegada, sem anúncio, na Bélgica, e ela e duas outras motoristas foram detidas, suspeitas de espionagem. A sra. Harley, uma das chefes do The Scottish Women's Hospital, era irmã de Sir John French, comandante-chefe das Forças Expedicionárias Britânicas, o que provavelmente facilitou o funcionamento da organização.

O jantar consiste em aspargo, abundante nesta época do ano, muito saboroso e barato. Como sempre, elas têm plateia na hora de comer. As janelas do refeitório dão para a estrada, e muitos estão curiosos para ver essas estranhas mulheres, que vieram como voluntárias ajudar na guerra e, além disso, fazem tudo sozinhas, sem auxílio algum dos homens. Depois do jantar, muitas se recolhem aos seus quartos para escrever cartas, já que o correio sairá amanhã cedo. Olive escreve à irmã:

> Acho que a guerra acabará dentro de poucos meses. O uso daquele gás tóxico, graças a Deus, não foi bem-sucedido, e espero que a Alemanha veja isso como sinal de derrota. Não é maravilhoso que as máscaras antigases funcionem tão bem? Graças a Deus. Ele deveria fazer explodir todas aquelas granadas e matar pelo menos 500 mil alemães. Seria uma vingança à altura, já que eles tiraram a vida dos nossos soldados, e eu gostaria que Ele acabasse com as fábricas de munição dos alemães, fosse através de incêndios ou de inundações.

Olive escreve esta carta em seu quarto recém-limpo, recostada na maca quebrada que ela utiliza como cama. No quarto há, além da maca, uma cadeira e um gramofone de manivela. A lareira com cornija de mármore é usada como depósito de pontas de cigarro, fósforos e lixo em geral. As paredes são forradas com um papel do qual ela gosta muito, papagaios marrons comendo nozes, pousados sobre roseiras. Olive sente frio e sono. Quando a sua guerra começará de verdade?

40. QUARTA-FEIRA, 26 DE MAIO DE 1915
Pál Kelemen compra quatro pães brancos em Glebovka

Os russos estão prontos para recuar agora, ele pôde constatar já há alguns dias, quando cavalgava entre várias cidades maltratadas pela guerra e viu tudo o que o inimigo deixou para trás — desde o lixo nas estradas até os detritos sobre soldados mortos ou agonizantes, assim como as novas placas nas estradas, com textos incompreensíveis em cirílico. (Um ano atrás a estrada levava para Lemberg, agora é para Lvov, e logo será para Lemberg de novo.)[44]

44. Depois da guerra a estrada levaria para Lwów. Hoje, é para Lviv.

Kelemen não se opõe à marcha e não tem nada contra a expulsão das forças russas. A notícia do grande avanço em Gorlice, contudo, foi recebida pelas tropas com menos alegria do que o esperado. "Todos estão indiferentes", escreve ele em seu diário, "cansados da constante tensão."

Desde ontem ele se encontra na pequena cidade de Glebovka. Quando ele e os outros hussardos chegaram, duas coisas o deixaram pasmo. A primeira, uma casa com janelas intactas e cortinas de renda brancas; a segunda, uma jovem polonesa — ele vive à procura de mulheres jovens — que se movimentava entre um grupo de sodados e prisioneiros russos. Ela usava luvas brancas. Ele não consegue esquecer aquelas luvas brancas e as cortinas de renda, aquela alvura em um mundo cheio de sujeira e lama.

Hoje Kelemen ficou sabendo que há pão branco à venda e, como já está farto do pão que recebem, normalmente massudo e ressecado, vai às compras. Ele compra quatro pães grandes e anota em seu diário:

> Corto um deles, ainda quente. Seu forte aroma enche as minhas narinas. Com calma, quase com reverência, dou a primeira mordida e tento perceber o sabor. Sei que este é o mesmo pão branco que eu comia antes da guerra.
>
> Como e me concentro. Mas meu paladar não reconhece o gosto, o pão parece algum novo tipo de alimento, de sabor desconhecido.
>
> Mais tarde entendi que era o mesmo tipo de pão que eu comia em casa. Era eu que havia mudado; a guerra tinha dado um gosto estranho ao bom e velho pão do meu dia a dia.

41. SEGUNDA-FEIRA, 31 DE MAIO DE 1915
Sophie Botcharski vê gás fosgênio ser usado em Wola Szydłowiecka

Desta vez não é a fuzilaria que os desperta, pois já se acostumaram com este barulho. Trata-se agora de um "profundo e persistente rumor" de tambores.[45] Ela e as outras levantam da cama, sem receber ordens, e entreolham-se, preocupadas. Aquele ruído é sempre desagradável e sinistro, significando ataques, feridos e mortes. Elas se vestem e se reúnem com os cansados estudantes

45. As detonações desse tipo soavam como verdadeiras batidas de tambor.

de medicina em uma sala grande. O clima é de tensão. Alguém tenta fazer piada, mas em tal situação ninguém acha graça. Em silêncio, eles observam "a luz cinzenta da madrugada rastejando dentro da sala".

O chefe entra e informa que os alemães estão bombardeando mais uma vez Wola Szydłowiecka — em fevereiro, houve violentos combates nessa localidade. "É provável que haja um ataque." Ocorre, então, algo inesperado. Sophie já sabe como soam os tiros disparados pela artilharia, conhece as consequências e sabe também que eles podem ter longa duração. Enquanto discutem como irão agir, o fogo cessa de repente e o eco das detonações diminui. O que está acontecendo? Sophie e os outros deixam o prédio e olham em direção ao front. O silêncio repentino os assusta tanto quanto o estrondo causado pelas armas.

Alguns soldados correm ao longo da estrada. Em seguida, figuras surgem do bosque mais próximo. Cada vez aparecem mais homens, todos correndo, desesperados. Sophie presume que estão a caminho do hospital, mas, quando se aproximam, não param e continuam a correr às cegas. Ela vê que o rosto dos soldados está azulado, alguns quase amarelos. Uns têm espuma nos lábios, outros vomitam. Uma ambulância puxada por cavalos segue rápido pela estrada. Dois enfermeiros estão sentados no lugar do cocheiro, "sem o gorro e com a boca aberta de pavor". A ambulância também não para, e um dos homens grita algo como "todos mortos", antes de desaparecer na estrada. Um dos soldados faz uma pausa e lhes diz, brusco: "Estamos sendo envenenados como ratos, os alemães mandaram uma nuvem que nos persegue".

O pessoal do serviço médico entra em pânico. Sophie e os demais correm na direção do bosque, para onde muitos já fugiram. Apenas uma pessoa permanece no hospital, um menino que se recusa a fugir. Ele quer combater o inimigo e apanha um rifle. Quando todos os outros olham para trás, veem que ele fica parado junto à porta. Ele está comendo geleia com os dedos, pois guardou um vidro dentro do bolso do casaco.

Depois de muita espera no bosque, cercados de homens desesperados que não param de vomitar, Sophie e seus colegas recebem ordem de ir para as trincheiras. Tudo continua em silêncio. Em suas ambulâncias motorizadas, passam por Wola Szydłowiecka, que agora consiste apenas em "chaminés saindo de um amontoado de pedras". Nos campos esburacados por granadas, vislumbram uma "íngreme e descolorida" terra de ninguém. Não há sinal de vida. O silêncio e a calma os fazem seguir adiante. O único ruído que ouvem é o dos motores das ambulâncias. Eles chegam às trincheiras, onde costuma haver muito alvoroço, mas agora há apenas uma quietude fora do normal.

Há um odor estranho no ar.

Sophie desce em uma trincheira. Vê então uma infinidade de corpos, alguns com o uniforme marrom do Exército russo, outros com os uniformes cinza das tropas alemãs. Sophie já viu mortos antes, mas esta situação é nova para ela. Os corpos aqui estão nas posições mais estranhas, "tão distorcidos, tão atormentados, tão anormais que é quase impossível diferenciar uns dos outros". O mesmo gás tóxico que eliminou os soldados russos também levou à morte os alemães. Sophie e os colegas acham mais corpos nas trincheiras e em volta destas, pois muitos homens tentaram escapar do gás e acabaram sucumbindo no lugar onde estavam. Encontram um enfermeiro todo encolhido, coberto de poeira vermelha, e ao tentar ajudá-lo percebem que ele já está morto.

Os soldados que ainda apresentam sinais vitais são levados para um campo. Sophie e os colegas lhes tiram o casaco, que está cheirando a gás, mas não podem fazer mais que isso. Em um ataque alemão anterior de gás tóxico ocorrido aqui no leste,[46] foi usada a conhecida substância T, ou bromoacetona, uma espécie de gás lacrimogêneo, muitíssimo irritante para os olhos, porém não letal. Agora estão diante de algo novo e muito mais perigoso, o cloro.[47] Em pânico e perplexa, Sophie não sabe como agir. Alguém tem a ideia de injetar soro fisiológico nos feridos. A única consequência disso é a morte imediata das vítimas. Sophie e os outros assistem, desamparados, à morte dos soldados, "uma morte terrível", todos conscientes até o final, lutando para respirar. A cor escurecida do rosto deles faz com que o branco dos olhos se torne ainda mais branco.

Uma mulher se aproxima, diz estar em busca do filho e recebe permissão para procurá-lo. Ela anda entre os mortos e feridos, olha cada soldado com atenção. Pede para ser levada até as trincheiras, o que lhe é negado a princípio, mas acaba por convencê-los afinal. A mulher vai de ambulância, acompanhada por um enfermeiro. Depois de algum tempo, veem o veículo voltar. Ao lado da mulher está o corpo de seu jovem filho morto.

46. Em Bolimov, em janeiro desse ano. Em Ypres, em abril, foi usado cloro, que é mortal. As nuvens de cloro costumam ser esverdeadas.

47. O produtor era a IG Farben, que utilizava restos do processo de tingimento de tecidos na produção do gás. Este faz com que os pulmões produzam líquido em demasia, sufocando as vítimas.

"A noite inteira", conta Sophie Botcharski, "andamos de um lado para o outro, de lanterna na mão, sem que pudéssemos fazer nada para ajudar os feridos ou aqueles que estavam morrendo sufocados." Mais tarde recebem ordem de injetar óleo de cânfora nos feridos, uma substância que se costuma usar em casos de envenenamento ou colapso. Cada um recebe dez gramas, o que parece aliviar um pouco seu sofrimento.

42. DOMINGO, 6 DE JUNHO DE 1915
Kresten Andresen é evacuado do hospital em Noyon

Talvez seja a sorte, ou algum capricho do destino, que irá salvá-lo. Numa noite escura no início de maio, Andresen caiu dentro de uma trincheira e fraturou a tíbia da perna direita. Desde então ele tem passado a maior parte do tempo no hospital, onde é cuidado por enfermeiras francesas e está instalado em uma sala ampla, que era um salão de teatro antes da guerra. Ele está entediado, não há nada para ler e a comida é intragável, pois acham que os doentes não têm as mesmas necessidades que os soldados do front.[48] Apesar de tudo, ele está muito satisfeito. O médico lhe prescreveu seis semanas de repouso, no mínimo. Com um pouco de sorte, talvez consiga se manter longe das linhas de combate até julho e, se tiver mais sorte ainda, a guerra terminará antes disso.

Deitado em sua cama, Andresen costuma fantasiar muito sobre a guerra, sobre o que está para acontecer, quando chegará a declaração de paz e o que acontecerá depois disso. A Itália declarou guerra contra as Potências Centrais em maio; os britânicos atacaram em Flandres e os franceses persistiram na ofensiva em Arras; combates particularmente violentos ocorreram nas partes altas de Loretto; e corre um boato de que os Estados Unidos e alguns países da região das Bálcãs irão unir-se aos adversários da Alemanha. Andresen se surpreende com a segurança dos alemães em relação às ameaças que estão sendo

48. Os soldados no front em geral recebiam certos itens — sabão, por exemplo — de graça, enquanto os hospitalizados tinham de pagar por eles. Isso tornava a situação dos enfermos bastante difícil, já que o soldo era pequeno e os preços, altíssimos. As cartas de Andresen desse mês, além de comentar sobre seu alívio por estar fora dos combates, continham vários pedidos de ajuda material.

feitas. Eles dizem que a guerra, ao que tudo indica, será prolongada, mas que a Alemanha sairá vitoriosa de qualquer maneira. Andresen espera que os meandros políticos, reais ou imaginários, conduzam à paz. Seja como for, já sabe o que vai fazer. Antes de agosto de 1914, ele trabalhou como professor em Vinding durante seis meses e pretende continuar com esse trabalho depois da guerra, educando adultos e jovens. Sonha também em construir sua própria casa, uma casa não muito maior "que o galinheiro de tia Dorothea, mas muito romântica por dentro e por fora".

Nos últimos dias, o cerco ficou cada vez mais apertado nos arredores de Roye, que está localizada a apenas dez quilômetros do trecho onde se encontra o regimento de Andresen. Dia e noite os ruídos da infantaria chegam até eles, e pelo que ouviram falar a artilharia francesa realizou uma intrusão. Ele agradece a Deus por ter sido poupado desse acontecimento e, com ansiedade, aguarda ser evacuado para a Alemanha junto com os outros convalescentes, já que o hospital não terá como acomodá-los quando os novos feridos começarem a chegar. Andresen ainda não foi comunicado do que está para acontecer. Uma grande parte deste domingo ele passa deitado na grama verde, debaixo de uma pereira, enquanto o ar quente se enche do estrondo dos canhões ao longe. No início da noite ele vai até uma igreja, para assistir a um concerto. Quando retorna, mancando, ao hospital, fica sabendo dos novos planos. Andresen logo arruma seus pertences. O destino é a Alemanha! As armas e demais equipamentos militares são arranjados de um lado, os pertences pessoais do outro. O nome deles é chamado e eles recebem documentos de viagem. Cada um recebe um pequeno crachá de papel, contendo nome, divisão e condições de saúde, que é levado preso ao peito. Às onze horas estão prontos para começar a viagem.

Eles embarcam nos automóveis, cinco homens em cada um, e seguem em frente nesta noite quente de verão. No caminho, cruzam com oficiais superiores parados na beira da estrada, estudando um crepitar de fogos, explosões, estrondos e luzes de sinalizadores no horizonte. Andresen pensa, com muita satisfação, que isso já não lhe diz respeito.

> Nós vamos para a Alemanha e eu não poderia estar mais contente. Longe do combate e das granadas. Logo não escutaremos mais os canhões, então passaremos por terras férteis e lugares alegres. Estou radiante, em paz comigo mesmo. Indo para casa.

Em Chauny continuarão a viagem de trem. Eles se reúnem em um parque da cidade, e um médico os examina de novo. Quando chega a vez de Andresen, o médico lê com atenção seus papéis e retira seu crachá do peito. Não seguirá adiante. Para o médico, Andresen já está em condições de saúde e poderá voltar ao front dentro de poucos dias.

Andresen se afasta dali cabisbaixo; tudo agora é apenas "negro e negro".

Quando retorna ao parque, vê todos enfileirados, e há vários soldados chamando por ele. Ele ouve o seu nome. Irá para a Alemanha! Mal Andresen toma seu lugar na fila, descobrem que ele não tem mais o crachá no peito. De novo é mandado embora dali. "Adeus, tempo livre! Adeus, lar! Estarei de volta à guerra!"

43. SEXTA-FEIRA, 11 DE JUNHO DE 1915
Florence Farmborough ouve falar do avanço no San

Esta é a terceira semana deles em Molodycz. O recuo em pânico depois do avanço em Gorlice parece já ter sido esquecido. Desde aqueles primeiros dias de maio, o Terceiro Exército já perdeu 200 mil homens, dos quais 140 mil foram feitos prisioneiros. No momento, ocupa uma posição aparentemente forte ao longo do rio San. Reforços chegaram, enfim. E as ordens do quartel-general são: aqui, bem aqui, farão parar o avanço alemão e austríaco. Sem mais retiradas![49] Os combates têm sido intensos ao longo do rio, e ambos os lados realizaram ofensivas de pequeno porte.[50] Certa noite Florence viu uma grande quantidade de prisioneiros alemães vestidos com uniformes cinzentos. Vieram caminhando ao longo da estrada, com seus capacetes pontiagudos típicos, vigiados por cossacos a cavalo. Há rumores sobre as irreparáveis perdas do inimigo. As esperanças se renovam.

Onde Florence se encontra não está ocorrendo nenhum tipo de combate,

49. Essa proibição categórica contra retiradas não era nenhuma novidade: o alto-comando do Exército vinha repetindo a ordem desde o avanço de 2 de maio. Na verdade, a ordem era contraproducente, já que pressionava o Terceiro Exército a tomar posições defensivas praticamente impossíveis, o que apenas aumentava suas perdas.
50. Em meados de maio, o inimigo atacara alguns lugares no San, com a mesma brutalidade que em Gorlice, mas agora parecia que esses avanços eram mais limitados.

o que aumenta a sensação de que a crise já passou. Há tempo de sobra para outras atividades cotidianas, como lavar roupa no rio e celebrar a entrada da Itália na guerra ou até festejar aniversários. Ela tem passeado muito no bosque e colhido flores, que são abundantes neste início de verão. Com exceção dos casos de tifo e cólera, tudo está tão tranquilo que muitas enfermeiras começaram a perder a paciência e já falam em se integrar em outras unidades, onde se sentiriam mais úteis. Seu chefe tenta acalmá-las, dizendo que a unidade será transferida para o Oitavo Exército, em Lemberg, ou até para o Cáucaso. (Boas notícias chegam do front no Cáucaso: unidades russas começaram a se mobilizar em direção ao sul, cruzando a fronteira otomana, encorajadas pelos rumores de tumultos e rebeliões atrás das linhas turcas.)

São três horas da tarde. Florence Farmborough descansa do lado de fora de sua barraca, após um dia de trabalho. Tudo está calmo, como de costume. Ela vê quatro auxiliares de enfermagem transportando alguns corpos para serem enterrados no cemitério improvisado, no campo ao lado. Ouve o barulho de duas cegonhas que construíram seu ninho no telhado de palha da casa de uma fazenda. Um homem da outra unidade móvel lhe entrega uma carta endereçada ao médico com quem ela trabalha. Florence lhe pergunta como está a situação em sua unidade. O homem, "refreando suas emoções", conta que projéteis de granada de metralha caíram perto deles esta manhã e que eles preparam um ataque. Os alemães estão avançando no rio San!

A notícia a deixa bastante abalada, mas ela não está convencida de que seja verdadeira. Contudo, Florence consegue ouvir o ruído de artilharia pesada ao longe. Mas quando, durante o jantar, conversa sobre o assunto com os outros, eles se mostram tão céticos quanto ela. Mais tarde ela volta para sua barraca, onde encontra Anna, outra enfermeira. Anna, desanimada, confirma tudo. Os rumores de um novo avanço no San são verdadeiros:

> Dizem que eles chegam em grandes grupos e nada consegue detê-los. Nós temos recursos humanos, mas não temos munição. Dizem que o regimento não possui sequer uma bala e que apenas algumas das baterias de artilharia ainda conseguem atirar.

Anna acrescenta: "Nossos exércitos serão dizimados e estamos a apenas um dia de marcha da fronteira russa". Ela evoca a imagem de uma Rússia invadida e derrotada. Esta imagem a afeta de maneira profunda. Anna atira-se na cama, cobre o rosto com as mãos e chora ruidosamente. Florence, desajeitada, tenta secar-lhe as lágrimas. "Annuchka, pare! Isso não é digno de sua natureza." Anna retira as mãos do rosto e olha com rancor para Florence: "Natureza! Que conversa é essa de natureza?". As palavras jorram de sua boca: "Pertence à natureza de Deus permitir esta destruição terrível? Não é só nossa natureza que se perde neste banho de sangue, nossa alma morre também!". Ela continua chorando. Florence está quieta agora: "Eu não encontrava palavras para consolá-la".

Mais tarde chega a confirmação, e eles recebem ordem de se preparar para se deslocar. Estão começando a embalar tudo, quando são interrompidos pela chegada de um grande número de feridos: "Quando os vimos, compreendemos que o pior havia acontecido. Estavam confusos e no rosto deles via-se grande apreensão, que ultrapassava a dor física. Havia algo em seus olhos que não permitia perguntas".

A noite cai. O estrondo dos canhões diminui e silencia. Uma bateria com peças de artilharia se instala no campo. Florence e os outros desmontam suas barracas em meio à neblina. Escutam ruídos vindos da estrada. Quando ela se aproxima, vê que são cavaleiros — cossacos. Um menino camponês corre, de cabeça baixa, e desaparece no bosque. Ela ouve gritos e um tumulto. Os cossacos estão passando pelas fazendas e levando tudo o que podem, como porcos, vacas e galinhas. Juntam todos os homens que encontram e os amarram.[51] Florence vê alguns cossacos derrubarem um rapaz, enquanto uma mulher grita, apavorada.

Então os cossacos vão embora, levando consigo homens e animais. Os

---

51. Florence Farmborough não sabia se os cossacos estavam cumprindo ordens ou se aquilo era mera pilhagem. O mais provável era que estivessem cumprindo ordens. Quando o Exército russo retomou sua retirada, retomou sua velha especialidade, conhecida como a tática da terra queimada. Esta consistia em tirar o máximo possível dos recursos da terra, roubar os animais — gado em especial — e destruir o que havia restado, fazendo muitas vezes com que suas vítimas nada tivessem para comer. Agora suas tropas estavam em um território pertencente ao Império Áustro-Húngaro, o que explica a razão de levarem também homens em idade militar, o que já fora feito na invasão da Prússia Oriental em 1914, mas não com o mesmo grau de planejamento. (Naquela ocasião, os russos haviam levado consigo mais de 10 mil alemães, homens, mulheres e crianças.) Esses saques e incêndios, planejados com antecedência, continuaram com igual intensidade, mesmo quando as tropas voltavam à Rússia, causando imenso sofrimento aos seus próprios civis, o que diminuía a popularidade da guerra junto à população.

gritos das mulheres continuam, sem interrupção. Mais tarde, Florence e os outros iniciam a partida, acomodados em carroças lotadas. Escutam o clamor das mulheres deixadas para trás nesta linda noite de céu estrelado.

44. TERÇA-FEIRA, 15 DE JUNHO DE 1915
Alfred Pollard aguarda a alvorada em Hooge

O dia está muito quente e sem vento. Eles carregam o equipamento completo de batalha e têm doze quilômetros de marcha antes de chegarem ao local de ataque. No início, a marcha parece muito fácil, ao longo da movimentada estrada entre Poperinghe e Ypres. Pequenos e grandes batalhões seguem a pé, há "carroças puxadas por cavalos, carroças puxadas por mulas, infinitas colunas de munição, artilharia pesada, obuses, filas de caminhões, mensageiros de motocicleta". Todos sabem que participarão de um grande e importante ataque. A cavalaria está preparada, aguardando sua chance de empunhar os sabres, ver suas pitorescas flâmulas tremularem ao vento e dar mais movimento à guerra.

Esse é o primeiro ataque de que Alfred Pollard participa. Ele está muito entusiasmado, quase contente. Os meses de frustração e desapontamento pertencem ao passado. Até agora a guerra não foi como ele imaginou. Pollard esteve doente, com icterícia — acusaram-no de simular a enfermidade, uma acusação absurda, na sua opinião —, trabalhou como ordenança e cozinheiro. A mulher por quem se apaixonou mal lhe escreve. A guerra sobre a qual ele criou tantas fantasias se revelou, até hoje, a mais completa decepção. Agora, sim. Enfim algo grandioso está para acontecer.

Os estado de ânimo dos homens de sua unidade passa por uma mudança bastante perceptível, à medida que se aproximam do front.

Quando se retorna do front, cada passo que damos nos leva para mais longe das balas e granadas, a atmosfera se torna mais alegre. Ouvem-se canções, contam-se piadas, as risadas são constantes. Por outro lado, o caminho até lá é dominado pela seriedade, por poucas palavras, a maioria está calada e ocupada com seus próprios pensamentos. Alguns riem e falam sem parar, como que para mostrar que não têm medo ou refrear os pensamentos ruins. Outros o fazem para encorajar os companheiros mais fracos. Poucos se comportam com naturalidade.

Pouco antes do famoso ponto conhecido como Hell Fire Corner, os homens saem da estrada e continuam sua marcha pelos campos ensolarados. Nenhum tiroteio ainda, mas uma granada passa por eles no céu azul, explode e derruba de sua sela o ajudante do batalhão. Começou. Os soldados permanecem calados. "Íamos passar por algo que nenhum de nós havia vivenciado. Nenhum de nós podia ter certeza se sobreviveria às provações que nos aguardavam."

Decidem parar e aguardar o crepúsculo. Durante a espera, a cozinha de campanha serve chá aos soldados e, logo após a distribuição de alimentos, as carroças voltam ao seu lugar original, permanecendo em segurança no fundo do acampamento. Pollard se pergunta quantos dos seus camaradas gostariam de ficar longe do perigo, junto com os cozinheiros. E pensa que, entre estes, talvez alguns sintam inveja dos soldados e queiram lutar no front. Nunca se sabe.

Ao entardecer, continuam a marchar. Em uma longa fila, vão desaparecendo no crepúsculo, tropeçando e seguindo em frente, ao lado dos trilhos de uma ferrovia. As trincheiras que os recebem são recém-escavadas, estreitas e rasas. Lá eles devem aguardar "espremidos como sardinhas em lata", equipados e sentados em posições nada confortáveis. Eles fumam, conversam. Há escadas de mão simples e grosseiras de três degraus, para usarem mais tarde. Embora nada vá acontecer antes do amanhecer e o sono seja a única bênção confiável para os soldados desta guerra, Pollard acha impossível adormecer:

> Eu não estava apenas desconfortável demais na minha posição, mas também animado demais. Dentro de poucas horas, iria atacar pela primeira vez. Não sentia o menor medo ou nervosismo, apenas uma ansiedade para começar. As horas pareciam infinitas. Quando chegaria a alvorada?

Uma hora antes do ataque, Pollard é mandado para a linha de frente, com o objetivo de relatar os acontecimentos. Ele está muito satisfeito e nem um pouco preocupado com o risco que corre de ser ferido ou morto. Não se trata de falta de conhecimento de sua parte. (Em março ele presenciou o que mais tarde ficou conhecido como a Batalha de Neuve Chapelle, o massacre de um batalhão inteiro pelo fogo cruzado das metralhadoras Maxim dos alemães.) É o lado infantil e inocente de Pollard que hoje se manifesta: ele é, na sua própria opinião, imortal e diferente de todos os outros. Além disso, foi-lhes prometido um considerável apoio da artilharia. (Em março, a atuação da artilharia britânica foi pouco mais que simbólica.) Isso significa que ele poderá ter a oportunidade pela qual aguarda, ansioso: fazer uso de sua arma. "Com um pouco de sorte, poderei enfiar a baioneta nos hunos."

O combate tem início — "Bang! Bang! Bang! Bang! Bang! Swisch, swisch, swisch, swisch! Crump! Crump! Crump! Crump! Crump!".[52] O ruído vai ficando mais intenso e é preciso gritar para ser ouvido pelos camaradas. Pollard percebe que estão sob o fogo alemão, já que sente a terra o atingir algumas vezes, de dentro da trincheira. Os soldados à sua volta preparam seus equipamentos. O capitão os encara, no meio dos estrondos, sorri e diz: "Apenas mais um minuto". Todos se levantam e as escadas são colocadas em seus lugares, prontas para serem usadas. Os soldados tomam suas posições, com os pés no degrau mais baixo, baionetas às costas, preparadas. O capitão sinaliza com a mão para subirem. Pollard obedece à ordem imediatamente.

O ataque é bem-sucedido. As perdas são terríveis.

45. SEXTA-FEIRA, 18 DE JUNHO DE 1915
Rafael de Nogales testemunha o massacre em Sairt

Eles chegam um pouco atrasados e ele fica satisfeito com isso. Visto à distância, é um idílio pastoril que se apresenta diante de seus olhos. Rebanhos de vacas e búfalos a pastar nos campos verdejantes e, junto a uma fonte, alguns dromedários sob o céu azul-turquesa. A cidade de Sairt é um labirinto de casas brancas com seis minaretes finos "como agulhas de alabastro".

Eles estão se aproximando.

Rafael de Nogales dirige seu olhar para o morro.

Durante a manhã, alguns oficiais turcos com quem conversou comentaram com satisfação que, agora que se completaram os preparativos em Bitils, estavam apenas aguardando ordens. O massacre podia começar a qualquer momento em Sairt. Se eles quisessem assistir, deviam se apressar.

Mas eles não chegaram a tempo.

---

52. A descrição onomatopeica foi feita por Pollard. Quem já ouviu os sons da artilharia sabe que a descrição deles não está de todo errada. "Bang" representa o tiro, "swisch" é o som da granada sendo lançada, e o mais curto e compacto "crump" é o som da granada detonada não muito longe.

O morro fica próximo da entrada principal. Está coberto por... alguma coisa. Logo ele vê o que é.

O declive estava coberto de corpos seminus e ensanguentados, caídos uns sobre os outros. Pais, irmãos, filhos e netos estavam ali deitados, atingidos por balas ou mortos pelos iatagãs de seus inimigos. Das gargantas cortadas escorria sangue. Bandos de abutres bicavam os olhos dos mortos e dos moribundos, cujos olhares parados pareciam ainda refletir o horror e a dor que haviam sentido. Cães, com suas afiadas presas, devoravam corpos que ainda pulsavam de vida.

A quantidade de corpos parece não ter fim. Para passar, precisam pular com os cavalos por sobre "montanhas de cadáveres". Chocado e confuso, Nogales entra cavalgando em Sairt. Na cidade, a polícia e a população muçulmana local se ocupam em saquear as casas dos cristãos. Ele encontra algumas autoridades da área, entre elas o líder do massacre. De novo lhe confirmam o assassinato de todos os cristãos do sexo masculino, a partir dos doze anos de idade. Dessa vez não foi uma operação espontânea, mas um ato planejado com antecedência.

Ele é encaminhado para se alojar em uma casa saqueada. Nogales compreende agora que os ataques não são dirigidos apenas contra os armênios, mas incluem outros grupos cristãos também. A casa em que ele se encontra pertencia a uma família de sírios e foi despojada de quase todos os móveis. Só restaram algumas cadeiras quebradas. Dos pertences de seus antigos proprietários, sobraram apenas um dicionário de inglês e uma pequena imagem da Virgem Maria, escondida em um canto. No chão e paredes há rastros de sangue.

Mais tarde, quando Nogales se encontra na companhia de um grupo muito educado e agradável de oficiais da guarnição, ouve as mais horríveis histórias do massacre. Ele está consternado, mas nada faz para contê-los. Com um sorriso forçado, finge uma compreensão que não sente. Um bando passa por eles, arrastando os corpos de algumas crianças e de um homem idoso. Os crânios dos mortos batem nas pedras da rua. As pessoas ao redor insultam ou cospem nos cadáveres. Nogales vê também um grupo de soldados levar um idoso de aparência respeitável.

Sua capa preta e seu gorro cor de púrpura indicavam que ele era um bispo nestoriano.[53] Gotas de sangue escorriam de sua fronte e atingiam sua face, como um martírio de lágrimas escarlates. Quando o homem passou, seu olhar se deteve em mim por um momento, como se ele pudesse adivinhar que eu também era cristão, mas ele continuou andando, a caminho daquele desgraçado morro.

Ao anoitecer, Rafael de Nogales deixa Sairt para trás, montado em seu cavalo. Com ele seguem o musculoso ordenança albanês Tasim e mais sete cavaleiros. Nogales teme por sua vida. Ouviu rumores de que alguém pretende liquidá-lo, pois duvida de sua lealdade. Os cavaleiros vão em direção ao sul. Ele quer chegar a Alepo. Lá, pretende demitir-se do Exército otomano.

46. QUARTA-FEIRA, 14 DE JULHO DE 1915
Michel Corday comemora a queda da Bastilha em Paris

O dia está nublado, mas em alguns momentos o sol aparece entre as nuvens. Michel Corday escreve em seu diário:

Multidões silenciosas. Homens feridos, alguns com membros amputados, soldados de licença, em casacos desbotados pelo sol. Coletores de dinheiro, tantos quanto são os espectadores, pedindo dinheiro para diversas instituições de caridade. O regimento marcha adiante com sua banda de música. Todos esses homens estão a caminho do massacre.

Perto da Place de l'Étoile, ele vê o ministro das Relações Exteriores, Théophile Delcassé, chegar em um carro aberto. Delcassé talvez seja a pessoa que mais está lutando para convencer a Itália a entrar na guerra, e espera ouvir gritos de entusiasmo.[54] A multidão, no entanto, permanece calada. Corday inter-

---

53. Nogales utiliza o termo "nestoriano" para "sírio".
54. As expectativas da entrada da Itália na guerra não foram correspondidas. Em parte porque o Exército italiano foi otimista demais, tendo seu avanço imediatamente contido assim que se deparou com as íngremes montanhas que contornavam as fronteiras, o que pelo visto foi uma surpresa para os generais. E em parte porque o ataque italiano levou a população eslava do Império

preta o silêncio como um protesto inconsciente contra a guerra, mas suspeita também que o júbilo seria descontrolado se houvesse uma vitória da qual se vangloriar. (Um dos ordenanças do ministério descobriu há pouco que as bandeirinhas que destacam o front no mapa de guerra do escritório estão cobertas de teias de aranha.) *A Marselhesa* é ouvida ao fundo e deve-se tirar o chapéu. No céu, o zumbido de aviões.

O presidente Raymond Poincaré faz seu discurso. Mais uma vez, um discurso agressivo, sentimental e embalado pela luta, "até o amargo fim". A retórica pesada de Poincaré é notória. Em maio ele publicou um artigo considerado por muitos uma paródia, devido às extremas banalidades ali contidas, mas que se revelou autêntico. O presidente destaca o propósito final da guerra, "acabar com este pesadelo que é a megalomania alemã". Corday: "Há o risco de um resultado ameaçador, decorrente da paz unilateral. Nesse caso, o nosso país está condenado a uma luta tão prolongada que poderá ser fatal".

Pela primeira vez a guerra quase foi compreendida em Paris. Quase.

47. QUINTA-FEIRA, 29 DE JULHO DE 1915
Elfriede Kuhr ouve o canto noturno em Schneidermühl

Ar abafado. Escuridão. Noite de verão. Ela não sabe por que acordou. Talvez o luar a tenha despertado. Nas noites de muito calor ela costuma dormir no sofá da varanda. Tudo está muito quieto. O único ruído vem do relógio de pé, na sala. De repente ela ouve uma cantoria, fraca porém persistente, vinda da estação de trem ali perto. Escuta com atenção, mas não reconhece a melodia. Tenta identificar a letra. Mais vozes se juntam ao coro e a cantoria fica mais forte: "*Es ist bestimmt in Gottes Rat, dass man vom Liebsten, das man hat, muss scheiden*".[55]

A música está cada vez mais alta e mais nítida na noite estrelada, enquanto ela vai se sentindo cada vez menor. Sempre ficamos relutantes ao deixar a infân-

---

Áustro-Húngaro a organizar uma nova mobilização, e dessa vez ela estava preparada para morrer pela causa, ao contrário do que ocorreu na guerra contra a Rússia e a Sérvia.
55. "Assim está decidido nos planos de Deus, daqueles que mais amamos temos de nos separar no final."

cia para trás e o fazemos com pequenos passos. Elfriede percebe que está se tornando adulta e que não há volta. Ela cobre o rosto com as mãos e chora:

Por que os soldados cantavam assim, no meio da noite? Por que justamente aquela canção? Não era música de soldado. Seriam todos soldados? Talvez fosse um transporte de caixões com combatentes mortos. Haveria mães, pais, viúvas, órfãos e namoradas a bordo do trem? Eles choravam como eu?

Ela ouve um som vindo do quarto da avó. Parece alguém assoando o nariz. Elfriede se levanta e, pé ante pé, vai até lá. "Posso deitar com a senhora um pouquinho?", pergunta. A mulher hesita, mas acaba levantando a sua coberta: "Venha!". Elfriede aconchega-se junto a ela, com a cabeça encostada em seu peito, e soluça. A avó lhe acaricia os cabelos e Elfriede sente que ela também está chorando.

Nenhuma delas dá qualquer explicação ou desculpa e nenhuma pergunta é feita.

48. SÁBADO, 7 DE AGOSTO DE 1915
Sophie Botcharski abandona Varsóvia sitiada

Sem conseguir adormecer, ela sai para caminhar com uma amiga e o oficial de transporte do hospital. As ruas de Varsóvia estão vazias e silenciosas. Pode ser um bom sinal. Ela sente dificuldade de esquecer o que presenciou algumas horas atrás.

Foi difícil de compreender, como de hábito. Os alemães estavam pressionando, mas seria isso muito perigoso? Sua amiga recebeu um cartão e um telegrama secreto do noivo, em que ele se despedia e lhe desejava boa sorte. A amiga não entendeu nada. O que ele queria dizer?

Jantaram em um hotel muito bonito. Viram casais apaixonados em várias mesas. Após o jantar, tomaram o elevador até a torre do hotel, para apreciar a famosa vista. Quando chegaram lá, ficaram todos em silêncio. A amiga emitiu um som, "como se houvesse caído em uma armadilha", e gritou: "Vamos embora, não quero ver isso, vamos!". Então viram o que estava acontecendo:

Varsóvia estava cercada de fogo e fumaça. Nosso exército, durante a retirada, havia incendiado quase toda a cidade. Vimos o vazio por onde havíamos passado, e o cheiro da madeira queimada chegou até nossas narinas. Estava tudo muito quieto, e algumas nuvens de fumaça, após a detonação de granadas, pairavam no ar.

Eles aguardam por um momento antes de voltar.

Vão caminhando ao longo do rio e veem as trincheiras cavadas na margem. Um oficial bastante nervoso se aproxima deles e conta que os alemães estão se aproximando. Em breve, explodirão as pontes sobre o Vístula.

Eles voltam apressados e levam dez minutos para avisar os outros, que já se encontravam vestidos por suspeitarem que algo estava para acontecer. Momentos antes de se retirarem, dois oficiais chegam na companhia de uma mulher, que se diz esposa de um alto funcionário, e perguntam se ela pode acompanhá-los na saída da cidade. Sophie, enojada, observa que a mulher está maquiada.

Uma poderosa explosão, na estação ferroviária em frente, estoura os vidros das janelas. Há cacos espalhados por toda a sala. Mais explosões, uma das quais levanta no ar uma torre de água, que tomba logo em seguida. Os reflexos do fogo fazem a sala ficar avermelhada. Em um canto, a mulher recém-chegada retoca a maquiagem.

As ruas agora estão apinhadas, todos seguem na mesma direção: nordeste. Em seus veículos, Sophie e os outros conseguem ultrapassar carroças e coches, mas quando se aproximam da saída precisam diminuir a velocidade, pois o trânsito fica cada vez mais engarrafado.

Por volta das cinco da manhã, conseguem sair de Varsóvia. Cruzam com camponeses a caminho do mercado da cidade, levando suas mercadorias para vender — vacas, bezerros, porcos, gansos vivos carregados por mulheres, queijos. Ouve-se um estrondo colossal. Todos os olhares se voltam para a cidade rodeada de fumaça. As pontes estão sendo explodidas. Contrariados, os camponeses começam a retornar e se incorporam às longas filas de carroças.

O tempo está bonito e o dia acaba sendo muito quente neste mês de agosto.

Por volta das três da tarde chegam em Novominsk, onde descansam por duas horas. São acordados e recebem uma contraordem: o batalhão tem de voltar para o oeste, a fim de estabelecer um hospital de campo, a caminho de Varsóvia. Eles retornam e encontram um local. Em uma casa próxima à ferrovia, instalam o hospital. O cômodo maior servirá de sala de cirurgia.

Começa a escurecer. As estrelas aparecem no céu sem nuvens. Ainda não receberam nenhum ferido, então ficam do lado de fora da casa, observando a retirada dos soldados. A artilharia passa por eles, iluminada provisoriamente pelos automóveis em movimento. "Canhões puxados por seis cavalos, com os homens sentados nas carroças de munição, formavam silhuetas singulares." No céu surge um objeto em forma de cigarro que se aproxima deles aos poucos. Um zepelim! Qual será o comprimento dele? Uns 150 metros no mínimo, talvez duzentos. Aviões comuns são vistos agora com certa desconfiança, considerados muito frágeis para tarefas mais importantes que as de reconhecimento e observação. São tão pequenos que não causam nenhum temor de ataque. Já os zepelins amedrontam, com sua capacidade de carga, seu alcance[56] e seu tamanho. Eles também podem surgir silenciosos, fazer uma parada e bombardear o alvo com facilidade. Às vezes são chamados de Monstros da Noite.

O zepelim agora encontra-se tão próximo que Sophie consegue distinguir a gôndola que fica pendurada abaixo do balão oval. Cai a primeira bomba. Ela sente a onda de pressão da explosão, uma repentina falta de ar. Confusão e pavor. Gritos de aviso para apagar a luz se espalham ao longo da coluna. Alguns começam a atirar com suas armas, mas são interrompidos por um oficial. Nada podem fazer agora.

O zepelim desaparece na escuridão, deixando um rastro de caos.

Nessa noite, Sophie dorme em uma mesa de cirurgia. Antes de pegar no sono, ouve passos, cascos batendo contra pedras, zumbidos de motores, rangidos de carroças e canhões. Em sua mente misturam-se preces e pensamentos esperançosos. "Talvez a retirada seja suspensa. Talvez cheguem ordens de atacar Varsóvia. Talvez a guerra termine."

Neste sábado, Andrei Lobanov-Rostovski se encontra a nordeste de Varsóvia. Sua companhia deixou a cidade ontem sem perdas, apesar de os soldados terem sido obrigados a passar por ruas que estavam sob fogo alemão, próximas ao rio. Eles observaram que os alemães evitavam atirar nos civis, então Lobanov-

---

56. Um zepelim abastecido consegue se deslocar por até trezentos quilômetros em um voo e, em tese, permanecer vários dias no ar. Bem equipado, pode dar meia volta ao mundo.

-Rostovski alugou carruagens civis que escondiam seus próprios veículos. É um dia calmo para

> descansar e fazer uma inspeção do nosso material e analisar a nossa posição. Soubemos que o inimigo cruzou o Vístula em vários pontos, mas ainda não perturbou as nossas tropas, com exceção de pequenas patrulhas de cavalaria que apareceram nas proximidades. As duas unidades que nos circundavam bateram em retirada com grande rapidez. Em termos estratégicos, nos encontramos no fundo de um saco.

49. DOMINGO, 8 DE AGOSTO DE 1915
Vincenzo D'Aquila se torna motivo de riso em Piacenza

Odor de fumaça de carvão. Sol brilhando. Poeira. Não há ninguém esperando por eles quando o trem para na estação. A cidade parece vazia. A maioria dos habitantes parece ter se escondido dentro de casa para escapar do calor. Eles vão caminhando através de becos estreitos e abafados, para encontrar o quartel do Exército.

Ele está um pouco decepcionado por não ter sido recebido com algum gesto de gratidão. D'Aquila e seus companheiros desafiaram o Atlântico e todos os submarinos alemães para arriscar suas vidas pela "grandeza da Itália". Em uma ensolarada manhã de verão, ele saiu escondido de casa, em Nova York, se dirigiu ao porto e tomou o navio que o levaria a Europa. Era apenas um no meio de cerca de quinhentos ítalo-americanos que pretendiam se alistar no Exército italiano. Ele se lembra de que havia todo tipo de gente a bordo. "Insanos e sensatos, fortes e fracos. Todos os grupos da sociedade estavam ali representados: médicos e charlatães, advogados e impostores, trabalhadores e preguiçosos, aventureiros e vagabundos." Ele observou, bastante surpreso, que muitos já tinham se armado, com estiletes, pequenas pistolas automáticas ou escopetas. Impaciente, andou no convés recém-lavado e esperou o apito de partida do navio, para dar início à aventura. Vincenzo D'Aquila tem cabelo escuro e encaracolado, nariz reto e boca pequena. Ele traz no rosto uma expressão de franqueza e dá a impressão de ser inseguro e tímido.

Os primeiros sinais de decepção surgiram já no desembarque em Nápoles. Ele esperava uma recepção entusiasmada, com "gritos frenéticos, banda de música e belas napolitanas atirando flores". Em vez disso, foram recebidos sem nenhuma formalidade em um abafado prédio da alfândega, onde tiveram que esperar por doze horas até que apareceu um advogado de chapéu-panamá e terno claro, que subiu em um baú e fez um discurso. Foi tudo. Ninguém parecia se importar com eles.

A situação ficou ainda pior quando descobriu que seus documentos haviam sido extraviados devido à burocracia e, por essa razão, o Exército não poderia aceitá-lo. Ele e muitos outros já estavam começando a se arrepender de terem se alistado. Alguns sumiram sem dar satisfação ou voltaram para Nova York. D'Aquila não chegou a esse ponto: ainda está curioso em "saber como é uma guerra de verdade". (Se bem que, no seu íntimo, espera que tudo termine quando chegar ao front e ele possa retornar aos Estados Unidos com o status de herói.)

Depois de longas semanas de espera e quando ele já está a ponto de desistir, recebe a mensagem de que encontraram seus documentos. Após um rápido exame médico, é recrutado como soldado de infantaria e posto em um trem rumo a Piacenza, onde receberá um treinamento militar básico. Quando o trem para em uma pequena estação no caminho, ele vê um caixão simples, contendo o corpo de um soldado morto em combate, ser deixado na plataforma. Os outros voluntários bebem vinho e cantam músicas obscenas.

O quartel do 25º Regimento em Piacenza está praticamente vazio. Eles por fim encontram alguns homens uniformizados, descansando. D'Aquila e os outros recrutas contam-lhes, orgulhosos, o motivo de sua vinda. Os homens uniformizados começam a rir. Para eles é incompreensível ou até burrice que alguém possa, de livre e espontânea vontade, abandonar uma vida pacífica do outro lado do Atlântico para entrar "nessa onda de loucura que atingiu o Velho Mundo". Os recém-chegados são chamados de "idiotas", "asnos", "imbecis". Os homens uniformizados pretendem tentar de tudo para evitar as trincheiras e os voluntários não são nada bem-vindos, já que sua viagem para cá apenas prolonga esta guerra injusta e todo o sofrimento.

D'Aquila está mais que decepcionado agora, e uma onda de dúvidas surge em sua mente. "A bolha de segurança estava começando a estourar." Ele e seu amigo Frank, um rapaz alegre e inocente que conheceu no navio, saem para passear pela cidade. D'Aquila faz a barba em um barbeiro e retornam, à noite, para o acampamento. Um oficial os recebe e agora é tarde demais para voltar atrás. Nesta noite ele dorme em um grande alojamento, deitado sobre um colchão de palha.

50. QUINTA-FEIRA, 12 DE AGOSTO DE 1915
Andrei Lobanov-Rostovski acorda tarde demais nas proximidades de Tchapli

Na verdade, deveriam ter sido acordados pelo cabo à uma hora. Quando ele e o resto da companhia se acomodaram para dormir na fazenda, a ideia era que só descansariam um pouco e então retomariam a marcha. Eles sabem muito bem que a retaguarda continuará com a retirada às duas horas e que, depois disso, não haverá nada nem ninguém entre eles e o inimigo.

Apenas algumas horas de descanso, portanto.

Eles estão exaustos. Se antes Lobanov-Rostovski estava entediado e sem nada para fazer, agora a situação é outra. A companhia de sapadores está muito ocupada: se não estão explodindo pontes, incendiando casas ou destruindo linhas ferroviárias, eles têm de ajudar várias unidades na construção de trincheiras e em todo o trabalho aí envolvido — não só escavar e implodir o solo, mas também limpar o campo e erguer barreiras. Quase não há mais arame farpado, não mais do que há tábuas, pregos ou mesmo munição, mas eles ainda levantam postes que, à distância, podem enganar os alemães, fazendo com que a posição pareça mais forte do que de fato é. Nas últimas 48 horas eles construíram trincheiras para um regimento de infantaria sob chuva forte, tarefa um tanto difícil. Quando a instalação ficou pronta, receberam ordem de abandoná-las.

A retaguarda vai adiante.

O sensível Lobanov-Rostovski não está apenas cansado, mas também deprimido. Há alguns dias ele admitiu isso para o seu chefe imediato, Gabrialovich, confessando: "Os meus nervos estão em frangalhos". Gabrialovich se mostrou indiferente, disse que seu tenente não estava deprimido, mas sim cansado, e mudou de assunto. Lobanov-Rostovski também está muito preocupado com seus livros, guardados no saco de dormir. Há vários romances franceses e outras obras sobre história. Anton, o seu fiel ordenança, não entende por que é obrigado a carregar todos esses volumes, sendo ele o responsável pelo transporte. Lobanov-Rostovski receia que Anton se desfaça dos livros e, por isso, o vigia atentamente. O ordenança é descuidado sobretudo com a obra em três volumes sobre Napoleão e o czar Alexandre de autoria do historiador francês Albert Vandal: ele quase sempre acomoda os livros de maneira que possam se perder durante a marcha.

Mais algumas horas. Depois continuarão recuando.

É Lobanov-Rostovski o primeiro a despertar. Ele percebe de imediato que há algo errado. Lá fora já é dia. Ele consulta o seu relógio. Seis horas. Eles dormiram demais e estão atrasados. Cinco horas atrasados.

Ele acorda Gabrialovich, que lhe dá ordem de despertar os homens que dormem perto das carroças e levá-los, em silêncio, para o celeiro. Depois ele irá, com cuidado, verificar se os alemães já invadiram o vilarejo.

Eles não chegaram... ainda.

A preocupação agora é muito grande.

Estão ameaçados pela cavalaria alemã, que está em algum lugar *atrás* deles, e também correm o risco de ser atingidos pelo batalhão russo em retirada à sua frente. Terra de ninguém, de qualquer jeito. Além disso, eles sabem por experiência própria que todas as pontes estão sendo explodidas ou incendiadas, então de que maneira atravessarão os rios?

Com o objetivo de diminuir o primeiro desses perigos, eles mudam a ordem habitual da marcha e deixam que as carroças com explosivos e equipamentos — e livros — assumam a dianteira, enquanto os soldados ficam na parte de trás. Pelo visto a inversão funciona, pois eles conseguem chegar ao rio sem ser atacados pelos seus. Não há sinal dos alemães. Ficam muito felizes em encontrar uma ponte ainda intacta: "Soldados de um regimento desconhecido estavam se preparando para destruir a ponte e nos olharam com grande surpresa".

Por volta das onze horas, eles chegam até a ferrovia que leva a Bialystok, que também está para ser destruída. Um grande trem blindado anda de marcha a ré, em etapas, enquanto os soldados arrancam os trilhos. A unidade de Lobanov-Rostovski segue o trem. Eles explodem uma ponte e depois encontram uma estação ferroviária. Eles a incendeiam, como parte da rotina.

As chamas já atingiram as paredes de madeira do prédio quando Lobanov-Rostovski repara em um gato andando no telhado. O animal está muito assustado e mia alto, desamparado. Ele procura uma escada e sobe para salvar o animal: "O gato, em pânico, grudou em mim com suas garras. Achei perigoso descer com ele, então o joguei do segundo andar. Ele deu duas voltas no ar, aterrissou sobre as quatro patas e desapareceu entre os arbustos".

51. SEGUNDA-FEIRA, 23 DE AGOSTO DE 1915
Angus Buchanan vigia a ferrovia de Maktau

É muito cedo. Com a forte monção vinda do sudoeste, fica bastante frio no posto da guarda. Às cinco e meia o dia começa a clarear. Uma neblina cobre os arbustos em frente. A linha do horizonte está fraca, apagada. A vista é praticamente nula. Tudo está em silêncio, a não ser pelo barulho dos pássaros, que saúdam o sol nascente com seus piados e gorjeios.

Buchanan e os outros, em seu posto provisório, estão vigiando a ferrovia de Uganda, que, em seu caminho de Mombaça, na costa queniana, para o porto Kisumu, no lago Vitória, passa por Maktau. A noite foi calma, pela primeira vez, pode-se dizer. Na última semana estiveram perto de confrontar-se com patrulhas alemãs do outro lado da fronteira, que tentavam sabotar as linhas ferroviárias. Ontem mesmo conseguiram explodir uma parte dos trilhos, fazendo com que um trem desencarrilhasse.

Assim é a guerra na África Oriental, pelo menos no momento. Nenhuma grande batalha, mas sim patrulhas, escaramuças, missões de reconhecimento, algumas emboscadas, tentativas de ultrapassar as fronteiras. As distâncias são imensas.[57] Cerca de 10 mil homens armados encontram-se em uma área que corresponde ao tamanho da Europa Ocidental, onde as comunicações são praticamente inexistentes. O mais difícil não é vencer o inimigo, e sim alcançá-lo. Todas as movimentações exigem um exército de carregadores.

Tanto o clima quanto a natureza exibem uma diversidade de tirar o fôlego, que abrange desde a úmida floresta tropical até montanhas cobertas de neve, passando por tórridas savanas, planícies verdejantes e densas florestas. Os soldados movimentam-se entre fronteiras muitas vezes abstratas, desenhadas com régua, lápis de traço indelével e arrogância em alguma mesa de negociações na Europa, sem levar em consideração as populações, os idiomas e as culturas dos locais em questão ou mesmo as limitações da própria natureza.

A lógica colonial que criou essas fronteiras peculiares acabou sendo substituída pela lógica criada pela própria guerra, no que diz respeito aos conflitos ocorridos na região. Foram-se os dias do outono de 1914, em que governos lo-

---

57. A unidade de Buchanan saiu de barco de Plymouth, na Inglaterra, e chegou à África após cinco dias. Já para chegarem a seu destino, Mombaça, na África Oriental britânica, levaram mais vinte.

cais tentaram impedir quaisquer ações militares. Não há mais sentido na referência a antigos tratados ou no argumento de que é inevitável que uma guerra entre brancos deverá minar a hegemonia destes sobre o continente negro.[58] Belgas e franceses já entraram em Camarões e no Togo, e o sucesso nas invasões motivou a conquista da África Oriental alemã. E, assim como a frota inglesa desde o princípio ignorou a decisão dos funcionários coloniais locais sobre a manutenção da paz na África, também um militar alemão, o legendário Paul von Lettow-Vorbeck, desconsiderou o pacifismo, armando um navio e mandando-o guerrear no lago Tanganica, além de fazer ataques agressivos na Rodésia e na África Oriental britânica.

É por essa razão que Angus Buchanan e os outros soldados passaram uma noite fria e insone em um morro em Maktau. Patrulhas alemãs se encontram em algum lugar da floresta, mas não apareceram nesta noite. Nem todos são alemães, na verdade. Os comandantes dos pequenos grupos são alemães, com roupas típicas do colonizador — uniforme de cor clara, capacete tropical de cortiça — e aparência imponente, mas os seus comandados são todos soldados profissionais nativos, *askaris*, que receberam orientação militar, armas e confiança iguais às dos soldados brancos. Os administradores britânicos creem ser isso pura insanidade. Eles não querem, de maneira alguma, armar os africanos, e esperam receber ajuda dos batalhões da África do Sul e da Índia, de voluntários brancos e de unidades vindas da Europa.

Até agora, Buchanan viu pouco da guerra, com exceção de um combate espetacular do qual participou em junho. Eles atacaram o pequeno porto alemão em Bukoba, localizado na praia mais distante do lago Vitória. Levaram um dia e meio para atravessar o lago de barco e dois dias, sob chuvas e tempestades, para expulsar os alemães. Em apenas algumas horas, saquearam a cidade. No âmbito militar, a ação foi insignificante, mas levantou o moral da tropa e fez boa figura nos jornais.

Às nove da manhã, Buchanan e os outros são dispensados. Eles pegam suas

---

58. Um exemplo disso foi a pequena guerra civil entre os bôeres na África do Sul, em agosto de 1914. Ela contrapôs apoiadores do governo, que tomou o partido dos britânicos (embora a Guerra dos Bôeres tivesse ocorrido apenas doze anos antes), e uma minoria militante que quis se vingar destes aliando-se à Alemanha. Esse conflito interno resolveu-se em fevereiro de 1915, quando os últimos rebeldes pró-germânicos foram vencidos ou desistiram da luta.

armas, seus equipamentos e caminham para o acampamento através das sombras esvoaçantes das folhas das árvores.

A vida no acampamento é a mesma, dia após dia. Despertar às cinco e meia, alinhamento ou notificação de enfermidade às seis e meia. Depois, serviços de proteção e fortificação do acampamento, até oito, a hora do café da manhã. A refeição é composta, quase sempre, por chá, pão e queijo. Novo alinhamento às nove e mais trabalho. Buchanan assim relata:

> Eles trabalhavam no calor, praguejando e fazendo piadas (acho que um soldado sempre faz piadas, até no inferno). Suam muito, com o rosto e as roupas cobertos pela fina areia avermelhada, que jogam com suas pás ou que vem, trazida pelo vento, dos lugares mais abertos do acampamento.

A escavação prossegue até a hora do almoço, que se compõe dos mesmos ingredientes do desjejum, com geleia servida no lugar do queijo. Agora o sol está no zênite no céu africano e o calor torna impossível a continuação do trabalho braçal, de modo que tudo para. Alguns tentam dormir "dentro das barracas sufocantes", enquanto outros lavam roupa, nadam nus ou jogam cartas na sombra. Sempre há muitas moscas em todos os lugares. Às quatro e meia da tarde, novo alinhamento, seguido de uma hora e meia de escavação. O jantar é servido às seis e "consistia sempre em um ensopado malfeito, todos os dias. Monótono demais. Muitos homens não conseguiam mais comer esse prato, pois estavam enojados daquele intragável ensopado sem gosto".

Às vezes a dieta varia, quando um pacote é recebido de casa ou com a carne de algum animal caçado por eles. De tempos em tempos aparece algum comerciante de Goa, mas seus produtos são muito caros, ao menos em comparação com os preços normais na Inglaterra. Meio quilo de chá, que custa um xelim e dez pence, é vendido aqui por dois xelins e seis pence. Uma garrafa de molho de Worcester, que, em casa, custa nove pence, aqui sai por dois xelins. As enfermidades aumentaram muito nos últimos meses. Buchanan acha que metade delas é causada pela má alimentação a que estão sujeitos.

Depois do jantar, continuam com as escavações, tarefa que só é interrompida quando não há mais luz natural. O pôr do sol é bastante rápido nesta latitude. O resto do dia se constitui de luar, picadas de insetos e um cheiro de lixo queimado e terra vermelha.

52. QUINTA-FEIRA, 9 DE SETEMBRO DE 1915
Michel Corday pega o trem para Paris

Manhã de outono. Ar frio. Michel Corday se encontra a bordo do trem que o levará a Paris. Como de hábito, ele acha difícil não ficar escutando as conversas entre os demais passageiros. Alguns folheiam seus jornais recém-comprados. Uma pessoa pergunta: "Alguma novidade?". A resposta é curta: "Uma vitória russa". Corday fica apavorado. Eles não sabem que os russos estão batendo em retirada desde o avanço alemão-austríaco em Gorlice e Tarnów em meados de maio? Esses comentários lacônicos são as únicas referências à guerra durante a viagem de Fontainebleau a Paris.

Ele se lembra de outra viagem de trem, quando, em uma estação, viu uma mulher passar os olhos em uma notícia de jornal, exclamar com satisfação: "Avançamos quatrocentos metros!" e em seguida mudar de assunto. Corday observa: "Isso é o suficiente para eles e os deixa plenamente satisfeitos".

De volta ao seu escritório, fala ao telefone com Tristan Bernard, um grande amigo seu e famoso escritor de vaudeville. Bernard compartilha com Corday seu ceticismo em relação à guerra e é sempre rápido em tecer algum comentário amargo sobre o que está acontecendo. Sobre o desenvolvimento na Frente Oriental, diz que "os russos sempre batem em retirada bem organizados, enquanto os alemães avançam com êxito de forma desorganizada". (Em referência aos ataques realizados em Tout-Vent e Moulin-sous-Touvent, localidades muito distantes uma da outra, ele afirma que um deles ocorreu por erro de alguém no quartel-general, que confundiu os nomes dos dois lugares: o ataque que nunca deveria ter ocorrido foi o que acabou sendo bem-sucedido.)

Ambos, como muitos outros, sabem que em Artois e Champagne há muitos preparativos em andamento para uma grande ofensiva dos Aliados. Muita gente tem grandes expectativas quanto a este momento. Os dois amigos acham que podem estar sendo espionados, então criaram um código para poder discutir os próximos passos. Eles fingem que estão escrevendo uma peça juntos, e as perguntas sobre datas são disfarçadas como números de páginas da nova peça. Quando Bernard pergunta se o manuscrito foi prolongado ou encurtado, ele quer saber, na verdade, se a data do ataque foi adiada ou antecipada. (A certa altura, surgiu o boato de que a operação havia sido cancelada, então ele perguntou: "É verdade que o manuscrito foi jogado ao fogo?".) Bernard pergunta quantas páginas ainda sobraram do manuscrito e Corday responde: "Quinze".

Mais tarde, ele lê uma circular do ministro da Educação, que foi distribuída em todas as escolas antes do início do ano escolar, no outono. Na circular consta que os professores devem, em todas as matérias, dar grande destaque à guerra e muita importância para "os exemplos heroicos e as nobres lições que a guerra nos traz".

No mesmo dia, uma exausta Florence Farmborough escreve em seu diário:

Às sete da manhã, levantei-me cambaleando da cama, meu turno começava às sete e meia. Desci a escada com a cabeça pesada e arrastando as pernas. Ekaterina, que havia trabalhado antes de mim, estava pálida e cansada por não ter dormido. Sentada do lado de fora da sala onde os pacientes eram recebidos, fumava um cigarro. "Graças a Deus", exclamou, em tom rude. "Agora posso ir dormir", ela disse, jogando fora o cigarro. Nenhum ferido tinha chegado para lhe ocupar o tempo. Eu a entendo muito bem. A espera dela foi longa demais.

53. SEXTA-FEIRA, 10 DE SETEMBRO DE 1915
Elfriede Kuhr visita o cemitério de guerra nos arredores de Schneidemühl

Saindo da cidade, há um cemitério de guerra que aumentou muito de tamanho nos últimos seis meses. O caminho para lá passa por um escuro bosque de pinheiros e um bonito pórtico ornamentado. Hoje, Elfriede e uma colega da escola pretendem fazer uma visita ao cemitério. Elfriede leva consigo um buquê de rosas.

Elas veem uma nova sepultura, aberta e vazia. Ao lado, seis pás. Elfriede larga o seu buquê na cova e diz para a amiga: "Quando um soldado for enterrado aqui, ele descansará sobre as minhas rosas". No mesmo instante, elas observam um pequeno cortejo fúnebre passar sob o pórtico e dirigir-se ao cemitério. Primeiro vem um grupo de soldados armados de rifles, em seguida um capelão e um carro funerário com um caixão preto simples. Por último, vem um rapaz trazendo uma imensa coroa de flores. A pequena procissão para junto à sepultura aberta. Os soldados se alinham.

O caixão foi retirado do carro funerário e carregado até a sepultura. Um comando soou: "Atenção! Alerta!". Os soldados pareciam presos ao chão. Devagar, o caixão foi colocado na sepultura. O capelão rezou uma prece, os soldados tiraram seus capacetes. Novo comando: "Posição! Sentido! Fogo!". Três tiros foram dados. Em seguida, seis soldados pegaram as pás e começaram a jogar terra sobre o caixão. Ouviu-se um som abafado e oco.

Elfriede tenta imaginar como o homem no caixão pouco a pouco desaparece sob a terra que está sendo jogada: "Agora o rosto está coberto… Agora o peito, agora a barriga".

Mais tarde elas perguntam ao zelador do cemitério quem era a pessoa que foi enterrada. "Um oficial aviador", responde ele. "Foi um acidente. Nunca se sabe. Às vezes eles bebem demais."

54. SÁBADO, 25 DE SETEMBRO DE 1915
René Arnaud assiste ao início da grande ofensiva em Champagne

Vento sudoeste. Nuvens cinzas e baixas. Um dia comum de outono, mas não tão comum assim. Hoje é o dia com D maiúsculo, *le jour J*, aqui no sudeste de Champagne e também mais ao norte, em Artois. Em Champagne dois exércitos franceses — o Segundo, de Pétain, e o Quarto, de Langle de Cary — logo partirão para o ataque em um front de cerca de quinze quilômetros, expulsando os alemães ao longo do Meuse, em direção à Bélgica, sendo este um lado da ofensiva. Ao mesmo tempo, em Artois, britânicos e franceses irão ao ataque ao redor de Loos e ao cume de Vimy. Este é o outro lado da ofensiva.

Houve diversas tentativas de fazer a mesma coisa desde a primavera no mesmo local, com poucos êxitos e imensas perdas,[59] mas dessa vez é diferente.

---

59. Em Artois, os franceses perderam mais de 100 mil homens e os britânicos, cerca de 26 mil. Os êxitos foram mínimos, apenas poucos quilômetros foram conquistados. O primeiro ataque britânico, em 9 de maio em Neuve Chapelle, foi um fracasso total, sendo a causa principal a má preparação da artilharia — uma barragem de não mais que quarenta minutos com quase exclusivamente armas leves, bastante prejudicada pela escassez de granadas com grande quantidade de explosivos. O fato deu início ao chamado "escândalo das granadas" na Grã-Bretanha, que exigiu não apenas a queda do governo Asquith, mas também a remodelação radical da produção de

Os preparativos estão sendo feitos com o maior cuidado, a quantidade de soldados e canhões é muito maior, e mais ou menos 2500 peças de artilharia foram instaladas em Champagne. Ninguém parece se perguntar se todo esse armamento pode ter sido usado de maneira errada. A única solução no caso, eles imaginam, é o aumento do uso de armas, de canhões e de granadas. A solução da equação chama-se peso e massa.[60] O objetivo dessa dupla ofensiva também é bastante importante. Não é apenas conquistar um pouco de território. O propósito é nada menos que "expulsar os alemães da França", citando a ordem do dia de número 8565, que Joseph Joffre, o comandante-chefe do Exército francês, dá às tropas prontas para atacar. A ordem do dia deve ser lida em voz alta para todos os soldados. Esta operação iminente é apenas o começo. Quando penetrarem nas linhas alemãs aqui em Champagne e lá em Artois, uma ofensiva geral terá início.

Isso marca um retorno às ilusões de 1914, em especial ao sonho de uma vitória rápida.[61] As expectativas correspondem aos preparativos e aos objetivos, sendo estes também grandiosos. Se Joffre cumprir o que prometeu, a guerra estará terminada na época do Natal!

Uma das pessoas que aguardam a ofensiva com ansiedade é René Arnaud. Ele também está muito impressionado com os preparativos em grande escala, em peso e massa, com as grandes movimentações das tropas, com as novas trincheiras, com os estoques colossais de munição, com a artilharia (leve e pesada), com a cavalaria e também com

---

munição, ou seja, a remodelação de toda a economia de guerra. Foi apenas com essa crise que o povo britânico despertou e passou a entender o quanto era preciso para vencer a guerra.

60. Os alemães, ao longo de quase todo o front, tomaram conta dos pontos mais altos — um fato a respeito do qual os Aliados nada podiam fazer. A Frente Ocidental ficava imobilizada quando os alemães decidiam interromper sua retirada ou seu avanço. Obviamente se ficaria no terreno mais vantajoso possível. Esse fator deu a vantagem de melhor visibilidade aos alemães, pois nos lugares onde as águas subterrâneas eram altas, sobretudo em Flandres, eles conseguiram cavar trincheiras mais profundas que os Aliados, que se encontram presos nas várzeas. Isso foi uma preocupação constante para os Aliados durante as ofensivas.

61. Uma ilusão que não deve ser vista apenas como resultado de uma imaginação fértil, mas como uma consequência de experiências anteriores. A última guerra que atingira a Europa havia sido a franco-alemã, entre 1870 e 1871, que tinha se encerrado rapidamente, o que mostra como paralelos históricos podem ser enganosos.

o constante ruído dos aviões marrons e amarelos sobrevoando nossas cabeças, sendo caçados por granadas inimigas, cujas nuvens brancas podiam ser vistas florescendo alto no céu, como se fossem flores de papel japonesas jogadas na água, seguidas do som abafado de explosões.

Arnaud também está plenamente convencido de que esta é a hora da mudança. Ele confia no que viu com os próprios olhos e nas promessas de Joffre. Em uma carta para casa, escreve: "Os nossos comandantes nos prometeram a vitória de tal maneira que eles mesmos devem estar convencidos dela. Se fôssemos fracassar, que desapontamento seria, que crise para o moral e para tudo que diz respeito à guerra!".

Durante os preparativos são distribuídos novos equipamentos, os capacetes de aço. São leves e pintados de azul (para combinar com os novos uniformes azul-acinzentados), decorados com uma pequena crista em cima e uma granada em relevo na parte da frente. O Exército francês é o primeiro a introduzir essa inovação. Como acontece com muitos "novos" equipamentos (proteções de aço das trincheiras, maças da tropas de choque, afiadas espadas da infantaria e todos os diferentes tipos de granada de mão), eles levam os pensamentos para séculos anteriores e revelam como, paradoxalmente, o hipermoderno pode ser um retorno ao passado. Capacetes são muitíssimo necessários nas trincheiras, pois já se sabe que um ferimento na cabeça é um grande risco nas batalhas e bem mais fatal que outros ferimentos.[62] Embora não protejam contra um projétil de arma de fogo, evitam que um estilhaço de granada machuque mortalmente. Arnaud e seus soldados têm dificuldade de levar a sério o uso dessas geringonças, pois elas têm um aspecto... nada militar. "Demos gargalhadas quando os experimentamos, pareciam chapéus de Carnaval."

O regimento de Arnaud se encontra à espera, no flanco direito. Eles estão em um bosque, em frente do qual passa um riacho. Para além do riacho há outro bosque, chamado Bois de Ville. Ouviram dizer que os alemães estão ali. Eles

---

62. As estatísticas iniciais mostravam que mais de 13% dos ferimentos infligidos no campo de batalha atingiam a cabeça, e não menos que 57% desses eram fatais. Tais ferimentos eram mais comuns agora que em guerras anteriores, pois os soldados passavam grande parte do tempo nas trincheiras, onde, naturalmente, a cabeça era o órgão mais exposto do corpo. O costume de cortar o cabelo bem curto foi introduzido durante a Primeira Guerra não para se evitar piolhos, como muitos creem, mas pelo fato de facilitar o tratamento dos ferimentos na cabeça.

viram e ouviram muito pouco de seus adversários até agora. (O campo de batalha está vazio, como de costume.) Aquele bosque é o objetivo principal deles, ou seja, conseguir atingir as primeiras linhas alemãs. A ideia é que a defesa alemã, dos dois lados do avanço, seja rompida. Quando as linhas inimigas tentarem atacar, eles começarão a obrigá-las a recuar, com ajuda da cavalaria e assim por diante. Logo. Peso e massa.

A tempestade de fogo já dura quatro dias e tem sido espetacular:

Os projéteis dos nossos 155 milímetros caíam regularmente com um terrível golpe ao redor de Bois de Ville. A partir dos montes atrás de nós, uma bateria de 75 milímetros soltou suas quatro peças, uma seguida da outra, fazendo o ar vibrar com tanta força como se fossem as badaladas de quatro sinos. As granadas passaram voando sobre nossas cabeças e, após um breve silêncio, ouviram-se os quatro estrondos quando elas atingiram os alvos. Pensamos que, com um ataque desse porte, tudo havia se transformado em pó nas linhas inimigas.

O tempo passa. O ataque está marcado para 9h15. Através da chuva fina, Arnaud olha para o ponto onde a primeira investida será realizada.

Então começa. Arnaud não vê quase nada. Apenas "formas escurecidas avançando devagar". Os atiradores se encaminham para as primeiras trincheiras alemãs, que estão cobertas de fumaça. Envoltos por ela, desaparecem da vista.

Em seguida, rumores de uma grande vitória se espalham, e dizem que a cavalaria conseguiu chegar até o inimigo. A excitação é imensa, mas por que o regimento de Arnaud não recebe ordem de atacar? Eles continuam esperando, no bosque. O que terá acontecido?

Três dias mais tarde, na terça-feira, 28 de setembro, todos os ataques são suspensos. A ofensiva foi impedida pela outra linha inimiga e pela rápida chegada de soldados alemães da reserva. (O que comprova mais uma vez que soldados em trens se deslocam com mais velocidade que a pé.) Os franceses conquistaram mais ou menos três quilômetros de território, ao custo de 145 mil homens mortos, feridos, desaparecidos ou aprisionados pelo inimigo. O regimento de Arnaud nunca precisará atacar Bois de Ville.

55. QUINTA-FEIRA, 30 DE SETEMBRO DE 1915
Alfred Pollard é ferido fora de Zillebeke

Como se espera que ele se sinta? Pollard está deprimido, de ressaca e envergonhado depois da reprimenda do coronel por ter esquecido de pôr suas perneiras. Ao mesmo tempo, está empolgado com a atribuição que lhe foi dada. Já sonhou muito tempo com o sucesso e agora apareceu a sua oportunidade de brilhar.

Não que ele tenha ficado sem fazer nada. O comandante do pelotão já reparou nesse rapaz grande de 22 anos, agressivo e corajoso, que aproveita cada oportunidade para participar de alguma luta, que nunca deixa de se oferecer para as missões mais perigosas e que, às vezes, sai para fazer passeios em terra de ninguém. Durante um desses passeios, Pollard encontrou, em uma cratera, um casaco Burberry atingido de leve por um estilhaço de granada. Ao lado do casaco havia uma cabeça sem corpo. Uma imagem que ele achou "ao mesmo tempo divertida e comovente". Ele usa o casaco quando o tempo está ruim. Pollard fica imaginando histórias sobre a cabeça. Seria de um amigo ou de um inimigo? Seria ele um homem corajoso, que morreu "enquanto ia à luta", ou apenas um desses "que fogem do perigo, se borrando de medo"?

Pollard acabou de ser promovido a sargento e segundo no comando do pelotão granadeiro,[63] que ele mesmo instruiu e mais tarde, com seu entusiasmo habitual, aprimorou na arte de atirar granadas.

Agora chegou a hora. Há cinco dias se iniciou o grande ataque britânico em Loos, muito bem preparado e com inúmeros reforços, mas que mais uma vez não deu o resultado esperado, com exceção das grandes perdas. (Duas das divisões envolvidas perderam, em apenas poucos dias, metade dos seus homens.) Como de costume, os combates também se espalharam para outras seções do front. Os alemães explodiram uma grande mina embaixo das linhas britânicas em um bosque em Zillebek, fora de Ypres, chamado pelos britânicos de Sanctuary Wood,[64] e a seguir ocuparam as enormes crateras cheias de cadáveres. O pelotão granadeiro recebeu ordem de retomar o local.

---

63. O termo em inglês é "bombing platoon". A maioria dos batalhões britânicos tinha um pelotão granadeiro, cujos membros eram especializados no uso de explosivos. Durante a Primeira Guerra Mundial, isso significava sobretudo granadas Mills e algodão-pólvora.

64. O nome é proveniente dos combates de outubro de 1914, quando soldados britânicos em fuga

O grupo foi dividido em dois departamentos, um liderado por Pollard e o outro por Hammond, o comandante do pelotão. O plano é que ambos tentem chegar até a cratera, vindos dos dois lados. A arma principal é a granada de mão, que eles estão transportando em sacos. Os soldados também levam porretes para o combate corpo a corpo. Pollard não teme o que está para acontecer. Sente-se grato por ter sido encarregado dessa missão. Ele a encara como uma competição e está decidido que a sua parte do pelotão chegará ao objetivo antes do grupo de Hammond.

A mente de Pollard, contudo, não está de todo dominada pela sua animação com a missão. Durante um longo período ele teve contato com uma mulher de uma família conhecida sua, uma mulher que lhe envia presentes e cartas encorajadoras. Ele está muito apaixonado por ela, chama-a de My Lady, "a mais maravilhosa e divina criatura que já existiu" e, ao lembrar-se da cabeça que encontrou, espera que, caso tenha o mesmo destino, sua última palavra em vida seja o nome da amada. (É Mary.) Há algumas semanas lhe escreveu uma carta, pedindo-a em casamento.

Ontem ele recebeu a resposta. Em sua carta, Mary expressou seu assombro com o pedido e deixou-lhe bem claro que, se um dia fosse se casar, ele seria o último dos homens com quem gostaria de fazê-lo. Chocado e deprimido, Pollard foi para um restaurante no vilarejo mais próximo, onde se embebedou de champanhe. Ele ainda estava embriagado quando foi acordado e recebeu as instruções sobre a sua nova missão.

Às três da tarde começa a tempestade de fogo e, em seguida, um grupo de homens segue em frente através das trincheiras. Ao redor deles há árvores altas cobertas de folhas. Depois de apenas cinquenta metros, são bloqueados por uma barreira feita de sacos de areia. Eles começam a jogar granadas acima dela. Bang! Bang! Bang! Zunk! Zunk! Zunk! Passados três minutos, vem a reação alemã, na forma de uma chuva de granadas de haste. Eles continuam atirando granadas na direção da barricada por algum tempo, até que Pollard perde a

---

agruparam-se na mata e um líder local lhes deu permissão para permanecer temporariamente por ali, em vez de retornarem para a batalha ("sanctuary" significa refúgio). A essa altura, setembro de 1915, o bosque era tudo menos um refúgio, mas o nome havia ficado. Talvez valha a pena mencionar que hoje há no local um pequeno e curioso café onde, em troca de algumas moedas, pode-se ver o que sobrou, preservado e protegido, de algumas trincheiras e também uma coleção de objetos da época da guerra.

paciência. Segundo o método que aprendeu em seu treinamento, ele deveria, como chefe, tomar a posição de número cinco no grupo, mas acaba tomando a dianteira.

Depois que três soldados, em rápida sucessão, atiram cinco granadas cada um, ele e mais seis homens deixam as trincheiras para contornar a barricada. Os alemães, é óbvio, estavam esperando por esse momento, pois os homens acabam no meio do fogo cruzado. Quatro dos seis são atingidos. Pollard consegue escapar e pula para dentro de uma trincheira, onde explode uma granada alemã. A explosão o atira contra a barricada. Ele vê pequenas manchas vermelhas no corpo, nos pontos onde os estilhaços de granada penetraram. Pollard se levanta.

Seu grupo derruba a barricada e entra às pressas na trincheira, jogando granadas o tempo todo nos alemães à sua frente. Estes tentam recuar, enquanto os demais sobem em árvores e, a uma distância de menos de quarenta metros, atiram contra o grupo de Pollard. Cada um dos seus homens é atingido. Ele se vira para dar instruções a um soldado, que no mesmo instante é atingido por uma bala na garganta. Pollard tem a sensação de estar no meio de um pesadelo:

> Era como se a minha alma tivesse deixado o meu corpo. O meu corpo era uma espécie de máquina que executava seu serviço com extrema precisão, enquanto a minha alma comandava tudo. Alguma coisa fora de mim parecia dizer o que eu deveria fazer e eu não hesitava em obedecer. Ao mesmo tempo, sentia que ia sobreviver.

Eles chegam em outra barricada de sacos de areia e passam por ela da mesma maneira que passaram pela anterior. Pollard se dirige a um dos seus poucos soldados que restaram para lhe entregar um saco com granadas de mão, mas o outro tomba à sua frente. No mesmo instante, sente que o próprio braço direito perde as forças e deixa cair o saco com as granadas. Uma bala atinge o homem, ricocheteia e atinge o ombro de Pollard. Sentindo muita tontura, ele vê uma mancha vermelha se espalhar na manga da sua jaqueta. Seus joelhos cedem. Alguém lhe oferece uma mistura de rum e água para beber. Ele se levanta cambaleante e ordena que seus soldados sigam adiante.

Seu último pensamento é que ele não pode desmaiar. "Só mulheres desmaiam." Ele, então, desmaia.

56. DOMINGO, 3 DE OUTUBRO DE 1915
Vincenzo D'Aquila faz uso de sua arma de fogo pela primeira vez

A ordem é ao mesmo tempo clara e incompreensível. Nesta manhã ele e os outros são mandados para as trincheiras, como substitutos da Sétima Companhia do Segundo Batalhão do 25º Regimento. Eles estão encharcados depois de terem passado a noite ao relento. A trincheira propriamente dita fica bem em frente, com vista para o monte Santa Lucia, junto ao Isonzo. O lugar de D'Aquila é na parte lateral. Um vale profundo e íngreme separa as linhas italianas das austríacas, que se encontram na parte mais alta. O chefe da companhia é um suboficial de nome Volpe.

Os novatos são instruídos. Todos começarão a atirar quando anoitecer. Todos. A artilharia trabalhará a noite inteira. O objetivo é, em parte, incomodar o adversário e, em parte, defender-se dos ataques de surpresa na escuridão da noite.

Os últimos raios do pôr do sol desaparecem no horizonte, a paisagem vai mudando de cor, passando do cinza para o negro. O tiroteio tem início. Ao longo do batalhão, as armas de fogo trabalham sem cessar. D'Aquila fica surpreso com a falta de planejamento e o desperdício de munição no tiroteio noturno, em que ninguém consegue vislumbrar o alvo. Ele já ouviu falar diversas vezes do despreparo da Itália nesta guerra, da falta tanto de recursos financeiros e víveres quanto de armas e munição. Além disso, agora percebe, atônito, que provavelmente está em posição de tirar a vida de outro ser humano. Seus pensamentos, como acontece com muitos voluntários, se concentraram sobretudo na *sua própria* morte, não no fato de que se espera que ele mate outras pessoas.

D'Aquila observa o céu estrelado. Ele não quer, e não conseguirá matar ninguém. Mas o que acontecerá se ele se negar a obedecer às ordens dadas? D'Aquila toma uma decisão. Ele está aqui de livre e espontânea vontade e não se negará a atacar quando for o momento certo. Se lhe disserem para sair da trincheira e atacar o inimigo lá em cima na montanha, ele obedecerá. Ele cumprirá com sua obrigação, mas não matará ninguém. Não. Nem hoje nem nunca. Talvez alguma força superior compreenda e aprove sua decisão e, em nome da simetria, o poupe do mal. D'Aquila ergue sua arma carregada, apontando para o céu, e aperta o gatilho. Durante a noite ele dá centenas de tiros com ela, tiros no escuro e sem sentido.

Ao amanhecer, o tiroteio cessa. Quando a neblina começa a subir, o silêncio toma conta do vale vestido com suas cores de outono.

No mesmo dia Pál Kelemen se encontra na fronteira sérvia e escreve no seu diário:

Estamos acomodados em uma planície infinita. Militares e cavalos por todos os lados. Nuvens pesadas no horizonte. Aqui começam os pântanos do Danúbio, onde a rica planície húngara se transforma em uma imensa área de juncos. A infantaria alemã, com passos retumbantes, marcha em direção ao sul. A grama alta se sacode ao vento, como se tudo tivesse que tremer diante dos estrondos dos canhões acima do Danúbio.

57. QUARTA-FEIRA, 6 DE OUTUBRO DE 1915
Florence Farmborough deixa Minsk para trás e tem dor de dente

Há uma nova força no ar. As noites estão cada vez mais longas, mais frias. Pontadas em um dente molar a têm incomodado há algum tempo, e agora Florence sente uma dor aguda. Ela está acomodada e quieta na carruagem, o rosto envolto em um véu que costuma usar para se proteger do sol e da poeira durante a marcha.

Três dias atrás saíram de Minsk, com suas ruas cheias de pessoas uniformizadas e coisas caras nas vitrines das lojas. A cidade foi uma revelação, com seus brilhos coloridos de que todos já haviam se esquecido durante esses meses de marcha nas estradas empoeiradas, onde só se viam tons de marrom, desde a cor da terra até os uniformes. Ela e as outras enfermeiras sentiram-se ao mesmo tempo envergonhadas e orgulhosas ao se comparar — as roupas desbotadas e mal ajustadas, as mãos calejadas e os rostos queimados pelo sol — com as mulheres da sociedade de Minsk, tão bem vestidas e maquiadas. E então elas viajaram com surpreendente animação na direção do conhecido ruído dos canhões e dos fogos de artilharia, passando por campos verdejantes e bosques em tons de amarelo, vermelho e marrom enferrujado.

A grande retirada russa está quase no fim. Os dois lados começaram a cavar trincheiras para o inverno que se aproxima. A unidade de Florence marcha em ritmo lento. Eles percorrem trinta quilômetros por dia, quando tudo corre bem, em sua longa caravana de carruagens. Agora podem seguir com calma, pois não estão mais fugindo e têm a esperança de uma mudança para melhor.

Nos campos ao redor e nas valas ainda são visíveis rastros da retirada. Há todo tipo de criatura morta, animais que foram levados até lá para não caírem nas mãos do inimigo, mas que acabaram perecendo durante a longa marcha. Ela vê vacas, porcos, ovelhas. Todos mortos. Uma lembrança vem à sua mente:

> Eu me lembro de uma vez, durante os primeiros meses da retirada, em que vi um cavalo cair, acho que foi naquelas terríveis estradas de areia perto de Molodycz. Os homens logo removeram o animal das rédeas presas ao canhão e o deixaram largado na beira da estrada, sem sequer uma palavra de pena. Quando passamos, o animal se movia, e em seus olhos tinham a mesma expressão que há em um ser humano que é abandonado para sofrer e morrer em sua solidão.

A longa caravana faz uma parada brusca. Chegaram a um local onde a estrada cruza com um brejo. Algumas carroças da outra unidade móvel ficaram atoladas. Devagar, um de cada vez, os veículos são retirados. Sobre a estrada, são espalhados ramos de pinheiros, para deixar o local um pouco mais seguro.

Põem-se de novo em movimento e Florence afunda mais uma vez em seus pensamentos, em que há espaço apenas para a sua dor de dente. Uma única vez ela levanta o véu, quando chegam a uma área com um fedor muito intenso. Ela escuta vozes, querem saber do que se trata. Descobrem então que estão passando por um agrupamento de cadáveres, a maioria formada por cavalos, mortos há semanas e apodrecendo desde então.

O que está para acontecer ninguém sabe. A última ordem que receberam é que devem juntar-se à 62ª Divisão, que se encontra em algum lugar nas proximidades.

58. QUINTA-FEIRA, 28 DE OUTUBRO DE 1915
Vincenzo D'Aquila testemunha o ataque fracassado ao monte Santa Lucia

É como assistir de camarote, e não apenas no sentido metafórico. O lugar em que D'Aquila se encontra é destinado à observação, de onde, com binóculo, se pode ver o ataque. O tempo está claro desta vez. Não haverá problema para enxergar as colunas chegarem ao pé da montanha.

O local de observação foi preparado por ordenanças e outros soldados. A camuflagem de ramos e galhos, desfeita pelo vento noturno, foi rearrumada;

mesas e cadeiras estão à disposição; e os telefones de campanha foram testados. No ar, o som das explosões é quase ininterrupto. Do outro lado do vale, martelam os tiros no ritmo de tambores sobre "as duas irmãs", os montes Santa Lucia e Santa Maria. Binóculos e xerez são colocados sobre as mesas.

Em algum lugar em uma trincheira, a Sétima Companhia aguarda ordens de atacar. D'Aquila não está com eles. Com a ajuda inesperada do chefe de sua companhia, ele encontrou um serviço no qual não corre o risco nem de matar nem de ser morto. Tornou-se assistente de equipe no quartel-general porque, tendo tido uma educação americana, domina uma habilidade nova e incomum: a datilografia. Os tremores que sentiu durante a primeira noite nas trincheiras ainda não o abandonaram. D'Aquila entrou em uma espécie de crise religiosa, que se manifesta de duas maneiras. Em uma delas, assume a forma de ruminação sobre o que um cristão pode se permitir fazer em uma situação como esta; na outra, há a sua esperança de que a fé, de algum modo, pode salvá-lo e, em seu turbilhão mental, essa esperança o conforta. Duas vezes ele participou da patrulha noturna em terra de ninguém e nas duas vezes, apesar dos perigos, saiu ileso. Será ele uma espécie de escolhido? E ele vê a nova função de assistente na tropa como outra intervenção de um poder superior.

O que ele vivencia durante o seu tempo como assistente, contudo, não o torna nem menos apreensivo nem menos culpado. Muito pelo contrário.

Os oficiais saem de seu bunker após o desjejum, composto de chocolate, pão torrado e vinho. Agora vão para o bem protegido posto de observação. Todos os subalternos dão lugar para seus superiores e lhes fazem continência. Os oficiais respondem, distraídos, à saudação. Os ordenanças puxam cadeiras para que se sentem e lhes entregam alguns binóculos.

O show pode começar.

O tiroteio é interrompido. As últimas granadas cortam o ar gelado, em direção às "duas irmãs". A fumaça branca se dissipa no ar.

Tudo fica em silêncio.

Um silêncio longo demais.

Então, vê-se uma movimentação nas trincheiras italianas. Grupos esparsos formados por homens de uniforme verde-acinzentado começam a se dirigir para as encostas íngremes. Em um desses agrupamentos que se deslocam com dificuldade, escalam, rastejam e pulam, D'Aquila reconhece a sua companhia. Eles avançam devagar, parecem estar à procura de algo. Então ouve-se o tiroteio das armas austríacas do tipo Schwarzlose. Uma após a outra, abrem fogo a partir de ninhos invisíveis em algum lugar nos picos arborizados. Apesar dos dias de tiroteio, a artilharia italiana não conseguiu silenciá-las. Duas armas agora dominam o campo de batalha: a artilharia e as metralhadoras. A infantaria se transformou cada vez mais em seus servos (e vítimas). Sua missão é ocupar o terreno que a chuva de granadas esvaziou e proteger as metralhadoras enquanto elas estão em ação. Como agora. As metralhadoras atiram e as linhas de homens se reduzem, ficam mais lentas, caem por terra, recuam.

Essa operação desarticulada se repete muitas vezes no vale lá embaixo. Uma companhia deixa as suas trincheiras, escala uma parte da montanha, fica deitada sob a chuva de balas de metralhadora e por fim sai reduzida, em fuga. Novas tentativas são feitas, mas em vão, pois agora os homens são em número menor que da última vez.

D'Aquila está consternado, não só por saber que algumas daquelas manchas imóveis ao longe são seus camaradas, mas também pela falta de tática e pela frieza demonstrada pelos oficiais superiores. No momento, todos já perceberam o quanto sofrerão com as perdas. Ainda há generais que mantêm a ilusão de que tudo acabará bem e que devem continuar lutando da mesma maneira, com a mesma vontade. Vontade de quem? Ao final do dia, D'Aquila ouve uma conversa ao telefone. Um capitão de uma companhia de caçadores de montanha implora que seus subordinados deixem de atacar. Já atacaram quinze vezes, e nas quinze foram derrotados. Dos 250 homens encarregados da missão, sobraram apenas 25. O comandante se nega a atender o pedido e relembra o capitão do juramento que fez de defender a Itália até a morte.

A companhia de caçadores de montanha ataca pela última vez. De novo, sem êxito. O capitão não está entre os sobreviventes. Espalha-se o boato de que ele cometeu suicídio.

No dia 30 de outubro, mandam D'Aquila datilografar uma ordem de interrupção dos ataques. O que mais tarde ficou conhecido como a Terceira Batalha do Isonzo vai chegando ao seu fim. Não conseguiram sequer alcançar um dos alvos de ataque.[65]

---

65. O Exército italiano teve 68 mil baixas, alcançando 11 mil mortos. Esses números só seriam conhecidos após a guerra.

Pouco depois, celebram o Dia de Todos os Santos com especial reverência. D'Aquila por fim descobre que um dos mortos na operação fracassada foi o seu bom amigo Frank.

59. DOMINGO, 31 DE OUTUBRO DE 1915
Pál Kelemen testemunha o enforcamento de um guerrilheiro sérvio

A invasão da Sérvia pelas Potências Centrais está ocorrendo de acordo com os planos. Segundo a opinião local, já estava mais que na hora de alguma coisa acontecer. No ano passado, o Exército austro-húngaro atacou três vezes o país vizinho. Foram três fracassos. Em 6 de outubro, os Exércitos alemão e austro-húngaro uniram-se para o ataque. Em 8 de outubro, invadiram Belgrado (pela terceira vez desde 11 de agosto do ano passado). Agora, em 11 de outubro, o Exército búlgaro também invadiu o país. Os sérvios bateram em retirada, ameaçados e cercados, junto com uma quantidade imensa de civis. Estão fugindo em direção ao sul.[66]

Entre os perseguidores estão Pál Kelemen e seus hussardos. Eles se movimentam rápido sob as chuvas de outubro. Ficam dias sem desmontar de seus cavalos. Passaram por casas incendiadas e saqueadas, cavalgaram por estradas cheias de refugiados, a maioria composta por mulheres de várias idades e crianças. O tempo todo ouviram tiroteios ao fundo.

Neste domingo o esquadrão se encontra em frente às ruínas de uma hospedaria sérvia. Em volta do prédio há centenas de feridos deitados na lama. Os combates continuam, mas não aqui. Por isso, é uma surpresa quando, durante a tarde, um soldado leva um tiro e é ferido na perna. O tiro veio de uma cabana. Uma hora e meia depois, outro soldado é alvejado, no estômago; o tiro veio do mesmo local. Uma patrulha é mandada para investigar o que está acontecendo e retorna após alguns minutos. Trazem consigo um homem malvestido, de estatura média. Suas mãos foram amarradas. Atrás dele seguem outras pessoas, talvez seus parentes ou vizinhos. Mulheres, crianças e homens idosos. Pál Kelemen anota em seu diário:

---

66. Antes do término da guerra, 15% da população foi exterminada devido a fugas e perseguições. Nenhum outro povo sofreu tanto quanto este entre 1914 e 1918.

Com a ajuda de um intérprete, interrogamos o homem e as testemunhas mais importantes. Pelo visto, apesar das advertências de seus vizinhos, ele cometeu a imprudência de atirar contra nossos soldados. Quando olha para o povo a seu redor, o homem parece um selvagem vindo de outro mundo.

Em seguida, o guerrilheiro é condenado ao enforcamento.[67]

Um dos cozinheiros da guarnição, um açougueiro de Viena, assume com prazer o papel de carrasco. Ele busca uma corda comprida e pega uma caixa vazia para servir como alçapão. Pedem ao sérvio que faça as suas preces, mas ele responde que isso não é necessário. As mulheres choram, as crianças choramingam e observam a cena paralisadas de pavor, enquanto os soldados, com ar de enfado mas com excitamento nos olhos, se agrupam em torno de uma árvore para os preparativos.

O guerrilheiro sérvio é erguido por dois soldados. Ele não demonstra medo, nem qualquer outra emoção em particular. Olha em volta com uma expressão de louco. A corda é colocada em seu pescoço, e a caixa, sob seus pés, é chutada para longe. A corda é comprida demais e o açougueiro a regula com um puxão. O rosto do homem se desfigura devagar. Convulsões sacodem seu corpo. Ele morre. A língua pende da boca, enquanto seus membros ficam cada vez mais rígidos.

Ao anoitecer, o público se dispersa. Primeiro saem os militares e depois os civis. Mais tarde, Kelemen vê dois soldados andando pela estrada. Eles obser-

---

67. Tanto o Exército alemão quanto o austro-húngaro desenvolveram uma cultura linha-dura para lidar com guerrilheiros, *komidatschi*, franco-atiradores ou como quer que fossem chamados — isto é, homens armados que atiravam de emboscada e não usavam uniforme. A experiência colonial e histórica teve seu papel na formação da imagem mental um tanto indefinida desses combatentes irregulares. Eles eram vistos como um fenômeno não civilizado, pois em uma guerra civilizada apenas homens de uniforme podiam lutar; civis não deviam se envolver e, se assim fizessem, precisavam ser punidos com severidade, de preferência com a morte. Associada aos rumores exagerados de atrocidades cometidas *contra* suas tropas, essa linha de ação, que em teoria era adotada em nome da civilização, levou ambos os exércitos a serem os responsáveis pelo maior extermínio de civis que a Europa já vira em mais de um século. O pior aconteceu no início da guerra, em 1914, na Bélgica, quando mais de mil civis (homens, mulheres e crianças) foram mortos por tropas alemãs como represália por imaginárias ações de guerrilha. E tropas austro--húngaras (sobretudo húngaras) em diversas ocasiões atacaram furiosamente na Sérvia, assassinando centenas de pessoas sem qualquer motivo. A essa altura, a histeria de 1914 já havia passado, mas os dois exércitos ainda mantinham tal postura contra todos aqueles que lutavam sem pertencer a eles. Guerrilheiros deveriam simplesmente ser enforcados.

vam o homem enforcado, balançando no vento do outono, e riem com deboche. Um deles bate com força no corpo, usando o cabo de seu rifle. Os dois fazem uma reverência e desaparecem.

60. DOMINGO, 7 DE NOVEMBRO DE 1915
Richard Stumpf assiste a dois atos de Lohengrin *em Kiel*

A temperatura está agradável neste dia de novembro. O SMS *Helgoland* entra no canal de Kiel e logo boatos começam a se espalhar entre os homens. Grandes combates tiveram início em Riga e eles terão que partir para ajudar no Báltico. Ou talvez os ingleses estejam a caminho. Ou a neutra Dinamarca esteja entrando na guerra. Ou quem sabe seja apenas mais um exercício de guerra. Stumpf se decide pela última alternativa, "assim não me decepciono mais uma vez".

A atmosfera a bordo é péssima. Stumpf e os outros nada têm com que se ocupar. A comida está cada vez mais intragável, a disciplina e as intimidações por parte dos oficiais são duras demais. No navio há uma unidade especial de punições e, todos os dias, pode-se observar de vinte a trinta marinheiros correndo, armados e equipados. É preciso muito pouco para um soldado ser castigado. Pode ser por uma pia suja, uma meia esquecida, uma ida ao banheiro durante o serviço ou até por um simples comentário feito fora de hora. Stumpf escreve em seu diário:

> O moral da tripulação está tão baixo que ficaríamos satisfeitos se fôssemos atingidos por um torpedo no estômago. É algo que desejamos que aconteça com os nossos desprezíveis comandantes. Se alguém mencionasse algo assim um ano e meio atrás, seria gravemente punido. Um mau espírito está solto entre nós e é apenas a nossa boa educação que nos impede de imitar o que aconteceu com a frota russa no Báltico.[68] Nós sabemos que temos mais a perder que nossos grilhões.

Quando passam pelo canal, Stumpf observa como as florestas e montes têm cores e tons diferentes de amarelo, vermelho e marrom. Logo chegará a neve.

---

68. Referência ao motim no navio de guerra russo *Potemkin*, em 1905. A memória de Stumpf falha neste caso: o *Potemkin* pertencia à frota russa do mar Negro, e não à do Báltico.

Chegam a Kiel à noite. Ele percebe que a atmosfera no navio está melhorando. Há um plano por trás disso tudo? Ou será apenas um sinal de que o clima de seriedade e devoção dos primeiros tempos passados junto à frota começa devagar a esmaecer? A tripulação desembarca em terra firme. (Não irão lutar. Como ele suspeitava, o que os espera são apenas exercícios de treinamento.) Richard Stumpf se dirige às pressas para um teatro da cidade, onde assiste aos dois últimos atos da ópera *Lohengrin*, de Wagner. Depois ele comenta em seu diário: "É uma pena que eu não possa estar presente a outros eventos como este. Eles me fazem sentir que ainda sou humano, e não apenas um burro de carga sem valor".

61. SEXTA-FEIRA, 12 DE NOVEMBRO DE 1915
Olive King e a luz em Gevgeli

Na verdade, ela nunca quis ter saído da França. Em uma carta para a madrasta, datada de meados de outubro, pela primeira vez ela deixa transparecer seu desânimo:

> Às vezes sinto que nunca mais voltarei para casa, pois esta maldita guerra parece não ter fim. Ela não para de se prolongar, cada vez mais países se envolvem nela, tudo vai ficando pior a cada dia. No que nos diz respeito, não temos a menor ideia de para onde iremos.

Então as mulheres da organização Scottish Women's Hospital ouviram falar que seriam mandadas para os Bálcãs, onde desembarcara às pressas, em outubro, um regimento franco-britânico, sob o comando do general Maurice Sarrail. As tropas haviam chegado com pouquíssimo equipamento em Salônica, na Grécia, na esperança de ajudar os sérvios, através da abertura de um novo front.[69] Olive não queria ir. Sua ambulância era pesada e fraca demais para as péssimas estradas de lá.

---

69. Eis os acontecimentos: até o final de setembro, havia chegado a notícia da mobilização da Bulgária, um sinal claro de que o país escolhera, após muita hesitação, aliar-se às Potências Centrais. Isso gerou pavor entre os gregos, o que fez com que preparassem seu pequeno Exército e pedissem ajuda aos Aliados. O regimento de Sarrail chegara, então, à cidade agora chamada de Salônica. Já no dia

A viagem de navio até a Grécia levou três semanas. Outro navio-hospital, que viajava para o mesmo destino, fora afundado por um submarino alemão. Havia uma grande confusão militar, política e prática em Salônica. Ordens seguidas de contraordens em "um mar de lama negra" que eram as ruas da cidade. Em novembro, elas foram, afinal, mandadas de trem para Gevgeli, que fica na fronteira entre a Grécia e a Sérvia, para estabelecer um hospital militar.

Dessa vez trouxeram suas barracas, mas nenhuma estaca para montá-las. Tiveram então de improvisar, mas elas não ficaram nada firmes nesses terrenos montanhosos. Dia e noite há patrulhas transitando pela área, o que faz com que as estacas se soltem e seja preciso ajustar as amarrações. Essa é a ocupação de Olive, no momento. Outra tarefa é lavar e desinfetar as roupas dos pacientes. Ela não se incomoda com as pulgas e os piolhos, e o tempo não é tão frio que as impeça de tomar banho no rio.

Elas dispõem de luz elétrica no refeitório, proveniente do equipamento de raio X, mas que é desligada às sete e meia da noite. Não é permitido acender velas nas barracas por causa do risco de incêndio, então não lhes resta nada mais a fazer do que ir deitar-se. Escurece muito cedo, às cinco da tarde já é noite. Antes das seis da manhã, o dia já começa a clarear e ela aprecia a visão do nascer do sol, com seus tons coloridos iluminando os picos das montanhas.

Olive King se surpreende ao perceber que se sente feliz. Ela escreve ao seu pai: "Este lugar é divino, as montanhas são lindas, o ar é fresco e revigorante. Todos os dias trabalhamos como gigantes e comemos como lobos".

62. DOMINGO, 14 DE NOVEMBRO DE 1915
Pál Kelemen visita o bordel dos oficiais em Uzice

Tiveram êxito. Ocuparam a Sérvia. Sarajevo foi vingada. Os vitoriosos

---

seguinte, veio a notícia de que os búlgaros haviam derrotado os sérvios, seus antigos inimigos, e invadido o sul do país, ao mesmo tempo que os alemães e austríacos entraram no norte. Ouviu-se falar de como o regimento se sentira ameaçado ao chegar, pois o primeiro-ministro que os havia convidado fora substituído, levando a Grécia a mudar de postura, tornando-se neutra de novo. (O desembarque na Grécia, nas palavras de A. J. P. Taylor, "foi um fato tão imprudente quanto a invasão alemã na Bélgica".) Mais tarde, ouvira-se o toque efêmero das fanfarras da vitória, anunciando a passagem de Sarrail no norte, ao longo da ferrovia Salônica-Belgrado. Os sérvios haviam desistido e espalhado o que restara de suas tropas nas montanhas da Albânia, a caminho do sul.

podem receber o seu soldo. Nesta noite, Kelemen e alguns colegas visitam um bordel reservado para os oficiais. Está localizado em Uzice, pequena cidade à beira do rio Detinja. Kelemen anota em seu diário:

> Entrada obscura, tapetes, quadros nas paredes. Um civil bebe e toca piano. Quatro mesas nos quatro cantos. Quatro moças em um quarto. Duas delas distraem um tenente da artilharia. Em outra mesa, há um oficial do Exército tomando café. Sob a luz de um abajur, um oficial lê o jornal do dia anterior.
>
> Esse é o cenário quando chegamos. Sentamos à mesa que está livre, pedimos vinho tinto. Quando experimentamos o vinho, mudamos de ideia e pedimos café. Em um canto, Mohay, o meu cadete, tenta fazer o gramofone funcionar, mas não consegue. Alguma parte do aparelho deve estar quebrada.
>
> Uma das moças sai da sala, mas volta em seguida. Ela se senta no colo do nosso cadete. A outra, uma jovem de cabelos negros e vestido vermelho, está deitada em um banco, olhando para mim.
>
> O tempo passa. O pianista, com sua cara de mau, continua tocando. Reconheço a música, pois a ouvi há muito tempo, quando fui me despedir de uma jovem. Parece que se passou uma eternidade, em algum lugar muito longe daqui.
>
> Eu me levanto e saio. Se eles pensam que foi o vinho que me fez mal, estão enganados.

63. SÁBADO, 27 DE NOVEMBRO DE 1915
Kresten Andresen vai a uma festa de aniversário em Lens

Chuva fria e vento. Árvores sem folhas. Tudo cinzento — o tempo, seus uniformes, o café. Eles estão de folga hoje e só precisarão retornar ao serviço à noite. Andresen aproveita para visitar alguns amigos, seus conterrâneos, que servem na Segunda Companhia. Há tempos não fala dinamarquês com alguém. Ele tem se sentido só.

A vida nas trincheiras não muda muito, não importa se é dia ou noite. Ele escava e escava, sobretudo durante a noite, junto ao pé do famoso monte Loretto, que os franceses tomaram durante a ofensiva de maio. Agora está tudo calmo no front. Durante o dia, alemães e franceses movimentam-se livremente pela área. Ninguém atira. (Dizem que alguns corajosos até já visitaram as trincheiras inimigas.)

Este é um exemplo do pacto subentendido aqui e ali nesta guerra. Viva e deixe viver. Se não nos incomodam, também não iremos incomodá-los.[70] Mas isso só ocorre durante o dia. As noites são assustadoras e perigosas. A escuridão transforma a insegurança em medo. Andresen escreve em seu diário que a situação lembra o conto "sobre aquele homem que mudava de aparência. De dia era humano e à noite, um animal selvagem". As pessoas aqui, quando morrem, é durante a noite.

No momento se encontram em Lens, uma cidade mineira de porte médio. Ele aprecia o local, pois há mais para ver e fazer do que no campo. Andresen está subindo a Rue de la Bataille quando ouve o barulho.

Granadas, com força total.

Um projétil atinge a parede de uma casa à sua frente e ele vê a parte principal do telhado ser erguida uns dez metros no ar. Vê pessoas saírem correndo da casa vizinha e um grande estilhaço bater na calçada. Sente respingos de água. Fica paralisado, mas diz a si mesmo: "Você tem que correr!". Ele corre através das explosões, estrondos, estilhaços e nuvens cinzentas causados pelas granadas. Consegue se proteger.

Quando ousa sair de onde se escondeu, já está escurecendo. Só silêncio. Pessoas andam nas calçadas. Em muitos lugares, há gente retirando os estilhaços caídos e limpando casas e lojas. Há um soldado de guarda, perto de um monte de palha. Ali foram mortos dois soldados e um cavalo, feitos literalmente em pedaços. Talvez para esconder a horrível cena, puseram palha no local. Andresen observa que a parede em frente encontra-se banhada de sangue. Ele sente um tremor no corpo, caminha com rapidez e quase pisa em algo que parece uma minhoca, na calçada.

Andresen chega à Segunda Companhia. Lenger, um dos dinamarqueses, faz aniversário e oferece café e biscoitos caseiros. Andresen, enfim, pode se comunicar em sua língua. Logo terá que retornar para o seu acampamento, infelizmente.

Às nove da noite, marcham para o trabalho de escavação noturna. A prin-

---

70. Os generais de ambos os lados detestavam esse comportamento. Vale mencionar que algumas unidades estavam imunes a ele, e o mesmo acontecia entre certas nacionalidades (como húngaros e sérvios) quando se enfrentavam.

cípio ele pensa que irão para Angres, o vilarejo em que trabalharam na noite anterior, mas continuam marchando. É uma noite fria, sem nuvens e de lua clara. Eles fazem uma parada em um lugar bastante próximo ao cume de Vimy. Começam a cavar novas trincheiras. À luz dos sinalizadores, tudo parece estar coberto de neve.

64. DOMINGO, 28 DE NOVEMBRO DE 1915
Edward Mousley se encontra com o regimento britânico batendo em retirada em Azizie

Não há nada especial em Azizie, apenas um rio e algumas casas de barro. Edward Mousley viajou de barco desde Basra, na costa, subindo o rio Tigre e passando por Qurna, Qala Salih, Amara e Kut al-Amara. Ele ouviu falar de Azizie várias vezes. Muitos dizem que é aí que está o regimento britânico na Mesopotâmia, ou a Força D, como é chamado oficialmente. Segundo outros, as tropas se encontram nos arredores de Bagdá, preparando-se para invadir essa grande cidade.

Edward Mousley tem 29 anos e é tenente da artilharia de campo britânica. Neozelandês, estudou direito em Cambridge e esteve, até há pouco, a serviço na Índia. Como as operações na Mesopotâmia são de responsabilidade do governo colonial indiano, é natural que os reforços sejam trazidos de lá. (Os soldados do regimento britânico, em sua maioria, são na verdade naturais da Índia.) Mousley e os outros a bordo do navio são meros reforços ou substitutos dos homens que morreram, se feriram, desapareceram ou ficaram doentes. Fotografias dele nos mostram um homem decidido, de olhos unidos, bigode bem aparado, olhar penetrante e com um anel de sinete. Há um leve toque de ironia em sua postura. Ele nunca serviu no campo nem esteve no meio de um tiroteio.

Mousley não é um daqueles que agarraram a primeira oportunidade de ir para a batalha. Foi recrutado através de um telegrama, que chegou quando ele executava uma manobra de treinamento. Logo começou a se preparar para "trocar o treinamento pela realidade". Seu coronel lhe deu bons conselhos e seus colegas oficiais, bebidas fortes. Mousley não estava com a saúde perfeita, pois havia contraído malária e ainda sofria as sequelas, mas não permitiu que seu estado o atrapalhasse. Algumas coisas supérfluas ele deixou para trás —

como sua motocicleta, guardada num depósito à espera do fim da guerra e de seu retorno —, mas lhe foi permitido trazer consigo seu bem mais precioso: seu belo cavalo, Don Juan. Ele e outros homens atravessaram o mar em um pequeno barco-correio.

A marcha da Força D, em direção ao norte, não foi bem pensada nem é absolutamente necessária. A operação toda se baseia em parte em uma utopia ("Bagdá foi invadida" — que ótima manchete isso daria nos jornais de Londres, assim como um tapa na cara de Constantinopla, Berlim e Viena), e em parte numa arrogância difusa e ambiciosa. A operação britânica no golfo Pérsico teve início logo após a eclosão da guerra, antes de o Império Otomano se unir às Potências Centrais, e tinha como objetivo principal a proteção dos campos de petróleo na costa.[71] Mas, como com frequência acontece em situações como essa, tudo aumentou de proporção, tal qual uma bola de neve.

Um êxito sem maiores esforços na costa fez com que novas tentativas de avanço fossem postas em prática. O Exército otomano demonstrou vontade de lutar onde quer que fosse, desde que estimulado à luta, de modo que os britânicos atacaram ao longo do Tigre. O general Nixon, o comandante local, que permanecera em Basra, mostrou-se satisfeito com o resultado e achou que eles poderiam fazer uma tentativa em Bagdá também, já que esta ficava a apenas quatrocentos quilômetros dali, *right?*

Wrong. Os quatrocentos quilômetros no mapa foram, por assim dizer, aumentando, à medida que o regimento marchava através de nuvens de mosquitos, calor insuportável e alagamentos. E enquanto isso a linha de suprimentos para Basra se tornava mais demorada.

Mousley já percebeu que talvez a conquista de Bagdá não esteja correndo segundo os planos. Dois dias atrás passaram por uma corveta fortemente armada, que transportava uma unidade coberta com improvisadas proteções à prova de bala. Em outras palavras, o tráfego ao longo do rio não é nada seguro. O barco a vapor em que Mousley se encontra se aproxima da terra firme, e ele nota que algo sério de fato aconteceu. Ele vê que as pessoas parecem muito nervosas e que

---

71. A grande importância do petróleo a essa altura não era, contudo, abastecer aviões e automóveis, pois eles eram relativamente poucos na época, e sim fornecer combustível para a frota britânica. O Almirantado havia descoberto que o petróleo era mais vantajoso que o carvão e também muito mais fácil de transportar.

os cavalos estão maltratados e cansados. As carroças e as selas estão cobertas de poeira. O batalhão inteiro, ainda com seus capacetes tropicais de cortiça, está deitado no chão, dormindo, em "linhas grosseiramente organizadas".

Ele passa pelos homens exaustos, pelos animais e vê uma pequena bandeira balançando em uma cabana de barro, como sinal de que o chefe do regimento da artilharia tem o local como residência provisória. O oficial conta a Mousley o que aconteceu. Seis dias atrás houve uma grande batalha em Ktesifon, que fica a apenas 25 quilômetros de Bagdá. Lá o Exército otomano cavara as suas trincheiras. O regimento britânico conseguiu derrotar as primeiras linhas de defesa, mas nada além disso, e as perdas foram enormes para ambos os lados. Cada um dos dois exércitos ouviu rumores de que o adversário receberia reforços, o que fez com que batessem em retirada daquele campo de batalha quente, poeirento e coberto de corpos.

As tropas britânicas não têm mais forças para continuar até Bagdá e contam com muitos soldados feridos. A unidade dispõe de quatro hospitais de campanha com capacidade para atender quatrocentos pacientes, mas depois da batalha há 3500 homens precisando de atendimento. Na bateria em que Mousley prestará serviço agora, a 76ª, apenas um dos oficiais não se encontra ferido. Ao contrário da unidade britânica, os otomanos receberam reforços e estão saindo em perseguição aos adversários.

Neste final da tarde, Mousley está ajudando na construção de fortalezas, que circundam Azizie em uma meia-lua. Ele acha que tudo está indo muito bem e rápido com a construção, mas sente-se um pouco incomodado em participar de uma manobra pacífica. Contudo, basta olhar as carroças quebradas, o número reduzido de cavalos que puxam as peças de canhão e o olhar desanimado dos soldados para perceber que a situação não é tão pacífica quanto parece.

Os feridos, na quantidade máxima possível, são levados a bordo dos barcos. Tudo que é considerado supérfluo é descarregado. Mousley está entre os que esvaziam sua bagagem de itens desnecessários, como equipamentos extras de montaria e acampamento e acessórios de uniforme.[72] Contudo, ele não se desfaz de seu cavalo, Don Juan.

Quando a noite chega, Mousley se acomoda junto à sua bateria. Em algum lugar próximo, encontram-se as tropas otomanas, tiros são ouvidos de vez em

---

72. Mousley ainda não sabe, mas nunca mais irá rever seus pertences.

quando aqui e ali. Ele ouve também os uivos dos chacais — eles vêm assombrando o regimento britânico desde Ktesifon, à espera de mais cadáveres, humanos ou animais. Ao mesmo tempo que a fadiga vai tomando conta de seu corpo e de sua mente, "a canção fantasmagórica" se torna cada vez mais fraca, mais distante. Ele, enfim, adormece.

65. QUINTA-FEIRA, 9 DE DEZEMBRO DE 1915
Olive King viaja no último trem que sai de Gevgeli

A ordem que recebem é como a confirmação final da derrota completa dos sérvios. Para Olive King, também é o final de uma época bastante agitada e estranhamente feliz de sua vida.

O trabalho em Gevgeli foi pesado. O hospital de campo possuía trezentos leitos, mas setecentos pacientes. O inverno chegou muito rigoroso, e nos últimos meses frequentes tempestades de neve os atingiram, com as barracas sendo derrubadas ou levadas pelos ventos fortes. As noites têm sido muito frias, o que torna o repouso praticamente impossível. Olive descobriu que cavar é a melhor maneira de se manter aquecida. Seu dia de trabalho dura entre dezesseis e vinte horas. Sua ocupação principal é tomar conta das lâmpadas de fotogênio que iluminam as barracas. Deve acendê-las, limpá-las e abastecê-las, tarefa que considera entediante. Ela começou a aprender sérvio. Os piolhos se espalham. Olive King escreve, feliz, para a irmã: "Nunca recebemos jornais e não temos notícia do que está acontecendo. É um grande país, e a vida que se leva aqui me mantém em forma. Não havia me sentido tão bem assim desde que estive no Arizona".

Agora ficaram sabendo que o hospital deve se mudar. Não há mais como ajudar a Sérvia, então não há razão para irem até Belgrado. O Exército Oriental de Sarrail está a caminho da Grécia, com as tropas búlgaras em seus calcanhares. Mais um plano extravagante e grandioso dos Aliados, de usar uma rota tortuosa para acabar com o beco sem saída da guerra, não deu certo.[73] Olive e as outras 29 mulheres do hospital têm menos de 24 horas para evacuar os pacientes, recolher os equipamentos e desmontar o acampamento.

---

73. A evacuação das forças aliadas em Galípoli começou no dia seguinte, e o Império Otomano conseguiu seu maior sucesso militar dos tempos modernos.

A única maneira de sair de Gevgeli é através do transporte ferroviário. As estradas estão em más condições ou ocupadas pelos búlgaros. (Treze ambulâncias francesas tentaram passar por eles, mas desapareceram — em uma emboscada, segundo dizem.) Assim, a rede está se fechando ao redor delas.

Agora é meia-noite. Olive King vê as demais funcionárias do hospital desaparecerem com o trem. Só ela ainda se encontra na pequena estação, com duas outras motoristas e as três ambulâncias. Olive não quer ir embora sem Ella, de jeito nenhum.

Chega um trem atrás do outro, carregados de pessoas e os mais diversos materiais. Há lugar para as três mulheres, mas não para as ambulâncias. Elas aguardam com esperança. Assistem ao nascer do sol, escutam o eco dos tiros vindos das montanhas cobertas de neve. Olive King recordou mais tarde: "É muito estranho que não tenhamos pensado sequer uma vez no perigo em que nos encontrávamos. O que mais nos importava eram os nossos preciosos carros".

O último trem chega.

As tropas búlgaras se encontram a menos de um quilômetro da estação.

Com alívio, as mulheres veem três vagões de transporte vazios e, sem aguardar permissão, logo embarcam as ambulâncias. O trem sai. Gevgeli está em chamas. Antes de a cidade desaparecer de seu campo de visão, Olive vê a estação de trem explodir, atingida por uma granada.

66. SEGUNDA-FEIRA, 13 DE DEZEMBRO DE 1915
Edward Mousley lidera o tiroteio em Kut al-Amara

Ele se levanta cedo, pois a partir de hoje tem uma nova tarefa: liderar o tiroteio. É trabalhoso e perigoso ao mesmo tempo, uma vez que ele tem de estar o mais à frente possível em um sistema primitivo de trincheiras arenosas. Em alguns lugares, ele e seu sinaleiro precisarão engatinhar e se arrastar, pois nesses pontos as trincheiras na verdade não passam de valas. Ele não usa o capacete para se proteger do sol, está apenas com o gorro de lã, o que não é nada confortável neste calor.

O regimento britânico interrompeu sua retirada na pequena cidade de Kut al-Amara. Aqui irão aguardar os reforços, ou melhor, o resgate, pois estão cercados por quatro divisões otomanas, há duas semanas. O comandante do regimento, general Sir Charles Townshend, deixou sua força ser cercada. Um dos motivos é a exaustão dos soldados para prosseguir na retirada, e o outro é dar ao inimigo algo mais para fazer, para que este não continue em direção à base localizada na costa e aos campos petrolíferos. Os soldados estão de bom humor. Todos acham que é apenas uma questão de tempo até que derrotem o inimigo. Mousley, assim como muitos outros, apesar de haver criticado com contundência a tentativa aventureira de tomar Bagdá com um pequeno exército e todos os preparativos malfeitos, mostra-se despreocupado em relação à situação atual. Tudo vai acabar bem.

Ao longo do dia Mousley vence alguns quilômetros, de gatinhas. Há ocasiões em que precisa se arrastar através de uma nuvem densa e fétida, onde os corpos dos mortos em combate acabam de ser arremessados por cima das trincheiras e valas e jazem agora imundos, inchados e apodrecidos sob o sol abrasador. Em alguns pontos as trincheiras inimigas encontram-se a apenas trinta metros deles. Mousley lidera o tiroteio com precisão. As granadas passam quatro, cinco metros acima de sua cabeça, e são detonadas a uns vinte metros de onde ele está. Ele acha que esse tipo de operação é *great fun*, muito divertido.

Os atiradores otomanos se encontram espalhados e seus tiros são extremamente precisos. Quando o cabo telefônico não é comprido o suficiente, Mousley orienta sua bateria com ajuda de bandeiras de sinalização, e até nestas os adversários atiram. Ele permanece sob o fogo o dia inteiro. Mais tarde, escreve em seu diário:

> As experiências pessoais nisso que chamamos de guerra são, nos melhores casos, o renascimento de memórias provindas de um sonho incompreensível e confuso. Alguns acontecimentos isolados emergem mais claros que outros, uma nitidez procedente dos grandes perigos pelos quais passamos. Depois, mesmo as situações mais arriscadas começam a fazer parte do cotidiano, até que os dias se sucedem sem outro interesse que não a perene proximidade da morte. Mas até esta ideia, tão proeminente no início, acabamos reprimindo, já que não podemos ignorar a sua forte presença e desprezível grandeza. Estou plenamente convencido de que podemos nos cansar de uma sensação ou até de um sentimento. Um ser humano não suporta temer a morte por tempo indeterminado, nem consegue manter seu interesse por esta para sempre. Vi um homem ser atingido ao meu

lado e continuei com as minhas obrigações, como se nada tivesse acontecido. Se sou insensível? Não, agora é apenas mais difícil eu me surpreender.

67. QUARTA-FEIRA, 15 DE DEZEMBRO DE 1915
Willy Coppens faz o check-in no hotel em Étampes

O quarto é pequeno ou, para ser mais exato, comprido e estreito, mas a vista é muito bonita. Quando Coppens vai até a janela, vê a praça e a estação de trem. Ao longe pode-se vislumbrar uma cortina de árvores sem folhas e as ruínas de Tour de Ginette. Este quarto no Hôtel Terminus tem mais uma vantagem: o famoso aviador francês Maurice Chevillard[74] se hospedou aqui — algo de que a gente sempre pode se gabar. Seja como for, não havia mais quartos à disposição, e o Terminus é o único hotel da cidade que possui banheiro, que é usado em conjunto por todos os hóspedes.

Coppens chegou a Étampes, ao sul de Paris, cheio de expectativas. Ele terminou o curso básico de piloto, que financiou com seus próprios recursos, em uma escola privada na cidade inglesa de Hendon. Depois de ter sido instruído por senhores irritados, em máquinas tão frágeis e fracas que eram utilizadas apenas em dias de calmaria (todos os voos sendo interrompidos quando as folhas das árvores começavam a balançar), Coppens teve permissão de realizar o seu primeiro voo solo, dez dias atrás. (Isso aconteceu depois de trinta aulas e um total de três horas e 56 minutos no ar.) Logo em seguida, realizou sua prova oficial de piloto, que consistiu em pilotar o avião em uma série de oitos deitados e então aterrissar, com o motor desligado, em frente ao instrutor. Ele passou na prova e ganhou o certificado de voo número 2140 do Royal Aero Club. Coppens se encontra agora em Étampes para iniciar a parte militar de seu treinamento.

Há um grande contraste entre "o prazer selvagem" que sentiu ao ganhar o seu certificado e o acolhimento que recebeu quando desceu do trem em Étampes. Ninguém o aguardava, e a praça na cidadezinha provinciana estava deserta e triste, como nesta noite de dezembro. De sua janela ele vê "casas comuns habitadas por cidadãos nada interessantes". Os cafés estão vazios. Contudo, durante os últimos meses a cidade, com relutância, começou a voltar ao normal, já que,

---

74. Conhecido antes da guerra por suas perigosas façanhas e truques no ar.

como em muitos outros lugares, a guerra, o acaso e — não por último — o fato de uma linha ferroviária passar por ela a tornaram importante — no caso, um centro de instrução de pilotagem. Nos arredores de Étampes há vários aeródromos militares, e ouve-se o zumbido de máquinas voadoras no ar o tempo todo, menos aos domingos, que é o dia de folga. Um encontro casual com um amigo de antes da guerra — eles estudaram engenharia mecânica e andavam de motocicleta juntos — levou Coppens ao Hôtel Terminus. Não lhe faltaram maus presságios na chegada: ele viu, à distância, um cortejo fúnebre, e ao que tudo indicava o morto era um piloto francês que perdera a vida em um acidente aéreo.

À noite, ele janta no pequeno hotel ao lado, já que o Terminus não dispõe de salão de refeições. Lá encontra seu velho amigo motociclista e vários outros belgas que estão na cidade para serem instruídos como pilotos de guerra. Quem lhes serve é uma mulher arrogante e tagarela chamada Odette.

No mesmo dia,[75] em Tel Armeni, na fronteira da Mesopotâmia, Rafael de Nogales vê mais uma vez os rastros dos massacres dos cristãos. Ele está ocupado admirando a bela e romântica paisagem, quando sente um cheiro de putrefação vindo das ruínas localizadas nos limites da cidade:

> Comecei a procurar a origem do cheiro e fiquei assombrado ao ver alguns poços ou cisternas cheios de cadáveres, em adiantado estado de decomposição. Mais adiante descobri um reservatório subterrâneo, que pelo fedor também deveria estar cheio de corpos. Como se isso não fosse suficiente, havia corpos insepultos por todos os lados, alguns debaixo de pedras, de onde se via um braço ou uma perna já roídos pelas hienas.

68. QUARTA-FEIRA, 22 DE DEZEMBRO DE 1915
Edward Mousley e o ruído das balas

Já anoiteceu. Ele está deitado no bunker, bem acomodado sobre o seu saco de dormir Burberry. A única fonte de luz que ilumina o espaço sem janelas vem

75. Pode também ter sido no dia 16 de dezembro.

de uma vela acesa em um nicho na parede de barro, que faz um jogo de sombras no chão e no teto. Edward Mousley olha para a porta emoldurada por sacos de areia. Ele vê o carro de munição e armas. Vê um binóculo de bateria e um telefone de campanha. A parede é marcada por estilhaços de granada, e ele vê as folhas de palmeira cortadas, usadas para camuflar o bunker. O ar está frio e não há vento.

Há preparativos sendo feitos nessa noite em Kut al-Amara. Eles temem mais um ataque otomano, e os canhões de dezoito libras da bateria de Mousley, que estavam enterrados em um bosque de tamareiras, estão sendo preparados para o uso. Lá fora, na escuridão, ouve-se o zumbido das balas, que aumenta quando atinge a parede atrás de sua cabeça. Nem um mês se passou desde que ele se integrou ao regimento da Mesopotâmia, e as sensações físicas da guerra lhe interessam cada vez mais, como o ruído das balas. Ele escreve em seu diário:

> De repente ouve-se um estrondo que parece o barulho de um galho sendo quebrado, que faz com que a pessoa se abaixe rápido. Não estou dizendo que esse seja um ato consciente, mas logo ela se vê abaixada. No início, todos fazem isso. Não é uma boa ideia dizer aos outros que, se a bala fosse perigosa, o indivíduo já teria sido atingido assim que a arma tivesse sido disparada. Algumas pessoas continuam se abaixando por causa das balas a vida toda.

É uma noite calma. Em certo momento, o tiroteio otomano aumenta de intensidade. Musley deixa o calor de seu saco de dormir para ir espiar lá fora. Nada de mais aconteceu além de alguns cavalos mortos, um tratador de cavalos indiano ferido e algumas folhas de palmeira atingidas.

No mesmo dia, Florence Farmborough escreve em seu diário:

> Estávamos tão ansiosas para voltar ao trabalho que brigamos sobre quem pegaria o primeiro turno, mas era o aniversário de Anna, então pude ser a escolhida. Enquanto estive ausente, uma nova sala de cirurgia foi organizada. Era uma pequena sala agradável, limpa e pintada de branco. Senti-me orgulhosa de estar ali. Quando escureceu, percebi que não conseguia dormir. Fiquei lendo à luz de uma vela e escutando os ruídos que vinham do lado de fora, mesmo sabendo que seria improvável que aparecesse algum ferido, pois estava tudo calmo no front.

69. SEXTA-FEIRA, 24 DE DEZEMBRO 1915
Vincenzo D'Aquila recebe a extrema-unção em Udine

Ele ouve primeiro o som de pequenos sinos. Em seguida vê o pequeno grupo vindo pelo corredor: um padre, trajando a batina de missa, ladeado por duas freiras, que seguram velas. D'Aquila tenta descobrir qual de seus irmãos de infortúnio eles visitarão dessa vez.

Eles entram na enfermaria. Alguém está para receber a extrema-unção.

Vincenzo D'Aquila se encontra no hospital militar de Udine. Como muitos outros, ele foi contaminado pelo tifo. Chegou ao hospital alguns dias atrás, trazido por uma ambulância. Veio deitado em uma parte alta do veículo, e quase batia a cabeça cada vez que a ambulância passava por um buraco na estrada. Quando afinal chegaram, ele estava tão mal que o julgaram morto e o levaram para a capela mortuária. Mais tarde, foi encontrado deitado sobre uma maca no chão.

Seu estado piorou. Teve febre muito alta, alucinações e até chamou pelo cáiser Guilherme, para responsabilizá-lo pela guerra. As enfermeiras colocaram algo em sua cabeça, e ele achou que se tratava de uma coroa de ouro. Era uma compressa com gelo. Ele ouviu belas vozes sobrenaturais e música.

Os sinos, contudo, fazem parte da realidade. O padre e as duas freiras atravessam a enfermaria. D'Aquila os segue com o olhar, sente pena do coitado que está para morrer. Morrer na noite de Natal, "o momento mais bonito por todos aguardado, para festejar com muita alegria e felicidade".

O pequeno grupo vai passando de cama em cama, ao som dos sinos. É como se o tempo tivesse parado. "Não se conta o tempo. Toda a eternidade fica enclausurada em um único momento." Os três se aproximam. Ele não desvia o olhar do grupo.

Eles param junto à sua cama. As freiras se ajoelham.

É ele quem vai morrer.

D'Aquila não quer, não pretende e não irá morrer. O padre murmura suas orações e banha a fronte dele com óleo. Na mente de D'Aquila, o padre se transforma em carrasco, que com essa ação pretende lhe tirar a vida. Está tão fraco que de sua boca não sai palavra alguma. Ele troca olhares com o padre. Uma das freiras apaga as velas. Ele é deixado só.

Abaixo, segue a descrição feita por D'Aquila, do que aconteceu mais tarde:

Tudo estava escuro à minha volta, o que ajudava a criar a ilusão de que eu estava flutuando. Sentia-me parado no ar, sem movimento algum. Nem para a direita nem para a esquerda. Nem para a frente nem para trás. Nem mesmo subindo ou descendo. Era um estado de imobilidade absoluta! [...] De maneira abrupta, depois de uma opressiva dose de imobilidade nesse ambiente impenetrável, [...] surgiu uma parede de luz, como uma tela prateada, contrastando com o fundo preto. Diante dos meus olhos apareceu, como um filme caleidoscópico e multicolorido, toda a minha vida, desde o meu nascimento, meus primeiros anos até o momento em que recebi os sacramentos de moribundo.

Tudo se modifica. Ele deixa de lutar contra a morte e passa, com alegria, a recebê-la.

As visões continuam. Ele se transforma em uma mulher pronta para dar à luz. Sobrevoa o universo, passando sobre planetas, estrelas e galáxias, mas o caminho o traz de volta à Itália, a Udine, ao hospital na Via Dante e, através de uma pequena janela, ele retorna para os confins da existência — seu próprio corpo.

70. ÉPOCA DE NATAL, 1915
Paolo Monelli passa por seu batismo de fogo na montanha Panarotta

Está na hora do batismo de fogo. Saem para marchar à meia-noite. Uma longa fileira de soldados e burros de carga se estende sobre a neve. Durante a marcha, Paolo Monelli pensa em duas coisas. Uma delas é a sua casa. A outra é em como ele ficará feliz, no futuro, em contar para todos tudo o que vivenciou na guerra. Faz muito frio, o céu está claro, sem nuvens. A luz da lua faz a neve brilhar. Os únicos sons que se ouvem são o ranger das botas no gelo, o tilintar das panelas vazias, alguns palavrões e breves diálogos em voz baixa. Depois de seis horas de marcha, chegam a uma aldeia austríaca despovoada e saqueada. Durante o dia, irão descansar, pois planejam um ataque surpresa noturno contra um posto de comando na montanha Panarotta.

Paolo Monelli nasceu em Fiorano Modenese, no norte da Itália. Primeiro pensou em seguir carreira militar, mas decidiu estudar direito na Universidade de Bolonha. Lá, pôde pôr em prática suas paixões na vida: o interesse pelo montanhismo e pelos esportes de inverno e sua escrita. Durante os estudos escreveu vários textos sobre esses assuntos, que foram publicados no jornal local, *Il Resto del Carlino*. Quando a Itália declarou guerra ao Império Austro-Húngaro, em maio deste ano, ele e seus colegas não tiveram nenhuma dúvida em se alistar. Isso foi mais do que um simples gesto da parte de Monelli, pois, sendo filho único, ele tem o direito de ser dispensado do serviço militar. Ele evitou tirar vantagem dessa prerrogativa e, graças à sua experiência em montanhismo, foi selecionado para fazer parte dos Alpini, os caçadores dos Alpes, a elite da infantaria italiana. Em junho, foi convocado, em Belluno.

No último instante, contudo, ele se arrependeu. Na manhã em que teria de partir, foi despertado por batidas na janela e, então, sentiu um leve temor perante sua escolha. Lembra-se de ter adormecido com um sentimento de intensa e despreocupada euforia e acordado muito angustiado. (A jovem com quem passou a noite chorou, mas ele não deu importância a isso.) Pensamentos sombrios passaram por sua mente, sobre tudo que poderia sofrer na guerra. Estava óbvio para ele que deveria participar de tudo isso, só não sabia o *porquê*.

> Será que estou tentado a me envolver nessa situação porque minha vida é pacata e sem aventuras, porque sinto atração pelo jogo arriscado lá entre os picos das montanhas, porque não consigo suportar a ideia de não participar de algo que outros estarão comentando mais tarde — ou será simplesmente porque um honesto e despretensioso amor à minha pátria está me persuadindo a dar meu assentimento a uma vida de guerra?

E ele se lembra de que, quando se pôs a caminho, fazia um dia muito frio.

O arrependimento transformou-se logo em empolgação. Ele descreve "uma voluptuosa sensação de vazio, o orgulho da juventude saudável, a excitação da expectativa". Até agora, não viu nem vivenciou nada da guerra. (A primeira vez que ouviu ao longe o disparo de armas de fogo, associou-o ao estalo de bolas de bilhar se chocando.) Fotografias dele mostram um jovem esbelto, de ombros estreitos, cabelos escuros, olhar curioso, lábios sensuais e furo no queixo. Ele parece ter menos que seus 24 anos. No casaco do uniforme, leva um exemplar de bolso de *A divina comédia*, de Dante.

Monelli passa o dia em um chalé branco, onde descansa sobre um divã, em um quarto em estilo rococó. Não consegue ficar tranquilo, talvez se sinta incomodado com a correria dos outros soldados, descendo e subindo as escadas. Talvez esteja preocupado com o que o espera. Mais tarde, começam a revisar o plano para o ataque da noite. Não será fácil. Eles ainda não sabem como chegarão até seu alvo e, quando debruçados sobre o mapa, não conseguem nem mesmo identificar sua própria posição.

Às nove da noite, posicionam-se e marcham a caminho. O céu está estrelado e faz muito frio. Chegam a um bosque denso. O nervosismo de todos aumenta. O barulho das botinas tocando o chão soa como um estrondo em seus ouvidos. Monelli está com fome. Ouvem o eco de um único tiro. *Ta-pum*. Alarme.

Sinto um calafrio. O coração dispara. O primeiro tiro da guerra: um aviso de que a maquinaria foi posta em movimento e está inexoravelmente arrastando você com ela. Agora não há mais saída, nunca haverá. Talvez você não acredite que antes — até ontem — estava brincando com a vida, mas ao mesmo tempo se sentia seguro de poder desistir de tudo, a qualquer tempo. Você falava casualmente em atos heroicos e sacrifícios — coisas das quais nada sabia. Agora é a sua vez.

Monelli observa um de seus camaradas, que não tem mais a expressão carrancuda e inescrutável de sempre, mas traz nos olhos um brilho de excitação. O colega vê dois austríacos correrem até as árvores próximas a eles e dispara dois tiros. Monelli conta: "Então, acontece algo comigo, nada resta da angústia e sinto-me tão controlado como quando estávamos realizando o treinamento militar".

Nada mais acontece.

Patrulhas são enviadas para espionar.

Monelli e os outros aguardam, já cansados. A madrugada chega. Um alegre tenente aparece por ali, seu rosto está vermelho do esforço, ele dá uma ordem e desaparece à direita. Ouvem um tiroteio ao longe. Monelli escuta um homem ferido gemer.

Nada mais.

Amanhece e eles começam a tomar o café da manhã.

Ouvem-se tiros de metralhadora. O ruído aumenta e chega cada vez mais perto. Alguns, com ferimentos leves, passam por eles. Em algum lugar, lá na frente, uma batalha.

O desjejum é interrompido. Alguns praguejam. O pelotão se alinha. Monelli: "Isso é a morte, esse caos de gritos, esses galhos sendo quebrados na floresta, o som ofegante e prolongado das granadas lá em cima no céu?".

Nada mais acontece.

Calma e silêncio.

Durante a marcha de volta, mostram-se bastante animados. Não encontraram o posto de comando, mas os soldados estão contentes por terem saído ilesos, e Monelli se sente muito satisfeito, pois teve seu batismo de fogo. Eles passam por um buraco aberto no arame farpado. O chefe da divisão os espera, empertigado, ar nada amigável, olhar ameaçador. Quando o comandante do batalhão de Monelli, um major, aparece, o chefe da divisão o repreende. Deveriam ter encontrado o posto de comando. Deveriam ter tomado o posto de comando. As perdas deles foram suspeitamente pequenas. E assim por diante. O chefe da divisão permanece no caminho e olha com uma expressão dura para os soldados que marcham adiante. Depois, o general se senta em um carro e vai embora.

À noite, retornam ao vilarejo. Monelli entra no chalé branco mal aquecido, ajeita o saco de dormir sobre o divã no quarto em estilo rococó. Através do buraco no telhado, observa o céu estrelado.

71. DOMINGO, 26 DE DEZEMBRO DE 1915
Angus Buchanan sai a patrulhar à noite em Taita Hills

Estão cercados pela escuridão. Há estrelas no céu, mas a lua ainda não apareceu. Buchanan e os outros usam mocassins, pois é praticamente impossível não ser ouvido no matagal usando as pesadas botinas militares. A tarefa que lhes foi atribuída é a de costume: impedir a sabotagem das patrulhas alemãs na ferrovia de Uganda. São mais ou menos nove e meia da noite. O pequeno grupo de homens segue rápido por uma estrada que os levará até um local a cerca de oito quilômetros, onde pretendem ficar em observação. Eles se movimentam com cautela em fila única, com grandes intervalos entre um e outro. De vez em quando, param para escutar.

Angus Buchanan foi promovido a tenente há pouco. Sua carreira no 25º Batalhão do Royal Fusiliers foi muito rápida — ainda em abril, ele era apenas soldado. Deixou aquela vida sem pesar, pois a via como uma "alegre, irresponsável e desordenada existência".

Passado um tempo de marcha, eles ouvem um ruído e param.

O barulho vem do lado esquerdo da estrada.

Escutam galhos sendo quebrados, e a vegetação pisoteada. Patrulhas inimigas não costumam se movimentar com essa falta de cuidado. Eles vislumbram um rinoceronte. Todos ficam como que paralisados. Na escuridão, não conseguem ver se o magnífico animal mostra sinais de agressividade contra eles. Alguns momentos tensos se passam. Rinocerontes são animais comuns nesta região e muito perigosos, mais perigosos que leões. Buchanan aprendeu que um leão só parte para o ataque quando está ferido. Ao longo deste ano, trinta soldados britânicos foram mortos por animais selvagens na África Oriental.

O rinoceronte se afasta. O perigo passou.

Os quatro homens continuam sua marcha, na escuridão.

Debaixo de uma grande mangueira, encontram os restos de uma fogueira recém-apagada. O inimigo está por perto.

A lua surge no céu. Podem ver suas próprias sombras alongadas movendo-se furtivas na clara estrada empoeirada. Perto dali, o vislumbre de um rio.

Por volta da meia-noite, encontram um lugar de onde podem observar a estação de trem. Escondem-se entre os arbustos e aguardam. Esperam e esperam.

A noite foi calma, ouviam-se apenas os típicos ruídos africanos. De vez em quando, para além da estação, entre as altas árvores da margem do rio, macacos guinchavam e estalavam galhos secos ao se balançar. Uma solitária coruja piava ao longe, na escuridão... De tempos em tempos, um animal predador traía sua presença e espreita: o uivo horripilante de uma hiena e o latido de um chacal interrompiam o silêncio por alguns instantes, antes de serem engolidos pelo negro e insondável abismo da noite, e se perdiam em seu próprio rastro.

Ao nascer do sol, mais uma noite sem nenhum acontecimento relevante se passou. Eles fazem uma pequena fogueira, na qual aquecem água para o chá, antes de voltar, sob o sol da manhã.

No acampamento, os soldados estão limpando grandes áreas ao redor, e enormes pilhas de provisões de todo tipo são visíveis. Corre o boato de que receberão reforços. Buchanan: "O pensamento de que logo iríamos entrar em território inimigo levantava o nosso moral".

1916

Esta é a guerra. Não o risco de morrer, não a granada detonada que nos cega [...], mas a sensação de ser uma marionete nas mãos de um titereiro desconhecido, e este sentimento às vezes esfria o coração de tal maneira que é como se a morte já tivesse feito o seu papel.

Cronologia

10/JAN.	Uma ofensiva russa tem início na Armênia, com êxito.
JAN.	Tropas russas entram na Pérsia.
21/FEV.	Início da ofensiva alemã em Verdun. Grandes êxitos. As lutas prosseguem até novembro.
04/MAR.	Grã-Bretanha e França dividem entre si a colônia alemã de Camarões.
06/MAR.	Aumenta a extensão da Batalha de Verdun, abrangendo o lado esquerdo do Meuse.
09/MAR.	A Alemanha declara guerra a Portugal. (Os dois países já haviam lutado um contra o outro na África.)
17/MAR.	A quinta ofensiva italiana no Isonzo é interrompida. Êxitos irrelevantes.
20/ABR.	A Revolta da Páscoa tem início na Irlanda.
29/ABR.	Rendição do regimento britânico de Kut al-Amara.
14/MAIO	Ofensiva austro-húngara em Asiago, nos Alpes, com poucos êxitos.
31/MAIO	Batalha naval em Skagerrak.
01/JUN.	Ofensiva otomana na Armênia. Lutas ferozes com tropas russas por todo o verão.
04/JUN.	Início da ofensiva russa em Brusilov, no leste. Grandes vitórias.
01/JUL.	A grande ofensiva franco-britânica no Somme tem início e continua até novembro.

06/AGO. Começa a sexta ofensiva italiana no Isonzo. Alguns êxitos.

09/AGO. A cidade de Görz, perto do Isonzo, é conquistada por tropas italianas.

14/AGO. Iniciativa de paz feita pelo papa não surte efeito.

28/AGO. A Romênia declara guerra à Áustria-Hungria. A Alemanha também declara guerra.

29/AGO. Começa a ofensiva romênia na Transilvânia. Poucos êxitos.

14/SET. Início da sétima ofensiva italiana no Isonzo. Sem êxitos.

04/OUT. Contraofensiva alemã e austro-húngara na Transilvânia.

10/OUT. A oitava ofensiva italiana tem início no Isonzo. Sem êxitos.

01/NOV. Nona ofensiva italiana no Isonzo. Vitórias irrelevantes.

27/NOV. Grandes êxitos russos na Pérsia.

05/DEZ. Bucareste, capital da Romênia, é tomada por tropas alemãs e austro-húngaras.

12/DEZ. Tentativa de paz por parte da Alemanha. Os Aliados rejeitam a tentativa.

72. SÁBADO, 1º DE JANEIRO DE 1916
Edward Mousley aprecia o nascer do sol em Kut al-Amara

O local de observação nada mais é do que um amontoado de sacos de farinha empilhados uns sobre os outros. Eles o chamam de The Stack, o monte. A vista do topo é ótima, quase conseguem enxergar toda a linha do horizonte e podem acompanhar o que as forças otomanas estão fazendo, ao norte da cidade. O monte se encontra no meio do que chamam de Forte, um lugar cercado por um muro, que fica a nordeste das linhas de defesa britânicas, ao redor de Kut al-Amara.

Edward Mousley chegou ao Forte ontem, para substituir o líder de artilharia, que foi ferido. O caminho até aqui é longo e perigoso: ele teve de andar três quilômetros pelas trincheiras, por todos os lados o inimigo estava à espreita, atirando em tudo que se movimentava. Devido à localização isolada do Forte, a comida é bastante ruim e escassa, e por essa razão já começaram a matar os animais de carga e de montaria (com exceção do amado cavalo de Mousley, Don Juan). Os soldados que se encontram mais próximos da cidade recebem carne de cavalo para comer, o que não acontece aqui no Forte, pois fica longe demais.

Mousley acordou meia hora antes do amanhecer. Ele e o outro líder de artilharia se revezam para tomar o desjejum: arroz, carne em conserva e, para beber, chá. Não há mais manteiga nem açúcar. Mousley gosta de admirar o nascer do sol, as sombras da noite desaparecendo nas planícies do deserto. Nessa manhã, um lindo céu vai surgindo diante de seus olhos, com tons de verde-escuro, lilás e roxo penetrando através de um arquipélago de nuvens que se deslocam velozes, impulsionadas pelo vento do sul. Por ser o primeiro dia do ano, ele gostaria de acreditar que está observando um bom presságio e que o destino da tropa, como o das nuvens que correm no céu, é passar impetuosamente sobre Bagdá. Todos em Kut al-Amara aguardam tranquilos o resgate, que, segundo os otimistas, está a apenas alguns dias, enquanto os pessimistas falam em semanas. Fazem apostas sobre isso. Às vezes jogam futebol. O calor é insuportável.

Ele gosta do amanhecer também por outro motivo: é muito mais fácil atirar contra o alvo inimigo, pois mais tarde miragens começam a se formar, o que torna tudo mais complicado. O inimigo descobriu que a artilharia britânica é dirigida a partir do monte, o local de observação. O que ocorre, então, é que quando eles abrem fogo, os projéteis inimigos começavam a retinir contra o muro. (Mousley descreve o som de uma salva atingindo o muro como *r-r-r-rip*.) Eles precisam reforçar a dupla camada de sacos de farinha seguidamente, pois as balas penetram cada vez mais na parte externa das barricadas, e começam a atingir a área protegida.

Mais tarde, Mousley observa que os soldados otomanos começaram a preparar a artilharia. Ele avisa uma das suas baterias, dá as coordenadas, e logo os canhões entram em funcionamento. Os inimigos, porém, não se assustam com facilidade. Ele vê, através do binóculo, eles se protegerem quando ocorre uma explosão, levantando-se em seguida e continuando a escavar mesmo antes que a nuvem da explosão se disperse. Homens corajosos. Mousley muda de método. A bateria passa a acionar seus canhões um de cada vez, ou seja, menos granadas são jogadas, mas com mais frequência. O plano parece funcionar, pois após certo tempo ele vê enfermeiros chegando à posição turca.

O Forte é um dos pilares da defesa de Kul al-Amara e está quase sempre sob ameaça. (Quando Mousley anda ao longo do muro há balas estalando através das frestas inferiores, pelas quais ele tem de passar correndo.) Por isso a infantaria se encontra protegida, nas trincheiras. O lugar todo é um labirinto de valas, trincheiras e abrigos, além dos grandes fossos que guardam a munição e demais equipamentos.

À tarde, Mousley visita a parte externa do Forte. A infantaria otomana tentou atacar durante a noite de Natal, mas acabou sendo expulsa dali, após uma feroz luta corpo a corpo. A fortaleza ficou cheia de feridos, e os soldados estão muito satisfeitos com sua contribuição. Eles mostram a Mousley a quantidade de otomanos mortos, seus corpos putrefatos ainda se encontram no mesmo lugar. O cheiro é insuportável. Alguns dos soldados, apesar do mau cheiro e da ameaça dos atiradores inimigos, têm a coragem de se aproximar dos corpos à procura de suvenires. Um soldado indiano mostra a Mousley os seus achados: três capacetes otomanos e uma espada.

O jantar é bem agradável, recebem uma pequena porção de batatas, filé de carne de cavalo, tâmaras e pão. Ao final da refeição, um oficial lhe oferece um *cheroot*[1] birmanês e por volta das sete da noite ele se retira para seu abrigo, para se deleitar com o charuto que ganhou.

O bunker que ele divide com outro líder de artilharia, um capitão, é grande demais para duas pessoas. Tem cerca de quatro metros de comprimento por três de largura, mas o teto baixo impossibilita que se fique de pé. Mousley está deitado na cama, fumando e olhando para cima. O teto é sustentado por vigas de madeira de quinze ou vinte centímetros de diâmetro, cobertas por uma camada grossa de areia. Ele observa que o peso da areia faz com que as vigas fiquem arqueadas. Tenta então se lembrar de uma citação de Aristóteles — algo como: "Mesmo que algumas tábuas sejam mais resistentes que outras, todas acabarão se quebrando quando o peso aplicado a elas for suficiente".

No mesmo dia, Paolo Monelli escreve em seu diário:

Não era isso que você queria hoje? Sentar junto a uma fogueira à noite, depois de um dia de espionagem bem-sucedida, à espera de mais tarefas difíceis. Canções

---

1. O *cheroot* é uma espécie de charuto, comprido e fino. Era muito popular naquele tempo, sobretudo entre a população branca dos países tropicais, pois protegeria contra algumas enfermidades. (Um *cheroot* birmanês era feito de tabaco mais claro.) Pode-se mencionar que seu substituto, o cigarro, ganhou grande popularidade durante a Primeira Guerra Mundial. Tanto um quanto o outro tinham a vantagem de deixar livres as mãos do fumante, o que não acontecia com o uso do cachimbo.

estupidamente alegres, a sensação de que esta é a melhor época da sua vida. A maioria das preocupações mórbidas já se dissipou.

73. DOMINGO, 2 DE JANEIRO DE 1916
Vincenzo D'Aquila desperta de seu estado febril em Udine

Ninguém acreditava que ele sobreviveria, mas a injeção — seria ópio? — mudou de maneira drástica o quadro de sua enfermidade. Sua primeira lembrança é o grito surpreso de uma enfermeira: "*Tu sei renato!*". Você ressuscitou! Mas para quê?

Devagar, D'Aquila vai se recordando do que aconteceu.

Ele vê, em um calendário na enfermaria, que hoje é 2 de janeiro de 1916. Sente-se confuso, com a cabeça a repousar sobre um travesseiro branco, tentando compreender os acontecimentos. Ainda há guerra, disso ele sabe. Mas o que de fato ocorreu quando foi resgatado das trincheiras? Terá sido sua inteligência que o ajudou? Ou sua astúcia? Não, foi sua fé. D'Aquila não esquece o que a enfermeira disse sobre ele ter ressuscitado. Tem então uma ideia grandiosa: se sua fé o salvou da guerra, poderia essa mesma fé ajudar os outros soldados?

Uma enfermeira se aproxima, serve-lhe algumas fatias finas de pão de ló e um copo de leite quente. Depois de comer, ele se deita de novo e cai num sono profundo.

74. SEGUNDA-FEIRA, 10 DE JANEIRO DE 1916
Pál Kelemen visita o local do assassinato em Sarajevo

O mês passado envolveu um pouco mais do que patrulhamento e outras obrigações de uma força de ocupação. A paisagem montanhosa está coberta de neve, mas não faz muito frio. O que restou do Exército sérvio já desapareceu nas montanhas da Albânia ao sul e foi transportado de navio para o exílio em Corfu. Os grandes combates na Sérvia chegam ao final. Agora resta apenas dar um fim às guerrilhas. Em algumas partes do país, não há mais indivíduos do sexo masculino. Kelemen já viu, muitas vezes, colunas de homens de todas as idades passarem por ele. "Idosos enrugados, calejados pelo trabalho pesado, se arrastam devagar, reconciliados com seu destino, como animais condenados à morte. No final da fila, os deficientes, os loucos e as crianças." Ele bem sabe do rastro que essas procissões trágicas deixam por onde passam. São cadáveres magros jogados à beira da estrada e uma nuvem de sujeira e mau cheiro que todos esses corpos não lavados exalam. O odor permanece mesmo depois que o local foi deixado para trás.

Para homens sem escrúpulos, são várias as oportunidades de tirar vantagem da situação. Nas cidades sérvias há uma imensa quantidade de mulheres oferecendo o corpo em troca de comida, de uma barra de chocolate ou mesmo de um pouco de sal. Ele não pretende participar dessa prática de sexo vergonhoso e desinibido que ocorre às claras nas cidades ocupadas. Talvez ele seja decente demais. Ou apenas vaidoso em excesso. O que se provaria com algo conquistado por um preço tão baixo?

Desde o final de dezembro Kelemen se encontra na Bósnia e hoje está em Sarajevo. Ele escreve em seu diário:

Já é quase meia-noite. Volto para casa, ao longo do rio. Parou de nevar, tudo está coberto de branco. Na margem oposta, no bairro turco de Sarajevo, há neve sobre a cúpula das mesquitas, e quando uma rajada de vento varre para baixo a neve do pico das montanhas, ouve-se um estrondo que perturba a paz neste país adormecido.

As ruas estão vazias. Um guarda-noturno de turbante escorrega à minha frente, em seus chinelos de palha. Chego ao local à margem do Miljacka onde foi disparado o tiro fatal contra o arquiduque. Há uma placa de mármore pendurada em uma parede. 28 de junho de 1914.

Pode-se ouvir o tinido melodioso dos sinos de um trenó se aproximando, vindo do centro da cidade. Agora vislumbro o trenó, que vira em direção à margem do rio, um veículo leve puxado por cavalos pequenos. À luz fraca da iluminação da rua, vejo nele a silhueta de uma mulher magra, envolta em um casaco de pele, e a sombra de um homem ao seu lado. Eles logo desaparecem, como em uma visão. O trenó com os dois amantes já dobrou a esquina. O som agradável aos poucos se extingue e me encontro só, embaixo de uma placa de mármore que marca a origem de uma tragédia mundial.

75. DOMINGO, 16 DE JANEIRO DE 1916
Florence Farmborough presencia um ataque na área de Chertovich

O frio e a tempestade de neve são seus principais aliados. Os exércitos alemão e russo se encontram em suas trincheiras improvisadas e em bunkers lotados de equipamentos. Florence e seus colegas da unidade hospitalar não têm muito o que fazer. Os pacientes, em sua grande maioria, estão sofrendo devido aos ferimentos causados pelo frio, ou por terem sido atingidos por algum projétil disparado por atiradores, uma vez que esses especialistas em caçar seres humanos nunca são tão ativos quanto em situações como essa.[2]

Florence está bastante satisfeita com a vida. Ela passou os seus dez dias de licença em Moscou, o que muito lhe agradou. "Como eu havia sentido falta de tudo, da luz, das cores, do calor. Era tudo que eu queria." Esteve na ópera, no balé, até saiu para dançar. Mesmo as noites tranquilas passadas na casa de seus anfitriões, recostada em almofadas macias, cantando e ouvindo música tocada ao piano, foram muito prazerosas, mas, depois de certo tempo, ela começou a ficar entediada. Alguma coisa lhe fazia falta:

> Aos poucos comecei a perceber que era impossível ficar feliz ao mesmo tempo que o mundo estava tão infeliz. Dar risada enquanto outros sofrem era como uma afronta. Na verdade, impossível. Eu já tinha compreendido que a minha felicidade vem junto com o meu dever e, como enfermeira da Cruz Vermelha, já sabia onde ela me esperava.

No final da licença, ela já contava os dias que faltavam para vestir de novo seu uniforme e retornar ao front.

Não é apenas Florence que se encontra de bom humor. Todos parecem ter recuperado o ânimo também, depois do repouso no verão e no outono. Nos últimos meses receberam reforços, os soldados mortos em combate foram substituídos, mais provisões chegaram e os depósitos estão cheios de novo. O

---

2. Os atiradores com frequência eram estimulados por um comando superior, ou até recebiam ordens dele. Era uma forma de manter os soldados tensos e ocupados em um front onde havia pouco que fazer, para evitar o risco de uma explosão espontânea de sentimentos pacifistas ou, pior, de uma confraternização entre homens de tropas inimigas.

Exército russo conta agora com cerca de 2 milhões de homens no front, cada um com seu próprio rifle, o que é considerado muito satisfatório nessa situação.[3] O problema da falta de granadas, tão comentado ao longo do ano passado — embora até certo ponto exagerado —, foi resolvido: para cada canhão há agora cerca de mil balas, quantidade vista como elevada. E todos os homens puderam descansar também.

Diante dessa recuperação, o otimismo começa a se espalhar dentro do Exército russo. A perda de quase 4 milhões de soldados em apenas um ano e meio já caiu no esquecimento.[4] Muitos acham que o novo ano lhes trará mais sorte, e fala-se bastante nas próximas ofensivas russas.[5]

Há um renovado espírito de agressividade entre os soldados. Florence soube que uma nova operação vem sendo planejada junto ao setor deles no front. Ontem, durante o jantar, ela descobriu tudo. Seria um ataque de reconhecimento, executado por dois batalhões, contra uma parte importante da defesa alemã. O objetivo é testar a força adversária e, ao mesmo tempo, aprisionar o maior número possível de inimigos. Muitos dos que irão participar do ataque são novos recrutas, jovens inexperientes que se ofereceram para integrar o grupo. Em segredo, eles abrirão passagens nas cercas de arame farpado dos alemães. Uma tarefa muito arriscada, que é vista como algo emocionante por esses rapazes. (Eles receberam roupas especiais para ficar camuflados durante a operação.) Florence e uma parte de sua unidade já estão a postos logo atrás do front, com o objetivo de socorrer os que se ferirem.

De manhã cedo, já estão prontos para partir, porém as horas passam, e eles esperam com impaciência. Só recebem ordem de marchar às dez e meia da noite. Haviam pensado em montar barracas, mas, para a sua felicidade, puderam colocar seus equipamentos em uma cabana no bosque que fica a um quilômetro e meio de distância das trincheiras. O tempo está péssimo. Sopra um vento muito forte e neva bastante.

Os médicos estão nervosos. Quem sabe qual será a reação dos alemães de-

---

3. Algumas semanas antes, o número de homens desarmados chegava a 400 mil.

4. Embora ninguém nessa época tivesse conhecimento das perdas, pois o Exército russo era bastante ineficaz em suas estatísticas, um defeito que herdara do Exército Vermelho.

5. Algumas pessoas já tinham o conhecimento de que os Aliados — Grã-Bretanha, França, Itália e Rússia — planejavam ataques sincronizados e avanços em 1916, com o objetivo de dificultar o transporte para as Potências Centrais.

pois da operação? O front ainda está calmo e em silêncio. Não se ouve um tiro. Eles se sentam e aguardam. Já passa da meia-noite. Depois de algum tempo, aparece o chefe da divisão, e eles o convidam para tomar um chá. A espera continua. Às duas da manhã o chefe da divisão recebe um relatório por telefone. Boas e más notícias. A primeira tentativa de cortar e atravessar a cerca teve de ser interrompida, mas uma nova tentativa já foi iniciada.

Mais espera, mais silêncio. Mais um telefonema. Tudo corre segundo os planos. Os soldados estão conseguindo atravessar as cercas. Na pequena cabana, todos trocam olhares e sorriem, aliviados.

Mais espera, mais silêncio. Já passa das quatro da manhã.

Então acontece.

A tranquilidade é quebrada pelo estrondo dos canhões, metralhadoras e rifles. Mais um relatório por telefone. Os soldados russos foram descobertos e se encontram sob o fogo pesado da artilharia alemã. O ataque foi um fracasso.

Os feridos começam a chegar, alguns deitados em macas, outros carregados pelos camaradas, outros sozinhos, mancando. Duas cores predominam no cenário, o vermelho e o branco. O sangue se espalha com rapidez nas fardas novas e cobertas de neve dos soldados. Ela vê um soldado segurando uma granada de mão, tão chocado que não consegue largar o explosivo. Outro jovem foi atingido no estômago — tem o intestino exposto e já está morto devido aos graves ferimentos. Um terceiro soldado recebeu um tiro no pulmão e respira com dificuldade. O último que Florence vê está recebendo a extrema-unção e mal consegue engolir a hóstia. Branco e vermelho.

Quando terminam de atender os feridos, Florence sai para tomar ar. Ainda se ouvem alguns sons do tiroteio, mas eles diminuem cada vez mais, até que tudo fique em silêncio de novo. A operação fracassou, com 75 mortos e duzentos feridos. O chefe do regimento está desaparecido e talvez se encontre gravemente ferido em algum lugar junto à cerca de arame farpado na escuridão do inverno.

76. TERÇA-FEIRA, 18 DE JANEIRO DE 1916
Michel Corday pega o metrô para a Gare de l'Est

Nesta manhã fria de inverno e céu nublado, Michel Corday acompanha um amigo até a estação de trem. O amigo é oficial engenheiro e agora vai viajar para se juntar ao seu regimento. Os dois pegam o metrô até a Gare de l'Est. Dentro do metrô ele ouve a conversa de um soldado de infantaria em fim de licença com um conhecido: "Eu daria o meu braço esquerdo para não ter que voltar ao front". Não se trata apenas de força de expressão, pois em seguida Corday ouve o soldado contar que tentou se ferir de propósito, para poder sair da linha de frente: pôs a própria mão na fresta da trincheira e assim ficou por uma hora, mas nada aconteceu.

Outros assuntos de hoje: a guerra já tirou a vida de 3 mil pessoas e custa 350 milhões de francos *por dia*. Falam em diminuir esse gasto, para que possam lutar por mais tempo. Alguém utiliza a expressão "guerra a crédito". Há também uma considerável agitação porque Montenegro, aliado da Sérvia e da França nos Bálcãs, se rendeu ontem. O pequeno reino montanhoso não teve escolha: foi ocupado pelas mesmas tropas alemãs e austríacas que expulsaram o Exército sérvio de seu próprio país. Alguém conta uma história passada no front, sobre um oficial alemão que, aprisionado e gravemente ferido, ao morrer murmurou: "Não é verdade que Goethe... é o maior poeta do mundo?". Isso ilustrava bem o amor-próprio dos alemães.

Quando Corday e o amigo chegam à Gare de l'Est já são dez horas. Há homens uniformizados por todos os lados. Eles aguardam a chegada do trem e esperam, ansiosos, que o relógio marque onze horas, pois é proibido aos militares tomar qualquer bebida que seja antes desse horário.[6] Corday soube do caso de um ministro que convidou duas mulheres e o noivo de uma delas para tomar chá, mas o convite foi polidamente recusado porque o noivo trajava uniforme. O ministro tentou, então, pedir a bebida apenas para as duas moças, o que também foi recusado, já que o militar que os acompanhava teria, se quisesse, a oportunidade de tomar o chá servido a elas. O garçom, então, apontou para a entrada do salão e, amável, sugeriu uma solução: o noivo podia fazer o que um oficial em outro grupo estava fazendo — sair do salão, a fim de que seus amigos civis pudessem beber alguma coisa.

Na plataforma da estação há um grande número de soldados que haviam saído de licença. Junto aos vagões, muitos se despedem de suas mulheres e famílias. É uma cena um tanto comovente. Crianças pequenas são levantadas

---

6. A proibição se aplicava a bebidas alcoólicas e não alcoólicas. Não foi possível determinar a razão por trás dela.

pelas mães até a altura das janelas do trem, para darem um último abraço no pai. Corday observa toda a cena com seu jeito de voyeur. Seu olhar inspeciona o rosto de um soldado, marcado pela dor e pela tristeza. O sofrimento do homem é tão óbvio e tocante que Corday não suporta mais olhá-lo e decide ir embora da estação, sem olhar para trás.

77. QUARTA-FEIRA, 26 DE JANEIRO DE 1916
Vincenzo D'Aquila é transferido para o hospital psiquiátrico San Osvaldo

Ainda é cedo e um dos enfermeiros pede a D'Aquila que vista o uniforme. Ele é levado para um escritório, onde um médico trajando uniforme de capitão o espera. Seu nome é Bianchi. D'Aquila bate continência. O médico se sente incomodado com toda a situação. D'Aquila vê um documento sobre a mesa e consegue ler um pequeno fragmento do que está escrito nele. Trata-se de uma ordem de transferência para o hospital psiquiátrico San Osvaldo, onde "ficará em observação e internado". "Diagnóstico: tifo cerebral de natureza maníaca. Risco de vida para si próprio e para os outros."

D'Aquila enlouqueceu, dizem os médicos. Seu comportamento não tem sido nada normal para os padrões aceitáveis. D'Aquila, depois de sua enfermidade e miraculosa cura, tem certeza de que é um dos escolhidos de Deus. Ele tem certeza de que morreu e ressuscitou, pois sua missão na terra ainda não estava encerrada. A missão lhe foi confiada por forças superiores, para que pare a guerra de uma vez por todas. D'Aquila afirma ver seres sobrenaturais nas salas do hospital e crê que pode curar os outros pacientes.

Não faltam enfermos para serem curados. Quando ele acordou, foi transferido para um mosteiro fora de Udine, onde soldados com diferentes tipos de problemas mentais estão internados. Esses casos aumentaram muito nos últimos tempos. Os médicos não sabem o que fazer com todos esses homens que apresentam comportamento anormal, manias, obsessões e paralisias inexplicáveis. O corpo deles não tem ferimentos ou lesões físicas, mas a mente parece não funcionar como deveria. Em uma cama à direita de D'Aquila há um jovem que, a cada dez minutos, se senta e procura piolhos no travesseiro. Na mesma sala há um homem que, acreditando que ainda se encontra no front, sai da cama e grita: "*Avanti*, Savoia!", arrasta-se no chão frio e se abaixa para não ser atingido por balas imaginárias. A operação ocorre vezes seguidas, até que ele desmaia e as enfermeiras o colocam na cama. Ele permanece inconsciente até o próximo ataque.

Na falta de terminologia melhor, chamam esse estado de "choque de granada".

D'Aquila viu de tudo e ficou horrorizado. Está cada vez mais convencido de que deve e *pode* impedir a continuação dessa tragédia humana, a guerra. Certa noite teve um sonho profético. Fora do hospital, havia dois grupos lutando, e ele se instalou no meio deles:

> Levantando o braço, gesticulei aos soldados para que parassem a luta. Em seguida, senti uma dor aguda no meu lado direito, onde uma bala inimiga me atingira. Nem saí do lugar, apenas retirei a bala com os meus próprios dedos, segurando-a e mostrando a todos que eu era invulnerável. O tiroteio cessou, os homens largaram as armas no chão, começaram a se abraçar e gritaram: "A guerra terminou!".

D'Aquila se vê como um profeta e discute o assunto, não sem certa sutileza, com médicos e sacerdotes. Eles o chamam de louco, mas não seria o mundo que teria enlouquecido? Talvez pareça estranho ele dizer que fará a guerra terminar (ele, apenas um solitário e desconhecido cabo), mas decerto alguém precisa ser o primeiro, não é verdade? Assim, ele anda de um lado para o outro, em sua camisola de hospital, debatendo e espalhando suas ideias. Suspeita de conspirações e acha que encontrou mensagens secretas de forças superiores escondidas em suas roupas de baixo.

O capitão Bianchi se sente embaraçado, tenta se desculpar dizendo que foram seus superiores que tomaram tal decisão. D'Aquila começa a argumentar, dizendo que é o mundo que está louco, e não ele. Ele analisa, profetiza, discursa: "Não nos disse Cristo que devemos amar o nosso inimigo?", e assim por diante. O capitão o ouve com paciência, despede-se com um aperto de mão, deseja-lhe boa sorte e o acompanha até o jardim, onde uma ambulância o aguarda. Quando D'Aquila sobe no veículo, o motor deste para de funcionar. O que ele vê como mais um aviso vindo do alto.

O motorista e um mecânico conseguem pôr a ambulância em movimento e eles partem para San Osvaldo. É uma manhã fria e clara.

78. UM DIA EM FEVEREIRO DE 1916
Pál Kelemen observa um comboio de transporte em uma estrada na montanha em Montenegro

Montenegro — um dos inimigos das Potências Centrais, embora não o mais importante — também foi derrotado. Pál Kelemen e seus hussardos participaram da operação, sem nenhuma luta importante a mencionar. Agora estão de volta às suas obrigações de sempre: patrulha das estradas e serviço de guarda. Ele anota em seu diário:

> O quartel-general está de mudança. Como a ponte ferroviária ainda não foi reconstruída, o serviço de reparação entre as duas estações vem sendo feito com a ajuda de caminhões. Apesar de não haver meios de transporte suficientes para levar o abastecimento de alimentos aonde ele é necessário, todos os veículos foram requisitados para a mudança do quartel-general.
>
> Filas de caminhões se arrastam pelas montanhas, levando caixas de champanhe, camas com colchões, abajures, equipamentos especiais de cozinha e caixas cheias de iguarias. As tropas ganham agora apenas um terço de sua ração normal de alimentos. A infantaria junto ao front se alimentou apenas de pão durante quatro dias, mas aos oficiais superiores são servidos jantar de quatro pratos, como de costume.

79. SÁBADO, 5 DE FEVEREIRO DE 1916
Olive King aguarda com ansiedade seu dia de folga em Salônica

Ela divide a barraca com três mulheres. Pela manhã, preparam seu próprio desjejum em um fogão militar portátil inglês, que não funciona muito bem, mas permite esquentar água para o café ou até uma lata de salsichas. Não acontece muita coisa em Salônica. Tudo está tão tranquilo no front que os soldados da linha de frente começaram a cultivar uma horta, onde pretendem plantar ervilhas. O único sinal de guerra são os zepelins alemães que sobrevoam a área. O primeiro ataque ocorreu no final do mês de dezembro e o último, há quatro dias. Os efeitos desses ataques foram insignificantes.

Assim como em outras linhas de frente onde quase nada acontece, dá-se importância demasiada aos ataques aéreos e suas consequências. Eles têm de substituir aquelas coisas que as pessoas esperavam do conflito, mas que agora são difíceis de encontrar: verossimilhança, excitação e espetáculo, um cenário no qual a coragem e a competência do indivíduo são fundamentais. Há alguns dias desfilaram com muito alarido pela cidade, mostrando um avião alemão abatido. (O fato de ele ter sido forçado a descer bem atrás das linhas francesas foi sobretudo uma questão de sorte: havia apenas um buraco de bala na aeronave, mas o tiro acertou o tanque de gasolina.) Olive assistiu ao desfile. Em primeiro lugar vinha a cavalaria aliada, seguida por vários automóveis cheios de pilotos orgulhosos; depois, o avião desmontado, carregado por três caminhões abertos; mais automóveis e, por último, outra coluna de soldados montados. Olive conta sobre o acontecimento em uma carta para a irmã: "Esse era o desfile oficial destinado a impressionar os nativos,[7] que ficaram pasmos e boquiabertos. O mais divertido, porém, foi ver a quantidade de caminhões, ambulâncias, carros, carretas, carroças, carros de boi e burros de carga que se juntaram ao cortejo".

Começou a chover. Em sua barraca, Olive escreve para a irmã uma carta curta porque a vela está quase no fim. Em seguida, vai se deitar. Tira apenas as botas e a saia e se cobre. Amanhã, ela e as três colegas terão folga e ela está ansiosa. Olive pretende dormir até tarde. No café da manhã, comerão os três ovos que ela comprou hoje no final da tarde.

80. DOMINGO, 13 DE FEVEREIRO DE 1916
Rafael de Nogales e os patos selvagens no rio Tigre

Faz frio. Por volta das onze da manhã, começa a nevar com intensidade. A paisagem plana do deserto em volta deles se torna exoticamente branca. Rafael de Nogales se encontra a bordo de um barco a vapor, que segue pelo rio Tigre, em direção ao front no sul. Mais uma vez ele está à procura de perigo e aventu-

---

7. A palavra inglesa que Olive utiliza em relação às pessoas da região do Mediterrâneo é "dago" [gíria vulgar e desdenhosa para se referir a pessoa de pele escura da Itália, Espanha, Portugal ou outra descendência latina], o que pode ser interpretado como preconceito. Sua atitude, na época, não se diferenciava em nada da de outros britânicos.

ra. Ontem saiu de Bagdá, para servir em uma brigada de cavalaria que participará dos horríveis combates nos arredores de Kut al-Amara.

Tirando o frio, a viagem é bastante agradável, quase idílica:

> As únicas coisas que quebravam a monotonia da paisagem eram os *djirts* e as rodas-d'água girando devagar nas margens do rio, cujos contornos eram interrompidos a intervalos regulares por palmerais e pequenos vilarejos. Aqui e ali viam-se bandos de patos selvagens a bater as asas no céu acinzentado, talvez fugindo assustados quando a tripulação de um barco que subia o rio içou a vela triangular enquanto soava uma daquelas canções longas e tristes que lembram mais um lamento do que música e que são tão melancólicas como a linha do horizonte no deserto.

Nogales tentou obter dispensa do Exército otomano quando, exausto e enfermo depois de uma longa e perigosa cavalgada, chegou a Alepo, vindo de Sairt. Nada do que viu durante o trajeto o fez mudar a sua decisão. Muito pelo contrário. Vezes sem conta topou com rastros do massacre praticado contra os cristãos e avistou filas de armênios deportados, sobretudo mulheres e crianças, sendo reduzidas a "esqueletos ambulantes e imundos" à medida que marchavam até cair mortos sob o olhar vigilante de soldados otomanos.

Um telegrama do Ministério da Guerra em Constantinopla, porém, avisou que seu pedido havia sido rejeitado, mas ofereceram-lhe tratamento no hospital do quartel-general. Ele não teve coragem de aceitar a proposta, por temer por sua vida após ter sido testemunha dos massacres cometidos pelos otomanos. Mas, após entrar em contato com a delegação militar alemã em Alepo, sentiu-se mais seguro e, depois de um mês de convalescença, candidatou-se a um novo posto.[8]

Primeiro deram-lhe um cargo administrativo em uma área pequena e distante, pertencente à província de Adana, onde ele levou a cabo uma luta desigual mas até certo ponto bem-sucedida contra a desordem, a corrupção e a incompetência geral que caracterizavam o sistema de transporte do Exército otomano. Em dezembro, contudo, um inesperado telegrama o convocou para

---

8. Além disso, ele sabia — ou temia — que seria impedido de viajar em direção ao oeste e a Constantinopla.

um novo posto, agora no staff do barão Colmar von der Goltz, o marechal de campo alemão que comandava o Sexto Exército Otomano na Mesopotâmia.

Ainda preocupado, mas ao mesmo tempo ávido por novas emoções e contente por poder sair de Adana, Nogales viajou para o sul, em direção ao front na Mesopotâmia. A contenção da tentativa do ataque britânico em Bagdá foi vista como uma grande vitória, e ela seria ainda maior se conseguissem fazer com que o regimento britânico em Kut al-Amara se rendesse. Nesse momento, ocorrem grandes conflitos nos arredores da pequena cidade, e também mais ao longe, onde os reforços britânicos tentam chegar aos seus já cercados camaradas.

Depois de algumas horas de viagem, encontram outro barco no rio. As duas embarcações param, lado a lado. Ele vê na prancha de desembarque um homenzinho com uniforme otomano de coronel, barba pontuda e uma atitude "orgulhosa, porém modesta". Logo o reconhece: trata-se de Nureddin Bey, o turco que conseguiu conter os britânicos em Ktesifon e o principal responsável pela bem-sucedida operação contra o regimento de Townshend. Nureddin está a caminho de Constantinopla, "humilhado e empobrecido", destituído de seu posto de governador de Bagdá. O novo governador, Halil, não é alguém que possa se gabar de seus talentos militares,[9] mas tem bons contatos políticos.[10] Agora, com a vitória pairando no ar, ele está mais que ansioso para usurpar o papel de oficial vitorioso.

Há uma produção em massa de heróis de guerra, e os jornais estão repletos deles. Uma vez usados, são descartados rapidamente. Muitos logo caem no esquecimento ou são mortos. O triunfo em Ktesifon tem mais um herói, o marechal de campo Von der Goltz. Apesar de sua alta posição, o alemão se encontra isolado e enfermo. Ele passa os dias sozinho em uma barraca pequena e imunda.

9. Uma das primeiras medidas implementadas por Halil como governador foi o reagrupamento das forças turcas que impediriam a chegada de reforços britânicos até seus camaradas cercados em Kut. O reagrupamento foi mal planejado, expondo os flancos dos turcos aos adversários, que se aproveitaram do momento e de imediato armaram um ataque para explorar essa fraqueza. O mau planejamento resultou na Batalha de Hanna, em 13 de janeiro, que poderia ter sido vencida pelos britânicos se estes tivessem bem preparados. A manobra de Halil por fim se mostrou afortunada: o crédito pela vitória em Kut al-Amara coube a ele, que para imortalizar o fato acrescentou Kut ao seu nome. Ele viveu até 1957 como "Herói de Kut", um louvado, se não necessariamente meritório, herói militar turco.

10. Halil era tio de Enver Pasha, um dos líderes dos Jovens Turcos e nacionalista muito agressivo. Ele fizera com que o Império Otomano se aliasse às Potências Centrais e agora o comandava como um ditador militar.

Colmar von der Goltz tem 72 anos e viverá mais dois meses, até que o tifo acabe com o que lhe resta de vida.[11]

No final da tarde, aproximam-se do front, e Nogales avista espirais de fumaça que "sobem para um céu misturado de cores cinza e dourado". Eles chegam ao local onde trocarão o transporte fluvial pelo terrestre. Ele vê as engrenagens da enorme máquina que mantém a guerra em funcionamento — a maioria das tropas precisa de algo como quinze homens atrás das linhas para manter armado um único atirador.

As armas passaram por grandes mudanças e ficaram muito mais letais nos últimos cinquenta anos, mas os meios de transporte não acompanharam essa evolução. Esse é um dos principais motivos de a guerra ficar estagnada com tanta frequência. Uma vez tendo os trens chegado ao destino, os exércitos se locomovem exatamente como nos tempos de César ou de Napoleão, ou seja, com o auxílio da força muscular das pernas dos homens e dos lombos dos cavalos. Mas as organizações cada vez mais complexas exigem mais equipamentos, e as armas, com seu poder de fogo cada vez maior, consomem mais munição.[12]

A maioria das campanhas, em especial as desencadeadas longe da avançada rede ferroviária da Europa Ocidental, é planejada com mais logística do que com tática. Independentemente da bravura dos soldados ou do quanto suas armas sejam modernas, eles acabam ficando em desvantagem se o transporte que deve apoiá-los é ineficiente ou pouco desenvolvido. O conflito se tornou cada vez mais uma competição econômica, uma fábrica bélica. E a logística é o ponto fraco do Exército otomano.

Nogales tem visto inépcia e corrupção entre os otomanos, mas aqui no front na Mesopotâmia eles juntam todas as forças que conseguem. O que ele vê quando seu barco se aproxima é, a seu modo, impressionante. É impossível

---

11. Nunca se conseguiu comprovar que ele, de acordo com boatos na época, teria sido envenenado por oficiais turcos.

12. Um regimento alemão em 1871 necessitava de apenas 457 carretas movidas a tração animal para se locomover, enquanto em 1914 esse número não era menor que 1168 — um aumento de mais de 250%. Todos esses veículos extras eram puxados por cavalos, e esses animais extras precisavam de alimentação, que também era transportada. Um cavalo come dez vezes mais que uma pessoa, o que exige mais veículos e, portanto, mais cavalos para puxá-los. Uma estimativa contemporânea sugere que havia um cavalo para cada três homens. Cerca de 8 milhões desses animais morreram na guerra, o que, proporcionalmente, significa que as perdas entre a população equina foram maiores que entre a população humana.

deixar de reconhecer a determinação e a energia dos turcos, mas, ao mesmo tempo, há algo de atemporal nesta cena:

A cada momento surgiam no Tigre mais embarcações ocupadas em descarregar equipamentos militares e tudo o mais, formando pirâmides às margens do rio. Milhares de búfalos, camelos e outras bestas de carga, cuidados por pastores árabes em seus trajes típicos, pastavam tranquilos num vasto espaço coberto com tendas brancas que se espalhavam até onde a vista alcançava. A cavalaria e os pelotões da infantaria marchavam de um lado para o outro ao som de músicas marciais, passando através de uma multidão de homens uniformizados, da qual se elevava um murmúrio incessante de vozes que lembrava o bramido de um mar distante. De vez em quando, ouvia-se em meio ao burburinho o zurro estridente dos animais, roucas notas de sirenes, o canto de imãs chamando os homens para as preces e os gritos de mercadores persas, árabes e judeus, que, com gestos amplos, ofereciam aos nossos soldados tabaco, azeitonas e pratos de comida gordurosa.

Nogales passa a noite no *Firefly*, um navio inglês coberto de fuligem e crivado de balas que caiu nas mãos dos otomanos durante o combate em Umm, dois meses atrás. Ambos os lados mantêm flotilhas de embarcações pesadamente armadas no Tigre, sobretudo para proteger sua própria cadeia de suprimentos. O rio é de importância fundamental para as tropas, apesar de estar praticamente inavegável este ano, devido à seca.

De vez quando ouve-se o fraco rugido dos estrondos de explosões ao longe, e no horizonte distante uma densa e oleosa fumaça se forma acima de alguns bosques de palmeiras. Lá fica Kut al-Amara, onde seus defensores se encontram cercados.

Um dos homens na cidade sitiada é Edward Mousley. No momento ele se encontra enfermo, com disenteria. Seu despertar nesta manhã não foi nada agradável. Além da constante diarreia, ele está com fortes dores lombares, enxaqueca e febre alta. As recomendações médicas são simples: "Incremente sua dieta". Mousley comenta: "Eles podiam ter recomendado também um cruzeiro". O abastecimento de alimentos em Kut al-Amara vem escasseando. Aqueles que não pretendem ficar internados no hospital estão consumindo pílulas de ópio e várias receitas caseiras de remédios, como a mistura de óleo de rícino com clorodina, um conhecido analgésico com gosto de menta, cujos componentes são o ópio, a cânabis e o clorofórmio.[13]

A situação em Kut al-Amara permanece inalterada. Todos aguardam novas tentativas de resgate. A impaciência tem aumentado entre alguns homens, enquanto outros se encontram em um estado de apatia e não acreditam mais nessa possibilidade. Dizem, de brincadeira, que são *siegy* ou *dug-outish*.[14] E hoje mais uma vez sentiram a pressão: foram bombardeados por um avião inimigo. Mousley: "O círculo está completo. Somos atingidos por todos os lados, até de cima". A pior notícia do dia é que o povo britânico não faz ideia do que está acontecendo na Mesopotâmia; acha apenas que o regimento desapareceu em uma espécie de hibernação.

Mousley escreve em seu diário:

Terminei a leitura de um romance hoje. Isso me fez sentir de novo saudades da Inglaterra. Temos anseios de todo tipo; e a maior bênção da civilização é termos os recursos para saciar esses anseios. Meu Deus! O que eu não daria por um copo de leite e um pudim de geleia. A minha temperatura é de 39,4 graus, estou tremendo. Tentarei dormir. Tudo está quieto. Os passos do guarda do lado de fora fazem a terra tremer. O cerco já esta no septuagésimo dia.

81. SEGUNDA-FEIRA, 14 DE FEVEREIRO DE 1916
Kresten Andresen está em Billy-Montigny e pensa na paz

Início de primavera. O gelo ainda não derreteu, e a paisagem tem um tom amarelo-amarronzado. Foram meses calmos, o que o deixou satisfeito. Andre-

---

13. Esse remédio patenteado foi descoberto por um médico do Exército britânico na Índia e era muito pirateado por concorrentes. Indicado primariamente para aliviar a cólera, também era usado como analgésico. A clorodina era muito popular naquele tempo, embora fosse viciante e pudesse até levar à morte se tomada sem moderação. Mais tarde, sua fabricação com a fórmula original foi interrompida — retirou-se a cânabis e reduziu-se a dose de ópio, para tristeza de seus usuários. A clorodina ilustra bem como o final do século XIX e o início do XX foi um dos períodos mais liberais da história no que se refere ao abuso de drogas, mesmo que na época não fosse visto dessa maneira.
14. Jogo de palavras de difícil tradução. "Siegy" é uma evocação da palavra "siege", "cerco", e "dug-outish" vem de "dug-out", que significa "enterrado em um bunker ou em um buraco na terra".

sen esteve na linha de frente em algumas ocasiões, não como combatente, mas trabalhando nas escavações das trincheiras. Durante o dia, ficavam em um abrigo, ouvindo as granadas cair ao redor. À noite, marchavam até as linhas de frente e cavavam sem parar. As dimensões das trincheiras aumentaram muito, tanto em profundidade quanto em largura. Eram quilômetros e mais quilômetros delas, e todas as barricadas com arame farpado mais deprimiam que impressionavam. Ele já convenceu a si mesmo e a outros de que não é mais possível chegar a um acordo final usando a força das armas. Quanto mais tempo se passa, mais difícil se torna penetrar nas linhas inimigas. Ele também ouviu falar que este é um dos setores onde soldados franceses e alemães fizeram um pacto silencioso entre si, deixando uns aos outros em paz, na medida do possível. Porém, vez ou outra irrompem combates ferozes, que logo chegam ao fim, com uma lógica impossível de compreender.

Apesar daquelas noites de trabalho pesado nas trincheiras, Kresten Andresen tem tido uma vida até certo ponto confortável. Ele não teve nenhuma experiência realmente desagradável nem enfrentou grandes perigos. Mesmo assim, não gosta nem um pouco da situação e vive ansioso para voltar para casa. Andresen se afastou de seus camaradas alemães, pois acha que exageram na bebida. A vida na caserna também é monótona e triste, na sua opinião. De vez em quando fazem brincadeiras uns com os outros, como pôr pimenta nas máscaras de gás. Quando tem oportunidade, ele sai à procura de outros dinamarqueses para conversar e passar algum tempo em sua companhia. Lê Molière e se tornou amigo de um dos cavalos. Quando ficaram sabendo que Montenegro se rendeu perante o Império Austro-Húngaro, surgiram inúmeras especulações de que esse será o primeiro passo para que outros países também comecem a se render. Com isso, terão a tão esperada paz na época da Páscoa ou um pouco mais adiante.

Andresen escreve em seu diário:

A ofensiva que estava ocorrendo aqui foi interrompida e tudo está muito calmo. Faz tempo que não escuto os canhões. Acho que a guerra estará terminada antes de agosto, mas ainda vai demorar para voltarmos para casa. Decerto ocorrerá uma terrível desordem em todo o Velho Mundo. Acredito que a vida vai parar por algum tempo, antes de ressurgir com novas forças.

82. QUINTA-FEIRA, 2 DE MARÇO DE 1916
Pál Kelemen observa uma mulher na estação de trem em Bosna Brod

Agora ficou clara a razão da febre e da fadiga que vem sentindo já há algum tempo: Kelemen contraiu malária. Seu caso não é dos mais graves, mas mesmo assim ele precisa de cuidados médicos. Está bastante satisfeito porque o leito que o aguarda fica em um hospital húngaro. Em um dia chuvoso de primavera, Kelemen se despediu de seus colegas oficiais e dos soldados. Foi uma despedida bastante emotiva, até seu sargento chorou. Ele saiu do acampamento localizado nas imediações de Cattaro e foi de navio militar para Fiume.[15]

Com as lanternas apagadas, navegaram ao longo da costa da Dalmácia, sentindo o vento gelado de Bora, e atravessaram receosos a parte mais perigosa do mar Adriático: a obstrução da passagem por uma mina submarina italiana ancorada em Otranto. Ele não conseguiu entender "o entusiasmo de grande parte da tripulação com o risco iminente, olhos que brilham apenas por saber da existência do perigo, que ainda exista esse tipo de energia desafiadora". Enquanto todos os outros estavam nervosos no convés, tentando localizar minas italianas, Kelemen ficou em sua cabine e se embriagou de vinho tinto da marca Vöslauer Goldeck.

Hoje ele está em Bosna Brod, à espera de um trem. A estação fica em uma conexão ferroviária e está apinhada de soldados.[16] Nas ruas, caminhões trafegam de um lado para o outro, na estação há todos os tipos e modelos de vagões. Mantimentos e munição estão empilhados em todos os lugares possíveis. Soldados veteranos, em uniformes imundos, trabalham no carregamento e descarregamento dos trens. No restaurante da estação, militares e funcionários públicos ocupam todos os lugares. Uma jovem sentada a uma das mesas chama sua atenção:

---

15. Cattaro era o antigo nome italiano do local, hoje chamado Kotor e pertencente a Montenegro. Fiume também era o nome italiano na época, agora faz parte da Croácia e se chama Rijeka, e é um bom lugar para a prática de esportes náuticos. Vale a pena mencionar que Fiume integrava o território húngaro, não austríaco, e desde o século XVIII era uma região semiautônoma, o que é conhecido como *corpus separatum*. Bosna Brod é hoje Bosanski Brod, na Bósnia-Herzegóvina.

16. A multidão na estação se deve em parte às peculiaridades e à fraqueza que constituíam a base da dupla monarquia austro-húngara. Muitas das diferentes partes do império tinham seu próprio sistema de ferrovias, tanto em termos técnicos como no que se refere à entrada e saída nas fronteiras. Independentemente de o transporte ser de passageiros ou de carga, o transbordo era obrigatório quando se cruzava uma fronteira. A região de Bosna Brod, no caso, possuía uma barreira de fronteira diferente da austríaca, o que dificultava bastante a operação.

Ela usa um vestido simples e gasto, tem uma espécie de gola de pele em torno do pescoço. Não consigo deixar de analisar essa pessoa frágil, cansada, com seu travesseiro de viagem, seu xale, sua bolsa, caixas sobre a cadeira e o casaco pendurado em um gancho.

Ela vira o rosto apático para o meu lado, mostra-se indiferente ao me ver e continua com seus afazeres. Há um cartão-postal de campo[17] à sua frente. Faz tempo que segura uma caneta, sem nada escrever. Talvez por perceber que a estou observando, talvez por perturbar-se com o barulho de uma nova companhia que parte para o front, ela apoia a cabeça em uma das mãos e fica ali, absorta em seus pensamentos.

O trem, com a nova companhia, dá início à partida. Vozes, gritaria e música se misturam no restaurante. Ela ergue a cabeça, mas não olha para fora. Eu a observo, protegido atrás do meu jornal, e vejo que tem os olhos cheios de lágrimas. Ela demora um pouco para apanhar o lenço, depois o apanha e seca o rosto com cuidado. Pega a caneta e volta a escrever.

O maquinista toca a campainha, para avisar que o trem em direção ao norte está chegando. A moça paga a conta e, com o espalhafato e o desamparo de uma mulher viajando sozinha, recolhe seus pertences. De repente, vê o cartão que não terminou de escrever. Pega-o e o rasga. Suas mãos enluvadas tremem. Ela joga o cartão em pedaços sobre a mesa. Um carregador a acompanha até o trem, ajudando-a com a bagagem.

83. SÁBADO, 4 DE MARÇO DE 1916
Richard Stumpf assiste à chegada triunfante do SMS Möwe *a Wilhemshaven*

Noite clara de primavera. A frota marítima alemã repousa quase na foz do Elba, na superfície vítrea do mar. Talvez esteja na hora de algo acontecer afinal! Tudo está preparado para uma batalha e até as luxuosas cabines dos oficiais foram esvaziadas de todos os itens supérfluos. Os oficiais portam pistolas para que "possam reforçar suas ordens" — uma novidade imposta pela insatisfação crescente da tripulação.

---

17. Os militares tinham o direito de escrever para a família sem pagar taxas de correio, desde que utilizassem os cartões e selos destinados a essa finalidade. Também podiam enviar pacotes leves gratuitamente.

No meio da noite, o navio levanta âncora. Richard Stumpf reconhece todos os ruídos, sobretudo os que vêm dos três motores a vapor. São como um pulso vibrando no casco metálico da embarcação. Ele não sabe, porém, em que direção estão indo. Em vez de navegarem pelo vazio mar do Norte como de costume, a frota cinzenta, silenciosa e às escuras, está se dirigindo para o noroeste, passa pelas ilhas Frísias orientais e então segue ao longo da costa. Estranho.

A manhã surge quente, clara e ensolarada. Stumpf está no posto de observação do navio. Ele se sente satisfeito com o clima bom, com sua missão e até com a vida — bem, quase. Isso não ocorria havia muito. A razão não é apenas o tempo bom e o fato de que a frota enfim vai *fazer* algo, mas sim que hoje cedo a cópia de um telegrama foi afixada no mural do lado de fora da cabine de rádio: enviada ao SMS *Möwe* pelo comandante da frota, a mensagem era composta de três palavras: "Bem-vindos ao lar!".

Todos conhecem o SMS *Möwe*. O navio representa tudo que Stumpf e outros milhões de alemães pensavam que seria a guerra no mar: manobras corajosas nos mares do mundo todo, onde as forças da natureza seriam desafiadas e eles venceriam a cada vez oponentes aparentemente superiores, com um grande triunfo no final.

O SMS *Möwe* começou sua existência com o nome de *Pungo*, um simples cargueiro usado para transportar bananas da colônia alemã de Camarões em tempos de paz. Poucos dias após a eclosão da guerra, forças francesas e britânicas invadiram a colônia alemã.[18] Dessa vez, como acontecera em outros lugares, os atacantes tinham a esperança de um triunfo muito rápido. Mas a campanha foi trabalhosa e realizada em etapas ao longo do ano de 1915, o que por fim resultou na queda de todos os postos alemães.[19] Ficou então bastante claro que o comércio de bananas com Camarões não mais prosseguiria, pelo menos durante a guerra. No outono de 1915, remodelaram o *Pungo*, que passou a ser chamado de *Möwe*. A frota alemã conta com talvez uma dúzia de embarcações desse

---

18. O principal pretexto do ataque foi a destruição da estação de rádio em Douala, cujos potentes transmissores de ondas curtas podiam ser usados para coordenar as pequenas unidades marítimas alemãs que a essa altura estavam espalhadas pelos mares. Na realidade, o objetivo era aumentar seu próprio poder colonial.

19. Dois meses antes, o que restou da população alemã se instalou no enclave espanhol do rio Muni, onde foram feitos prisioneiros. Exatamente no dia 4 de março de 1916, Camarões foi dividido entre franceses e britânicos, após o último posto alemão, Mora, ter se rendido.

tipo, que pelo seu aspecto externo parecem meros cargueiros, como os dos países neutros (escandinavos na grande maioria), mas na verdade são armadas com minas e canhões escondidos. O seu alvo principal são os navios mercantes dos Aliados, e elas causam muitos estragos e apavoram o inimigo. Ao mesmo tempo, são motivo de embaraço para todos os envolvidos na guerra, pois, apesar de insignificantes, conseguiram derrotar um número muito maior de navios do que toda a frota marítima reunida e bem preparada para isso.

A armada se encontra parada nos portos, o que levou a reações de escárnio de grande parte da população civil. Todas essas belonaves, que empobreceram os cofres públicos — consumiram um terço do orçamento militar nos dias anteriores à guerra —, aguardam passivamente seu uso. O último comandante-chefe da Marinha já foi demitido de seu posto devido à inércia e é alvo de deboche, sobretudo das mulheres. Os versos seguintes foram rabiscados nos muros da cidade ou são cantados pelos moleques nas ruas de Wilhelmshaven:

Lieb' Vaterland magts ruhig sein,
Die Flotte schläft im Hafen ein.[20]

Nessa situação, navios como o SMS *Möwe* têm compensado o óbvio déficit em façanhas navais. Ele foi lançado ao mar em dezembro — sob bandeira sueca — e realizou algumas operações dignas de orgulho. Colocou minas nas proximidades da maior base da frota marítima britânica, Scapa Flow, afundando assim o HMS *King Edward VII*, uma belonave mais antiga. Navegou então ao redor da Irlanda para chegar até a costa francesa, antes de passar pela Espanha e pelas ilhas Canárias e por fim atravessar o Atlântico e chegar à costa brasileira. Durante todo o tempo instalou minas e deteve navios mercantes aliados. Em três meses, derrotou quinze embarcações, afundando treze delas e levando duas consigo, como butim.[21]

Quando estão prestes a sentar para o almoço, escutam um alarido a bom-

20. "Cara pátria, fique calma,/ a frota adormeceu no porto." Os versos são uma alusão ao refrão da música "Die Wacht am Rhein".
21. A operação do *Möwe* era bastante perigosa. Quatro dias antes, em 29 de fevereiro de 1916, outro navio mercante, o SMS *Greif*, havia sido afundado no mar do Norte. Os britânicos tinham embarcações semelhantes, chamadas de Q-Ships, navios de pequeno porte fortemente armados e preparados para atacar submarinos alemães.

bordo. Stumpf e os colegas correm até lá, ouvem gritos de júbilo. O pequeno SMS *Möwe* está atravessando o mar, cercado pelos imensos navios de guerra. Em seu mastro, leva, garboso, as bandeiras dos quinze navios derrotados por ele. O primeiro-piloto faz uma saudação que é seguida de "gritos a plenos pulmões" do restante da tripulação. Os homens do SMS *Möwe*, enfileirados, respondem às saudações de forma também entusiasmada. Stumpf repara, surpreso, que "muitos negros, vestidos de camisa azul e gorro vermelho, se encontravam no convés e, por incrível que pareça, também davam vivas".

Toda a esquadra realiza uma manobra perfeitamente coordenada.

> Foi uma cena indescritível. A pouca distância dali, via-se a ilha Heligoland sob os raios de um sol mais que brilhante. O mar estava verde-escuro e era como se cinquenta monstros primitivos bailassem a dança do triunfo ao redor do vitorioso *Möwe*. Nessa ocasião, lamentei não possuir uma câmera fotográfica para documentar o espetáculo.

O triunfo, pela primeira vez. Depois, todo o primeiro esquadrão segue para Wilhelmshaven de novo. Lá eles se abastecem de carvão até as oito da noite. Logo sairão outra vez. Os boatos dizem que agora é para valer.

Alguns dias depois, Richard Stumpf anota em seu diário: "Nada de batalha, de novo! Estamos de volta à foz do Jade, seguros, ilesos e sem termos dado sequer um tiro! Nunca mais terei esperanças! Nosso moral para lutar chegou ao fundo do poço".

84. QUARTA-FEIRA, 8 DE MARÇO DE 1916.
Edward Mousley ouve os ruídos do ataque de Dujaila

Enfim, o resgate chegou! Eles sentiram que algo estava para acontecer quando, durante a noite, foram acordados por um forte estrondo. Alguém diz a Mousley que parece ter sido a explosão de uma mina na ponte de Shatt al-Hai, que está sob domínio otomano. Tudo fica em silêncio de novo e ele vai se deitar. Algumas horas mais tarde é despertado pelo ruído de um tiroteio, que, ao que tudo indica, acontece perto dali. Ele olha para fora. É madrugada.

Mousley acha, em primeiro lugar, que é a própria artilharia deles em ação, em Kut al-Amara. Depois, pensa que deve ser a artilharia otomana bombardeando os reforços britânicos, que, segundo as últimas notícias recebidas, se encontram a menos de trinta quilômetros de distância, na margem norte do rio Tigre. Ele sobe no telhado e vê um clarão ao longe. São os canhões dos reforços atacando as linhas turcas, no lado *sul* do rio, em Dujaila. Isso fica apenas a doze ou treze quilômetros dali. É evidente que os britânicos atravessaram o rio sem ser percebidos e, depois de marcharem protegidos pela escuridão da noite, estão dando início ao ataque surpresa.

A empolgação entre os sitiados é grande. Quando o dia começa a clarear, podem ver como o regimento otomano se move em direção ao ponto ameaçado, marchando com rapidez. Mousley sabe que foi elaborado um plano para ajudar as forças de resgate, o deslocamento seria feito para o norte ou para o sul, dependendo de onde as forças estivessem. Ele ainda não recebeu ordem de pôr o plano em prática. Por volta das nove horas, vê uma grande movimentação nas trincheiras otomanas, rumo ao sudeste.

Enquanto isso o barulho do combate se intensifica e o regimento otomano continua a se dirigir para Dujaila.

De repente, silêncio mortal. Nenhum clarão no horizonte.

Mousley acredita que o silêncio é resultado da chegada da infantaria britânica ao seu alvo de ataque e que uma luta corpo a corpo está se desenrolando.

O silêncio persiste. O nervosismo se espalha entre os sitiados. O que terá acontecido? Por que estão esperando tanto para fazer a investida?

As horas passam. Nada acontece. Os canhões ao redor de Dujaila permanecem quietos.

Anoitece.

Tudo está em silêncio.

85. QUINTA-FEIRA, 9 DE MARÇO DE 1916
O pai de William Henry Dawkins recebe os pertences do filho morto em combate

Hoje, Arthur Dawkins recebe um pacote proveniente das autoridades militares australianas no Egito, trazido pela empresa Thomas Cook & Son. Contêm os pertences pessoais de William Henry Dawkins. O seu conteúdo é o seguinte:

1 lâmpada de bolso com bateria
1 Bíblia
1 carteira de couro
1 livro de bolso
1 diário
1 tesoura
1 cinto
3 facas dobráveis

No mesmo dia, em Kut al-Amara, Edward Mousley escreve em seu diário:

As forças de resgate não alcançaram o seu objetivo. Esta é a notícia não oficial que recebemos. Estamos conscientes de que esta era a "grande tentativa", e não apenas um espetáculo de importância secundária. Estamos decepcionados, mas já tivemos decepções maiores.

86. SÁBADO, 11 DE MARÇO DE 1916
Angus Buchanan e a neblina no Kilimanjaro

A estrada vai sendo formada pelo peso deles, à medida que marcham adiante. A coluna é composta por 4 mil ou 5 mil soldados, milhares de mulas e cavalos, uma grande quantidade de canhões, carroças de munição e outras que servem de depósito de vários tipos de suprimentos, e até alguns veículos motorizados no final da fileira. Não conseguem se locomover rápido.

No começo da marcha, quando ainda se movimentavam sobre a planície arenosa, Buchanan virou-se para trás, para olhar, através da poeira, os rastros que deixavam: lembravam "uma linha fina esticada sobre o espaço em branco de um mapa incompleto". A tropa topou com o inimigo em poucas ocasiões e este, a cada vez, parece ter recuado. Um acampamento alemão abandonado foi descoberto e incendiado.

Agora a África Oriental alemã será conquistada.

No papel, parece ser uma grande e impressionante operação. Assim como na Europa, os alemães serão atacados de diferentes direções e ao mesmo tempo. Uma força britânica atacará do norte da Rodésia, os belgas vão invadir a região ao norte do lago Tanganica e os portugueses planejam um ataque ao sul (há dois dias foi declarada guerra entre a Alemanha e Portugal). A operação principal será efetuada no canto nordeste da África Oriental alemã, nos arredores do Kilimanjaro. O plano é aprisionar e aniquilar as forças inimigas principais em uma operação em grande escala. A tropa que Buchanan e os outros integrantes do 25º Batalhão do Royal Fusiliers acompanham pretende descer do norte, retendo os alemães, para que a força principal,[22] que está avançando do oeste, possa dizimar o inimigo. O alvo das duas colunas é Moshi. (Na cidadezinha se localiza a última estação da ferrovia alemã, que foi construída desde a costa de Tanga.) É a lógica de guerra europeia enxertada na geografia africana.

Bem, o que foi planejado como um ataque à retaguarda do inimigo se transformou em uma lenta marcha em terreno desconhecido, sobretudo quando as colunas adentraram a selva. E mais: eles chegaram à terra das moscas tsé--tsé, e os cavalos e mulas importados para a operação são bastante vulneráveis a enfermidades transmitidas pelos insetos. Os animais estão morrendo em grande número, e rápido.[23] (De quem foi a ideia de utilizar esses animais por aqui? Decerto não de alguém com experiência nessa parte da África.) O dia todo, passaram por animais de carga e de montaria mortos, jogados ao longo do caminho. Leva menos de 24 horas para que os seus cadáveres "se encham de larvas de moscas varejeiras, uma visão mais que desagradável". (O mesmo acontece com os soldados mortos em combate, é claro.) O odor é insuportável.

Outra notícia ruim é a chegada do período de chuvas. Na noite passada

---

22. A força principal era composta por tropas da África do Sul, que depois de certa hesitação se colocou ao lado do Império Britânico. (Como sempre, um país escolhera de qual lado do conflito tomaria partido, pensando nos seus lucros futuros. A guerra na África, exatamente como no Oriente Médio, era pouco mais que a continuação da competição por territórios entre as potências europeias, que ocorria desde meados do século XIX.) Muitos dos soldados que agora marchavam junto com os britânicos eram combatentes bôeres, que apenas uma década antes tinham sido os piores inimigos do Império Britânico. O comandante-chefe de toda a operação era também um antigo comandante bôer, o célebre Jan Smuts. A guerra cria muitas alianças insólitas.
23. Antes do término da campanha, a principal coluna perdeu 5 mil de suas 7 mil mulas.

choveu a cântaros. No momento, estão sem cobertas e sem barracas (ainda estão empacotadas com o restante da bagagem). Buchanan e os seus camaradas tiveram apenas três horas de sono — dormiram direto no chão, molharam-se e passaram muito frio. A resistência é bem mais exigente que a bravura.

O dia inteiro marcharam rumo ao sul, tendo à sua esquerda o topo nevado do Kilimanjaro. Ao final da tarde, saem enfim da selva, chegando a campo aberto. Toda a coluna se desvia para leste, em direção ao grandioso monte. Ao longe, vislumbram o seu objetivo, Moshi, que significa "fumaça" em suaíli, um lugar localizado a 5895 metros de altura, sempre rodeado de nuvens, razão pela qual recebeu esse nome. Ao pôr do sol, escutam um tiroteio. Fazem uma pausa. A guarda avançada topou com alguns inimigos. Não ocorre nenhum combate, e, como de hábito, o inimigo desparece sem deixar vestígios. Após alguns momentos, a coluna se põe em marcha de novo.

Por volta das nove da noite, acampam junto ao rio Sanja. Ao longe, na escuridão, entre o bivaque e Moshi, veem-se fogos. Em sete dias, marcharam apenas setenta quilômetros. Durante a noite, ouvem-se tiros ocasionais, disparados pelas nervosas sentinelas. Fora isso, tudo está bastante calmo.

A bigorna começa devagar a alcançar sua posição. Mas onde está o martelo?

No dia seguinte, fica claro que o regimento alemão escapou da armadilha e desapareceu em direção ao sul, de forma surpreendentemente rápida e sem grandes perdas. Moshi é conquistada. A população alemã local fugiu, deixando na pequena cidade apenas africanos, gregos e comerciantes de Goa. Sob outros aspectos, a operação foi um fracasso.

Na segunda-feira chove o tempo todo, e na terça também.

87. QUARTA-FEIRA, 15 DE MARÇO DE 1916
Uma carta é enviada à mãe de Vincenzo D'Aquila

A família de D'Aquila, nos Estados Unidos, sabe que ele se encontra internado em um hospital, mas nada mais além disso. Sua mãe enviou vários telegramas para o Exército italiano e para o hospital. Quer notícias do filho e pergunta se ele terá permissão de retornar aos Estados Unidos, para continuar com o tratamento. Afinal, ela recebe a seguinte resposta, do diretor do San Osvaldo:

Udine, 15 de março de 1916

Minha cara senhora,

Sinto muito não poder atender ao seu pedido, pois as autoridades militares já ordenaram a transferência do seu filho para o hospital psiquiátrico de Siena, o que ocorreu no dia 10 deste mês.

Ele se encontra em boas condições físicas, mas as ideias delirantes, grandiosas e absurdas persistem. Temo que estejamos diante de uma doença mental permanente.

(Assinatura)
O diretor

88. SÁBADO, 18 DE MARÇO DE 1916
Sophie Botcharski ouve o início da ofensiva de Evert no lago Narocz

Todos já sabiam, há semanas, que uma ofensiva russa vinha sendo planejada, e o problema é exatamente esse. Até os cozinheiros têm conhecimento dos planos e existe um grande risco de que a notícia tenha chegado aos alemães. O ataque precisa ser posto em prática. Quase todos também sabem que no oeste está ocorrendo uma grande batalha em Verdun, e o alto-comando russo prometeu ajudar os combatentes franceses dessa maneira.

Sophie e os seus colegas do hospital tiveram muito tempo para se preparar. Quando o ruído da artilharia começa a se espalhar no ar, eles já arrumaram um novo espaço no hospital com quinhentos leitos à disposição. Se as camas ainda não forem suficientes, há espaço para instalar os homens em macas. Se estas estiverem em uso, não falta palha para acomodá-los. Os preparativos, pela primeira vez, foram feitos com antecedência e cuidado. Na pequena cidade coberta de neve onde eles se encontram, pode-se ver barracas espalhadas por todos os lados, apenas aguardando a chegada dos feridos.

Eles começam a chegar.

No início, corre tudo bem. Sophie é uma das enfermeiras responsáveis pela recepção e encaminhamento dos feridos. Logo a fila começa a crescer e o atendimento deixa a desejar. Para poder atender a todos, ela pede ajuda aos transeuntes. Em poucos minutos, as camas, as macas e a palha já estão todas ocupadas.

Mais uma vez, criam uma imagem do que ocorreu a partir de fragmentos de histórias contadas pelos envolvidos no ataque. O combate se transformou em um caos sem comparação. A artilharia agora dispõe de munição suficiente, mas está atirando às cegas ou em seus próprios soldados. O reconhecimento é péssimo, ninguém sabe onde as reservas alemãs estão. Desordem geral no front, pois os regimentos atacam em momentos diferentes. Grande confusão com tantas ordens sendo revogadas. A retaguarda, com sua orgulhosa cavalaria, está à espera do avanço, que não acontece. "Achávamos que as granadas explodiriam as barricadas de arame farpado", conta um dos feridos, "mas o ataque já tinha começado e foram eles que nos atacaram com granadas."[24] Sophie trabalha dia e noite.

O padrão habitual de ataque e contra-ataque se repete dia após dia. "Os nervos, o corpo e a carne humana são martelados como um gongo." Sophie recebe uma carta do primo Vladímir, um tenente, mas passam-se alguns dias até que ela tenha forças para lê-la, por isso a leva sempre no bolso do avental. Ela abre a carta:

Querida Sophie!
Isto não é um ataque, é uma carnificina. Você já sabe do nosso fracasso. Não pode pôr a culpa nos soldados, eles fizeram tudo que estava a seu alcance. Tampouco podemos culpar os oficiais do front. A culpa toda é do quartel-general. Para dizer a verdade, esse último ataque me fez perder a vontade de continuar lutando. Já vi gente pôr em risco milhares de vidas, apenas com o intuito de ganhar a própria medalha. No momento não há a menor possibilidade de derrotarmos os alemães. Talvez mais adiante, quando fizerem mudanças no Exército. Basta deste as-

24. A explosão do arame farpado era mais difícil do que tinham imaginado. Segundo um cálculo russo, eram necessárias nada menos que 25 mil granadas de pequeno calibre para explodir uma passagem considerável em uma barricada. Havia grandes gastos não apenas com alimentação e munição. Para se ter uma ideia do que era necessário nos serviços médicos, um único regimento alemão gastava, por mês, cinquenta metros cúbicos de gesso e o equivalente a cinquenta quilômetros em esparadrapo.

sunto. Agora faço parte da reserva e passo os meus dias deitado na grama, aquecendo-me ao sol e ouvindo o canto dos pássaros.

No mesmo dia, Paolo Monelli escreve em seu diário:

Ver, de repente, duas bombas explodindo a cinco metros de você e ainda não saber se está ferido. (Depois do que parece ser uma eternidade, e a uma distância infinita, ouvir a voz de um camarada, também comprimido contra o chão, lhe perguntar: "Monelli, você está ferido?". "Estou verificando agora.") E então você acha que esse sentimento de graça é ilusório. Em um ataque de fúria, o médico joga os pratos do acampamento contra o inoportuno avião.

89. TERÇA-FEIRA, 28 DE MARÇO DE 1916
Kresten Andresen se depara com a primavera e o descontentamento em Billy-Montigny

A primavera está para chegar. As folhas das árvores estão ficando verdes e as macieiras começam a florescer. Na floresta, ele vê anêmonas e outras flores. Ainda faz frio.

Andresen está vivendo dias difíceis. "Estou farto de tudo e tenho dificuldade de me manter animado." Isso apesar de — ou talvez por causa de — ele ter acabado de passar dez dias em casa, sua primeira licença desde que a guerra começou. Mal retornou, foi internado no hospital, devido a uma infecção na garganta e febre. Ainda não participou de um combate realmente feroz: em uma carta a um parente, quase pede desculpas por não ter nenhum acontecimento dramático para relatar. (Contudo, ele tem mandado alguns suvenires para casa, como estilhaços de granada.) Não é a terrível realidade da guerra que o afeta, mas sim a tristeza que ela traz consigo. Seu serviço consiste em fazer escavações noturnas, e este é o seu vigésimo mês dentro do Exército.

Andresen já perdeu as esperanças quanto à chegada da paz. Ele ainda se lembra, com amargura, que há exato um ano achou que a guerra estava no fim. Esta é uma explicação para sua depressão.

Ele não está sozinho no sentimento de frustração quanto a essa guerra que nunca termina e tem um custo cada vez mais alto. A inflação e a escassez de gêneros alimentícios aflige todos os países envolvidos no conflito, e os mais atingidos, além da Rússia, são a Alemanha e a Áustria-Hungria. Não foi apenas o bloqueio marítimo que se mostrou um homicida eficaz.[25] O abastecimento também foi atingido pela imprevidência administrativa, pela falta de transportes e pelo fato de muitos camponeses e agricultores terem sido convocados pelo Exército. As pessoas que ainda trabalham com agricultura acabam caindo na tentação de vender suas mercadorias no mercado negro, que é muito mais lucrativo. (Há estimativas de que metade dos ovos e da carne de porco produzidos na Alemanha e na Áustria vai parar no mercado negro.) Junte-se a isso a rápida evolução dos preços a cada dia, e o resultado acaba sendo uma equação sem solução para as famílias, em especial nas grandes cidades. Como consequência dessa crise há o aumento das enfermidades, da desnutrição, da mortalidade infantil, do descontentamento e da criminalidade entre jovens.

Andresen encontra outros soldados que retornaram da licença e ouve deles histórias arrepiantes:

> Um deles contou sobre uma revolta em Bremen, onde um grupo de mulheres quebrou vitrines e invadiu lojas. Mortensen conheceu um homem de Hamburgo que saiu de casa antes de terminar a licença, porque a mulher não tinha nada para lhe dar de comer.

Por alguma razão inexplicável, alguns dos insatisfeitos descarregam suas frustrações em Andresen — um deles, por exemplo, o acusou de professar um patriotismo exagerado. Hoje chegou um soldado de Hamburgo, empunhando em uma das mãos o *Vorwärts*, um panfleto do partido social-democrata, e começou a lhe perguntar como os parlamentares de Schleswig veem a questão da guerra. "Lá há muitas pessoas que conseguem pensar por si mesmas", foi sua resposta. Os homens no front começaram também a perceber o impacto da falta de provisões. Quase nunca há manteiga para passar no pão, ela foi substi-

---

25. O bloqueio britânico teve o efeito paradoxal de obrigar o Estado alemão a controlar ainda mais os recursos e a colocar sua economia em pé de guerra, que foi muito mais efetivo para os britânicos por um período considerável.

tuída por uma espécie de geleia nada apreciada pelos soldados. A geleia, além dos apelidos jocosos que recebeu, serve de inspiração a várias piadas e canções.

Há tranquilidade no front:

> Não ouvi nenhum disparo de canhão durante a semana inteira. Todas as forças estão unidas em Verdun. Aqui se fala na derrota de um forte, mas há muitos boatos sem fundamento. Como estará a situação na Romênia? Para mim, está tudo calmo, mas deve ser a calmaria que antecede a tempestade.

90. QUINTA-FEIRA, 6 DE ABRIL DE 1916
Florence Farmborough faz comentários sobre a vida da população civil em Chortkov

Estão de volta em território inimigo. Chortkov, onde já se encontram há um mês, fica na parte austríaca da Galícia. A cidade foi seriamente danificada no ano passado, quando unidades russas, na expectativa de serem expulsas, incendiaram muitas casas. Grande parte da população é formada por judeus. Florence escreve em seu diário:

> A situação dos judeus que vivem em Chortkov é lamentável. Eles são tratados com uma hostilidade vingativa [pelos russos]. Como cidadãos austríacos, desfrutaram de liberdade quase total e não passaram pelas perseguições vividas pelos judeus russos. Seus direitos e sua liberdade foram agora confiscados pelo novo regime, e é óbvio que eles não estão nada satisfeitos com a nova situação.

Quando neva — e tem nevado muito neste inverno —, um judeu por família é obrigado a sair para a rua para mantê-la limpa, sob a inspeção de um soldado russo empunhando um chicote, instrumento cruel que eles não hesitam em usar. Em frente à casa onde Florence e as outras enfermeiras estão hospedadas, há uma construção em ruínas. Ali morava um dos rabinos da cidade e, ao lado, fica a sinagoga, que foi vandalizada.

Na manhã de hoje, Florence espera pela chegada de uma costureira judia, que lhe fez um vestido cinza de algodão. A costureira chega e demonstra estar nervosa. Florence lhe pergunta o que aconteceu, e a mulher lhe conta que ontem três cossacos quase derrubaram a porta de sua casa, exigindo que ela os hospedasse. (Este é um direito de todos os soldados, e a maioria mora na casa das famílias judias da cidade. Muitas vezes há entre vinte e trinta homens em cada casa, o que torna a vida muito difícil para todos os envolvidos.) A costureira respondeu que todos os quartos já estavam apinhados de soldados, mas os três cossacos exigiram permanecer na casa e começaram a fazer uma espécie de inspeção improvisada. Logo encontraram o que queriam: um revólver que talvez tenha sido posto ali por eles mesmos. A costureira e o marido negaram com veemência a posse da arma e estavam aterrorizados com o que lhes iria acontecer, pois porte de arma é proibido e eles poderiam ser punidos com a morte. Toda a cena foi criada para enganá-los. Em seguida, os cossacos disseram que tudo estaria esquecido se eles lhes pagassem dez rublos. A costureira e o marido não tiveram escolha:

> Então, eles juntaram esses dez rublos e entregaram aos cossacos, que, ao saírem da casa, comentaram em voz alta e em tom escandalizado que a raça judia tem uma predisposição para a traição. Histórias como esta são comuns nesta parte do mundo. Até a palavra "judeu" é algo obsceno para os soldados russos.

Os últimos meses têm sido muito calmos. Com exceção dos ataques dispendiosos e ineficazes ao norte, junto ao lago Narocz, fora de Vilnius, ninguém viu nada dessa ofensiva russa que todos mencionaram e estão aguardando. Certo desapontamento começa a se espalhar e até Florence se sente frustrada com a espera.

Devido à tranquilidade no front, há poucos feridos com que se ocupar. Florence e as outras enfermeiras tentam ajudar a população civil, que também sofre de enfermidades, como tifo e varíola. A contaminação se deve à superlotação das casas e à falta de alimentos. As lojas da cidade têm um estoque grande de espartilhos, sapatos de salto, laços de seda e luvas de pelica, mas não dispõem dos gêneros alimentícios básicos, como manteiga, fermento, ovos. Em alguns lugares, é possível encontrar esses artigos, porém a preços altíssimos.

No ano passado houve uma grande epidemia de tifo e as crianças foram as que mais sofreram. A certa altura, morreram entre dez e vinte crianças por dia. Florence já vivenciou muita coisa e escreve em seu diário: "Às vezes, penso que aqueles ferimentos terríveis que vi e tratei no ano passado em nada se comparam à dor que senti ao ver o sofrimento das crianças".

Um de seus pacientes hoje é um menino de quatro anos chamado Vassíli. Ele vem de uma família de camponeses paupérrimos, residentes no subúrbio. O pai foi convocado pelo Exército austro-húngaro no início da guerra e agora se encontra desaparecido. A mãe ganha a vida lavando roupa para os soldados russos. O menino contraiu varíola no ano passado e, devido à enfermidade e à fome, parou de crescer. Quando Florence o levanta, parece que seus braços e pernas são tão finos como galhos.

Outra que precisa de ajuda hoje é uma jovem ucraniana. Ela afirma que já completou dezoito anos, mas aparenta ser muito mais jovem. Ontem chegou chateada e com medo para receber tratamento para seu problema de pele. Cortaram seu cabelo imundo e todo embaraçado e lhe deram sabão para se lavar. "Seu corpo, cheio de feridas, contava sua triste história de prostituição." A menina sobrevive vendendo o corpo aos soldados. Hoje já está de volta, um pouco mais alegre, pois entendeu que as enfermeiras querem de fato ajudá-la.

Mais tarde, Florence se encontra perto da porta, quando a menina está para sair. Ela a vê se virar e murmurar um agradecimento ao médico. Quando a jovem passa, Florence repara que ela tem "lágrimas nos olhos. Ela também era uma vítima da guerra".

91. SEGUNDA-FEIRA, 10 DE ABRIL DE 1916
Edward Mousley vê os últimos cavalos serem abatidos em Kut al-Amara

Há muito tempo eles vêm abatendo os animais de carga, mas os de montaria têm sido resguardados. Agora não podem mais fazer esse tipo de seleção. Receberam ordem de abater os últimos cavalos, para servir de alimento aos sitiados, que estão quase morrendo de fome.

Mousley busca capim fresco e vai até o local onde os cavalos estão instalados. Seu cavalo, Don Juan, o reconhece, cumprimentando-o como ele o ensinou. Mousley lhe dá o capim para comer.

Em seguida começa a operação.

Um oficial atira nos cavalos. Há o estampido e, um a um, os animais caem pesadamente. O sangue começa a escorrer. Mousley percebe que os cavalos assistem a tudo tremendo enquanto aguardam a sua vez. Don Juan pisoteia o chão nervoso como os outros, mas não sai do lugar. Quando chega o momento de Don Juan ser sacrificado, Mousley não suporta assistir à cena. Ele pede ao oficial que dê um tiro certeiro e lhe avise quando tudo estiver terminado. Ele dá um beijo de adeus no animal e vai embora.

Mousley vê que o cavalo se vira e o olha pela última vez.

No jantar são servidos o coração e os rins de Don Juan. (Essas partes sempre são reservadas para o dono do animal; Mousley também ganha o rabo negro de Don Juan.) Pode parecer bizarro, mas ele não acha que há algo de errado nisso. Escreve em seu diário: "Tenho certeza de que ele escolheria a mim, e não outra pessoa".

92. TERÇA-FEIRA, 25 DE ABRIL DE 1916
Elfriede Kuhr assiste a um espetáculo na estação de trem de Schneidemühl

Mais uma vez Elfriede vai à estação de trem. Ela está à procura de Dora Haensch, sua melhor amiga. Os pais de Dora são donos do restaurante que fica no prédio da estação. Enquanto Elfriede está ali, entram dois soldados. Um deles é um jovem bem elegante, o outro é grandalhão e está muito embriagado. Este quer tomar mais cerveja, mas o robusto sr. Haensch se nega a lhe atender o pedido. O soldado, então, tenta se servir sozinho, debruçando-se sobre o balcão do bar. O sr. Haensch o pega pelos ombros e lhe dá um empurrão. O soldado puxa a baioneta e tenta atingir o sr. Haensch, que se põe a correr pela porta dos fundos do estabelecimento. Dora e a mãe gritam, assustadas. Muitos clientes pegam cadeiras para se proteger. O amigo do soldado bêbado, que durante o ocorrido se sentou a uma mesa, com as pernas esticadas, lhe diz com toda a calma: "Saia já daqui". Ao que o outro, no mesmo instante, obedece.

O sr. Haensch logo está de volta, seguido de um oficial e dois guardas. O oficial vai até o soldado elegante, que ainda está à mesa, lendo um jornal, e lhe pergunta em tom amigável qual é o nome de seu colega e a que regimento pertence. O soldado se nega a responder. O oficial se aproxima e diz algo que Elfriede não consegue ouvir com clareza. O jovem soldado se levanta, aos gritos: "O senhor é um patife. Eu não queria essa guerra idiota que me obriga a brincar de soldado. Se o senhor quer me dizer algo, que fale como um militar. Podem me atormentar quanto quiserem, mas não revelarei o nome de meu camarada de jeito nenhum!".

A discussão continua nesse tom. O jovem soldado se nega a entregar o camarada e o levam preso. Elfriede o vê andando entre os dois guardas, que têm baionetas brilhantes empunhadas em seus rifles. O rosto do preso está tão pálido que seus lábios parecem brancos. Assim que a porta se fecha atrás dos quatro homens, todos recomeçam a falar. Vozes irritadas se ouvem no restaurante. Elfriede toca o peito de Dora e sente seu coração bater acelerado.

Elfriede diz à amiga que não sabe quem tem razão: o oficial ou o homem que se negou a entregar o companheiro. O sr. Haensch ouve a conversa e chama a atenção dela: "Não há a menor dúvida. O oficial tem razão, é claro. É a obediência que tem valor maior no Exército, senão vira anarquia". Nesse momento de raiva, o sr. Haensch dá um tapão no traseiro de Elfriede e a põe para fora do restaurante.

Angustiada e chateada, Elfriede volta para casa. Na verdade, agora ela acha que ambos têm razão. De um lado, o jovem elegante que não quis entregar o amigo e, do outro, o oficial que apenas cumpriu seu dever:

O pior de tudo é a vergonha que sinto de mim mesma. Nunca consigo decidir o que é certo e o que é errado nesta guerra. Comemoro nossas vitórias, mas quando penso em todos os mortos e feridos fico desesperada. Ontem ouvi dizer que há um hospital militar escondido na floresta e que é para lá que são levados todos os soldados que tiveram o rosto mutilado na guerra. Eles têm uma aparência tão horrível que nenhuma pessoa normal suporta olhar para eles. Estas coisas me deixam inconsolável.[26]

Elfriede está completando catorze anos hoje. Ela começou a usar um novo penteado, que lhe dá uma aparência mais adulta.

Nessa noite, em Kut al-Amara, Edward Mousley observa uma última tentativa de se levar suprimentos para a guarnição britânica sitiada. Um barco re-

---

26. O fenômeno dos rostos mutilados ocorreu em todos os países que participaram da guerra. Em muitos casos, as vítimas viviam isoladas — por vontade própria, em sua grande maioria — em hospitais escondidos, onde permaneciam até a morte. Na França, 9900 homens de rosto mutilado se reuniram depois da guerra em um evento para os veteranos.

vestido de placas de ferro, carregado de provisões e com uma tripulação especial de voluntários — todos solteiros — foi designado para a missão. Ele sobe o Tigre, sob a proteção da escuridão da noite, em uma tentativa desesperada de passar despercebido pelas linhas otomanas e alcançar os sitiados. O barco, *Julnar*, acaba sendo descoberto, é atingido pelas balas inimigas por todos os lados e desaparece nas águas do Tigre. Edward Mousley escreve em seu diário:

> O barco foi atingido por canhões turcos. Seus oficiais foram mortos, e o tenente Crowley [sic][27] feito prisioneiro. O barco afundou sob os olhares dos nossos homens, que aguardavam para descarregá-lo no Forte, e muitos assistiram à triste cena do telhado das casas de Kut. Este parece ser o trágico, mas esperado, final para a brilhante tentativa, que era a nossa última esperança. Mal temos alimentos para sobreviver amanhã.

93. DOMINGO, 7 DE MAIO DE 1916
Kresten Andresen e a sua vida aborrecida em Billy-Montigny

O verão se aproxima, as temperaturas já começaram a subir, ouve-se o canto dos pássaros. O que o incomoda agora é o desperdício de tempo, os dias passam e nada acontece. A rotina é a mesma de sempre, as ordens também, e nada é posto em prática. Ele está assustado por ter ficado tão esquecido. Tanta coisa que antes aprendeu, em história ou literatura, já caiu no esquecimento. Mal termina de ler um livro, já não consegue se lembrar do que leu. Está sempre à espera de que algum boato sobre o fim da guerra chegue aos seus ouvidos, apesar de ter tido apenas decepções quanto a isso. Há tranquilidade no front e ele se sente satisfeito com a situação.

Escreve, então, uma carta para casa:

> Caros pais!
> No mesmo dia que eu lhes enviei uma carta daqui, acabei caindo e torcendo o dedo médio da mão esquerda, como Misse já deve ter lhes contado. O transporte

---

27. Capitão de corveta Charles Henry Cowley, que foi executado em seguida pelo inimigo. Ele recebeu uma Cruz Vitória póstuma.

que me levaria para casa já se foi, mas dentro de uma semana o dedo deve estar em boas condições de novo. Ele na verdade se curou bem rápido. Tenho caminhado por aqui, aproveitando a vida e a natureza. Minha lavadeira me emprestou um bom romance francês e, quando canso da leitura, fico desenhando. Pretendo mandar-lhes alguns desenhos meus. Já mandei um para a tia Dorothea. Não que seja um grande presente, mas não há nada para fazer por aqui, a vida está muito aborrecida e não sei como agir quanto a isso. Creio que este meu estado de apatia seja proveniente da nossa má alimentação. Nunca recebemos outra coisa para comer que não seja sopa de aveia, sempre a mesma sopa de aveia! Sem falar no pão e naquela intragável geleia.

94. QUINTA-FEIRA, 18 DE MAIO DE 1916
Angus Buchanan sai de Mbuyuni e aprende algo sobre as mulas

O pior período de chuva já passou. Depois de quase dois meses de espera na neblina ao redor do Kilimanjaro, é hora de marchar adiante, em busca do esquivo inimigo. A conquista de Moshi foi um sucesso, no entanto mais uma vez falharam em derrotar o inimigo. Buchanan, como muitos outros camaradas, está impressionado com seus adversários alemães, e não menos com suas tropas de nativos, que mostraram muita disciplina, precisão e grande coragem. Um conflito com eles não será nada fácil. Os alemães já estão agindo como o exército guerrilheiro que estão em vias de se tornar, ao passo que o regimento britânico se move com a cautela e a desajeitada lentidão de um exército regular.

A força principal se põe em marcha em direção a Mbuyuni à tarde. Buchanan é o comandante interino do batalhão de transporte, que é composto de animais de tração, como mulas, pois precisarão passar por lugares de difícil acesso. Há um cheiro de umidade e de vegetação crestada no ar.

O deslocamento acaba sendo, em suas próprias palavras, "uma marcha memorável". A maior parte dos animais é jovem e muitos deles nunca usaram albarda antes, o que fica claro o tempo todo. Eles empacam e se livram dos arreios vezes sem conta, e Buchanan e os outros soldados, montados a cavalo, passam a tarde perseguindo os animais que conseguem escapar. Com frequência precisam parar para arrumar as selas ou recolocá-las "naquelas relinchantes, assustadas e teimosas criaturas". Isso avança noite adentro.

Quando por fim acampam, Buchanan percebe que quatro das mulas desapareceram, mas que agora eles têm duas mulas a mais que no início da marcha. Na escuridão, capturaram todos os animais que encontraram no caminho, e alguns deles pertencem a outros batalhões. Decidem ficar com os animais que não lhes pertencem sem relatar nada a ninguém, como de hábito.

95. TERÇA-FEIRA, 23 DE MAIO DE 1916
Paolo Monelli participa da retirada da cima Undici

Foram levados de caminhão até o front em alta velocidade, e os motoristas contaram o que sabiam, tudo com base nos boatos que ouviram sobre retiradas. Desde 15 de maio está ocorrendo uma ofensiva austro-húngara nas montanhas ao redor do planalto de Asiago. O inimigo tem tido muitas vitórias, pelo menos em comparação com a derrota dos italianos no Isonzo. Se estes não conseguirem deter o inimigo, ele alcançará as planícies e chegará até a costa, em Veneza. São apenas trinta quilômetros até a cidade. O batalhão a que Paolo Monelli pertence se encontra no monte Cima há alguns dias. Algumas vezes foram alvo da artilharia. O que está acontecendo? E por quê?

Monelli e os outros não recebem nenhuma notícia. Eles tentam entender o que se passa, mas, pelo visto, nada parece estar indo bem. Sua própria artilharia vem enfraquecendo. Ontem mesmo desapareceram os últimos canhões do setor, uma bateria de canhões leves de montanha. O pior de tudo é que os ruídos de batalha, as explosões e as luzes dos disparos se aproximavam devagar e então *passavam* por eles. Uma das companhias do batalhão foi convocada ao vale abaixo, de modo que nesta manhã, ao acordar, eles se pegam sozinhos no topo da montanha. Alguém diz que a Cima Dodici caiu em mãos inimigas. A Cima Dodici? Todos olham para a montanha — ela fica bem *atrás deles*, certo? "Estamos presos como ratos em uma ratoeira."

As ordens chegam até eles. Devem ali permanecer até a noite. Eles servirão como tropa de resistência para que os outros consigam escapar. "O que acontecerá conosco? O que acontecerá com a Itália?" Eles veem com os próprios olhos os batalhões austro-húngaros descendo a montanha ao lado. Assistem a tudo sem poder fazer nada, pois o adversário não se encontra a uma distância tão curta que possa ser atingido por suas armas de fogo, e eles não dispõem de artilharia pesada. Monelli e os outros são deixados em paz, esquecidos por todos, inclusive pelo inimigo. O dia começa a clarear e não há nada mais a fazer, apenas aguardar em seu isolamento. "A espera é sofrida, em razão do sentimento de catástrofe que tomou conta do grupo."

Na hora do almoço, Monelli sobe para a gruta onde está o batalhão. Na entrada, ele encontra o comandante, um major cujos olhos estão vermelhos devido à falta de sono. O major alisa a barba e está embriagado. "Venha cá", diz ele a Monelli e lhe oferece vinho. "Já fez a sua confissão? Hoje à noite estaremos cercados." O major recebeu ordens de resistir. "Resistiremos e seremos aprisionados. Levaremos a culpa e seremos alvo de zombaria."

O vinho faz efeito. (O major o chama de "um amigo que não decepciona".) Um pouco bêbado, Monelli começa a ver a situação com mais esperança. Logo será noite, talvez consigam encontrar um jeito de fugir. Se o inimigo atacar antes disso, a companhia dará tudo de si para ganhar tempo, "e talvez a divisão consiga colocar seus documentos oficiais em segurança".

O milagre acontece. Ninguém os ataca.

Quando chega a escuridão, eles começam a descer a montanha em pequenos grupos através da floresta.

Cai uma chuva fria. Um vilarejo nas proximidades está em chamas e o contorno das árvores e rochas é distorcido pelo brilho refletido. Eles passam pelo rio, meia hora antes de a ponte ser explodida. Do outro lado, fazem uma pequena pausa, tomam água (as canecas de metal tilintam ao encostar nas pedras) e comem biscoitos. Antes de continuar a marcha, enterram o último soldado morto hoje. Seu nome era Giovanni Panato. Durante a subida, foi atingido pelos estilhaços de uma granada, por acaso. Assim acontece aqui o tempo todo, uma causa aleatória tem um efeito aleatório. Panato gritou ao ser atingido, mas prosseguiu, para depois ter um colapso e falecer.

Enquanto arrumam seus pertences (as canecas de metal tilintam quando recolocadas nas mochilas), surgem as dúvidas. Por que estão batendo em retirada? Por que não ficam e lutam até o fim? Monelli não encontra respostas para estas perguntas.

O que eles sabem e o que eu sei sobre o que está acontecendo? Nada! Lutamos, marchamos, paramos, somos apenas números entre a massa que flui para a frente, que manobra neste front montanhoso e coberto de gelo nas Dolomitas, com uma faca no coração e uma sensação dolorosa de nada saber, de nada ver.

Ao mesmo tempo, em um castelo adornado de tapetes caros, encontram-se aqueles que Monelli chama de "os deuses misteriosos que tecem o nosso destino", ou seja, "um oficial que escreve, um secretário que copia, um assistente que sai da sala e um coronel que pragueja".

> Esta é a guerra. Não o risco de morrer, não a granada detonada que nos cega (*Quando si leva, che intorno si mira/ tutto smarrito del la grande angoscia*),[28] mas a sensação de ser uma marionete nas mãos de um titereiro desconhecido, e este sentimento às vezes esfria o coração de tal maneira que é como se a morte já tivesse feito o seu papel. Estamos presos às trincheiras até recebermos ordem de deixá-las, presos ao perigo iminente e ao destino marcado com o número de nosso pelotão ou o nome de nossa trincheira. Sem possibilidade de tirar a camisa quando desejamos, ou de escrever para casa. As mais simples necessidades da vida são comandadas por regras sobre as quais nenhum de nós tem influência. Tudo isso é guerra.[29]

Eles prosseguem em meio à escuridão, para cima de novo. Os passos são pesados na neve misturada com lama. Ele vê outro vilarejo em chamas. Ouve o som de tiroteio e de explosões atrás de si. A retaguarda da retaguarda está sendo atacada. Ele pensa no pobre Da Pèrgine,[30] com seus homens.

A caminhada se torna mais morosa, os passos, mais mecânicos. Depois de certo tempo, eles não têm forças para reclamar de nada. Monelli e os outros estão há várias noites sem dormir, o cansaço é penoso, de efeito quase anestési-

---

28. "Inferno", de Dante, canto XXIV: "Quando enfim se levanta e à volta mira/ todo pasmo pela ânsia inaudita". Monneli carrega sempre consigo seu exemplar de *A divina comédia*.

29. Monelli continua (e a experiência pessoal do autor confirma a veracidade do relato): "O correspondente de imprensa que chega nas trincheiras não tem conhecimento desta [guerra], o general que aparece para ganhar uma medalha também não. Quando eles ficam com fome ou cansados, acham que já fizeram a sua parte, olham para o relógio e dizem: 'É tarde. Agora vou embora'".

30. Garbari da Pèrgine, oficial que se ofereceu voluntariamente para comandar a retaguarda. Monelli se sentia confiante em que "nossa retaguarda está segura porque [Da Pèrgine] a está defendendo: ele solicitou esta tarefa arriscada porque, segundo disse, conhece muito bem as posições".

co. Envolvidos pela extrema exaustão, para eles tudo vai perdendo o sentido e a importância. Não se abalam mais com as explosões, nem com as casas incendiadas, nem pensam que podem ser perseguidos e atacados. Os breves descansos não ajudam muito, pois ao despertar, depois das poucas horas de sono (deitados ao relento), sentem-se ainda mais entorpecidos e fatigados.

Caminham através da floresta noite adentro. Quando chegam às suas próprias linhas, o dia já começou a clarear.

Duas sentinelas tentam fazê-los parar, exigindo senhas. Exaustos e sem paciência, os homens praguejam e insultam os guardas ao passar por eles. Mais adiante encontram homens de outras companhias e outros batalhões, uma confusão de soldados, carroças e mulas nervosas. "O som nítido dos cascos rapando nas pedras." Cai uma chuva fina.

Enfim, o descanso. Monelli vai se deitar em uma pequena barraca. Adormece com os punhos fechados. Em seu sonho, continua a marchar, e a marcha nunca chega ao fim.

Nesse mesmo dia, René Arnaud e seu batalhão continuam esperando, em Belval-en-Argonne. Acabaram de ouvir o estrondo dos canhões em Verdun. O nervosismo é grande, pois sabem que em breve estarão no meio da grande batalha. Estar no front quando tudo está tranquilo pode sem dúvida alguma ser perigoso, mas não é particularmente custoso em termos de vidas: pode haver o ocasional ataque surpresa, mas são sobretudo os britânicos que fazem esse tipo de coisa. Já ser mandado para o front no contexto de uma ofensiva importante é outra história. Inevitavelmente haverá perdas, imensas perdas:

> Andamos de um lado para o outro, trocamos rumores e discutimos. Ainda me lembro do médico do batalhão, Truchet, parado ali com a cabeça inclinada e uma expressão preocupada e descontente no rosto enquanto, mais nervoso do que nunca, coçava a barba negra com a mão esquerda: "Isso é uma vergonha! Deviam parar com esta carnificina! Milhares de homens foram massacrados para defender uma dúzia de fortes antigos. É assustador! Oh, como temos generais elegantes".

96. TERÇA-FEIRA, 30 DE MAIO DE 1916
René Arnaud chega à linha de frente no setor 321 em Verdun

"Em tempos de guerra, o pior sofrimento mental ocorre quando os pensamentos antecipam o que ainda não vivenciamos ou fizemos", diz René Arnaud,

quando a imaginação tem a oportunidade de atentar para os riscos que nos esperam — e multiplicá-los por cem. É um fato bem conhecido que o medo induzido pelo ato de pensar no perigo é mais exasperante do que topar com ele na realidade, da mesma forma que o desejo é mais excitante do que a sua satisfação.

A grande batalha começou, e não tiveram nenhuma pausa desde fevereiro, quando o Exército alemão iniciou o seu bem preparado ataque. Arnaud e seus homens sabiam que, mais cedo ou mais tarde, seria a vez deles[31] de percorrer "La Voie Sacrée", a via-sacra, a única estrada que pode ser usada para transporte até esta seção do front, ao longo da qual passa um caminhão a cada catorze segundos. A designação, invenção de um famoso político nacionalista e jornalista francês, Maurice Barrès, fez muito sucesso, talvez por "trazer à lembrança a Via Dolorosa, 'a via do sofrimento', e por comparar o sofrimento dos soldados em Verdun com a crucificação de Cristo no Gólgota".[32]

Os militares que recebem ordem de marchar para Verdun se sentem como se estivessem a caminho da crucificação. Arnaud ouviu falar nas estatísticas. Um oficial recém-retornado de Verdun disse com sinceridade: "É tudo muito simples. Vocês serão dispensados quando dois terços dos seus homens forem nocauteados. É o cociente habitual".

Arnaud e o resto do batalhão passaram o dia na cidadela de Verdun, datada do século XVII, uma imponente construção composta por escritórios, infinitos corredores, abrigos subterrâneos e alojamentos antibombas. Há por todos os lados um cheiro de repolho, pão mofado, desinfetante, suor e vinho azedo. Através das frestas nas paredes de pedra de quase um metro de espessura, pode-se ouvir o rosnado ininterrupto das explosões das granadas ao fundo. Os ale-

---

31. Do total dos 330 regimentos de infantaria do Exército francês, 259 participaram da Batalha de Verdun.
32. Suposição feita pelo escritor Ian Ousby.

mães agora possuem o triplo do número de canhões do que possuíam no ataque a Gorlice, e isso se percebe claramente.

O calor é sufocante. Arnaud fica deitado em seu colchão de palha, refletindo sobre esse cálculo. Dois terços. Quais dos seus homens não retornarão do front? Quais dos oficiais do batalhão ficarão livres de ferimentos ou da morte nas próximas semanas? Três ou quatro, segundo as estatísticas. O que acontecerá com ele mesmo?

À tarde recebem as ordens:

> Hoje à noite, o Sexto Batalhão substituirá o 301º Regimento, que se encontra no Setor 321. O batalhão deverá sair da cidadela às 19h15 para estar às 21h no ponto onde a estrada para Bras cruza com a ravina de Pied du Gravier. Um intervalo de cinquenta metros deve ser deixado entre cada grupo.

Arnaud conversa com seus homens, que estão colocando comida enlatada, biscoitos, instrumentos e munição nas bagagens. Todos estão nervosos. Ele tenta acalmá-los, não através de um discurso patriótico, pois sabe que isso não faz efeito algum em uma situação como esta, mas tenta ser prático: "Sempre fomos uma companhia de sorte. Retornaremos sãos e salvos de Verdun".

Ao anoitecer, começam a deixar a cidadela para trás, marchando através das ruínas abandonadas e silenciosas da cidade. De vez em quando, caem granadas nas proximidades da catedral. A longa coluna de homens pesadamente carregados atravessa o rio, pela ponte provisória. As tábuas rangem sob os seus pés. Arnaud observa a água escura e pensa: "Gostaria de saber quantos de nós retornarão por esta mesma ponte".

Durante uma das paradas, aparece um homem "com o rosto inchado e olhar confuso", que vai até Arnaud e lhe mostra alguns papéis. O homem, é claro, está fazendo uma última tentativa de escapar da situação. Ressalta que é alfaiate e que nunca esteve na linha de frente, pois sofre de hérnia de disco. Os papéis comprovam o que ele diz. Arnaud, já aborrecido com um dos oficiais do batalhão, que de repente, diante da perspectiva de ser enviado para Verdun, conseguiu de maneira fraudulenta uma transferência para o trem de bagagem, apenas rosna para o homem.

Arnaud não consegue deixar de sentir pena dele quando o vê desaparecer de cabeça baixa, desanimado e ainda com o papel na mão. Ele faria a mesma coisa, se não fosse por sua insígnia na manga. Assim que passam por uma unidade de infantaria que retorna da linha de frente, todos com a roupa enlameada e os olhos vermelhos, Arnaud não consegue deixar de sentir inveja do jovem tenente que os comanda: "Como eu gostaria de estar no lugar dele!".

Eles começam a subir o barranco que leva ao campo de batalha.

O estrondo da artilharia se torna mais forte, em uma mistura de ruídos. À direita deles, o céu parece pegar fogo. Há um bombardeio sobre o forte de Douaumont, conquistado pelos alemães no quarto dia de batalha e que agora se transformou no centro dos combates. Ou, melhor que isso, em um ponto de referência, um ímã, um mito (para os dois lados), um símbolo, que, como sempre ocorre com os símbolos, adquiriu um significado que ultrapassa sua importância estratégica e se tornou o foco da intensa competição entre propagandistas alemães e franceses. Sua tomada é uma medida de sucesso, numa época em que os sucessos se tornaram cada vez mais abstratos, enquanto os reveses são todos concretos demais. Desde o início dos combates, em fevereiro, 20 milhões de granadas caíram no campo de batalha.

A escuridão os envolve e eles continuam seguindo em frente, ao longo de uma estrada vazia. De repente, veem um clarão sobre si, seguido de um breve estrondo. Todos se abaixam, instintivamente. É a primeira granada inimiga. Sentem um cheiro de carne podre. Arnaud está com medo e cada vez mais impaciente. Enfim, encontram seu guia:

> Pusemo-nos logo a caminho, passando por uma ravina, descendo à direita e contornando à esquerda. Granadas explodiam dos dois lados. Pulamos para dentro de um túnel de conexão, saímos dali e subimos mais uma vez. Eu acompanhava o último grupo e marchava como um sonâmbulo.

Perto de uma colina que está sob fogo alemão, fazem uma parada. O guia despareceu na noite. Arnaud se sente pressionado, pois não tem a menor ideia de onde se encontram, mas sabe que devem chegar ao lugar certo antes do amanhecer. Se não conseguirem se proteger antes disso, ficarão expostos ao fogo inimigo e serão derrotados. Ele conduz a companhia rapidamente para um vale repleto de buracos de explosões, passando por um pequeno monte em que granadas de quinze centímetros caem com regularidade em salvas de quatro, até alcançarem uma trincheira de conexão vazia. No caminho encontram

RETRATOS

1. *Elfriede Kuhr; estudante alemã, doze anos.*

2. *Richard Stumpf; marinheiro alemão, 22 anos.*

3. *Pál Kelemen; membro da cavalaria austro-húngara, vinte anos.*

4. Andrei Lobanov-Rostovski; engenheiro do Exército russo, 22 anos.

5. Florence Farmborough; enfermeira inglesa do Exército russo, 27 anos.

6. Kresten Andresen (à dir.); soldado dinamarquês do Exército alemão, 23 anos.

7. Michel Corday; funcionário público francês, 45 anos.

8. Alfred Pollard; soldado da infantaria britânica, 21 anos.

9. William Henry Dawkins; engenheiro do Exército australiano, 21 anos.

10. René Arnaud; soldado da infantaria francesa, 21 anos.

11. Rafael de Nogales; membro da cavalaria otomana, venezuelano, 35 anos.

12. Harvey Cushing; cirurgião do Exército americano, 45 anos.

13. Angus Buchanan; soldado da infantaria britânica, 27 anos.

14. Olive King; motorista do Exército sérvio, australiana, 28 anos.

15. Willy Coppens; piloto da Força Aérea belga, 22 anos.

16. Vincenzo D'Aquila; membro da infantaria italiana, americano de origem italiana, 21 anos.

17. Edward Mousley; membro da artilharia britânica, neozelandês, 28 anos.

18. Paolo Monelli; caçador de montanha do Exército italiano, 23 anos.

A FRENTE OCIDENTAL

1. SMS Helgoland, *o navio de Richard Stumpf: "O toque de alvorada foi dado às quatro da manhã. O navio e a tripulação já acordam em frenética atividade". (p. 32)*

2. Coluna de soldados da infantaria belga na praia de De Panne: "Ele se encontra nas trincheiras localizadas em uma faixa do território belga que não foi ocupada. Essa faixa vai de Nieuwpoort, perto do canal da Mancha, até Ypres e Messines, na fronteira francesa". (p. 96)

3. *Sanctuary Wood; outubro de 1914:* "Os alemães explodiram uma grande mina embaixo das linhas britânicas em um bosque em Zillebek, fora de Ypres, chamado pelos britânicos de Sanctuary Wood, e a seguir ocuparam as enormes crateras cheias de cadáveres". (p. 145)

4. *Vista de Kiel, com a base naval ao fundo; 1914:* "Chegam a Kiel à noite. Ele percebe que a atmosfera no navio está melhorando". (p. 156)

5. Rua em Lens: "Um projétil atinge a parede de uma casa à sua frente e ele vê a parte principal do telhado ser erguida uns dez metros no ar". (p. 159)

6. O forte de Douaumont, em Verdun, sob intenso bombardeio; 1º de abril de 1916: "[Arnaud] se senta, a cabeça encostada nos joelhos. 'Eu me encontrava no campo de batalha em Verdun, mas mal estava consciente disso'". (p. 225)

7. *Carregadores de água em Zonnebeke; agosto de 1917:* "No caminho para Zonnebeke, soldados canadenses enlameados esbarram com caminhões, canhões e mulas carregadas de munição". (p. 361)

8. Cena litorânea em Boulogne-sur-Mer: "À tarde, Cushing retorna para a espaçosa casa de praia onde vive agora. Através das janelas abertas, sente o ar quente e vislumbra o canal da Mancha". (p. 405)

9. Escombros de uma ponte em Villers-Cotterêts: "Hoje, quando chega ao seu destino, [Arnaud] fica sabendo que seu regimento ainda se encontra no local, agora perto de Villers-Cotterêts. Ele pega carona em um caminhão de transporte de carne no último trecho da viagem". (p. 418)

10. Péronne: "Agora [Pollard] está a caminho de Péronne, onde espera que haja alguém de seu batalhão à sua espera. Ele treme de tanto frio e tem pesadelos terríveis devido à febre". (p. 440)

11. Marinheiros reunidos para uma manifestação em Wilhelmshaven, no início de novembro de 1918: "[Stumpf] veste seu uniforme de desfile e sai para a manifestação. A atitude dos oficiais sugere que os marinheiros podem se sair vencedores". (p. 448)

ÁFRICA ORIENTAL

1. A guerra chega à África; 1914: "Cerca de 10 mil homens armados encontram-se em uma área que corresponde ao tamanho da Europa Ocidental, onde as comunicações são praticamente inexistentes. O mais difícil não é vencer o inimigo, e sim alcançá-lo. Todas as movimentações exigem um exército de carregadores". (p. 136)

2. Tropas nativas alemãs durante combate em algum lugar da África Oriental: "Os comandantes dos pequenos grupos são alemães, com roupas típicas do colonizador — uniforme de cor clara, capacete tropical de cortiça — e aparência imponente, mas os seus comandados são todos soldados profissionais nativos, askaris, que receberam orientação militar, armas e confiança iguais às dos soldados brancos". (p. 137)

3. O rio Pangani, na África Oriental alemã: "As unidades alemãs os perseguem na selva, nos pântanos, nas florestas, nos rios, nas montanhas e nas savanas. Elas não parecem tão suscetíveis ao clima ou às enfermidades, o que não é de estranhar, já que os soldados são africanos e estão acostumados tanto com o clima quanto com as doenças". (p. 229)

4. Em Lindi, tropas nativas britânicas dos King's African Rifles em formação; setembro de 1916: "Batalhões de homens da Nigéria, de Gana, do Quênia e das Antilhas ficaram guardando o front, debaixo de chuva". (p. 323)

5. *Destroços do SMS Königsberg no delta do rio Rufiji;* verão de 1915: "Eles também veem as baforadas de fumaça da artilharia inimiga, peças de 10,5 centímetros, que os alemães, com seu talento para a improvisação, salvaram de seu navio de guerra SMS Königsberg, que foi afundado pelos britânicos". (p. 328)

6. *Grupo de operadores de metralhadora sob domínio alemão, em algum ponto da África Oriental:* "Depois da retirada do vale em Mohambika, os alemães se instalaram no cume do Tandamunti. Aqui o ataque e o contra-ataque têm sido cruzados, desde meados de junho". (p. 343)

A FRENTE ORIENTAL

1. O Exército russo, mobilizado, reúne cavalos em São Petersburgo; 31 de julho de 1914: "A guerra é coisa dos russos, todo mundo sabe; é para enfrentar as forças russas que o Exército alemão foi mobilizado, elas logo atacarão, todos já sabem disso também". (p. 20)

2. Prisioneiros de guerra russos em Uszoker Pass, nos Cárpatos, na primavera de 1915: "O patrulhamento nas montanhas dos Cárpatos não trouxe nenhum resultado positivo". (p. 89)

3. *Traslado de prisioneiros russos capturados durante as batalhas de maio e junho de 1915:* "*Então vem a última ordem, largar tudo e abandonar os feridos. Abandonar os feridos? Sim, abandonar os feridos! 'Rápido, rápido! Os alemães estão entrando na cidade!'*". (p. 108)

4. *Cavalaria australiana atravessando o rio Vístula na altura do burgo de Praga, em Varsóvia, 5 ou 6 de agosto de 1915:* "'*Soubemos que o inimigo cruzou o Vístula em vários pontos, mas ainda não perturbou as nossas tropas, com exceção de pequenas patrulhas de cavalaria que apareceram nas proximidades.*'". (p. 132)

5. Tropas alemãs em Minsk; 1918: "A cidade foi uma revelação, com seus brilhos coloridos de que todos já haviam se esquecido durante esses meses de marcha nas estradas empoeiradas, onde só se viam tons de marrom, desde a cor da terra até os uniformes". (p. 149)

6. Vista de Schneidemühl; 1917: "Mais uma vez Elfriede vai à estação de trem. Ela está à procura de Dora Haensch, sua melhor amiga. Os pais de Dora são donos do restaurante que fica no prédio da estação". (p. 214)

7. Praça Vermelha, Moscou; outubro de 1917: "Não se passaram nem dois meses desde a última vez que Florence esteve em Moscou, mas a cidade sofreu grandes transformações. As ruas escuras são patrulhadas por soldados de braçadeiras vermelhas com sede de poder e com muita ânsia de atirar". (pp. 387-8)

8. Trem carregado de austro-húngaros voltando para casa chega a Budapeste; novembro de 1918: "Para além dos vagões enferrujados, o gradual adensamento de casas indica que estão se aproximando dos arredores de Budapeste. O trem para em uma pequena estação em Rakós". (p. 452)

O FRONT ITALIANO

1. Companhia de manutenção austro-húngara, perto de Santa Lucia: "A trincheira propriamente dita fica bem em frente, com vista para o monte Santa Lucia, junto ao Isonzo. [...] Um vale profundo e íngreme separa as linhas italianas das austríacas, que se encontram na parte mais alta". (p. 148)

2. Caçadores de montanha italianos; 1915: "[...] graças à sua experiência em montanhismo, [Monelli] foi selecionado para fazer parte dos Alpini, os caçadores dos Alpes, a elite da infantaria italiana. Em junho, foi convocado, em Belluno". (p. 171)

3. Tropas montanhistas austro-húngaras durante escalada nos Alpes; 1915: "Sinto um calafrio. O coração dispara. O primeiro tiro da guerra: um aviso de que a maquinaria foi posta em movimento e está inexoravelmente arrastando você com ela. Agora não há mais saída, nunca haverá". (p. 172)

4. *Cima Undici; 1916:* "*O batalhão a que Paolo Monelli pertence se encontra no monte Cima há alguns dias. Algumas vezes foram alvo da artilharia. O que está acontecendo? E por quê?*". (*p. 218*)

5. *Monte Cauriòl; 1916:* "*Eles já escalaram montanhas de difícil acesso, mas essa talvez seja uma das piores. Há mais ou menos um mês, eles tomaram o monte Cauriòl, o que em si só já foi uma grande conquista* [...] ". (*p. 267*)

6. Hospital militar austro-húngaro no monte Ortigara: "Assistiram, durante duas semanas, um batalhão após o outro ser despachado para o topo do monte Ortigara e, a cada vez, testemunharam o resultado final. Em primeiro lugar, vinham as macas trazendo os feridos, em seguida as mulas carregando os mortos e, depois de algumas horas, o que restara do batalhão". (p. 332)

7. Prisioneiros de guerra italianos e algumas tropas alemãs vitoriosas em Udine; outubro de 1917: "Não recebem jornais ou comunicados, apenas ouvem boatos, confusos, contraditórios e fantasiosos, como sempre. Ouvem falar que os alemães tomaram Udine. Que 200 mil italianos foram aprisionados". (p. 362)

1. Suprimentos, feridos e banhistas na enseada Anzac; 1915: "Dawkins e os outros cometeram o erro de ir parar a mais ou menos um quilômetro ao norte de seu objetivo, o que, de certa forma, foi sorte, pois a defesa otomana era bem mais fraca nessa área. Isso se deve ao fato de o terreno ser tão pedregoso que os otomanos julgavam impossível a aproximação dos Aliados justo por ali". (pp. 109-10)

2. A praia V, no extremo sul da península de Galípoli; 1915: "Os Aliados só conseguiram criar duas cabeças de ponte. A primeira, na ponta sul da península, e a segunda, aqui no lado oeste de Galípoli, perto de Gaba Tepe". (p. 109)

3. Companhia de manutenção austro-húngara na Sérvia, entre outubro e novembro de 1915: "A invasão da Sérvia pelas Potências Centrais está ocorrendo de acordo com os planos. Segundo a opinião local, já estava mais que na hora de alguma coisa acontecer. No ano passado, o Exército austro-húngaro atacou três vezes o país vizinho. Foram três fracassos". (p. 153)

4. Rendidas, tropas sérvias rumam a Montenegro para depor as armas, em fevereiro de 1916: "Os sérvios bateram em retirada, ameaçados e cercados, junto com uma quantidade imensa de civis. Estão fugindo em direção ao sul". (p. 153)

5. Na Macedônia, a população local assiste a um avião alemão decolando para ir a combate; 1917: "Verdadeiros combates estão ocorrendo na Macedônia. Os soldados britânicos deram vários apelidos pejorativos para o país, devido à sujeira e à lama". (p. 246)

6. Acampamento militar britânico no subúrbio de Salônica; abril de 1916: "O Exército Oriental de Sarrail ainda permanece em Salônica, apesar da neutralidade grega e do fato de não ganhar nada com a operação toda". (p. 246)

7. Salônica logo após o grande incêndio; agosto de 1917: "[...] os anos de ocupação ocidental, com o afluxo de tropas de todos os cantos do mundo, só realçavam os seus contrastes e seu espírito cosmopolita". (p. 349)

ORIENTE MÉDIO

1. Fortificações em Erzurum; 1916: "De vez em quando, ouvem-se os ruídos da artilharia russa. O estrondo ecoa entre as montanhas, e as explosões com frequência causam avalanches no topo do Ararat". (p. 89)

2. Vista aérea de Kut: "O regimento britânico interrompeu sua retirada na pequena cidade de Kut al-Amara. Aqui irão aguardar os reforços, ou melhor, o resgate, pois estão cercados por quatro divisões otomanas, há duas semanas". (p. 164)

3. Navios britânicos supercarregados no rio Tigre; 1916: "Ambos os lados mantêm flotilhas de embarcações pesadamente armadas no Tigre, sobretudo para proteger sua própria cadeia de suprimentos. O rio é de importância fundamental para as tropas, apesar de estar praticamente inavegável este ano, devido à seca". (p. 195)

4. Rendida, Jerusalém recebe os vitoriosos; 1º de dezembro de 1917: "Em novembro do ano passado, Gaza caiu nas mãos do inimigo, e em dezembro foi a vez de Jerusalém. A queda da primeira foi uma grande adversidade para os militares, e a da última, uma catástrofe política e para o prestígio geral". (p. 401)

5. *Ruínas de Gaza; novembro de 1917*: "A morte estava em todos os lugares. No meio da rua, entre destroços de carroças cheias de fuligem preta, centenas de corpos de pessoas e animais empilhados uns sobre os outros". (p. 306)

6. *O front palestino sob ataque*: "Há menos de um mês ocorreu a Primeira Batalha de Gaza, um combate confuso e com pesadas perdas para os dois lados, ambos pensando estar derrotados; mas a vitória acabou sendo otomana, já que o oponente, em parte pela escassez de água, abandonou o campo". (p. 310)

7. Vista aérea de Bursa: "Bursa era o lugar onde os generais britânicos ficavam detidos, e por algum tempo Mousley pôde aproveitar os privilégios deles em matéria de boa alimentação, jornais relativamente recentes e grande liberdade de locomoção". (p. 406)

dois oficiais meio adormecidos ao lado de uma vela acesa em um abrigo improvisado. Eles também não têm a menor ideia de onde fica o Setor 321.

Arnaud prossegue na busca, tentando o lado direito dessa vez:

Eu já sentia o ar frio que costuma antecipar a chegada da madrugada. Avançamos rápido, nossas baionetas e garrafas sacudindo com nossos passos apressados. Devíamos chegar antes do amanhecer! Ao longe, vislumbramos os contornos da colina contra o céu ainda escuro. O bombardeio estava cada vez mais intenso, como sempre ocorre antes de o sol raiar. Rápido! Mais rápido!

Chegam ao abrigo. Setor 321.[33] Ele encontra o comandante do batalhão. Um guia os acompanha até a seção mais distante, em uma subida que parece não acabar nunca. Uma vez lá, mais explosões de granadas, mas eles prosseguem mesmo assim. Topam com um capitão, o chefe da companhia que irão substituir. A substituição ocorre da maneira mais simples possível. O capitão apenas aponta para onde estão os alemães, mostra onde ficam as trincheiras e diz: "Essa é a linha de frente. Boa noite!".

O que nos mapas é indicado como trincheira nada mais é que uma vala, de menos de um metro de profundidade. Os soldados se acomodam e adormecem, inclinados uns sobre os outros. Arnaud está fisicamente exausto e sob enorme tensão. Ele se senta, a cabeça encostada nos joelhos. "Eu me encontrava no campo de batalha em Verdun, mas mal estava consciente disso."

97. QUARTA-FEIRA, 31 DE MAIO DE 1916
Willy Coppens faz um resumo dos acidentes da primavera em Étampes

Há um procedimento especial sempre que ocorre um acidente fatal. Todos os voos são cancelados, os aviões são recolhidos aos seus hangares e todos os alunos são reunidos para velar o corpo mutilado, "uma tarefa deprimente". O

---

33. Para aqueles que pensam em visitar o campo de batalha, o Setor 321 fica no topo de uma seção elevada que começa onde hoje se situa o ossuário. O lugar exato pode ser encontrado a cerca de quatrocentos metros a noroeste do estacionamento, ao longo do que é chamado Le Chemin de l'Étoile. Use sapatos confortáveis e não toque nas bombas não detonadas.

funeral ocorre no dia seguinte, quando todos os colegas, cidadãos da cidade e estudantes comparecem à cerimônia. (Os corpos dos mortos são sempre sepultados no pequeno cemitério de Étampes.) Após o enterro, as portas dos hangares são abertas e tudo volta ao normal.

Durante a primavera, Willy Coppens viu esse procedimento se repetir inúmeras vezes. Os acidentes são bastante comuns.[34] São sobretudo os ruídos que permanecem em sua mente. Primeiro, os gritos dos espectadores. Depois, "aquele barulho horrível de madeira quebrada". No final, o silêncio indescritível, quando o motor para, os restos do avião se acomodam ao solo e o corpo aterrissa, com aquele ruído surdo. Um silêncio vazio que perdura por alguns segundos — e por toda a eternidade.

O primeiro acidente que Coppens presenciou aconteceu em 1º de fevereiro. Ele e alguns colegas, com seus casacos de pele, sob o sol pálido de inverno, estavam aguardando sua vez de voar. No ar, o zumbido das máquinas voadoras que subiam e desciam acima do aeródromo. De repente, ele ouviu o motor de uma delas acelerar e alguém gritar: "Meu Deus, ele vai se matar!".

No mesmo instante em que levantei o olhar, vi um aeroplano Farman perder altitude com enorme rapidez, num mergulho inexplicável e quase vertical em altíssima velocidade, que o fez se partir no ar. O corpo do avião explodiu e pedaços dele se espalharam em todas as direções. Consegui distinguir a cauda, o motor e o corpo do piloto. Tudo caiu na nossa frente, a quatrocentos metros de nós.

Alguns dos espectadores correram até lá, mas não Coppens. Ele não quis olhar. Os acidentes continuaram a acontecer:

Em 8 de fevereiro, enterramos o piloto francês Chalhoup.

Em 6 de março, Le Boulanger fez uma manobra arriscada, perdeu velocidade e caiu. Ele estava gravemente ferido quando o retiramos dos destroços.

Em 14 de março, sepultamos Clement, um piloto francês.

Em 26 de abril, Piret estava em um Blériot, perdeu velocidade e caiu quando estava a noventa metros de altura. Mais uma vez ele escapou sem ferimentos graves.

---

34. E continuaram a acontecer ao longo da guerra. Antes de seu término, morreram mais pilotos belgas em acidentes aéreos do que em combate.

Em 27 de abril, Biéran de Catillon fez um looping em um Henri Farman[35] de maneira assustadora, mas sobreviveu sem ferimentos graves.

Em 16 de maio, François Vergult se acidentou em um Maurice Farman, mas não se feriu.

Em 17 de maio, Adrian Richard se chocou com outro Maurice Farman na aterrissagem, e com os destroços que sobraram dos dois foi construído para nós um novo aeroplano.

Em 20 de maio, De Meulemeester, excelente piloto, se acidentou após uma manobra arriscada. Mesmo tendo caído de uma altura maior que a de Le Boulanger, não se feriu com gravidade e voltou aos treinamentos após um ou dois dias.

Em 27 de maio, Evrard[36] pousou fora da pista com um B.E.2.

Hoje, 31 de maio, acontece mais um acidente. Desta vez, com um piloto chamado Kreyn. Ele pousa com um Maurice Farman de maneira tão infeliz que a manobra resulta em um horrível acidente. Ele é salvo por uma introdução recente — um capacete de piloto. Não são todos que fazem uso deles.[37] Alguns acham o capacete feio demais, além de fazê-los se lembrar dos gorros que as preocupadas mães belgas colocam nos filhos pequenos quando estes começam a dar os primeiros passos.

Coppens aguarda ansioso sua formatura. Ele terá asas douradas na manga do uniforme, o posto de sargento e um pequeno aumento no seu soldo.

Nesse mesmo dia, Richard Stumpf escreve em seu diário: "Enfim! Está acontecendo o grande evento que tem sido objeto de nossos desejos, pensamentos e sentimentos, após 22 meses de espera. É por isso que aguardávamos, trabalhando e treinando com tanto esforço".

Ele se refere à Batalha da Jutlândia, a grande batalha naval na qual 274 be-

---

35. Maurice Farman e Henri Farman eram dois tipos similares de avião, com o motor e a hélice localizados atrás do piloto.

36. Lili Evrard morreu em outro acidente aéreo naquele verão.

37. Havia pilotos que nem usavam óculos de proteção: depois de certo tempo, os olhos se acostumam com o vento e param de lacrimejar. E a velocidade, na época, não era muito alta. Em alguns modelos que tinham a hélice na parte traseira, era possível pilotar vestindo apenas o gorro do uniforme, sem que este fosse levado pelo vento.

lonaves alemãs e britânicas tiveram sua confrontação na costa dinamarquesa, durante a tarde e a noite. Ao anoitecer, catorze embarcações britânicas e onze alemãs se encontram no fundo do mar e 8 mil marinheiros perderam a vida. Durante a batalha, o navio de Stumpf, o SMS *Helgoland*, disparou 63 granadas e foi atingido por apenas uma. A tripulação saiu ilesa. Outra anotação em seu diário nesse dia:

> Estou convencido que é impossível para uma pessoa descrever os sentimentos e pensamentos, após seu batismo de fogo. Se eu dissesse que tive medo, estaria mentindo. Foi uma indescritível sensação de prazer, pavor, curiosidade, apatia e… felicidade por estar lutando.

Logo em seguida, e com algum fundamento, a confusa batalha é descrita como uma vitória alemã de menor importância. Ela não teve impacto na guerra.

98. QUINTA-FEIRA, 8 DE JUNHO DE 1916
Angus Buchanan sai em busca de comida perto do rio Pangani

Na realidade, ele gostaria de continuar deitado, enrolado em seu cobertor aquecido. Angus Buchanan observa as estrelas, mas sabe que logo o dia começará a clarear. "Só mais cinco minutos."

"Vamos lá!" Ele é despertado pelo chamado de alguém. Já é dia. Debaixo de um arbusto, o tenente Gilham está sentado, amarrando seus coturnos. Os dois trocam sorrisos entre si, pois guardam um segredo. Apesar de a caça ser proibida, pois não têm permissão de sair do acampamento, é exatamente isso que pretendem fazer. Estão fartos desse cozido de carne enlatada, e além do mais as provisões estão diminuindo. Os dois estão famintos. Como irão aguentar tudo sem comer?

Muitos dos soldados estão subnutridos e, em decorrência disso e também do calor, as enfermidades aumentaram de maneira vertiginosa. Os enfermos então têm de ser mandados embora, o que ocupa uma parte significativa do já limitado transporte à disposição. Os doentes também precisam ser alimentados: os homens enviados de volta comem tanto quanto os que estão se deslocando para integrar as unidades combatentes, o que faz com que as rações destes seja ainda mais reduzida. É um círculo vicioso. O que foi um regimento diminuiu para algo que pode ser comparado mais a uma companhia, com apenas 170 a duzentos homens.[38]

As unidades alemãs os perseguem na selva, nos pântanos, nas florestas, nos rios, nas montanhas e nas savanas. Elas não parecem tão suscetíveis ao clima ou às enfermidades, o que não é de estranhar, já que os soldados são africanos e estão acostumados tanto com o clima quanto com as doenças. Além disso, conhecem bem o território, sabem onde se esconder, têm conhecimentos sobre a fauna e a flora locais. Graças ao bom tratamento e ao bom soldo que recebem, desenvolveram uma grande lealdade aos alemães, seus colonizadores.

Os britânicos foram obrigados a refletir sobre sua relutância em armar africanos e usá-los na guerra. Parte da operação em que Buchanan e os outros estão envolvidos desde o fim da estação chuvosa é a expulsão dos alemães de Tabora, a região onde eles recrutam os seus melhores *askaris*. Von Lettow-Vorbeck também se revelou um mestre na arte da improvisação: como não recebem mais provisões da Alemanha, ele iniciou a fabricação de sua própria munição, ensinou os soldados a confeccionar suas próprias botas e adquiriu artilharia pesada resgatando as peças do cruzador *Königsberg*, que foi perseguido no delta do Rufugi pela frota britânica.[39]

Buchanan e Gilham pegam seus rifles e saem do acampamento, pé ante pé, enquanto os demais dormem. O criado africano de Buchanan, Hamisi, os acompanha. Precisam primeiro atravessar a mata fechada. O pior de tudo são as moitas de arbustos espinhosos da vegetação local, entre os quais os que os nativos chamam de *mgunga*,[40] com numerosos espinhos muito compridos e afiados. Eles evitam essas pequenas árvores sempre que possível. Buchanan diz: "Guardarei a *mgunga* para sempre na lembrança". Mãos, braços e pernas sangram.

Depois de uma hora de caminhada, o terreno começa a melhorar, a vegetação se torna mais escassa e eles já se encontram longe do acampamento, pois

---

38. Embora Buchanan pudesse ser acusado de exagero nesse caso, uma vez que um regimento em geral se compunha de 3 mil a 5 mil homens, a asserção de alguns historiadores de que, para cada soldado perdido em batalha nessa campanha, mais de trinta foram mortos ou incapacitados por doença dá crédito à afirmação dele.

39. Mais tarde, tentaram transportar da Europa, por um zepelim, remédios e outros artigos até os isolados alemães.

40. *Acacia polyacantha* ssp. *polyacantha* — acácia-garra-de-falcão ou árvore de espinho branco.

não querem que seus tiros sejam ouvidos lá. Buchanan e Gilham carregam suas armas. Vão andando, em silêncio. Hamisi segue atrás deles.

Após caminharem por mais ou menos um quilômetro, avistam um antílope, mas antes que possam fazer qualquer coisa o gracioso animal sai correndo em meio aos arbustos e eles o perdem de vista. Buchanan pragueja. Depois de mais três quilômetros, veem apenas pegadas de impala e javali e espantam um bando de galinhas-d'angola. É hora de voltar. Dentro de uma hora o calor estará insuportável. A tentativa de caçar esses animais rápidos e fugidios teve o mesmo resultado negativo da tentativa de capturar os rápidos e fugidios alemães das companhias Schutztruppen.

Na volta, Buchanan, Gilham e Hamisi pegam outro caminho, e têm mais sorte dessa vez. Primeiro, encontram uma gazela-girafa, os dois militares atiram, mas erram o alvo. A selva vai ficando fechada de novo, Buchanan já não consegue mais ver Gilham, mas ouve um tiro, seguido de um grito triunfante. Seu camarada conseguiu atingir outra gazela-girafa. Os dois homens urram de felicidade. Carne, enfim! Carne de antílope, nada menos! Buchanan olha com carinho o animal, que logo morre a seus pés. É uma espécie que ele nunca viu antes: "Esbelto, de porte elegante, delicado, com pelo curto, grosso, brilhante e cor de chocolate na parte superior do corpo, na qual havia uma nítida faixa horizontal que a separava da pelagem mais clara na região do abdômen".

Os três homens carneiam o animal. Hamisi carrega a maior parte do corpo ensanguentado. Buchanan e Gilham levam o restante. Com medo de serem descobertos, retornam em silêncio para o acampamento.

Hoje comerão até ficarem satisfeitos.

Nesse mesmo dia, René Arnaud e seus homens no Setor 321 em Verdun são vítimas de um ataque da infantaria alemã. Quando a intensidade do fogo de artilharia diminui, homens de uniformes cinzentos surgem em frente a eles:

> O ruído dos tiros e o cheiro da pólvora me deixaram em uma espécie de embriaguez. "Atirem nos desgraçados! Atirem!" De repente, vi um homem grande se movendo à minha frente e à direita; mirei e tive a sensação intuitiva que vem de um tiro que está indo de encontro ao seu alvo; puxei o gatilho e, quando o coice atingiu meu ombro, o corpanzil havia desaparecido. Fiquei muito tempo me

perguntando se havia sido a minha bala ou a de outro homem que o alvejou, ou se ele tinha se jogado no chão por causa do fogo cerrado. Enfim, ele foi o único alemão que "derrubei"[41] durante os três anos e meio de guerra, e nem tenho certeza disso.

O ataque é por fim rechaçado com a ajuda de granadas de mão.

99. SÁBADO, 10 DE JUNHO DE 1916
René Arnaud deixa a linha de frente no setor 321 em Verdun

Arnaud está confuso quando recebe a notícia. Ele não sabe há quantos dias se encontram nessa extensa colina. (Depois fará as contas e chegará à conclusão de que foram dez.) Tanto tempo se passou e tanta coisa aconteceu que ele já perdeu a esperança de ser substituído; na verdade, perdeu a esperança de tudo. Ele se sente como se estivesse anestesiado por dias e noites de bombardeio e por dois ataques que eles rechaçaram. O perigo não o incomoda, e nem mesmo a visão de mais um soldado morto:

A indiferença talvez seja a melhor maneira de uma pessoa enfrentar a guerra. Deve-se agir por força do hábito ou por instinto, sem esperança e sem medo. O longo período de emoções esmagadoramente fortes acabou nos deixando imunes a qualquer sentimento.

Ele não entende, por alguns momentos, por que os homens enviados para buscar comida voltam de mãos vazias na hora do crepúsculo. Eles se apressam a explicar: "Voltaremos à noite". Todos comemoram, com alegria. "Voltaremos à noite!"

Resta uma coisa a ser feita. O capitão, que passou a maior parte do tempo se embriagando de conhaque, aparece e diz que antes de deixarem suas posições devem recolher todos os corpos e colocá-los em uma trincheira recém--cavada atrás deles. Os homens protestam, mas Arnaud os convence de que é sua obrigação.

41. A palavra francesa que Arnaud usa, ironicamente, entre aspas é "descendu".

A desagradável tarefa é realizada à luz de sinalizadores e explosões de granadas. Corpos atrás de corpos vão sendo colocados em uma maca improvisada e levados para ser sepultados. Embora já se encontrem em avançado estado de decomposição, eles os reconhecem sem dificuldade. Bérard (morto, como muitos outros, por tiros de metralhadora alemã perto de Le Ravin des Dames — a arma podia varrer a posição deles de ponta a ponta); Bonheure (o mensageiro que gostava muito de vinho); Mafieu (o cozinheiro que foi feito soldado de infantaria como punição por se embriagar em serviço); sargento Vidal (com sua barba negra e olhos tristes, atingido por um tiro no meio da testa quando rechaçavam um ataque alemão anteontem); Mallard (aquele jovem da Vendeia, de cabelos escuros e olhos azuis, que teve o pé amputado por sua própria granada de mão e morreu de hemorragia); Jaud (o antigo cabo de Arnaud, moreno e bronzeado, com seus olhos infantis e barba desgrenhada); Ollivier (corajoso e obediente, com seus cabelos loiros e lisos); sargento Cartelier (alto, magro e reconhecível em qualquer lugar por causa das botas curtas que usava, apesar do regulamento) etc. etc. etc.[42]

As temperaturas foram altas nesse verão. O odor de putrefação se espalha em ondas quando os corpos são transferidos para a trincheira. Eles precisam, de vez em quando, fazer um intervalo para respirar um pouco de ar puro, para depois continuar com sua tarefa.

Terminam por volta das duas da manhã. Arnaud sente "uma paz interior por ter feito o que era preciso". Ele vê a nova tropa chegando. Homens com armamento pesado, exalando um cheiro de suor. O tenente que o substituirá reclama. Das barreiras de arame farpado, restam apenas arames retorcidos. O posto de comando é somente um buraco entre dois amontoados de sacos de areia. Arnaud fica furioso com as queixas: "Sofremos tanto só para um idiota chegar e dizer que não havíamos feito o nosso trabalho?". Mas ele logo se acalma, pois bem sabe o que o novo tenente terá que enfrentar no Setor 321, durante dez dias e dez noites.

A marcha de volta do Setor 321 segue notavelmente rápida. O cansaço

---

42. Nem todos foram mortos pelo inimigo. Os dois lados em Verdun tiveram perdas devido às próprias granadas mal direcionadas. Os enganos ocorreram em parte por erro humano, como a falta de pontaria, e em parte por falhas mecânicas causadas pelo uso excessivo. A vida útil de uma peça de artilharia era de cerca de 8 mil tiros.

desapareceu. Ninguém quer fazer intervalos longos, mas sim cair fora o mais rápido possível, antes que amanheça. No caminho, passam pelo forte de Froidterre. Lá, fazem uma parada e encontram outra tropa que vem em sentido contrário, estão a caminho do campo de batalha, como eles dez dias atrás: "Seus casacos de um azul vivo, seus acessórios de couro ainda amarelos, suas panelas ainda brilhantes". Arnaud usa um casaco sujo de terra, carrega seu binóculo pendurado no pescoço, suas perneiras estão amarrotadas, ele não faz a barba há dez dias e seu capacete está danificado, pois foi atingido por um tiro no confronto de 8 de junho. A maioria dos seus soldados não possui nem mochila nem cintos. Alguns nem têm mais rifles.

Enquanto Arnaud e seus homens observam os elegantes soldados, uma granada cai no meio dos recém-chegados. Nenhum dos homens de Arnaud reage ao acontecimento e eles continuam a sua marcha. Seguem por um caminho lamacento. Nas valas podem ver pessoas e cavalos mortos e até uma ambulância abandonada. Andam o mais rápido possível, com seus olhos febris e rostos sujos, "de maneira tão desorganizada que parecem estar fugindo". Não olham em volta, apenas dão repetidas olhadelas por cima do ombro e amaldiçoam o balão de observação flutuando sobre as linhas alemãs, que pode bombardeá-los a qualquer momento. O cálculo de que Arnaud ouviu falar em Verdun se mostrou correto: dos cem homens que ele levou para o front, restaram apenas trinta.

Eles passam pelo mesmo cruzamento que passaram há dez dias. Arnaud vê Verdun ao sol da manhã e pensa: "A guerra é bela — aos olhos dos generais, dos jornalistas e dos acadêmicos".

Eles atravessam o rio. Devagar, deixam o campo de batalha para trás. Em um local de descanso na floresta, Arnaud vê um sargento da reserva ler um jornal. Ele lhe pergunta o que aconteceu. O sargento, rindo, lhe diz: "A mesma coisa de sempre". Ele entrega seu jornal a Arnaud, que o lê e exclama: "Somos nós, somos nós!". Seus homens se posicionam à sua volta e ele lê em voz alta:

8 de junho, 23h [...]. À margem direita, o inimigo realizou outros ataques, depois de violento bombardeio às nossas posições a oeste e a leste da fazenda Thiaumont. Todos os ataques foram combatidos por nossas metralhadoras e nossas barreiras.

9 de junho, 15h [...]. À margem direita, os alemães continuaram a atacar com

violência ao longo de dois quilômetros a oeste e a leste da fazenda Thiaumont. Todos os ataques fracassaram e o inimigo teve grandes perdas.[43]

Um dos soldados observa que o comunicado evitou a menção às suas próprias perdas, mas todos os outros parecem muito gratificados e repetem a frase: "Somos nós!". E essas breves notas sobre a luta deles talvez ofereçam uma razão importante para toda a disputa; e talvez esse evento tenha sido um destinado a se tornar tema de conversas; talvez eles tenham passado por um martírio de dez dias para que alguém possa dizer que o Setor 321 (não em si mesmo de grande importância militar) foi defendido.

Na verdade, do ponto de vista francês, a defesa de Verdun é sobretudo simbólica, para que os generais, jornalistas e demais pessoas possam dizer uns aos outros: "Claro, a cidade resistiu, resiste e resistirá". Mas alguém pensou no que o verbo *tenir*, "resistir", de fato expressa? "Resistir" significa uma coisa para os altos generais, outra para os megafones da imprensa nacionalista em Paris, outra para os comandantes no campo, e outra totalmente diferente para os soldados da infantaria como Arnaud e seus trinta sobreviventes. As formas trágicas e cruéis que a batalha assumiu são, portanto, não apenas a soma das forças coletivas de destruição entre os que estão fazendo a luta; são também a totalidade da confusão retórica e semântica entre aqueles sob cujo comando a batalha está sendo travada.

Mas eles vivenciaram um dos piores momentos e um dos pontos altos dela. Durante a semana anterior, os alemães levaram a cabo alguns de seus mais concentrados ataques desde fevereiro, nos quais foram bem-sucedidos. Entre vários outros lugares, Fort de Vaux, um importante ponto de apoio francês, também caiu, depois de lutas violentas.[44]

Mais tarde, Arnaud escuta o zumbido da ferrovia entre Verdun e Bar-le-Duc. Ele, então, compreende que de fato se salvou: "Eu retornara a um mundo de paz e

---

43. Vale a pena observar que o material fornecido por esse tipo de comunicado oficial, que era usado com frequência na época (por exemplo, em *La Victoire de Verdun*, de autoria de Henry Dugard, publicado em 1916), ainda é considerado muito importante entre historiadores. A obra francesa *Les 300 Jours de Verdun*, lançada no aniversário dos noventa anos da batalha, em 2006, é fortemente baseada nesses comunicados.

44. Logo depois da saída do batalhão de Arnaud do Setor 321, os ataques alemães se intensificaram. O Setor 321 acabou derrotado.

vida. Achava que ainda era a mesma pessoa que fora antes de passar dez dias face a face com a morte. Estava enganado. Eu havia perdido a minha juventude".

Nesse mesmo dia, Florence Farmborough escreve em seu diário:

Foi um dia bastante quente. Pela manhã, Aleksandr Alexandrovitch, um dos nossos comandantes de transporte, se ofereceu para nos levar até as trincheiras austríacas abandonadas. Aceitamos, muito contentes. Uma das trincheiras era bem aconchegante e luxuosa. Concluímos que devia ter sido o abrigo de um oficial da artilharia. Lá havia cadeiras, mesa, quadros nas paredes blindadas e livros. Havia até uma gramática inglesa.

100. DOMINGO, 25 DE JUNHO DE 1916
Edward Mousley furta um capacete tropical de um homem morto em Nusaybin

A marcha continua. Já faz dois meses que a guarnição britânica, sitiada em Kut al-Amara, se rendeu ao Exército otomano e mais de 13 mil homens foram aprisionados.[45] Não obstante as promessas feitas quanto ao assunto, os soldados foram saqueados e separados dos seus oficiais. Enquanto estes foram acomodados em barcos de transporte para Bagdá, aqueles foram obrigados a marchar a rota inteira, apesar de muitos já se encontrarem em mau estado de saúde e a época mais quente do ano já ter começado, com temperaturas de cinquenta graus à sombra.[46]

Mousley estava enfermo durante a rendição, por isso teve que aguardar o transporte especial para Bagdá. Por ironia, o navio era o *Julnar*, o vapor usado na última tentativa desesperada de resgate, no final de abril. Quando ele foi levado a bordo, notou a existência de buracos feitos à bala em todos os lugares.

45. Desse número, 3 mil eram britânicos brancos, sendo o restante formado por indianos.
46. Os civis suspeitos de terem cooperado com os britânicos em Kut al-Amara haviam sido enforcados depois de torturados.

Durante a longa e vagarosa viagem, o navio parou várias vezes para descarregar os corpos de prisioneiros mortos.

Em Bagdá, recuperou-se a tempo para a nova etapa. As tropas russas se encontravam a apenas duzentos quilômetros ao norte da cidade, e as autoridades otomanas queriam retirar os prisioneiros britânicos dali o mais rápido possível, temendo que fossem libertados por ocasião de uma eventual ofensiva russa. Primeiro, foram transportados de trem para Samarra e, de lá, marcharam ao longo do Tigre até Mosul, e depois para oeste através do deserto.

A coluna de oficiais prisioneiros tem permissão de transportar seus pertences em mulas e camelos, e os mais enfraquecidos podem montar nos animais. Apesar disso, a marcha é terrível. Por onde passam, eles vão deixando um rastro de doentes, mortos, mulas machucadas e equipamentos. Também veem os vestígios de outros que já estiveram ali, na forma de cadáveres ressecados pelo sol quente. Foram perseguidos por árabes armados, que pretendiam roubá-los e matá-los. Suportam tempestades de areia, calor, fome e, o pior de tudo, sede. Sobrevivem à base de uma dieta composta de figo, pão preto, chá e uva-passa, comprados a preços altíssimos por onde passam. Mousley, como muitos outros, perdeu a noção do tempo. "Eu tinha conhecimento de apenas duas situações", escreve em seu diário, "quando andávamos e quando não andávamos." Ele está enfraquecido e febril. Já emagreceu doze quilos, está com sérios problemas estomacais e sente muita dor nos olhos.[47]

Agora chegaram à pequena cidade de Nusaybin, onde ficarão uma noite ou duas, para depois continuarem sua marcha até Ras al-Ayn, onde deve haver transporte ferroviário à espera deles. Acampam à sombra de uma antiga ponte romana. Mousley está ainda mais enfraquecido. Ele acabou de se recuperar de uma insolação. Ontem perdeu seu *topee*, ou seja, seu capacete tropical de corti-

---

47. Já os altos oficiais britânicos, liderados pelo general Townshend, eram muito bem tratados. (Mousley escreve, sarcástico, que Townshend viajava como um príncipe.) Nessa época, o explorador sueco Sven Hedin participou de um notável jantar oferecido pelo paxá Halil. O convidado de honra era justamente Townshend, que Hedin conhecera em uma de suas viagens antes da guerra. Hedin contou que o inglês "aceitou o seu destino com serenidade. O clima da festa era muito amigável. Tratava-se de fato de uma ocasião para formar vínculos fraternais. Halil encheu seu copo e fez um discurso para o convidado de honra, desejando-lhe um futuro feliz. O general inglês brindou e agradeceu pela maneira como foi recebido e tratado em Bagdá. Após o final do jantar, Townshend foi para casa no automóvel do paxá Halil".

ça, em uma forte tempestade de areia, e a toalha que usou na cabeça para substituí-lo não ajudou muito.

Mousley ouviu falar que, em algum ponto da cidade, há um abrigo para prisioneiros doentes e que um tenente inglês acabou de falecer lá. Pretende ir ao local, para tentar pegar o *topee* do homem morto, pois este não precisa mais do capacete. Ele procura o lugar por bastante tempo, entre "becos estreitos, ruas escuras e quintais". Passa por um pequeno portão em um muro coberto por um tapete e chega a um jardim.

Ao longo dos muros internos, debaixo de improvisadas proteções de plantas contra o sol, ele vê muitos homens magros deitados. A maioria encontra-se apenas com um pedaço de pano em volta dos quadris. Seus rostos emagrecidos estão cobertos pela barba de uma semana. São soldados britânicos de Kut al--Amara, que recebem apenas alguns biscoitos enegrecidos para se alimentar. Eles precisam buscar água de uma fonte que fica a cerca de duzentos metros de distância. Há muitos rastros na poeira e na areia, comprovando que os prisioneiros se arrastam para saciar a sede.

Alguns estão mortos, outros agonizam.[48] Ele vê um homem com a mandíbula caída e o rosto coberto de insetos voadores; pensa que ele morreu, mas o homem está vivo. Quando o moribundo se mexe um pouco, nuvens de moscas saem de sua boca aberta. Mousley já viu essa cena antes, as bocas de homens agonizantes se enchendo e se esvaziando de moscas no ritmo de seus fracos movimentos: ele chama isso de "fenômeno colmeia".

Mousley procura o tenente morto. Ele encontra um capacete de cortiça e o apanha. Ao chegar à sua coluna, avisa os outros oficiais e eles vão em busca do comandante da cidade para protestar. Levam consigo todos os soldados que ainda conseguem andar e organizam uma coleta de fundos para os que estão morrendo de fome. Conseguem juntar sessenta libras, que deixam para esses pobres homens comprarem comida e pagarem por cuidados médicos.

Mousley retorna à ponte romana, e ali escreve em seu diário:

48. Na Segunda Guerra Mundial, o Exército japonês usava os seguintes parâmetros para saber quanto tempo de vida restava a uma pessoa que estivesse morrendo de fome: "Aquele que consegue ficar de pé ainda tem trinta dias; aquele que consegue ficar sentado, vinte; aquele que só consegue urinar deitado, três; aquele que não consegue mais falar, dois; aquele que não pisca mais estará morto ao amanhecer".

À noite, quando o sol havia se posto, andamos de lá para cá na nossa pequena área entre as sentinelas, fumando tabaco árabe e olhando preocupados para o horizonte, pois lá ao longe fica Ras al-Ayn, a estação terminal. Teremos que marchar até lá, através dos dias e das longas noites. Será que conseguiremos?

101. TERÇA-FEIRA, 27 DE JUNHO DE 1916
Florence Farmborough cuida dos feridos em Buchach

Há quatro semanas a ofensiva Brusilov teve início e as boas notícias continuam a chegar. A unidade de Florence pertence agora ao Nono Exército, que teve muitos êxitos até então. Conseguiram expulsar seus adversários austro-húngaros, que fugiram em pânico.[49] Florence e os outros estão muito satisfeitos. As grandes expectativas que tinham para o novo ano e em relação à grande ofensiva foram satisfeitas. Faz muito calor.

Florence viu um grande número de prisioneiros de guerra (o que antes era raro),[50] pôde conhecer e relutantemente se impressionar com as bem construídas trincheiras inimigas, agora em ruínas. Viu também os aspectos de sucesso que são mencionados com menos frequência: as valas comuns recém-ocupadas, ao lado das quais os sobreviventes estão sentados, escolhendo botas, cintos e outros itens empilhados, que pertenceram aos seus camaradas mortos. E viu muitos vitoriosos cambaleantes após se embriagarem com o álcool que roubaram de seus inimigos.

Agora a unidade dela se encontra em Buchach, uma cidadezinha bonita, enfeitada de acácias, localizada junto ao rio Strypa. A região está marcada pela guerra e sua população diminuiu de forma considerável. A unidade de Florence se instalou em uma casa que pertenceu ao superintendente austríaco das escolas, que saiu daqui acompanhando as suas tropas. Quando Florence e seus cole-

---

49. Uma tentativa de fazer parar as divisões russas foi feita primeiro no rio Dniester e, quando esta fracassou, no rio Prut. As posições austro-húngaras no Prut foram rompidas dez dias antes, e o Nono Exército pôde tomar Czernowitz, expulsando os inimigos para a austríaca Bucovina.

50. Desde o início da ofensiva de Brusilov, em 4 de junho, os russos tinham feito quase 200 mil homens prisioneiros e se apoderaram de setecentas peças de artilharia. A defesa austro-húngara na Galícia havia praticamente implodido e o Exército austro-húngaro nunca mais se recuperaria dessa derrota.

gas entram na casa, logo percebem que esta já foi saqueada. Livros, fotografias, amostras geológicas e flores secas estão espalhados pelo chão. Os austríacos que ficaram na cidade foram expulsos de suas casas e mandados para o leste. Florence viu as mesmas cenas do verão passado se repetirem agora, com a única diferença de que hoje são sobretudo habitantes de língua alemã que são obrigados a fugir. Milhares de pessoas de todas as idades, levando seus pertences em carroças lotadas e seus animais, tiveram de deixar os seus lares.

Não são apenas boas notícias que eles recebem. Estas têm um preço, e são pessoas como Florence que precisam tentar salvar o que pode ser salvo da enxurrada de fragmentos de humanidade esmagados e fraturados que continuam a se derramar no hospital de campo.

Ontem à noite, ela participou de duas cirurgias de retirada de projéteis do abdômen. Esse tipo de ferimento não tem bons prognósticos, pois é praticamente impossível evitar uma infecção quando o conteúdo intestinal vaza no abdômen. Ela ficou impressionada com a capacidade do cirurgião quando ele retirou a parte lesionada do intestino, suturando depois as partes não atingidas. Os pacientes com esse tipo de ferimento são muito difíceis, não apenas por apresentarem um alto índice de mortalidade, mas também por estarem sempre com sede e pedindo água, que lhes é negada pelo risco de infecção a que estão sujeitos.[51] Depois dos procedimentos, Florence ainda permaneceu na sala de cirurgia improvisada, pois ouviu falar que mais feridos chegariam. Ela pegou no sono sentada em uma cadeira e acordou perto da meia-noite.

Por volta das seis da manhã, começam a chegar mais feridos. Florence os recebe e dá início aos primeiros socorros, interrompidos apenas pelo café da manhã. Um dos feridos é um soldado jovem, apenas um menino, que foi atingido no braço esquerdo. Ela retira a bala do ferimento com facilidade, pois esta não penetrou muito fundo. O rapaz chora e reclama o tempo todo, mesmo depois de Florence já ter terminado o curativo. "Irmãzinha,[52] dói muito!" Outro chega com um ferimento bastante incomum. Também foi atingido por uma bala, mas o projétil passou por sua omoplata, dirigindo-se para o lado direito do seu corpo através do quadril e chegando à coxa direita. Um terceiro paciente,

---

51. A notável sede dos soldados feridos ocorre devido à grande perda de sangue.
52. Forma com que os russos se dirigem às enfermeiras.

também um jovem, chega coberto de sujeira, poeira e sangue coagulado. Ela começa a lavar-lhe o rosto:

"Irmãzinha", disse o paciente, tentando sorrir. "Deixe a sujeira de lado! Eu não vou a nenhuma festa." A princípio, achei que ele estava brincando comigo e já ia responder à altura quando percebi o profundo corte em sua cabeça e entendi o que ele queria dizer.

Mais tarde, ela vai visitar um dos pacientes que teve o abdômen operado. Ele está tentando se levantar para buscar água e ela precisa da ajuda de um enfermeiro para mantê-lo deitado no leito de palha. O homem começa a delirar. Ele grita que está com seus camaradas junto ao grande rio, bebendo, bebendo, bebendo.

102. SEXTA-FEIRA, 30 DE JUNHO DE 1916
Kresten Andresen faz reparos nas trincheiras no Somme

Céu azul. Calor. Mais escavações. Andresen passa mais tempo usando a pá do que o rifle ou granadas. Ele não se lamenta por isso. Ficar de sentinela na linha de frente é muito perigoso, desagradável e exaustivo. Sobretudo agora, quando os britânicos decidiram não dar trégua aos alemães e os estão mantendo a uns vinte quilômetros daqui, presumivelmente preparando um ataque importante. De vez em quando, as trincheiras são atingidas e precisam de reparos. O solo aqui é muito trabalhoso de escavar, resultando em ótimos abrigos.

O trabalho segue uma rotina. São oito horas de escavação, com um intervalo no meio para a refeição. Depois disso, estão livres para fazer o que quiserem. Uma das trincheiras em que ele está trabalhando vai até um bosque ainda com a folhagem do verão, onde há árvores derrubadas por projéteis, e segue por um córrego, através de um moinho abandonado. Eles dormem em abrigos subterrâneos, muito seguros, porém bastante apertados. As camas são tão estreitas que são obrigados a dormir de lado, e os intervalos entre as ripas tornam o sono desconfortável. Os colchões são forrados de serragem e a ventilação deixa a desejar: "Depois de ter permanecido ou dormido lá durante cinco ou seis horas, sente-se uma falta de ar semelhante à da asma. Essa sensação desaparece no momento em que saímos do abrigo e respiramos ar puro".

A saúde de Andresen não anda muito boa. Seu resfriado não passa, ele tem dores de estômago e enxaquecas. Eles assistiram a muitos duelos aéreos no céu claro de verão. Os ingleses parecem estar vencendo nesse quesito. "Há pouco tempo, o famoso aviador Immelmann[53] foi atingido aqui. Eu estava dormindo no abrigo, mas os outros viram tudo."

Como sempre, Andresen aguarda a paz, acreditando em todos os boatos. Hoje eles dizem que a guerra terminará no dia 17 de agosto. Será uma quinta-feira.

103. DOMINGO, 2 DE JULHO DE 1916
Angus Buchanan compra algumas galinhas em Kwadirema

Hoje é domingo e, pela primeira vez, o sabá é respeitado. Estão acampados há alguns dias, aguardando o abastecimento chegar, para que possam continuar a marcha. Eles têm sofrido com a escassez de comida nos últimos tempos e os homens mais uma vez têm passado fome.

Buchanan não tem nem praticado tiro de metralhadora com seus homens, tudo anda muito calmo. O problema é que, quando não há distração em um domingo como esse, as saudades de casa aumentam. Ele ficaria satisfeito se recebesse notícias de casa, o que é difícil na selva. Há semanas esperam pela chegada do correio.

O dia foi proveitoso, pois, além de poder descansar, Buchanan conseguiu fazer um bom negócio. Ele conheceu dois africanos alguns dias atrás e estes retornavam para seu vilarejo. Agora pode fazer escambo com eles e, em troca de algumas roupas, recebe farinha e treze galinhas. A satisfação dos soldados é grande com essa inesperada aquisição de alimentos. Comerão galinha no jantar. (O zoólogo dentro de Buchanan desperta de novo, apesar de nunca ter ficado adormecido, pois continua coletando plantas, ovos e pássaros. Ele cataloga

---

53. Max Immelmann, ás aéreo alemão, o segundo mais bem-sucedido na época, com dezessete vitórias em combate (o primeiro, Oswald Boelcke, teve dezoito). Foi o primeiro piloto a receber a Pour le Mérite, então a mais alta condecoração militar da Alemanha, que depois ficou conhecida como Blue Max entre os aviadores do país. Não se sabe com certeza se ele foi derrubado por balas britânicas ou por uma falha mecânica em seu avião.

tudo que encontra com o cuidado — que beira o amor — de cientista. O seu último achado, em 14 de maio, recebeu o número 163 de referência e é uma fêmea de pica-peixe, uma ave da família *Ispidina picta*.) Uma das galinhas tem uma pena branca na cabeça, o que parece raro. Ele decide mantê-la viva. Ela pode pôr ovos e talvez até se tornar um animal de estimação.

104. SEXTA-FEIRA, 7 DE JULHO DE 1916
O batalhão de René Arnaud se prepara para um retorno ao front em Verdun

A notícia vem como um choque no calor do alto verão. Serão mandados para Verdun, "a fim de preencher uma lacuna". Nenhum deles esperava ter que retornar, sobretudo depois de tantas perdas. Como resultado delas, os dois regimentos foram obrigados a se unir dessa vez. Arnaud e seus camaradas precisaram retirar o número "337" de suas lapelas e costurar no lugar o número "293". O "337" não existe mais, não após o que aconteceu em Verdun um mês atrás.

Arnaud tem feito de tudo para acalmar os homens da sua companhia, porém acha que não está conseguindo. E se sente angustiado e deprimido também. Todos parecem pensar como ele: "É possível se salvar uma vez, mas não duas". À noite, o comandante do regimento faz uma revisão dos procedimentos em um dos abrigos subterrâneos da cidadela de Verdun. O regimento retomará um pedaço de terra que foi perdido para o inimigo, entre Thiaumont e Fleury, não muito longe do local que defenderam no começo de junho. O tenente-coronel expõe seus oficiais ao mesmo tipo de discurso motivador que Arnaud já usou com seus homens, obtendo o mesmo tipo de resultado. Arnaud observa como ele está nervoso, vê a maneira como comprime os maxilares e percebe que ele não acredita nas próprias palavras. Arnaud está mais calmo, pois seu batalhão, de início, ficará na reserva.

Quando Arnaud passa pelo corredor, vê uns cinquenta homens do seu batalhão formarem uma fila fora de outra sala. Lá dentro, encontra-se o médico interino do batalhão, Bayet, um homem gordo de cabelo curto e óculos. Os homens na fila estão lá para conseguir um atestado de saúde e ser dispensados do purgatório que os espera. Todos os tipos de enfermidades serão invocados: hérnias, reumatismo, feridas mal curadas. O médico começa a suar com a tarefa de ter tantos homens à sua volta "pendurando-se nele, como se ele fosse sua boia salva-vidas". Mais tarde, Arnaud fica sabendo que muitos dos altos oficiais do batalhão fizeram a mesma coisa, declarando-se enfermos. "Para resumir, estava ocorrendo uma desintegração geral."

À noite, Arnaud vai até o médico e faz a sua própria tentativa de se declarar doente. Sentindo que age com sutileza, ele primeiro pede desculpas pelos oficiais que alegaram estar enfermos (um dos altamente condecorados), então diz que *nunca* faria o mesmo, para em seguida acrescentar que de fato sofre de um problema no coração. Ele abre a jaqueta do uniforme e pede ao médico que escute. Arnaud tem esperanças de que o médico encontre alguma coisa e o mande para a reserva. O médico ouve com atenção, dizendo que há a possibilidade de existir um sopro no coração de Arnaud. Mas é só. Sentindo-se envergonhado, Arnaud abotoa sua jaqueta: "Essa mostra de fraqueza me impediu de julgar os outros dali por diante".

Quando escurece, marcham mais uma vez, deixando a cidadela para trás. As filas de homens fortemente armados cruzam o rio e se dirigem para altitudes escuras e sua aurora incandescente. Arnaud se deita no chão, sentindo o próprio coração acelerado. "Eu estava exausto, mais moral que fisicamente. Achei que ia desmaiar, tinha até esperança de que isso aconteceria." Depois de uma longa marcha através de uma conexão estreita, chegam a um abrigo simples, cujo telhado é feito de chapa corrugada. Ele adormece ali.

De madrugada, dois dias depois, ocorre o ataque já previsto, que resulta em fracasso. As perdas são consideráveis. Um dos mortos é o próprio chefe do regimento. A unidade de Arnaud não participa diretamente do ataque e sobrevive.

105. UM DIA EM JULHO DE 1916
Rafael de Nogales vê um desertor ser fuzilado em Jerusalém

A cada dia são vistos dois ou três corpos balançando nos postes de telégrafo ou em outros lugares de punição improvisados em torno da cidade sagrada. A grande maioria dos condenados é composta por desertores árabes do Exército otomano. São o oposto de Rafael de Nogales, no sentido de que não procuraram a guerra, mas foram encontrados por ela. Eles representam a maioria silenciosa daqueles que agora usam uniforme (independente da cor dele): ao contrário de Nogales, que com avidez se permitiu ser arrebatado pela energia, pelo perigo e pelas ilusões da guerra, são homens que foram *obrigados* a se envolver nela de maneira relutante, duvidosa, compulsória, nada entusiástica e — por último mas não menos importante — silenciosa.

Não que Nogales os veja como seres inferiores, ele até entende os desertores de alguma forma. Mais uma vez o Exército otomano passa por graves problemas de abastecimento, corrupção, desvio de verbas e crime organizado. Mais uma vez a desnutrição abre as portas para enfermidades, em especial o tifo. Como a região inteira sofre com a falta de alimentos, o tifo ganhou proporções epidêmicas, e seu impacto é sentido sobretudo pelos muitos imigrantes judeus que acabaram de se mudar para cá, a quem, por causa da guerra, é negada qualquer ajuda por parte de seus países de origem. A combinação simultânea de fome e saudade de casa está transformando muitos homens das unidades árabes em desertores.[54]

A epidemia de tifo e a situação desesperadora dos suprimentos na Palestina faz com que a chamada Expedição de Paxás (uma unidade composta em parte por tropas turcas, em parte por tropas alemãs e austro-húngaras equipadas com uma considerável quantidade de artilharia, caminhões e outros equipamentos modernos) nunca faça paradas planejadas de descanso após sua longa marcha através da Ásia Menor, mas prossiga em direção ao Sinai no intenso calor. Eles participarão de uma segunda tentativa de divisão do canal de Suez.[55] Impressionado, Nogales viu as colunas de caminhões e canhões novos passarem por ele.

A causa dos constantes enforcamentos é a deserção, mas o efeito tem sido insignificante. (Segundo Nogales, o comandante otomano está tentando tratar de uma doença que ele mesmo ajudou a criar, pois é suspeito de estar envolvido na fraude que deixou os soldados sem alimentos.) Por essa razão, o comandante decidiu que o próximo desertor será executado em público, morrendo sob os olhares de seus camaradas, na guarnição de Jerusalém.

A execução acontecerá hoje.

54. Muitos deles pertenciam a batalhões de trabalho uniformizados, mas não armados, usados, por exemplo, para cavar trincheiras e cuidar da conservação das estradas.
55. Assim como a primeira, essa também fracassou.

O condenado é um desertor árabe, um imã.

Uma longa procissão caminha à sombra dos telhados e cúpulas da cidade sagrada. À frente, a banda militar toca a "Marcha fúnebre", de Chopin, sendo seguida de um grupo de militares e civis. Logo depois vem o condenado à morte, muito bem vestido, de turbante branco e um *caftan* de tecido vermelho. Atrás dele, segue o pelotão de fuzilamento. E, por fim, a guarnição de Jerusalém — ou grande parte desta —, na qual se inclui Rafael de Nogales.

A procissão se alinha junto a um pequeno monte, coroado por uma estaca fincada no chão. Enquanto a sentença de morte é lida em voz alta, Nogales observa com curiosidade o homem que está prestes a ser morto. Ele parece "importar-se muito pouco com seu esperado destino, fumando tranquilo seu *cheroot*, com aquele desprezo pela morte que caracteriza o muçulmano". Depois de escutar a leitura, o homem se senta sobre um tapete, de pernas cruzadas, em frente a outro imã, que deve ser o sacerdote que lhe dará conforto espiritual, mas o conforto espiritual sai do controle quando os dois se entregam a um debate teológico cada vez mais animado que ameaça acabar em briga de socos.

O condenado é obrigado a ficar de pé e é preso à estaca. Seus olhos são cobertos. Durante todo o procedimento, ele continua fumando, tranquilo. À ordem de "preparar", o pelotão de fuzilamento ergue as armas, apontando para o alvo, e o homem rapidamente leva seu *cheroot* aos lábios. Em seguida, os tons de vermelho do *caftan* e do sangue do condenado se misturam e ele cai morto, "a mão presa à boca por uma bala".

106. QUINTA-FEIRA, 20 DE JULHO DE 1916
Olive King distribui roupas em Salônica

Já refrescou um pouco. Há nove sacos cheios no depósito de roupas, e Olive King aguarda com impaciência. Nos sacos há roupas, equipamentos e pertences pessoais de nove pacientes, que serão transferidos de navio para fora de Salônica. A tarefa dela é entregar os pertences aos donos, mas nenhum deles apareceu ainda. Ela também quer tomar um banho de mar antes que os portões do campo se fechem. Olive se cansa de esperar e vai até a enfermaria, onde estão os nove pacientes, e lhes pede que se apressem. Ela distribui os sacos entre eles.

Um dos pacientes diz que esses não são os seus pertences. Junto com ele, Olive King começa a procurar entre os sacos.

Nada de banho de mar para ela essa noite.

Ela acaba escrevendo uma carta a seu pai, contando algo que guarda como "um grande segredo" — o fato de não ter mais cabelo comprido:

> Cortei o cabelo quando chegamos aqui (esta é a razão pela qual nunca mais lhe enviei fotos minhas). O cabelo curto é uma bênção para mim, está sempre arrumado, confortável e não me faz perder tempo. Caiu-me muito bem. O meu cabelo é tão grosso e é ótimo não tê-lo entrando nos olhos quando estou dirigindo. Logo que o cortei, me perguntei por que não fiz isso antes.

O Exército Oriental de Sarrail ainda permanece em Salônica, apesar da neutralidade grega e do fato de não ganhar nada com a operação toda. A populosa cidade possui agora uma fortificação tão poderosa como a encontrada na Frente Ocidental.[56] Em outras palavras, trégua. Verdadeiros combates estão ocorrendo na Macedônia. Os soldados britânicos deram vários apelidos pejorativos para o país, devido à sujeira e à lama. Lá faz mais calor agora do que aqui na costa. As enfermidades são muitas, sobretudo a malária e a dengue. As perdas no campo de batalha são insignificantes.

Olive King está pensando em se alistar no Exército sérvio. Já se cansou de todas as tarefas insignificantes, da longa espera e da inércia organizada no enclave fortificado em que Salônica se transformou. Olive também descobriu que as enfermeiras em geral e a sua nova supervisora odeiam as mulheres que trabalham como voluntárias. Além disso, "já estava farta da disciplina entre as mulheres, ou a falta dela". Quer trabalhar em uma organização militar de verdade. Há também outro fator considerável em sua decisão, o charmoso oficial sérvio que ela conheceu. Grande parte do que resta do Exército sérvio foi transportada de Corfu para Salônica.

56. Questionado sobre o que o Exército Oriental fazia lá, o ex-primeiro-ministro francês Georges Clemenceau respondeu: "Cavam! Deixem que fiquem conhecidos na França e na Europa como os jardineiros de Salônica". Pode-se mencionar também que Sarrail gastou mais energia se intrometendo na política grega do que combatendo as Potências Centrais do outro lado da fronteira, e que Clemenceau retornou ao gabinete em 1917.

As noites podem ser agradáveis, se não há muito vento e ele não enche o ar de poeira. Olive lê ou escreve cartas. Às vezes, ela e alguns amigos recolhem tartarugas e organizam uma corrida entre elas. Em outras ocasiões saem do campo, às escondidas, por baixo da cerca e vão a um pequeno café nas proximidades. O café costuma estar vazio e bebem *lemon squash*[57] e dançam horas seguidas ao som do gramofone de manivela. Lá há dois discos: *Dollar Princess* e *La Paloma*, que são tocados inúmeras vezes.

107. QUINTA-FEIRA, 27 DE JULHO DE 1916
Michel Corday janta no restaurante Maxim's em Paris

O clima está muito agradável nesse verão em Paris. Há sempre muitos clientes nos cafés da cidade, é quase impossível conseguir uma mesinha vaga na calçada. A cada domingo, o trem local, que leva até o campo, fica lotado de pessoas que saem a passeio. Nas ruas, muitas jovens vestidas de branco, andando de bicicleta. Dificilmente se encontram vagas nos hotéis ao longo da costa do Atlântico.

Michel Corday e um conhecido seu conseguiram uma mesa no Maxim's, próximo aos Champs-Élysées. Dessa vez ele também se surpreende com o contraste entre o que vê e o que sabe a respeito do que está acontecendo nesse momento na Europa. A guerra parece estar muito distante. O restaurante é bem conhecido por sua culinária refinada e pelo seu estilo de decoração art noveau, o que o transformou em uma espécie de máquina do tempo nos dias de hoje, como uma lembrança de dias melhores, uma promessa de futuro, fazendo com que se esqueça da realidade. A guerra *está* longe, porém sente-se a sua presença, embora as pessoas prefiram se calar sobre a maneira como ela se manifesta aqui — através de álcool e sexo, ou, talvez com mais precisão, embriaguez e luxúria.

O restaurante está cheio de homens uniformizados, dos mais diversos graus e de diferentes nacionalidades. Há alguns rostos conhecidos, como o au-

---

57. Uma mistura de suco de limão e soda mineral, ou soda limonada. Outros coquetéis populares durante a guerra eram o Sidecar, à base de conhaque, e o quase esquecido 75, que recebeu seu nome em homenagem a um canhão e era feito de gim.

tor de vaudeville Georges Feydeau e o professor e pintor François Flameng, cujas aquarelas podem ser apreciadas em quase todos os números da revista *L'Illustration*. (Flameng é um desses civis que não conseguem escapar da influência militar e criou o seu próprio estilo de uniforme. Hoje ele está trajando boina e jaqueta de cor cáqui, com fivelas sobre o peito e perneiras.) Há também muitas mulheres no restaurante, sendo a maior parte formada por prostitutas, que atendem clientes da classe alta.

A quantidade de bebida alcoólica consumida nessa noite no Maxim's é colossal. Alguns pilotos, sem jantar, consomem apenas champanhe. O nível de embriaguez no local atinge o grau máximo. Pequenos incidentes, que antes da guerra chamariam a atenção causando ao redor um silêncio constrangedor ou seriam alvo de reprimendas, são tolerados agora. Corday observa alguns oficiais britânicos tão bêbados que mal conseguem se manter em pé. Um dos homens tenta colocar a boina na cabeça, mas erra o alvo, o que logo vira motivo de risadas entre os outros. Dois outros oficiais embriagados, cada um sentado à sua mesa, ofendem-se e gritam um com o outro nesse local tão refinado. Ninguém parece se importar com a cena.

A prática da prostituição ocorre à vista de todos. Quando algum cliente deseja contratar os serviços de uma prostituta, basta entrar em contato com um dos gerentes do restaurante, que logo o atende. Corday ouve um deles dizer: "Pronto para o serviço hoje à noite". Em seguida, fornece o preço, o endereço, o número do quarto, se fica à direita ou à esquerda, e menciona "as condições de higiene".

Mesmo na França, onde existe um sistema de bordéis legalizados há bastante tempo, a guerra fez aumentar de maneira considerável o comércio sexual. O motivo principal é a demanda, ao mesmo tempo que as autoridades, encorajadas pelos militares, não dão grande importância ao problema. Milhares de soldados chegam a Paris todos os dias, o que leva prostitutas de todo o país a virem para cá. As prisões por prática ilegal da prostituição aumentaram em 40%.

Também houve um aumento significativo na taxa de doenças sexualmente transmissíveis, como a sífilis.[58] Muitos exércitos distribuem preservativos para os soldados que saem de licença.[59] Não que isso ajude muito. Surpreendente-

---

58. Uma pessoa a ter sido vitimada pela enfermidade antes do final da guerra foi um dos ilustres clientes do restaurante nessa noite, Georges Feydeau.

59. No Exército austro-húngaro, os soldados contaminados por alguma doença sexualmente trans-

mente, há quem nada faça para evitar as doenças venéreas. As prostitutas infectadas ganham melhor que as de boa saúde, pois atraem soldados dispostos a adquirir uma doença que os leve a ser dispensados de lutar no front. O lado mais grotesco da situação pode ser visto no comércio de secreção de gonorreia. Os soldados compram a secreção e a esfregam em seus órgãos genitais com a esperança de irem parar no hospital.[60] Os mais desesperados a aplicam até nos olhos, o que resulta em cegueira permanente.

Até as prostitutas colaboram nessa época de guerra. Antes, os bordéis recebiam refugiados que não tinham para onde ir, e Corday agora desconfia que as prostitutas de alto nível que estão no Maxim's esta noite têm um protegido. Por razões patrióticas elas "adotam" um soldado, o que significa que lhe prestam todos os serviços sexuais sem nada cobrar durante a licença dele.

Os clientes continuam se embriagando no restaurante. Ouvem-se gritos, risadas, barulho de vidro, estouros de champanhe. Um oficial, muito bem vestido em seu elegante uniforme, grita: "Abaixo os civis!".

No mesmo dia, Florence Farmborough escreve em seu diário sobre um jovem oficial ferido, que ela acompanhou até a morte:

Era muito penoso para nós ficar expostos ao terrível cheiro de putrefação desse tipo de gangrena que o oficial tinha, mas sabíamos que o seu fim estava próximo. Antes de a morte chegar para libertá-lo, ele ficou mais tranquilo — tinha voltado pra casa, para junto das pessoas queridas. De repente, segurou o meu braço e gritou: "Eu sabia que você viria! Elena, minha amada, eu sabia que você viria!". Compreendi que ele, em seu delírio febril, havia me confundido com a sua amada.

---

missível eram punidos. Tentou-se baixar o índice de contaminação através do controle de saúde das prostitutas. (Uma das primeiras medidas tomadas pelos alemães ao invadirem Varsóvia em agosto de 1915 foi o registro e controle de mulheres que praticavam "fornicação remunerada".) Ainda assim, dos soldados canadenses que estiveram na França no ano anterior, 22% sofriam de alguma doença venérea, e dos soldados aliados que visitaram a capital no verão de 1917, 20% voltaram contaminados.

60. O mesmo motivo estava por trás do repugnante comércio de secreção expelida por pessoas portadoras de tuberculose.

Eu me debrucei sobre ele, beijando seu rosto úmido e quente. O oficial se acalmou. Enquanto ele ainda se encontrava nesse estado de tranquilidade, a morte o levou.

108. DOMINGO, 6 DE AGOSTO DE 1916
Elfriede Kuhr toca piano em uma festinha em Schneidemühl

São tempos confusos. Terror e empolgação. Sofrimento e sedução. Agonia e felicidade. O mundo está mudando e ela está mudando com ele, nos dois casos como resultado dos acontecimentos e quase que de maneira independente destes. Rodas se movem dentro de rodas, às vezes em direções opostas, mas ainda como parte da mesma unidade.

Outrora, muitos consideravam a guerra uma promessa, uma oportunidade de desenvolvimento do ser humano e da cultura, uma possibilidade de acabar com as preocupações e a desintegração que eram discerníveis em toda a Europa antes do conflito.[61] Mas as guerras agora representam, de uma vez por todas, os fenômenos paradoxais e profundamente irônicos que muitas vezes transformam o que se quer preservar, promovem o que se quer evitar e destroem o que se quer proteger.

O fenômeno que foi conhecido como "desintegração perigosa" tende a ir de encontro às belas expectativas de 1914 e sair do controle. Muitos se preocupam com o contato cada vez mais liberal entre pessoas do sexo oposto e com o aumento da falta de moral sexual. A razão dessa decadência é atribuída ao fato de que muitas mulheres, como a avó e a mãe de Elfriede, são obrigadas a fazer o trabalho dos homens — homens que agora trajam uniforme. O que elas fazem é uma grande contribuição para a guerra e para seu país, mas não é difícil encontrar aqueles que discordam disso e dizem que, a longo prazo, a "masculinização" dessas mulheres acabará com a moral e os bons costumes nacionais.[62] A longa ausência masculina também seria a causa do aumento de fenômenos

---

61. O marechal de campo inglês na época, Lord Roberts, por exemplo, dizia que a guerra seria um antídoto contra "o grande apodrecimento humano que impera em nossas cidades industriais". Lembremos, também, que em 1914 Thomas Mann teve esperança de que a guerra tornaria a cultura alemã "mais livre e melhor". Para mais exemplos da guerra como esperança, promessa e libertação, consultar Ljunggren, 2004.

62. Pode-se fazer a interessante comparação disso com o caso dos soldados que, devido às suas

antes proibidos, como o onanismo, a homossexualidade e as relações extraconjugais.[63] (Assim como na França, a prostituição e os casos de doenças venéreas aumentaram muito na Alemanha.) Outros culpam os fluxos contínuos de homens uniformizados, em excesso e sexualmente ativos, em certos lugares espalhados por todo o país, ao mesmo tempo que os maridos se encontram ausentes ou não têm energia para vigiar suas mulheres. Sobretudo das guarnições chegam notícias de concepções fora do matrimônio e abortos ilegais. Schneidemühl não é exceção. Na cidade há um regimento de infantaria e a conhecida fábrica Albatros,[64] que produz aviões de guerra, atraindo muitos jovens pilotos em busca de treinamento.[65]

Até hoje, Elfriede observou esse fenômeno a certa distância — com muita curiosidade, confusão e cautela. Uma menina de treze anos foi expulsa da escola depois que um soldado a engravidou. E a mãe de Elfriede, durante uma visita a Schneidemühl, disse: "Agora há uma elegância em vocês que não fica nada a dever ao que se vê na Kurfürstendamm em Berlim". Elfriede acha que sabe a razão: "É devido ao grande número de oficiais do 134º Batalhão de Reserva ou do Primeiro e Segundo Esquadrão Aéreo de Reserva. Por causa deles, as mulheres e meninas gastam muito tempo para ficar bonitas".

Moças jovens são vistas com frequência em companhia dos soldados, namorando. Há também mulheres adultas que, por sentirem "compaixão por aqueles que podem ser feridos ou mortos no front", envolvem-se em relações amorosas pouco duradouras. É óbvio que o sentimento de proximidade da morte e o número de falecidos ajudaram a deixar as regras morais mais flexíveis.[66] Elfriede ainda não se envolveu com ninguém, mas já reparou no jeito

---

experiências no front, sofriam um colapso e eram considerados "histéricos", sendo esse tipo de comportamento tido como uma "feminização".

63. Um jornal alemão publicou no ano anterior o depoimento de um proprietário de cinema que, durante um intervalo, avisara a todos os espectadores que um homem de uniforme estaria ali para surpreender a esposa com seu amante. Para evitar um escândalo, ele havia indicado a saída de emergência. Na escuridão do cinema, 320 casais aproveitaram para sair discretamente do local.

64. O nome da empresa e o tipo de avião são escritos com a letra "s".

65. Biplanos que se acidentavam no ar ou que faziam aterrissagens de emergência eram vistos com frequência na área, mesmo no centro da cidade. E Elfriede sabia que os acidentes fatais não eram incomuns. Todas as semanas ela via algum cortejo fúnebre, ou para o cemitério de guerra na floresta ou para a estação ferroviária, onde os caixões eram depositados nos trens.

66. Citando Frederic Manning: "Na trêmula recusa da morte, volta-se instintivamente para o

como os soldados falam com ela, de maneira diferente agora. Ela acha que é porque começou a vestir saias e tem usado o cabelo preso, como uma adulta.

A irmã mais velha de uma colega sua da escola costuma organizar festinhas, para as quais convida jovens aviadores. São oferecidos café e biscoitos. Enquanto Elfriede toca piano, os pares conversam e até se beijam. Para a garota, isso tem sido uma brincadeira emocionante, na qual ela finge ser "o tenente Von Yellenic", um personagem que ela interpreta quando brincam de guerra, que costuma tocar piano para seus amigos oficiais "exatamente como em um romance de Tolstói".

Quando ela chega para a festinha de hoje, topa com um jovem piloto loiro e de olhos azuis na escada:

> Ele olhou para mim, me cumprimentou e perguntou se eu "era uma das convidadas".[67] Respondi que era apenas aquela que tocava piano. Ele respondeu: "Eu entendo. Que pena". "Por que é uma pena?", perguntei. Ele apenas riu de mim e desapareceu sala adentro.

109. TERÇA-FEIRA, 8 DE AGOSTO DE 1916
Kresten Andresen desaparece no Somme

O sol desapareceu. Apenas neblina e névoa. A linha de frente pouco se movimentou desde meados de julho, mas os combates continuam a acontecer. A paisagem está estranhamente desbotada. Todas as cores, inclusive o verde, sumiram, e a tempestade de granadas transforma tudo em um marrom-acinzentado.[68] Dos dois lados, as peças de artilharia se encontram muito próximas e atiram dia e noite, sem interrupções. Hoje, os britânicos estão atacando o vilarejo de Guillemont. Após semanas de bombardeio ele se reduziu a amontoados de pedras, vigas e lixo. Nos mapas militares britânicos, o local não é

---

amor como um ato que parece afirmar a completude do ser".

67. As palavras usadas no diário são "*mit von der Partie*".

68. Esse foi outro aspecto em que a guerra não correspondeu às várias expectativas estéticas românticas de antes do conflito: tudo ficou sem cor. A guerra não era apenas cinzenta em suas rotinas, mas também em seu colorido.

considerado um vilarejo, e sim *uma importante posição*. Essa posição deve ser ocupada, não para romper a linha alemã, mas para abrir espaço para manobras. (Há mais motivos por trás do ataque britânico. Seu soberano no momento está visitando as suas tropas na França, e o general Douglas Haig, o comandante--chefe, quer receber sua majestade com uma pequena vitória.)[69]

O ataque britânico foi bem planejado. Novas trincheiras foram escavadas, mais perto da floresta de Trônes, para que os soldados da infantaria tenham sua posição de partida o mais próximo possível das linhas alemãs. A 55ª Divisão, que é muito experiente, foi escolhida para iniciar o ataque. O bombardeio preliminar foi tão prolongado quanto impiedoso.

Um dos soldados alemães que sairá ferido nesse ataque é Kresten Andresen.

Seu regimento serviu de reforço para as seções mais fragilizadas no Somme. Ao lado de Guillemont fica Longueval, em seguida vem a floresta de Delville e, depois, Martinpuich, Pozières, Thiepval, Beaucort e Beaumont Hamel. Todos esses lugares já eram conhecidos através dos comunicados do Exército, no mês passado. Agora estão rodeados pelo cheiro de cadáveres e esperanças perdidas. Há dois dias, Andresen escreveu a seus pais: "Espero que já tenha cumprido minha missão aqui, pelo menos no momento. O que acontecerá no futuro nunca se sabe. Mesmo que fôssemos transferidos para um lugar no meio do oceano, não seria pior do que este onde estamos agora".

As perdas foram grandes, inclusive entre seus amigos dinamarqueses. A maioria, vítima do contínuo fogo da artilharia:

Peter Ostergaard, meu querido amigo, morreu — não consigo entender por quê. Quantos sacrifícios estão sendo exigidos de nós. Rasmus Nissen está com ferimentos graves nas pernas. Jans Skau perdeu as pernas e está ferido no peito. Jens Christensen, de Lundgaardsmark, está ferido. Johannes Hansen, de Lintrup, gravemente ferido. Jorgen Lenger, de Smedeby, ferido também. Asmus Jessen, de

---

69. A decisão dos britânicos de atacar no Somme não teve nada a ver com a importância estratégica da região (ela era nula), mas apenas por ser o lugar onde os fronts britânicos e franceses se encontravam e a ofensiva foi planejada como uma cooperação entre as duas nações. A principal linha de defesa alemã ficava onde se localiza hoje o cemitério britânico Guillemont Road, próximo do vilarejo reconstruído.

Aarslev, ferido. Não há mais ninguém aqui. Iskov, Laursen Norregaard e Karl Hansen — todos se foram e sou um dos únicos que restaram por aqui.

O ataque foi terrível. Granadas de todos os calibres: dezoito, 28, 38 centímetros. Quando uma granada de 38 centímetros é detonada, escreve Andresen, é como "dar de cara com um monstro das sagas". Tudo fica escuro e em silêncio de repente. Após alguns segundos, a poeira e a fumaça começam a se dissipar e é possível enxergar um pouco. Em seguida, outra granada. Certa ocasião, atiraram em uma trincheira que não possuía abrigo.[70] Ele e os outros soldados nada mais puderam fazer a não ser ficar lá sentados, cabeça abaixada contra os joelhos, agarrados em suas mochilas numa patética tentativa de proteger o peito e a barriga. Em uma de suas últimas cartas ele escreveu: "Havia certa poesia envolvida no início da guerra. Agora não há mais".

Kresten Andresen se encontra agora na linha de frente. Ele tentou ver o lado positivo de tudo o que está acontecendo e até encontrou alguma coisa. Em uma conversa com um dinamarquês de outra companhia alguns dias atrás, ele disse: "Podemos ser aprisionados com facilidade". Talvez seja essa a sua esperança quando os soldados da 55ª Divisão saem das suas trincheiras a cem metros de distância deles.

A investida contra o lugar que os soldados ingleses chamam de "Gillymong" lembra muito bem os outros desajeitados ataques deles no Somme.

A artilharia britânica usa uma tática que funciona da seguinte maneira: seus soldados avançam a pé, encobertos por uma cortina de fumaça que tem o objetivo de manter os alemães em seus abrigos até o último segundo. Na prática, e como de hábito, os soldados da artilharia seguem o seu horário preestabelecido, o que significa que avançam determinada distância, de acordo com a hora marcada para isso.[71] Quando há uma pausa entre as explosões, os soldados correm em di-

---

70. Esse tipo de trincheira não se destinava a ser uma proteção durante as batalhas, era usado apenas para deslocamento das tropas.

71. As tropas britânicas possuíam equipamentos para verificar onde os vértices de ataque se encontravam. Nesse dia, por exemplo, os soldados da infantaria levavam pequenos pedaços de metal polido nas costas — ao sol, eles emitiriam pequenos flashes, indicando a posição dos homens. O problema foi que 8 de agosto foi um dia muito nublado, e quando a névoa baixou, junto com a poeira e a fumaça do ataque, ficou impossível ver o que estava acontecendo.

reção ao fogo alemão[72] — e até contra seus próprios camaradas, pois sob a fumaça e confusão os dois batalhões britânicos acabam lutando um com o outro. Aqueles que conseguem ir adiante caem sob o fogo cruzado das metralhadoras alemãs escondidas em um buraco na parede logo em frente ao vilarejo.

Alguns grupos isolados conseguem chegar até as trincheiras alemãs, na área periférica do que uma vez foi Guillemont. Lá tem lugar uma caótica luta corpo a corpo.

Kresten Andresen ainda está vivo no meio do dia.

À tarde, unidades alemãs contra-atacam. Elas conhecem bem o terreno, logo recuperam o que foi perdido e vencem os britânicos. (Dez oficiais e 374 soldados são feitos prisioneiros.) Em uma trincheira, encontram um ferido pertencente à companhia de Andresen. Quando foi alvejado, o homem se escondeu em um abrigo, pois ouviu dizer que os britânicos costumam matar os feridos. Contudo, ele viu britânicos levarem prisioneiros alemães consigo para suas próprias linhas.

O número de desaparecidos da Primeira Companhia chega a 29, e esses soldados não são encontrados entre os mortos e os feridos. Kresten Andresen é um deles.

Nunca mais se saberá dele.

Seu destino é desconhecido.[73]

---

72. A artilharia alemã era, em termos gerais, mais mortal que a dos adversários, pois não costumava explodir os fortes inimigos. Ela bombardeava as tropas que estavam preparadas para o ataque para depois detonar as granadas em terra de ninguém. Henri Barbusse, em seu famoso livro *Le Feu*, explica em um capítulo o que significava se movimentar através de uma parede de detonações.

73. Nesse lugar, os caminhos de um dos combatentes esquecidos da guerra e um dos seus participantes mais famosos quase se cruzaram. Em 24 de agosto, o tenente Ernst Jünger e o seu 73º Regimento de Fuzileiros se dirigiram a Guillemont. Ele escreveu sobre o acontecimento de maneira brilhante em suas memórias de guerra *In Stahlgewittern*. O vilarejo se encontrava destruído por ocasião de sua chegada: "Apenas uma mancha esbranquiçada marcava a existência anterior de habitações que haviam sido transformadas em pó, naquele campo formado por crateras". O cheiro de putrefação era insuportável e havia milhões de moscas zunindo. Até Jünger, considerado um homem frio, ficou sensibilizado com o que presenciou: "O lugar da batalha era um local horrendo. Quando começamos a cavar, vimos que havia homens, uns sobre os outros. Companhia após companhia haviam sido eliminadas, enquanto tentavam se defender. Os corpos tinham sido soterrados quando os projéteis atingiram as trincheiras".

110. DOMINGO, 13 DE AGOSTO DE 1916
Florence Farmborough observa um campo de batalha no rio Dniester

A paisagem diante de seus olhos é magnífica. Dos dois lados se estendem montanhas sinuosas cobertas de florestas. À sua frente há uma planície ondulada e ao longe ficam os Cárpatos, emoldurados por seus cumes dramáticos. Quando a coluna se aproxima do que ontem foi um campo de batalha, a paisagem idílica se transforma em pesadelo. Eles passam por baterias recém-abandonadas; atravessam vilarejos tão arruinados por granadas e dissecados por uma rede de trincheiras que o que resta deles são apenas pilhas de pedras e madeira; veem crateras enegrecidas imensas, cheias de buracos. O tamanho de uma cratera depende do calibre da granada. Uma granada comum de sete ou oito centímetros deixa um buraco de menos de um metro, ao passo que as de 42 centímetros fazem uma cratera doze vezes maior, ou mais.

Eles fazem uma parada em uma colina. No dia anterior, esse mesmo lugar foi o ponto de defesa dos austro-húngaros. Hoje é apenas um amontoado de arame farpado e trincheiras desabando. Os corpos dos inimigos mortos ainda estão na área. São mortos recentes que, apesar do calor do verão, ainda não entraram em estado de decomposição, dando a impressão de estar vivos. Em uma trincheira, ela vê três homens, um ao lado do outro. A maneira como os seus membros estão posicionados revela que já não vivem mais. Ela observa o cadáver de um soldado inimigo, deitado em uma trincheira. O seu rosto está preservado, ainda não empalideceu, como costuma acontecer com os mortos. Florence pensa, assim como muitos outros, no lado menos dramático da morte: "Ele parecia estar descansando".

Eles retornam às suas carroças e a viagem continua. Logo eles entendem as dimensões do combate de ontem. O que era um campo de batalha se transforma em vários, e eles chegam a lugares onde os corpos dos soldados russos mortos ainda não foram retirados.

Os mortos ainda estavam lá, seus corpos no mesmo lugar e posição de quando haviam morrido. Encolhidos, esticados, com os rostos no chão. Austríacos e russos, lado a lado. Corpos mutilados manchando o solo. Um austríaco tivera a perna amputada e seu rosto estava enegrecido e inchado. Outro tinha o rosto mutilado, uma visão horrível. Um soldado russo, pendurado no arame farpado, estava com as pernas dobradas sob o corpo. Moscas infestavam as feridas abertas e cheias de vermes. Ainda bem que Anna e Ekaterina me acompanhavam. Até elas estavam caladas, abaladas com o cenário tanto quanto eu. Esses "amontoados", poucas horas antes, tinham sido seres humanos, de carne e osso. Homens jovens, fortes, cheios de vida. A vida é demasiadamente frágil.

Esses corpos mutilados são, em si, uma realidade e também uma prova do que a guerra pode fazer com as expectativas e esperanças das pessoas e do Velho Mundo. A guerra começou como uma tentativa de preservar a Europa do jeito que sempre foi, de manter o seu status quo, mas já realizou tamanhas mudanças no continente que ninguém jamais poderia imaginar, nem nos seus piores pesadelos. A grande verdade mais uma vez se manifestou. Há quem tenha afirmado que a guerra, mais cedo ou mais tarde, se torna incontrolável e antiprodutiva devido aos anseios da sociedade e sua tendência de tudo sacrificar pela vitória. Raras vezes esse sentimento se mostrou mais verdadeiro do que agora, pois os governantes, involuntariamente e sem planejamento, permitiram que o nacionalismo extremado, a revolução social e as perseguições religiosas se espalhem. (Sem mencionar um grotesco sentimento de culpa que está enfraquecendo a economia em todos os países envolvidos.) Florence Farmborough, muito afetada pelos acontecimentos, encontra consolo em sua fé: "Devemos crer e confiar na misericórdia divina, pois de outro modo essas experiências horríveis devastariam as nossas mentes e encheriam os nossos corações de desespero".

Mais tarde, quando fazem uma pausa, dessa vez para montar acampamento, percebem que ainda estão rodeados de corpos. As horas se passaram e o processo de decomposição dos cadáveres teve início. Sente-se o odor deles no ar, e a quantidade de moscas é indescritível. Os homens da unidade parecem não se importar com os corpos ou fingem não se incomodar com sua presença, veem a situação apenas como um problema higiênico. Florence e as outras enfermeiras sentem-se muito afetadas quando chega a hora do jantar. Logo atrás de sua barraca, há um morto meio soterrado pela terra atirada para cima pela explosão de uma granada. Sua cabeça está bem visível. Uma das enfermeiras vai até lá e o cobre com um pedaço de pano. Um pouco mais tarde, Florence toma coragem e pega sua máquina fotográfica para retratar os inúmeros corpos inimigos. Ela tira apenas duas fotos, pois é pega por um sentimento de vergonha. Com que direito está fazendo isso? Há não muito tempo, ela largou seus afazeres para dar um jeito de ver seu primeiro cadáver; há não muito tempo, ela "queria ver a morte".

E o dia prossegue, com a morte sempre presente.

Algumas horas mais tarde, sem nada para fazer e sem conseguir controlar seus impulsos, Florence sai para mais uma missão de exploração da área. Ela passa por um vilarejo arrasado pela artilharia russa ("Meu Deus, ajude os seus habitantes!"), por uma vala comum malcheirosa, chegando ao ponto final lógico do processo todo, um pequeno e bonito cemitério, já antigo. Ela sabe que o Exército austro-húngaro investe muito tempo e trabalho em seus cemitérios, tratando inclusive seus inimigos mortos com muito respeito. O local é cercado, onde se entra através de um portão de ferro muito bonito, ornamentado com uma cruz de madeira e dizeres em alemão: "Aqui descansam os heróis mortos em combate por sua pátria". E a palavra "heróis" se refere a mortos de todas as nacionalidades, uma vez que ao lado de soldados austro-húngaros há também russos e alemães sepultados. Um soldado judeu teve seu túmulo decorado com a estrela de davi.

Na hora do jantar, recebem boas notícias. Eles têm conhecimento dos grandes problemas das operações no norte, mas puderam ver, com os próprios olhos, que aqui no sul a grande ofensiva continua. Ficam sabendo, o que os deixa contentes, da rápida retirada das tropas austro-húngaras, e a tal velocidade que os russos perderam o contato com elas. O inimigo parece enfrentar um caos total e eles ficam cheios de novas esperanças. Sem o Exército austro-húngaro, a Alemanha terá dificuldades de continuar lutando e o Exército italiano poderá, sem resistência, prosseguir com a sua invasão de dupla monarquia.[74]

Florence ouve falar também de algo que a deixa particularmente alegre. Um dos países que se envolveram na guerra há pouco mais de um ano foi a Pérsia, invadida por tropas britânicas e russas.[75] Desde então há muitos combates acontecendo lá. Nessa noite, alguém lhe conta que uma das pessoas que têm

---

74. Quatro dias antes, o Exército italiano, depois de muitos esforços e perdas, conseguira conquistar a cidade austríaca de Görz, perto do Isonzo, chamando-a de Gorizia; este nome permanece até os dias de hoje.

75. Esse fraco e instável país era, já em 1914, uma espécie de joguete nas mãos dos imperialismos russo e britânico, que haviam dividido o país em zonas de interesse. A eclosão da guerra piorou tudo. Após alguns meses, as tropas britânicas ocuparam um importante ponto de conexão na costa persa, algo que a Alemanha combateu com intensiva propaganda. Quando o Exército persa,

feito de tudo para restaurar a ordem na Pérsia é um inglês, o general de brigada de nome Percy Sykes.[76] Florence se sente orgulhosa por ser da mesma nacionalidade do militar.

O dia termina com um sorriso, apesar de todas as atrocidades vistas. O sol se põe, ela se recolhe à sua barraca e o ar da noite carrega o cheiro de milhares de heróis em decomposição.

Nesse mesmo dia, Angus Buchanan encontra-se próximo a um córrego, onde a sua coluna segue o curso para sudoeste, perseguindo um inimigo em retirada, que destrói todas as pontes por onde passa. Ele escreve:

> Chegamos agora aos pântanos insalubres, onde o ar é pesado, úmido e cheio de insetos. No restante do dia e nos dois dias seguintes, construímos, sob nuvens de insetos ferozes, uma ponte entre as duas margens altas do rio. No final do terceiro dia, tive febre alta, o que fez com que eu não tivesse mais energia para continuar com o trabalho.

111. TERÇA-FEIRA, 29 DE AGOSTO DE 1916
Andrei Lobanov-Rostovski quase participa da ofensiva Brusilov

O que pôs sua vida em jogo e lhe proporcionou aquela que foi talvez a pior experiência durante os seus anos no front teve início com uma brincadeira de mau gosto. Na segunda-feira, receberam a notícia de que a Romênia se uniu aos

---

treinado e liderado por oficiais suecos, se colocou sob controle alemão, em novembro do ano anterior, o resultado foi uma imediata invasão russa. Uma divisão russa logo chegaria a Teerã.

76. O militar Sir Percy Sykes não deve ser confundido com o político (e ex-soldado) Sir Mark Sykes, que, com o diplomata francês François Georges-Picot, chegou a um acordo secreto (o acordo Sykes-Picot) no começo do ano. Segundo o acordo, os seus respectivos governos concordavam em dividir o Império Otomano depois da guerra, deixando uma grande parte do território sob o controle da Rússia, Grã-Bretanha e França. Entre outras decisões, a Mesopotâmia pertenceria aos ingleses, o Líbano aos franceses e a Armênia aos russos. *A war to end all wars, indeed* [Uma guerra para acabar com todas as guerras, na verdade]. O resultado de tudo isso — como todos sabemos a que custo — foi (para tomar emprestado o título de um livro de David Fromkin) *a peace to end all peace* [uma paz para acabar com todas as pazes].

Aliados e declarou guerra às Potências Centrais. Parecia ser uma boa notícia[77] e alguns na companhia, como Lobanov-Rostovski, não resistiram à tentação de esfregá-la no nariz do inimigo. Ergueram uma placa grande, em alemão, informando os adversários nas trincheiras em frente sobre a nova união.

Os alemães a princípio nem reagiram. Quando Lobanov-Rostovski voltou ao seu posto no front, na terça-feira à noite, tudo continuava tranquilo. Mais tranquilo que o normal. Nada se ouvia das metralhadoras e, pela primeira vez em muito tempo, o céu noturno não era riscado pelos sinalizadores de cores verde, vermelho e branco.

Apesar da quietude, e talvez justo por essa razão, ele fica nervoso. Apanha o telefone e faz uma ligação para o posto de comando. Pergunta que horas são. Recebe como resposta: "Onze e 55".

Cinco minutos depois, começa o inferno. Pontualidade alemã.

A calma não era uma simples ilusão. Ele e o resto da divisão se encontram perto do rio Stokhod, onde a linha de frente se estabilizou após a bem-sucedida ofensiva russa no verão, que leva o nome de Alexei Brusilov, o seu inteligente e nada ortodoxo planejador e líder. A ofensiva começou no início de junho e vem ocorrendo em etapas ao longo do verão. As forças russas ganharam uma grande quantidade de terreno, algo que não era visto desde o outono de 1914 (alguns regimentos se encontram nos Cárpatos, uma ameaça direta à Hungria), além de ter causado perdas imensas para o Exército austro-húngaro, que está à beira de um colapso.

Na verdade, o que Brusilov e seu grupo conquistaram é algo praticamente impossível, pois não eram em número maior de soldados nem possuíam mais

---

77. Não era uma boa notícia. A entrada da Romênia na guerra se tornou um peso para os Aliados, pois a Rússia foi obrigada a mandar tropas para o sul, em uma operação dispendiosa, para ajudar os seus novos aliados. O Exército romeno era impressionante, mas apenas no papel, e possuía boa reputação após ter vencido duas guerras nos Bálcãs, entre 1912 e 1913, porém a realidade era outra. Seus equipamentos eram antiquados ou estavam danificados, e uma grande parte dos soldados trajava uniformes bonitos e coloridos do século XIX. Seus oficiais eram fracos, inexperientes e, com frequência, se ocupavam com tarefas que em nada correspondiam às suas funções. Uma das primeiras correções feitas no Exército romeno depois da mobilização foi uma ordem de que apenas os oficiais de grau superior de major teriam direito de usar camuflagem no campo de batalha. Da mesma forma, a entrada de Portugal na guerra, em março desse ano, não significou nenhuma vantagem digna de nota para os Aliados.

equipamentos e armamentos. Foi uma ofensiva bem-sucedida, contra adversários pegos de surpresa em suas trincheiras.[78]

O motivo de a maioria dos ataques acabar em fracasso e os fronts ficarem sem movimentação tem base em dois paradoxos. Em primeiro lugar, são necessários muitos preparativos, junto com o elemento surpresa, e um pode excluir o outro. Se quem pretende atacar se dedica aos preparativos de modo intenso, acaba sendo descoberto. O elemento surpresa desaparece. Em segundo lugar, para que o ataque seja bem-sucedido, é necessário tanto ter peso quanto mobilidade. O peso, em forma de milhares de peças de artilharia extremamente pesadas, é fundamental para bombardear as linhas inimigas. Já a mobilidade permite que se aproveite a cratera recém-feita pelos explosivos antes da reação da defesa, que se contenha o avanço e se cave, às pressas, linhas de defesa reservas ou novas.

Mas nesse caso, também, só é possível ter um às expensas da outra. Mesmo que um exército possua tantos armamentos como canhões e obuses, entre outros, seu avanço fica tão lento que as tropas não conseguem fazer mais que uma cratera. Em seguida, a defesa inimiga chega ao local e todo o processo reinicia. Se um exército tenta se mobilizar com menos armamentos, pode aproveitar a cratera, mas, se não tem todo o peso necessário, nada de cratera. É esse o motivo da posição prolongada na guerra, e não a mais pura teimosia dos generais.[79]

O modelo de Brusilov era de simplicidade genial. Baseava-se no elemento surpresa, mas sem a utilização de tantos equipamentos pesados, pois ele não precisava disso nem queria nada de grande porte, como mais tarde seria feito na ofensiva de Evert, em março. O ataque fora desfechado em uma longa série de pontos, ao longo de todo o sul do front. Assim, os generais alemães e austro-

---

78. A operação chegou, a exemplo da ofensiva britânica no Somme, como uma salvação para os Aliados. Os franceses se encontravam reprimidos em Verdun e os italianos estavam cercados em Asiago. Quando Brusilov aceitou a missão e se ofereceu para colocar em prática um grande ataque, sem reforços maiores, muitos de seus colegas não lhe deram crédito. Loucura, achavam. Todos sabiam que a montagem de uma ofensiva exige uma superioridade massiva de recursos humanos e materiais, controle aéreo, milhões de granadas etc.

79. Na realidade, as batalhas eram menos uma competição entre as trincheiras e as metralhadoras de defesa contra as unidades de assalto e a artilharia inimiga do que uma rasteira das unidades de reserva de defesa (que podiam chegar com rapidez ao local ameaçado, utilizando as linhas ferroviárias) contra as unidades de ataque, que, movimentando-se devagar, deixavam a artilharia com seus pesados equipamentos para trás, sem poder sair do lugar.

-húngaros não sabiam para onde enviar suas reservas e a tartaruga que atacara enfim vencera a lebre.[80]

É exatamente aí que Lobanov-Rostovski se encontra, perto do rio Stokhod, onde a ofensiva Brusilov estacionou. O motivo da paralisação é a chegada de reforços alemães, resultando em perdas russas. É claro que há a preocupação habitual com a manutenção, pois, no momento em que o ataque se afasta de suas linhas ferroviárias, a defesa se aproxima das dela. Ataques e contra-ataques foram executados na área, mas agora reina certa tranquilidade nos arredores do Stokhod. Nenhum dos lados aguenta mais. No leste, como no oeste, houve muito mais derramamento de sangue do que se pôde imaginar nesse verão de 1916.

Para Lobanov-Rostovski os últimos meses foram calmos. Ele foi transferido do batalhão de sapadores para uma função menos militar, o que leva a desconfiar de suas preferências ou tendências. Agora é chefe da colônia dos construtores de pontes, composta por oitenta homens, sessenta cavalos e grande quantidade de pontes flutuantes. Eles marcham o tempo todo na retaguarda, junto com a artilharia. Mesmo dessa posição ele observou duas coisas. A primeira: a capacidade do Exército russo aumentou, sobretudo aqui no exército de Brusilov. Exemplos disso são as trincheiras mais bem construídas agora do que as que ele viu na Polônia um ano atrás e a excelente camuflagem militar. A segunda: muitos integrantes do regimento se encontram em bom estado, ele os viu passar marchando, "cantando e em perfeita ordem". Ao mesmo tempo, ele observa que os oficiais são jovens recém-saídos da escola de cadetes. A maioria dos veteranos de 1914 já não está mais presente. Estão mortos, desaparecidos, internados em hospitais ou inválidos.

---

80. O que também ajudou Brusilov foram as condições atuais do Exército austro-húngaro, que mais lembravam "a indiferença e incompetência dos Habsburgo espanhóis", nas palavras de Norman Stone. Ao mesmo tempo, as linhas ferroviárias se encontravam menos movimentadas e a densidade das tropas era mais baixa que na Frente Ocidental, o que pode explicar o porquê de a guerra no leste, em regra, ter mais mobilidade. Muitas das divisões das Potências Centrais passaram muito de seu tempo dentro de trens, mandados por comandantes inseguros, de um lugar ameaçado para o outro. Lobanov-Rostovski vivenciou essa situação durante a ofensiva de fevereiro do ano anterior. Além disso, muitas divisões alemãs e austro-húngaras haviam chegado exaustas e dizimadas, após terem sido buscadas em Verdun ou terem participado dos horríveis combates nos arredores do Asiago.

Pela primeira vez, Lobanov-Rostovski tem um posto de comando no front. Ele foi incumbido, em caráter temporário, de cuidar de um par de holofotes — o oficial que os comandava teve um ataque de nervos depois de passar seis semanas na linha de frente. Agora esses holofotes se encontram cravados no chão junto com seus geradores de eletricidade. A ideia é ligá-los, no caso de um ataque surpresa à noite por parte dos alemães. Os soldados da infantaria não querem sua presença ali, pois os holofotes pegam fogo com facilidade. Mas ordens são ordens.

Os holofotes, contudo, nem foram postos em uso, e Lobanov-Rostovski tem conseguido fazer o que mais o agrada, que é passar mais tempo na companhia dos seus livros. Tem lido muito, tentando interpretar o que acontece nos romances, como costumava fazer, e também passa bastante tempo estudando as diferentes teorias militares alemãs e analisando historiadores de guerra, como Theodor von Bernhardi e Colmar von der Goltz e, é óbvio, também o mestre Carl von Clausewitz.

Aquela pequena placa pueril, que informa sobre a entrada da Romênia na guerra, do lado dos Aliados, uma consequência direta do sucesso da ofensiva Brusilov, resulta em uma reação inesperada e igualmente infantil por parte dos alemães.[81] À meia-noite em ponto, começa um bombardeio dirigido às trincheiras onde a placa foi colocada. A artilharia alemã utiliza todos os seus recursos, toca cada instrumento de sua orquestra em uníssono com toda a desagradável precisão de que é capaz: o falsete das peças de campanha, o baixo dos obuses e o barítono dos morteiros.

No meio desse bombardeio, da poeira e dos gases explosivos, encontra-se Andrei Lobanov-Rostovski. Ele e alguns de seus soldados se encolhem em um abrigo improvisado. Como se estivesse tendo espasmos, ele segura ainda o telefone contra o ouvido. Há uma pequena pausa nas explosões. Ele escuta um trecho de uma conversação ao telefone: "Relatório da Nona Companhia. Quinze mortos até o momento. Nada mais". Em seguida, mais bombardeios, muito próximos dessa vez. Tremores de terra. Poeira. Estrondos. O telefone permanece mudo agora. Uma luz atravessa o novo buraco no telhado. Essa situação é nova e desconhecida para ele:

---

81. Na medida em que um efeito tão mortal possa ser considerado infantil.

É impossível descrever o que está acontecendo com palavras, mas quem já passou pela mesma situação entende. Talvez a melhor maneira de descrever o momento seja fazer a comparação deste com violento terremoto misturado com trovões. Fiquei deitado no meu abrigo pensando o que deveria fazer e o que se esperava de mim.

Ele experimenta o que milhões de soldados já experimentaram antes dele, em suas trincheiras. Quando a visão diminui, a audição e o olfato aumentam de maneira considerável. Os ruídos podem, então, ficar ensurdecedores. Em sua cabeça, surgem dois pensamentos. O primeiro: "Se alguma coisa me acontecer, é uma pena que eu não tenha conseguido terminar de ler aquele livro sobre Von Clausewitz". Depois: "Meus soldados me olham, tenho que ocultar o meu pavor".

Em meio ao caos, Lobanov-Rostovski perde a noção do tempo. Em certo momento, ele sente (não ouve nem vê) que *algo* se aproxima e, antes de poder reagir, uma granada de quinze centímetros explode ao seu redor. Quando ele recupera a consciência, sente que está coberto de terra, mas ileso. Um dos oficiais ao seu lado lhe conta que os holofotes foram atingidos e destruídos. As granadas continuam a cair sem parar.

De repente, escuridão e quietude.

E então silêncio: "A mudança foi tão súbita que a transição foi fisicamente dolorosa".

São três horas. Pontualidade alemã.

Agora que o pior já passou, Lobanov-Rostovski começa a tremer violentamente e logo fica banhado em suor.

Nada mais acontece nessa noite.

112. SÁBADO, 16 DE SETEMBRO DE 1916
Michel Corday trabalha até tarde no ministério em Paris

O outono chegou cedo, com seu ar frio. Os jornais o irritam, como de costume. Na capa predominam as manchetes em negrito, anunciando as vitórias dos novos aliados. Só na terceira página ele descobre uma má notícia, mencionada em apenas três linhas. O recuo do Exército romeno.

Nada mais que isso. Corday acabou de ler uma carta escrita por um coronel, contando sobre um acontecimento terrível em Verdun, onde a batalha *ainda* continua, mas com menos intensidade. (Há uma semana, tropas francesas atacaram em Douaumont, tomando algumas trincheiras. Há dois dias, um batalhão alemão contra-atacou. Ao mesmo tempo, os combates no Somme recomeçaram. Ontem, pela primeira vez nesse front, foi usada uma nova máquina de guerra. É uma espécie de veículo de guerra motorizado, armado com canhões e metralhadoras, protegido por uma armadura de aço e que se movimenta sobre faixas rolantes.) A carta conta que existe um túnel ferroviário em Tavannes, há muito usado como abrigo e depósito de munição pelas tropas, que está sempre lotado de pessoas. Na verdade, são soldados que se perderam de suas unidades ou que procuram abrigo contra os contínuos bombardeios. Na noite do dia 5 de setembro, um depósito de munição explodiu, matando entre quinhentos e setecentos soldados. Estes não foram sequer mencionados pela imprensa. (O ocorrido tampouco foi relatado aos líderes políticos.)

A censura é rígida, possui regras abrangentes, complicadas e de difícil interpretação.[82] Os jornais, muitas vezes, são publicados com uma parte em branco devido a algum artigo censurado e retirado de última hora. Há muita manipulação semântica, que beira o ridículo. Jornalistas que utilizam a expressão "depois da paz" recebem ordem de escrever "depois do período de guerra". Um colega seu que trabalha em um departamento vizinho convenceu os jornais a não usar mais a expressão "competição equestre", e sim "ensaios de seleção para cavalos". "Estamos salvos!", exclama Corday com ironia.

Na verdade, não são a censura ou as regras linguísticas que o perturbam, mas sim o fato de que os jornalistas, por vontade própria, se deixaram transformar em megafones para políticos nacionalistas e militares reacionários. Corday escreve em seu diário:

---

82. Alguns exemplos da época: um artigo cujo título era "Não fomos abatidos" foi censurado, assim como outro que informava que cerca de 500 mil franceses haviam perecido na guerra. O mesmo ocorreu com a insinuação de que os Aliados tinham mais a ganhar com o prolongamento da guerra e para a menção à quantidade de crianças mortas na Romênia durante o conflito. Qualquer discussão sobre a sugestão de paz ente os alemães era proibida. Só os jornais alemães mais nacionalistas eram citados, como se houvesse apenas uma opinião geral no país. O documentário oficial britânico sobre a Batalha do Somme, que acabara de chegar à França, teve cenas cortadas, entre elas a mais famosa, em que se vê um grupo de soldados sair de uma trincheira e um deles cair para trás, morto. (Talvez valha a pena mencionar que a cena pode ter sido armada.)

A imprensa francesa nunca revela a verdade, nem mesmo a verdade que poderia ser revelada sob censura. Ao contrário, somos expostos a um bombardeio de palavreado bonito, a um otimismo sem limites, a um sistemático endemoniamento do inimigo. Somos obrigados a ocultar os horrores e os desalentos da guerra, tudo disfarçado por uma máscara de idealismo moralizante!

As palavras são uma das mercadorias mais estratégicas da guerra.

À tarde, Corday vai a pé para seu escritório no ministério. Ao longo da avenida, ele vê agrupamentos de oficiais feridos e condecorados, de licença. "Eles parecem vir aqui para ganhar olhares de admiração." Ele passa pela fila da mercearia. A propaganda diz que aos alemães tudo falta e que nada falta aos franceses, mas agora começaram a faltar muitos produtos aqui. É difícil conseguir açúcar, a manteiga é vendida por rações de cem gramas e não há mais laranjas no mercado. Ao mesmo tempo, surgiu uma nova classe na cidade, os novos-ricos. São comerciantes do mercado negro e outros, que construíram sua fortuna aproveitando-se da situação de guerra, fazendo negócios duvidosos com os militares. Essa nova classe traz muitos lucros aos restaurantes, onde consomem os vinhos e as iguarias mais caros. Os joalheiros também estão bastante satisfeitos, pois há muito tempo que não vendiam como agora. A moda feminina está, hoje em dia, suntuosa e deslumbrante. Quase nada se menciona sobre a guerra, sobretudo entre as classes menos privilegiadas.

Michael Corday trabalha até tarde. Ele e um colega do Ministério da Educação se esforçam para terminar um relatório importante. Eles trabalham até as duas horas da madrugada.

113. UM DIA NO FINAL DE SETEMBRO DE 1916
Pál Kelemen visita o restaurante da estação ferroviária de Sátoraljaújhely

Praticamente curado de sua malária e bem descansado depois de sua longa convalescença, que incluiu visitas à igreja e farras noturnas, ele é transferido para um serviço mais leve. Hoje está retornando do front nos Cárpatos, onde fez uma entrega com burro de carga perto de Uzok. Um capitão da infantaria em Uzok recebeu sem alarde um novo par de botas de montaria e, em troca, lhe concedeu a sua primeira licença, em um ano e meio de guerra. Kelemen está a caminho de Budapeste e seu humor é excelente.

Pál Kelemen trocará de trem em Sátoraljaújhely, e enquanto espera dirige-se ao restaurante da estação, pois ainda faltam algumas horas para a sua viagem. Há muitos passageiros no restaurante: idosos, jovens, mulheres e homens (civis e militares), "em uma confusão ao redor das mesas, cobertas por toalhas desbotadas". Ele observa um jovem segundo-tenente condecorado, com rosto infantil:

> Ele está acomodado à cabeceira da mesa, comendo com calma um pedaço de torta com glacê amarelo. Tem o olhar vazio e cansado e olha à sua volta a todo momento. Parece apreciar seu pedaço de torta, degustando-o com prazer. Usa um uniforme gasto do tipo mais comum, com pequenas e grandes medalhas presas ao peito. Talvez tenha estado em casa de licença e agora deverá retornar às trincheiras.
>
> Há muito movimento no restaurante, mas ele parece nem perceber a desordem ao redor, ocupado com seus pensamentos e com o segundo pedaço de torta, que desaparece com rapidez de seu prato.
>
> Ele bebe um pouco de água e apanha mais um pedaço de torta da travessa de vidro sobre o balcão. Ali há uma torta inteira, cortada em fatias. Ele continua a comer, como que para armazenar o sabor que o faz recordar o seu lar.

114. SÁBADO, 23 DE SETEMBRO DE 1916[83]
Paolo Monelli conversa com um morto no monte Cauriòl

Eles já escalaram montanhas de difícil acesso, mas essa talvez seja uma das piores. Há mais ou menos um mês, eles tomaram o monte Cauriòl, o que em si só já foi uma grande conquista, pois a montanha é alta e a defesa austro-húngara era muito forte. Depois aconteceu o que sempre acontece: após tanto esforço e perdas, não há mais forças para prosseguir. O adversário contra-atacou com suas tropas de reforço e aquele ponto se transformou em uma espécie de troféu, tendo sido, inclusive, mencionado em jornais e comunicados.

A companhia de Monelli combateu em vários contra-ataques. Os corpos

---

83. Ou talvez alguns dias antes.

dos austríacos mortos ficaram pendurados no arame farpado. As perdas dos italianos também são consideráveis. Eles são alvo de tiroteios e fogos de artilharia, vindos das montanhas ao redor. Monelli percebe que quase não há mais ninguém de seu pelotão original. Estão sempre rodeados pelo cheiro fétido de corpos em decomposição. Em uma fenda na montanha, há cerca de vinte cadáveres em estado de putrefação. Um deles é o corpo de um médico austríaco. Monelli tem observado as transformações que ocorrem no cadáver, passo a passo. Ontem, o nariz se quebrou e uma substância verde começou a escorrer dele. Os olhos ainda se encontram em bom estado e, para Monelli, parece que o estão olhando com reprovação. Ele escreve em seu diário:

Não fui eu que lhe tirei a vida. Por que o senhor, sendo médico, participou de um ataque noturno? O senhor tinha uma noiva que lhe escrevia cartas mentirosas, mas talvez consoladoras, que o senhor guardava em sua carteira. Rech lhe tirou a carteira naquela noite, quando o mataram. Vimos também a fotografia da sua noiva (uma beleza, mas houve quem que fizesse comentários indecentes) e fotografias do seu castelo e de todas as riquezas que havia lá dentro. Fizemos uma pequena pilha com tudo e sentamos ao redor dela no nosso abrigo, felizes com o resultado do ataque, que comemoramos com uma garrafa de vinho. Não faz muito tempo que o senhor morreu. O senhor já não é mais nada, nada mais que uma massa acomodada na fenda da montanha, destinada a apodrecer, e nós estamos vivos, tão desumanamente vivos que até senti uma ponta de remorso em meu inconsciente. Que bem lhe fez olhar para o mundo com tanta avidez, ter o corpo jovem de sua noiva nos braços, vir para a guerra como se isso fosse sua vocação? Talvez também tenha se sentido embriagado pelo dever de defender sua pátria e oferecer sua vida em troca. Em troca de quê? Os vivos têm pressa, os vivos se habituaram à guerra como se fosse um ritmo de vida, os vivos que não creem que podem morrer, os vivos já nem se lembram do senhor. É como se sua morte não tivesse apenas acabado com sua vida, mas também a tivesse anulado em definitivo. Por pouco tempo, o senhor existirá como um número nas anotações do sargento, um patético objeto para um discurso em sua memória, mas o senhor, como pessoa, não existe mais, e é como se nunca tivesse existido. O que há lá embaixo é carvão e ácido sulfúrico, cobertos por trapos de uniformes, e nós os chamamos de mortos.

O cheiro dos cadáveres vindo da fenda da montanha piorou consideravelmente. Ao anoitecer, quatro soldados recebem ordem de levá-los para longe. Cada um ganha uma máscara contra gás e um copo de conhaque para realizar a tarefa.

115. TERÇA-FEIRA, 26 DE SETEMBRO DE 1916
Vincenzo D'Aquila recebe alta do hospital psiquiátrico de Siena

Meio-dia em ponto. Ele se encontra no pátio com outros pacientes, quando recebem uma chamada telefônica. Um dos enfermeiros o chama e lhe diz que deve ir até a sala do diretor do hospital, acrescentando: "Diga adeus aos seus companheiros, porque o senhor irá embora". D'Aquila vai até seus irmãos de infortúnio e se despede. Seus sentimentos estão em conflito, pois "sente uma grande tristeza em se separar de seus novos amigos, mas também se sente feliz por deixar o hospital para trás". Depois de trocar de roupa e recolher os seus pertences, ele vai até o prédio da administração em busca da sala do diretor. Bate à porta.

Em Siena D'Aquila começou a apresentar melhoras. Ele ainda acha necessário que a guerra seja interrompida e que ela é injusta e errada, mas já compreendeu que seria muito difícil fazer alguma coisa enquanto estivesse internado em um hospital psiquiátrico. Ele trabalhou na lavanderia do hospital, pendurando lençóis e dobrando pilhas e pilhas de fronhas. Quer que o julguem curado e o liberem. Não aceita o fato de ter sido considerado louco. Os médicos lhe disseram que, se ele não aceitar que esteve doente, não podem declará-lo curado. D'Aquila respondeu, a uma pergunta direta dos médicos, que voltar ao front não está nos seus planos.

Alguns médicos suspeitam que D'Aquila esteja blefando, que finge estar louco, e fizeram tentativas de desmascará-lo. Uma das ocupações principais dos funcionários do hospital é distinguir os farsantes daqueles que de fato são insanos. Não que toda a equipe seja igualmente zelosa a esse respeito. D'Aquila viu enfermeiros ajudando pacientes a simular alguns sintomas, avisando que os médicos estão por perto, levando comida às escondidas aos que oficialmente se recusam a comer. Ele reconhece que muitos dos pacientes que conheceu aqui não estão doentes e, sem qualquer senso de incoerência, os vê com um grau de ceticismo que beira o escárnio. Ao mesmo tempo, porém, há algumas pessoas que desconfiam que ele está fazendo exatamente isso, sobretudo desde que ouviu dizer que "em tempos de guerra, estar em um hospital psiquiátrico é melhor do que estar em uma trincheira". Quando não está cuidando de suas tarefas na lavanderia, ele anda pelo pátio interno, conversando com os outros pacientes, lendo jornais e revistas, jogando cartas e dominó e tendo longas discussões sobre a guerra e o futuro.

Em agosto, D'Aquila liderou uma curta greve de fome em protesto contra a comida sem gosto do hospital. Sopa de arroz, por exemplo, é um prato que aparece com frequência no cardápio. Ele recebeu uma severa repreensão do diretor e passou três dias no isolamento. Desde então, o diretor está mais que convencido da simulação da enfermidade de D'Aquila. Quer se livrar de uma pessoa difícil como D'Aquila e, ao mesmo tempo, puni-lo. Ao declará-lo curado, o diretor o estará mandando de volta para o serviço militar. Se D'Aquila se negar, será considerado desertor.

A porta é aberta, mas não pelo diretor. É um dos médicos, o dr. Grassi, que o recebe. O médico lhe dá um aperto de mão e o parabeniza por estar curado.

Nesse mesmo dia, D'Aquila sai de Siena, em direção a Roma. O trajeto da viagem inclui Florença, onde ele fica algumas horas aguardando o trem que o levará ao seu destino. Ele caminha pela cidade e para de repente, surpreso e revoltado ao mesmo tempo, ao ver a bonita Piazza della Signoria. Aqui não há lugar para os questionamentos e sofrimentos pelos quais ele passou no último ano e o fizeram perder a razão. Aqui não há sinal algum de que está ocorrendo uma guerra. As pessoas aqui bebem café, tomam sorvete e flertam umas com as outras como se nada estivesse acontecendo. Ele escuta uma orquestra tocando valsas vienenses.

116. DOMINGO, 15 DE OUTUBRO DE 1916
Alfred Pollard encontra rastros da Batalha do Somme

Escuridão de outono. Frio. Umidade. Lua cheia. Esta noite, Alfred Pollard se encontra em terra de ninguém, para observação. O lugar é o Somme. Com o rosto enegrecido pelo carvão e segurando um revólver pronto para atirar, ele engatinha através de um campo cheio de crateras abertas por granadas.

Eu não havia avançado muito quando senti algo sendo esmagado pelo meu peso. Era um esqueleto humano, cuja carne havia sido devorada pelo exército de ratos que vivem nos campos de batalha.[84] O que restara do uniforme ainda ocultava sua nudez. Examinei seus bolsos, para ver se encontrava algum tipo de identificação, mas estavam vazios. Alguém chegara lá antes de mim. Mais adiante, encontrei mais um esqueleto e depois outros. O chão estava coberto por eles. Esses corpos pertenciam aos soldados dos combates do início de julho. Todos eram britânicos.

Nesse mesmo dia, Angus Buchanan escreve em seu diário:

Esta noite aprisionamos sete *askari* alemães. Eles nos contaram sobre a falta de alimentos e que muitos nativos estão desertando e seguindo em direção oeste, através da selva, tentando voltar para casa. Eles também mencionaram algo do qual já havíamos ouvido falar: que os carregadores alemães ficam parcialmente amarrados quando estão no acampamento, para não fugirem durante a noite.

117. MEADOS DE OUTUBRO DE 1916
Florence Farmborough perde o cabelo

Florence está com febre paratifoide. Há algumas semanas, piorou tanto que, alucinando, ela sentiu que tinha três rostos: um deles era o seu próprio, o outro pertencia a uma de suas irmãs e o terceiro era de um soldado ferido. De cada um dos rostos escorria suor e eles precisavam ser banhados com compressas a todo momento. Se parassem de fazê-lo, ela morreria. Florence tentou chamar uma enfermeira, mas descobriu que sua voz havia desaparecido. Ela se encontra agora na Crimeia, para se recuperar. O hospital onde está internada é um sanatório para tuberculosos, mas lhe foi permitido ficar aqui

---

84. Essa é a razão principal pela qual os soldados de todas as nacionalidades têm um sentimento de ódio e nojo em relação aos ratos das trincheiras. Os animais se alimentam de cadáveres e são imensos. Há duas maneiras de saber há quanto tempo a pessoa está morta: através da observação do estado de decomposição cadavérica ou do quanto foi devorado pelos ratos. Esses dois processos correm lado a lado, mas em geral os ratos são mais rápidos.

durante sua convalescença. A paisagem ainda tem os tons de verde do verão, o dia está ensolarado e ela está se recuperando com rapidez. Ela escreve em seu diário:

> Meu cabelo estava caindo muito. Um dia um barbeiro veio ao meu quarto, cortou--o e raspou minha cabeça! Eu lhe garanti que não iria me arrepender, pois logo ele cresceria de novo, mais forte e mais grosso do que antes. Desde esse dia passei a usar um turbante, e ninguém faz a menor ideia que por baixo dele não há sequer um fio de cabelo!

Durante esse mesmo período, Michael Corday anota em seu diário:

> Albert J., agora de licença, menciona o ódio que os soldados sentem de Poincaré, um ódio baseado na ideia de que foi ele que deu início à guerra. Ele salienta que o que faz os homens participarem de um ataque é o medo de serem vistos como covardes pelos outros. Também diz, rindo, que pretende se casar, já que isso lhe dará o direito a quatro dias de licença e mais três dias quando do nascimento de um filho. Ele espera ser dispensado do serviço militar quando houver produzido seis criancinhas.

118. QUINTA-FEIRA, 19 DE OUTUBRO DE 1916
Angus Buchanan fica acamado em Kisaki

A cama onde ele descansa é feita de grama e, apesar de estar se sentindo melhor do que nos últimos dias, ainda está muito enfraquecido. Disenteria. Todos conhecem os sintomas: dor no abdômen, febre, diarreia acompanhada de sangue. Buchanan não havia ficado doente até agora, mas era uma questão de tempo que fosse contaminado.

Seus adversários foram expulsos do rio Pangani, para as áreas mais distantes da África Oriental alemã. Buchanan e os outros os perseguiram através da selva, em direção ao sul. Em algumas ocasiões, passaram por áreas povoadas, onde os negócios melhoraram, pois houve a oportunidade de realização de trocas com os habitantes locais.[85] Numa das vezes, Buchanan conseguiu trocar uma camisa velha e um colete por duas galinhas e seis ovos.

Mas eles tiveram alguns êxitos. No final de junho, junto ao rio Lukigura, conseguiram lutar contra os alemães antes que estes fugissem, como era de costume. Apesar de estarem exaustos, o 25º Batalhão do Royal Fusiliers se saiu muito bem, primeiro com uma marcha de flanco, fazendo os inimigos escaparem de um ataque de baionetas. A importante cidade de Morogoro, que fica à beira da linha ferroviária central, foi tomada no final de agosto, depois de dispendiosos combates e marchas cheias de dificuldades, através de uma área de terreno nada acessível. Dar es-Salam, o maior e mais importante porto da colônia, encontra-se em mãos britânicas desde o início de setembro. Quando a divisão a que Buchanan pertence foi em direção ao sul, os alemães continuaram seu recuo, passo a passo.

No final de setembro, depois de várias tentativas malsucedidas de controlar o adversário em fuga, tudo ficou estagnado. As linhas de manutenção estavam desgastadas; os depósitos, vazios; os homens, exaustos. A companhia de Buchanan é uma triste lembrança do que foi em tempos melhores. Os homens emagreceram, muitos estão sem camisa ou usam as botas sem meias. É raro receberem alguma notícia e as cartas de casa chegam a eles até seis meses depois de enviadas. Eles têm uma vaga ideia do que está acontecendo na guerra.

Buchanan teve malária no outono e logo se recuperou. Agora veio a disenteria. Sua companhia no momento é aquela galinha com uma pena branca na cabeça, que caiu em suas mãos no início de junho, quando fez um escambo. Ele decidiu mantê-la viva. A galinha está bem domesticada agora, um verdadeiro animal de estimação. Durante as marchas, viaja em um balde, carregado por um criado africano. Quando eles acampam, a galinha corre livremente e procura comida. Ela sempre volta para Buchanan quando ele a chama. Todos os dias ela põe um ovo. Um dia ele a viu matar e comer uma pequena cobra venenosa. À noite, a galinha dorme junto à cama de Buchanan.

Buchanan está deitado em sua cama de grama e escreve em seu diário. Ele está doente e deprimido, devido também à falta de manobras bem-sucedidas:

---

85. Os nativos não estavam interessados em dinheiro. Já possuíam o suficiente da moeda desvalorizada dos alemães.

Sinto-me melhor hoje e mais animado. Quando perco a paciência, a vontade é terminar tudo de uma vez por todas e ir embora da África para sempre. Tenho um desejo de, por pouco tempo, trocar a cor e a natureza desta já tão conhecida imagem,[86] cujas características marcantes agora são indeléveis. Sinto medo, pois muitas vezes pareço estar em uma prisão e estou desesperado para ser libertado. Nessas ocasiões em que os pensamentos surgem, lembramos de acontecimentos passados, antigas cenas familiares, que então adquirem para nós um valor profundo e inabalável. Eu gostaria que as lembranças pudessem permanecer e que pudessem me levar de volta para um país lindo e em paz!

Nesse mesmo dia, Paolo Monelli escuta, preocupado, o ruído dos preparativos da artilharia italiana no monte Cauriòl, onde as lutas prosseguem. Ele escreve em seu diário:

O céu está nublado e cinzento. A neblina deixa o vale e se dirige para as montanhas, para a nossa e para a que iremos atacar. Se morrermos, morreremos longe do mundo, e tenho uma sensação de que ninguém está de fato interessado nisso. Quando ficamos resignados diante do pensamento de sermos sacrificados, eu gostaria que isso acontecesse diante do olhar de espectadores. Morrer sob o sol, na ampla paisagem que é o mundo, assim é morrer pelo seu país. Mas, deste jeito, mais parece ser a morte de um condenado sendo estrangulado em segredo.

119. DOMINGO, 29 DE OUTUBRO DE 1916
Richard Stumpf sofre com a monotonia a bordo do SMS Helgoland

O que é pior? As constantes nuvens de fumaça de cigarro que enchem o ar no convés ou a poeira do carvão "que penetra fundo no corpo o tempo todo"? Stumpf está tão triste quanto o dia de hoje. Ele se lembra de como estava cheio de expectativas quando era apenas um novo recruta, quatro anos atrás. O contraste entre elas e a realidade é imenso. O entusiasmo com a Batalha da Jutlândia

---

86. Não se sabe se Buchanan se refere à guerra ou à paisagem. Justamente nesse texto seu há espaço para várias interpretações. Ele deve ter sido escrito nos momentos mais febris.

274

já passou e tudo voltou a ser como antes. Estão de volta à velha e cinzenta rotina — cinzenta como as próprias belonaves: patrulhas monótonas ao longo da costa e longos períodos ancorados no porto. É a sua "prisão de ferro". O sms *Helgoland* está novamente no porto, para o conserto de um cilindro do motor.

Mais uma vez, a fumaça o leva para o convés: "Esses malditos cachimbos! Eles me fazem ficar enjoado e perder o apetite. Por essa razão, fico muito satisfeito cada vez que aumentam o preço do tabaco na cantina".[87] Ele sofre com a fumaça e com a monotonia. Não tem muitos amigos a bordo, muitos o julgam estranho, tanto em seus interesses intelectuais quanto em seu hábito de anotar tudo o que acontece. Stumpf não tem onde gastar suas energias físicas e mentais; no momento, não tem nada à mão para ler, mas já encomendou livros de Berlim.

Este 29 de outubro parece ser mais um daqueles dias inúteis para Richard Stumpf. À tarde, porém, toda a tripulação é convocada a se reunir no convés. Eles irão recepcionar um submarino que está voltando para casa. Stumpf vê a tripulação de outros navios ao redor jogar seus gorros ao ar, em sinal de comemoração. O submarino U-53 começa a se aproximar e toda a sua tripulação se encontra alinhada no convés. "Eles usavam roupas emborrachadas e seus rostos estavam iluminados de alegria."[88]

87. Como mostrou Ian Gately, antes de 1914 na Europa podia-se ver um aumento de restrições ao uso do tabaco, mas a guerra acabou com essa atitude. Fumava-se muito entre 1914 e 1918, e o tabaco estava incluído entre os produtos básicos da ração dos soldados. Os soldados britânicos, em 1914, ganhavam cerca de cinquenta gramas por semana, enquanto seus adversários alemães ganhavam dois charutos ou dois cigarros por dia. (Na Marinha britânica a ração de tabaco era duas vezes maior que no Exército. O mesmo acontecia na Marinha alemã, o que explica as reclamações de Stumpf.) O tabaco também era um item-padrão dos pacotes mandados por organizações de ajuda e pelos familiares dos soldados. O jornal militar francês *La Baionette*, por exemplo, além de expressar o aborrecimento com a escassez, louvava o tabaco a intervalos regulares. A popularidade do fumo se devia a uma combinação de fatores. O efeito suavemente narcótico da nicotina, aliado ao fato de que o cigarro fornecia aos soldados algo para fazer em situações estressantes, sem dúvida ajudava a acalmar muitos deles. Pelo menos tão importante para aqueles em posição de comando das tropas era também o fato de que o tabaco diminui a fome. Um terceiro fator era que o cheiro da fumaça ajudava a disfarçar o mau cheiro da putrefação: as tropas que se encontravam nas trincheiras recebiam uma porção extra de tabaco, para suportarem o cheiro dos cadáveres em decomposição.

88. O U-53 havia ido até os Estados Unidos e ficado algum tempo em Rhode Island (os Estados Unidos a essa altura eram neutros). A ideia era de que ele iria escoltar o submarino mercante

Stumpf sente inveja da alegria das tropas do submarino, pois gostaria de ser um deles. Ao mesmo tempo, deseja que a guerra termine logo. Ele tem muitas dúvidas, como de costume:

As nossas vidas eram tão boas assim em tempos de paz? Mesmo que agora nos pareça que sim, estávamos sempre insatisfeitos. Muitos de nós desejavam entrar em guerra, para que tudo melhorasse. Lembro-me das diversas preocupações que tínhamos e faziam com que pensar na paz parecesse menos atraente: encontrar trabalho, ter aumento de salário, dias longos e cansativos. Agora isso tudo pode ser comparado com o paraíso, pois podíamos comprar todo o pão, todas as salsichas e todas as roupas que queríamos. O que não era o caso dos pobres, que não tinham dinheiro para nada. Talvez a verdadeira crise venha quando estivermos felizes e em paz.

120. SÁBADO, 16 DE DEZEMBRO DE 1916
Angus Buchanan vê reforços chegando a Kisaki

É uma época de recuperação para todos. Angus ficou curado de sua disenteria e o que resta do batalhão se recuperou de suas aventuras do outono. Todos acumularam forças e energias. Buchanan continua a colecionar pássaros, esteve em uma missão de observação do outro lado do rio Mgeta, matou seus dois primeiros elefantes — um jovem, seguido de uma fêmea. As tropas trabalharam muito preparando as estradas para o avanço em terra inimiga. Centenas de árvores foram derrubadas e mais pontes foram construídas sobre o rio Mgeta. Também abriram um caminho na floresta de Kirengwe.

O dia de hoje se assemelha a um dia de festa, com a coluna de reforços de

---

Bremen, que havia sido mandado àquele país para buscar produtos estratégicos. O *Bremen* desapareceu misteriosamente durante sua viagem pelo Atlântico e não restou ao U-53 mais nada a fazer, a não ser retornar. Durante a viagem ele atacou cinco navios com seus torpedos. A frota alemã possuía sete enormes submarinos mercantes da classe do *Bremen* (U-151), para fornecimento de produtos de primeira necessidade. Durante a guerra, o reconhecimento da efetividade dessas embarcações levou os alemães a produzir vários tipos de submarino, entre eles o UB, de tamanho menor, para serviços próximos à costa, e o UC, para a instalação de minas e navegação nos oceanos.

276

150 homens que se juntará ao enfraquecido batalhão. Acompanhando os reforços, vem um homem com um grande chapéu na cabeça e carregando uma espingarda. É o antigo comandante da companhia de Buchanan, Frederick Courtney Selous. Ele já completou 65 anos e esteve tão doente que o mandaram para a Grã-Bretanha. Ninguém esperava vê-lo de novo por aqui. Agora ele parece estar em ótima forma. Buchanan e os outros estão impressionados e contentes com a volta do velho chefe. "Que exemplo de lealdade ele mostrou, ao retornar ao front para lutar por sua pátria, apesar da idade!" A volta de Selous é também muito apreciada por ele trazer notícias da Grã-Bretanha e novidades sobre a guerra.

Mais tarde, quando as temperaturas já não estão tão altas, eles conversam sobre vários assuntos. Selous lhe conta sobre sua grande coleção de borboletas que levou para casa. Buchanan lhe conta de sua caça a elefantes. Enquanto isso, os carregadores africanos do pelotão de metralhadoras de Buchanan constroem uma cabana de grama, que eles chamam de Bwana M'Kubwa, o grande chefe. Dentro de alguns dias, sairão em direção ao rio Rufiji, no sudeste, onde dizem que o inimigo está abrigado. Há um senso de expectativa pairando no ar.

121. SÁBADO, 30 DE DEZEMBRO DE 1916
Alfred Pollard escreve uma carta à sua mãe

Foi um ano muito bom para o sargento Alfred Pollard. A bem-sucedida batalha na cratera de Sanctuary Wood no final de setembro do ano passado lhe valeu uma Distinguished Conduct Medal, com a qual ele ficou muito orgulhoso, mas em seu íntimo sente-se um pouco frustrado, pois esperava ganhar a maior de todas, a Cruz Vitória.

Depois de seu período de convalescença em um hospital da Inglaterra, ficou à espera de poder retornar ao serviço militar. Para fazer o tempo passar mais rápido, foi com muita frequência ao teatro de revista (ingresso de graça para soldados feridos), participou de festas, treinou arremesso de granada no jardim da casa de sua mãe e escreveu um pedido para ser admitido como oficial, que foi aceito. Desde maio ele está de volta à França, onde foi nomeado responsável pela instrução do batalhão em combate com granada de mão. Como de costume, voltou a fazer passeios noturnos em terra de ninguém.

A única coisa capaz de deixá-lo entristecido foi o fato de ficar sabendo, no final do verão, da morte em combate de seu irmão mais velho. Pollard pensou, então, em procurar um cargo menos arriscado em consideração à sua mãe, que agora tem apenas um filho vivo. Mas logo descartou a ideia a decidiu vingar a morte do irmão; a partir de agora, Pollard irá "fazer de tudo para matar tantos [alemães] quanto possível". Celebrou o Natal em um castelo francês, atrás das linhas, onde mostrou a cada soldado como e quando se usa uma granada de mão. Ele até ganhou um apelido, "Bombo".

Hoje ele escreve uma carta à sua mãe:

Querida mãe!

Ouvi falar que a senhora não se encontra muito bem. Espero que esteja melhor. O correio não tem funcionando direito nos últimos tempos, talvez por causa do Natal. Recebi as roupas de futebol, o uniforme e o bolo que Perk fez para mim, tudo chegou em perfeitas condições. No momento me encontro naquele curso que lhe contei que ia fazer e pretendo ficar aqui. Para ser sincero, mãe, sinto que devo seguir com o batalhão para o front, quando recebermos ordens. Acredito que isso não acontecerá antes do final de janeiro, não comece a ficar preocupada desde já. Sinto que meu lugar é junto deles. Já entreguei minha carta de demissão, mas posso ser obrigado a ficar aqui até o final do curso. De qualquer jeito, a senhora não precisa mais mandar correspondência para mim endereçada ao campo de treinamento, mas sim ao batalhão. Sinto muito, mãe, mas sei que a senhora me entende. Tenho cavalgado muito ultimamente. Ontem fui até uma cidade que fica a onze quilômetros daqui. Na volta, galopamos cinco quilômetros, sem interrupção. Que experiência agradável! O caminho é rodeado de árvores e a grama é muito macia.

Duas semanas depois, o batalhão marcha de volta ao front. Pollard os acompanha. Há aí um desejo de morte? Talvez não. Em seu bolso, ele leva uma nova mascote, uma pequena boneca de porcelana, com uma fita lilás ao redor da cintura e rosto de anjo. É um presente da irmã daquela jovem que o rejeitou. Pollard chama a boneca de Billiken. De agora em diante, ele sempre a terá consigo.

1917

Observei o rosto daqueles homens que tão bem conhecia e percebi que todos haviam mudado. Eles pareciam exaustos e a sua expressão me deixou entristecida. […] Quando olhei à minha volta, todos pareciam ser a sombra do que tinham sido: distorcidos, inchados, transformados em algo que me fazia desconfiar deles. Em que estariam se convertendo? Até onde tudo aquilo nos levaria?

Cronologia

31/JAN. A Alemanha anuncia o início de uma guerra submarina irrestrita.

03/FEV. Os Estados Unidos cortam suas relações diplomáticas com a Alemanha.

21/FEV. Tropas alemãs na França fazem retirada planejada para a chamada "Linha Hindemburg".

24/FEV. Forças britânicas reconquistam Kut al-Amara, na Mesopotâmia.

09/MAR. Tumultos em Petrogrado crescem e se transformam em revolução.

11/MAR. Regimentos britânicos entram em Bagdá.

26/MAR. Primeira Batalha de Gaza. Os defensores otomanos expulsam os britânicos.

06/ABR. Os Estados Unidos declaram guerra à Alemanha.

09/ABR. Ofensiva britânica em Arras. Alguns êxitos.

16/ABR. Grande ofensiva francesa em Le Chemin des Dames. Poucos êxitos.

19/ABR. Segunda Batalha de Gaza. Otomanos expulsam mais uma vez os britânicos.

29/ABR. Motins no Exército francês. Espalham-se, tornam-se públicos e prosseguem até o começo de junho.

12/MAIO A décima ofensiva italiana no Isonzo tem início. Algumas vitórias.

01/JUL. Ofensiva russa no leste, encerrada no final do mês.

31/JUL.	Grande ofensiva britânica em Ypres, em Flandres. Prossegue até novembro.
03/AGO.	Nova ofensiva aliada na África Oriental.
05/AGO.	Ofensiva alemã-austríaca na Romênia.
19/AGO.	A 11ª ofensiva italiana no Isonzo tem início. Alguns êxitos.
21/AGO.	Ofensiva alemã em Riga. Vitórias consideráveis.
24/OUT.	Início da ofensiva em Caporetto. Grandes vitórias. Recuo geral italiano.
31/OUT.	A Batalha de Beersheba, na Palestina, resulta em vitória britânica.
06/NOV.	Passchendaele, a leste de Ypres, é tomada pelos canadenses. A ofensiva termina.
07/NOV.	Os bolcheviques tomam o poder em Petrogrado.
09/NOV.	O Exército italiano estabelece uma nova linha de defesa ao longo do rio Piave.
01/DEZ.	As últimas forças alemãs se retiram da África Oriental, entrando em Moçambique.
02/DEZ.	Início das negociações de paz entre a Alemanha e o novo governo russo.
09/DEZ.	Tropas aliadas entram em Jerusalém.

122. QUINTA-FEIRA, 4 DE JANEIRO DE 1917
Angus Buchanan assiste ao sepultamento do comandante
de sua companhia

No início, parece mais um movimento de pinça fracassado. Dos 1200 homens da formação original do 25º Batalhão do Royal Fusiliers, restam apenas duzentos, que estão em marcha desde antes do amanhecer. Eles têm a reputação de ser os mais confiáveis e mais rápidos entre as unidades britânicas e, mais uma vez, são mandados para uma emboscada. Seu objetivo, junto com a força principal, é o vilarejo de Beho Beho. Enquanto as outras unidades se aproximam do lugar pelo leste, Buchanan e seus camaradas irão pelo oeste, para evitar que a unidade alemã estacionada no vilarejo fuja, à sua maneira habitual. O sol nasce. Muito calor. Cheiro de folhagem quente.

Depois de duas horas de marcha cuidadosa através da selva, chegam ao local onde ficarão à espera dos adversários. À frente há uma estradinha que leva ao vilarejo. Ouvem o som de tiroteio. A força principal deu início ao ataque. Os homens do 25º Batalhão do Royal Fusiliers espalham-se em uma longa fileira, preparados para atirar, protegidos do sol pela sombra das árvores. Eles aguardam. Pelos ruídos que vêm de longe, percebe-se que o tiroteio continua. Depois de certo tempo, os homens começam a ficar impacientes. Será que este é mais um plano que vai dar em nada?

Esta é a história das operações na África Oriental alemã. As colunas britânicas avançam de vale em vale, pressionando devagar as companhias da Schutztruppen para o sul. Logo estarão próximo ao rio Rufiji.

No papel, a operação parece muito bem-sucedida, e a maior parte da colônia alemã se encontra agora nas mãos dos Aliados. Mas isso foi conquistado com muitos gastos e perdas. O conflito também afetou imensamente essa parte da África, como nenhum outro. Antes de tudo terminar, os britânicos já terão recrutado 1 milhão de carregadores africanos (praticamente todos os equipamentos são carregados por eles) e, destes, um em cada cinco não sobreviverá à guerra.

O que os comandantes aliados, com Smuts na liderança, não conseguiram compreender é que o seu adversário, o rígido, inteligente e cínico Von Lettow-Vorbeck, na verdade não se importa com as colônias. Desde o começo este mestre da guerrilha viu como sua missão atrair para si o máximo possível de forças inimigas. Cada homem, cada canhão e cada cartucho que é transportado para a África Oriental significa menos um homem, menos um canhão e menos um cartucho na Frente Ocidental. E o alemão teve muito mais êxito em seu plano do que poderia sonhar: Smuts conta com cinco vezes mais soldados que Von Lettow-Vorbeck, mas nem chegou perto de derrotá-lo.

Alguns observadores chegam correndo até eles, nervosos. Viram o inimigo se aproximando, ao longo da estrada. Ordens são dadas. As fileiras de homens escondidos levantam-se com suas armas acima da cabeça e se dirigem à estrada. Buchanan tem duas metralhadoras Vickers sob seu comando e consegue colocá-las em funcionamento. Ele se sai muito bem na tarefa. Ao longe, vislumbra *askaris* alemães, que acabaram de sair do vilarejo. Buchanan conta:

> No mesmo instante abrimos fogo contra eles, usando rifles e metralhadoras. Foram surpreendidos e tiveram grandes perdas. Apesar disso, corajosos, atiraram também, mas logo o nosso fogo acabou com o deles, e os que sobreviveram fugiram para dentro da selva.

Grande parte da nova tecnologia militar teve muita dificuldade de funcionar em terreno e clima africanos. Os veículos motorizados com frequência permaneciam parados, a artilharia pesada costumava ficar bloqueada, os aviões não encontravam os alvos sob a mata fechada. A metralhadora, contudo, se mostrou bastante eficaz aqui, tanto quanto em outros teatros de guerra. (Isso tudo já era do conhecimento daqueles que participaram de guerras coloniais.) Em combates na floresta, a fuzilaria dos rifles tende a se desviar para cima. Já as metralhadoras podem ter o mesmo efeito que foices ao mandar faixas de balas para trás e para a frente através da densa vegetação de cerca de um metro acima do chão, atingindo tudo o que se esconde nelas. E são fáceis de ser instaladas em posição fixa.

Buchanan e seus homens passam pelos mortos e feridos, seguindo para Beho Beho. Próximo daí, posicionam-se junto a um pequeno monte, e tem início um novo tiroteio contra os soldados africanos que ainda se encontram no vilarejo. O sol está escaldante.

As horas que se seguem são difíceis.

O monte onde estão é coberto de seixo branco e os raios do sol se refletem de uma maneira que, à distância, é até bonita de ver, mas que faz o calor ser quase insuportável para os que devem nele permanecer. Todos ganham bolhas dolorosas de queimaduras, inclusive aqueles que já ficaram com a pele morena devido aos anos de exposição ao sol africano. Os soldados no vilarejo se encontram na sombra, podendo subir nas árvores e atirar nos homens sobre o monte, que se tornaram um alvo bastante fácil.

O tiroteio continua. As perdas aumentam entre os homens do 25º Batalhão do Royal Fusiliers. Buchanan é atingido por uma bala no braço esquerdo. Depois de certo tempo, ouvem um grito ecoar ao longo de suas fileiras. O chefe da companhia, Selous, está morto. (Ele havia se aproximado uns quinze metros do inimigo, em uma tentativa de determinar onde os atiradores se encontravam. Mal levou seu binóculo aos olhos quando foi atingido por uma bala. Virou-se e outra bala o atingiu, agora na cabeça. Ele caiu morto.) Ficam consternados com a notícia, pois todos "gostavam muito dele, tanto como comandante como por ser uma espécie de corajosa figura paterna". A pessoa que mais se sensibiliza com sua perda é Ramazani, seu criado africano, um homem que o acompanhou como carregador de armas em muitos safáris antes da guerra. Desesperado de dor e com sede de vingança, Ramazani corre para o fogo inimigo sem se importar com as balas que vão em sua direção.

Por volta das quatro da tarde, os inimigos, mais uma vez, desaparecem no meio da selva. Buchanan e os demais entram no vilarejo.

À noite, sepultam o corpo de Frederick Courtney Selous e dos outros mortos, sob a sombra de um baobá.[1]

123. SÁBADO, 13 DE JANEIRO DE 1917
Sophie Botcharski festeja o Ano-Novo ortodoxo em um bunker

O começo é tão promissor e romântico quanto um cartão de Natal. Atravessam uma floresta invernal de trenó, e ao luar a neve parece ter um tom azulado. Chegam ao local da festa, um espaçoso bunker atrás da linha de frente. No teto, velas apoiadas em galhos de pinheiros fazem o papel de lustres de cristal. Em uma mesa grande em formato de "T" encontram-se as mais diversas iguarias e grande quantidade de vodca. Os garçons estão preparados para servir. Uma música animada vem de um gramofone de manivela. Muitos dos convidados para a festa já chegaram.

A maioria deles é composta de comandantes da divisão e há um bom número de mulheres. Algumas são enfermeiras, como Sophie; outras, esposas ou namoradas dos oficiais. O Exército imperial não é muito rígido no que diz respeito à visita de familiares.

Sophie observa que o nível de embriaguez já está bastante alto e que um oficial, ao que parece, está sob efeito de cocaína.[2] As pessoas conversam, fler-

---

1. Segundo outra testemunha, era um tamarindo.

2. A cocaína teve seu auge na Europa no início do século XX, quando era possível comprá-la sem receita médica e sem nenhuma complicação. (Era produzida em escala industrial por diversos laboratórios farmacêuticos, como o Merck.) Tinha boa qualidade e estava disponível na forma injetável e como pastilha. Seu ingrediente ativo era encontrado em produtos como vinhos, chás e refrigerantes (em 1902, a Coca-Cola retirou a cocaína da fórmula de seu famoso refrigerante, em parte como resultado de um boato de fundo racista que pregava que a bebida fazia com que homens negros violentassem mulheres brancas). No ano anterior à guerra, os problemas causados pela cocaína ficaram tão sérios que seu consumo passou a ser restrito — por exemplo, com a exigência de prescrição médica para o uso. Durante a guerra, porém, ela ganhou status de droga social e aceitável. Em Paris, era vendida nos cafés. Em um clube noturno de Londres, em 1916, a quantidade de embalagens vazias da substância encontradas nos banheiros depois de uma noite de festa era tal que enchia dois baldes grandes. O que preocupava as autoridades inglesas eram dois grupos demasiadamente expostos à droga: os soldados e as prostitutas. (Sua produção na época era quase que exclusiva de empresas alemãs, o que era considerado um agravante.) Em maio de 1916, o Exército britânico baixou novas restrições ao consumo, para evitar que os militares conseguissem obtê-la com facili-

tam, dançam. O ambiente é uma mistura bizarra de euforia e resignação. O chefe da divisão já é conhecido por seu comportamento fatalista nas trincheiras, onde costuma se arriscar pondo a cabeça para fora ou abanando com um lenço branco. Nessa divisão uma nova brincadeira se espalhou entre os oficiais: carregar um revólver com uma bala, girar o tambor fechado e puxar o gatilho.[3] Durante a festa, um oficial conta a Sophie sobre um ataque que liderou há pouco tempo, no qual nenhum soldado o seguiu quando chegou a hora. Um coronel bêbado lhe diz que parou de usar seus soldados nos ataques e que realiza apenas ataques simbólicos com os únicos em quem ainda confia: os oficiais. "Eu recebo ordens dos meus superiores: 'Ataquem aquele monte!'. Para que serviria isso, nem eles mesmos sabem."

Aos olhos de Sophie, tudo isso vira uma imagem difusa, pois ela pensa em todos aqueles feridos, desaparecidos ou mortos (um deles, seu primo Vladímir):

> Observei o rosto daqueles homens que tão bem conhecia e percebi que todos haviam mudado. Eles pareciam exaustos e a sua expressão me deixou entristecida. […] Quando olhei à minha volta, todos pareciam ser a sombra do que tinham sido: distorcidos, inchados, transformados em algo que me fazia desconfiar deles. Em que estariam se convertendo? Até onde aquilo nos levaria?

À meia-noite, tem início um bombardeio alemão, mas a festa prossegue. Os convidados continuam dançando, levantam a voz para serem ouvidos através dos estrondos. Quando abrem a porta para ventilar o local, alguém grita: "Tem cheiro de gás!".

A neve profunda atenua os efeitos das granadas de gás, mas todos são obrigados a pôr suas máscaras. A festa agora reúne "animais grotescos", na opinião de Sophie. Alguns casais tentam dançar, mas as máscaras, pesadas demais, os impedem. Todos ficam desanimados, ninguém mais bebe, não se pode mais conversar. Todos apenas aguardam. Em um canto, dois homens de máscara jogam xadrez.

---

dade (junto com outras drogas como a morfina, o ópio e afins). A obra literária intitulada *Roman med kokain* descreve o abuso de substâncias como a cocaína na Rússia imperial, com base na experiência pessoal do autor, que a assina com o pseudônimo M. Agejev.

3. Conhecida como roleta-russa.

124. TERÇA-FEIRA, 16 DE JANEIRO DE 1917
Michel Corday analisa como será a imagem da guerra na posteridade

Algo está para acontecer. Há uma mudança no estado de espírito das pessoas, revelado em parte pelo declínio do interesse na guerra ou, talvez mais exatamente, por uma grande tendência a fugir da realidade: as histórias romantizadas sobre soldados e atos de bravura que enchiam todos os jornais e revistas nos primeiros anos do conflito começam a escassear e desaparecer, sendo substituídas por romances policiais, histórias de detetives e tudo aquilo que caracteriza a literatura de escapismo. E isso também mostra uma antipatia em relação à guerra que é afirmada às claras, embora os artigos e discursos de chauvinistas e nacionalistas, oportunistas e sensacionalistas, ainda tentem dar o tom do que passa por debate público.

Ainda se ouvem ecos dessa mentalidade entre as pessoas comuns. Por muito tempo foi tabu defender a paz, ou mesmo falar dela. "Paz" se tornou um palavrão, que exala um vago odor de derrotismo, de sentimentos pró-alemães, de hesitação em se comprometer. A palavra sozinha é suficiente para fazer as pessoas protestar, praguejar, revirar os olhos e assim por diante, e é até mesmo objeto de censura. Vitória — absoluta, incondicional, total — é a única ideia aceitável. Como em outros países participantes da guerra, os sofrimentos e as perdas não promoveram o desejo de se chegar a uma conciliação, mas criaram uma postura mais rígida, mais relutante em aceitar algo menor que a "vitória". Qualquer outra coisa significaria que todos os sofrimentos e perdas foram em vão, certo? E por que conciliação, enfim, quando não há chance de serem derrotados?

Mas algo está para acontecer. Algo mudou na linguagem usada, embora apenas nas ruas, boca a boca.

Agora não é mais impossível ouvir as pessoas falando de sua esperança de — sim — "paz". Há alguns dias, Corday esperava o bonde e ouviu uma conversa entre uma mulher e um capelão recém-retornado do Somme e Verdun. O capelão disse a ela: "Há mães em quantidade mais que suficiente trajando luto. Esperemos que isso logo chegue ao fim". Mais recentemente, ouviu no mesmo bonde uma senhora da classe alta, de casaco de pele, dizer a um soldado: "Depois de dois anos e meio, você não estaria onde está agora, não fosse pelos milhares de idiotas que votaram nos partidos de guerra". Muitos dos passageiros sorriram e demonstraram certo embaraço, mas uma mulher de classe mais baixa, sentada perto de Corday, murmurou: "Ela tem toda a razão".

Não são apenas a fraqueza e a exaustão que estão começando a se fazer ouvir. A mudança no estado de espírito talvez seja uma reação às iniciativas de paz no mês passado, uma por parte da Alemanha e de seu chanceler, Bethmann Hollweg,[4] e a outra, alguns dias depois, por parte dos Estados Unidos e de seu presidente, Woodrow Wilson. Os governantes dos países aliados rejeitaram de cara a primeira sugestão, e reagiram à segunda com uma série de objeções, de maneira que ficou claro para todos que a paz não será imediata.

Mas a palavra "paz" ganhou vida de novo.

Para fazer propaganda da sugestão de paz alemã, publicou-se uma carta do imperador alemão para seu chanceler, na qual Guilherme escreveu: "Apresentar uma proposta de paz é uma ação necessária para salvar o mundo — inclusive os países neutros — do fardo que agora tenta esmagá-lo". *Todos* os jornais franceses atacaram a carta, questionando sobretudo sua autenticidade, e sua reação à proposta americana foi pouco cordial, quase desdenhosa: "Uma quimera! Ilusões! Delírios de grandeza!". Corday ouviu alguém acusar o presidente dos Estados Unidos de "ser mais alemão que os próprios alemães".

Como é possível ter um quadro imparcial da possibilidade de paz em um mundo onde a imprensa, o único meio verdadeiramente de massa, é estritamente censurada e está nas mãos de propagandistas, fomentadores de guerra e ideólogos? Corday não encontra grande conforto na noção de que uma próxima geração será capaz de entender a lógica desse emaranhado de emoções tumultuadas, ideias fixas, exageros, meias verdades, ilusões, jogos de palavras, mentiras e trapaças que esta guerra produziu. Com frequência ele tenta con-

---

4. A proposta de Bethmann Hollweg, uma das maiores oportunidades perdidas na guerra, nasceu em parte da sua constatação de que as chances de a Alemanha obter uma vitória incondicional havia diminuído, embora a posição do país tivesse ficado aparentemente mais forte após a vitória sobre a Romênia e a ofensiva fracassada dos britânicos no Somme. A sugestão foi também uma tentativa desesperada de resistir à ideia muito apreciada entre os falcões e militaristas alemães de empreender uma guerra submarina irrestrita. O chanceler, como muitos outros, temia que isso arrastasse os Estados Unidos para o conflito. A proposta, contudo, era bastante vaga: Bethmann Hollweg não fez nenhuma exigência nem prometeu nada, nem mesmo que a Bélgica saísse intocada da guerra. Essa não fora a primeira iniciativa de paz por parte dos alemães. Em 1915 fora feita uma tentativa com a Rússia, mas Paris e Londres tinham mais a oferecer do que Berlim — Constantinopla, por exemplo! A tentativa recebeu como resposta o silêncio de Petrogrado.

centrar seus pensamentos no que *realmente* aconteceu, quando esse grande desmoronamento começou a se mover dois anos e meio atrás; impaciente, reúne as lascas de fatos que consegue encontrar aqui e ali, dispersas como as pequenas pistas esquecidas na cena do crime de um caso há muito arquivado. A questão, contudo, é que informações será possível descobrir, depois desse tempo todo.

Ele já sabe há tempos que a imagem da guerra e da opinião pública apresentada pela imprensa é muitíssimo distorcida, chegando ao ponto do embuste. Em abril de 1915, ele escreveu em seu diário: "O medo da censura e a necessidade de lisonjear os instintos mais primitivos [do público] levam [a imprensa] a publicar nada além de ódio e insultos". Os políticos e generais que, em 1914, instigaram a opinião pública a se posicionar a favor da guerra viraram prisioneiros de sua própria retórica de estímulo ao ódio, tornando a ideia de um pacto de paz completamente impossível. Mesmo algumas retiradas táticas foram impossibilitadas porque se tornariam um símbolo de derrota sob os olhos da imprensa e do povo em geral, como aconteceu em Verdun.[5] Mas agora, talvez, algo esteja começando a mudar.

É sabido que os jornais não são uma fonte confiável para os futuros historiadores. E as cartas privadas? Também neste caso Corday tem dúvidas: "As cartas do front dão uma falsa impressão da guerra. Quem escreve sabe que a carta pode ser aberta. E seu objetivo principal é impressionar futuros leitores". E quanto a fotografias? Talvez as pessoas possam se voltar para elas a fim de descobrir como eram as coisas longe do front, por exemplo. Corday pensa que não. Ele escreve em seu diário:

> A vaidade ou a vergonha impedem que alguns aspectos da vida sejam mostrados nas nossas revistas ilustradas. Assim, a posteridade encontrará uma documentação fotográfica da guerra cheia de grandes lacunas. Por exemplo, as fotografias não mostram que estamos quase às escuras dentro de casa, devido às restrições que sofremos, nem as ruas sem iluminação e as lojas à luz de velas. Não mostram as latas de lixo cheias nas calçadas até as três horas da tarde, por causa da falta de

5. Um influente conjunto de opiniões na Alemanha também rejeitou qualquer espécie de pacto ou acordo, considerando natural, por exemplo, que a Bélgica continuasse sob domínio alemão, e via a expansão colonial alemã como algo positivo.

mão de obra para esvaziá-las. Sem falar nas longas filas de até 3 mil pessoas, esperando para receber sua ração de açúcar. As fotos tampouco — para olhar o outro lado da moeda — mostram a grande quantidade de gente que lota os restaurantes, cafés, teatros, espetáculos de variedades e cinemas.

125. UM DIA EM JANEIRO DE 1917
Paolo Monelli aprende a evitar a visita de curiosos

O inverno, assim como os tiroteios, está mais ameno. Além disso, as ventosas trilhas de mula na montanha começam a ficar mais transitáveis. É nessas ocasiões que visitantes curiosos começam a aparecer, para ver de perto a montanha de má fama e dizer: "Eu estive lá!".

Não são bem-vindos.

Enquanto ainda estão lá embaixo, são bombardeados com bolas de neve e pedaços de gelo, e quando chegam, molhados e sem fôlego, os soldados fingem nada saber a respeito. Se os visitantes são de classe alta, eles utilizam métodos mais sutis. Um pouco distante das barricadas, prepararam vários explosivos e, ao serem avisados por telefone que há alguém importante subindo, detonam alguns deles. Uma cascata de pedras e neve desliza morro abaixo, e o regimento austro-húngaro, que se encontra do lado oposto, dispara uma meia dúzia de granadas como resposta. ("Zeem choom zeem choom!")

O comandante do batalhão costuma se desculpar, dizendo ter conhecimento do que está acontecendo. "Até agora, estava tudo calmo lá em cima." A importante visita "sente, de repente, uma vontade imensa de voltar ao vale", e logo desaparece.

126. QUINTA-FEIRA, 1º DE FEVEREIRO DE 1917
Edward Mousley vê a neve cair sobre Kastamonu

Ele sobreviveu à marcha, chegando ao final da ferrovia em Ras al-'Ayn. Ele e os outros que concluíram a longa marcha de dois meses no deserto, desde Bagdá, embarcaram então nos vagões de transporte de gado, em direção ao noroeste. Passaram por muitos lugares. Rio Eufrates. Osmaniye. A cadeia de montanhas Antitauro e o Mediterrâneo como uma listra prateada no horizonte. O passo de Gülek. Os montes Tauro. Pozanti. Afyonkarahisar. Eskişehir. Ancara. De Ancara, tiveram de novo que seguir a pé para o norte, subindo as montanhas geladas, até chegarem em Kastamonu, que fica a setenta quilômetros do mar Negro. Aqui, no bairro cristão, na periferia da cidade, praticamente vazio depois do ataque aos armênios, os prisioneiros foram acomodados em duas casas grandes.

As condições são razoáveis em Kastamonu, muito boas até, em comparação com as que eles enfrentaram nos meses que se seguiram à sua capitulação. Eles são bem tratados, e Mousley e os outros começam a suspeitar que os horrores ocorridos durante a marcha não foram planejados, mas apenas consequência da indiferença cruel e da incapacidade do inimigo. Outro fato também relevante em Kastamonu é que todos os prisioneiros que aqui se encontram são oficiais. Para os homens de postos não comissionados e os soldados rasos, as condições são bastante difíceis. Enquanto Mousley e os outros oficiais lutam contra o tédio, os pesadelos, as sequelas da longa marcha e as doenças, os praças sobreviventes foram colocados em trabalhos forçados em várias áreas.[6]

Em Kastamonu, Mousley tem permissão de visitar as lojas e a piscina da cidade uma vez por semana, acompanhado por um guarda nada zeloso. Os prisioneiros também podem frequentar a igreja e mandar e receber cartas e encomendas de casa. Eles jogam xadrez, bridge e rúgbi. Muitas vezes saem para longas caminhadas em meio às montanhas. Têm planos de formar uma pequena banda de música. Mousley teve uma recaída na malária e foi obrigado a procurar um dentista grego para tratar dos dentes, que estavam em péssimas condições depois da má alimentação dos últimos tempos. Também engordou. Ele e os demais tentam manter algumas rotinas, como trocar de roupa para o jantar, ainda que isso signifique trocar uma camisa rasgada por outra nas mesmas condições. São proibidos de manter todo tipo de contato com a população local. Às vezes, bebem até ficar embriagados.

Desde que o inverno começou, ele vem passando muito frio. Falta lenha, e a que eles encontram muitas vezes está molhada ou úmida. Quando ele a

---

6. Dos soldados aprisionados depois da rendição em Kut al-Amara, 70% não sobreviveram nos campos de trabalhos forçados. Essa taxa de mortalidade pode ser comparada à dos piores campos de trabalho nazistas e soviéticos.

coloca no pequeno fogão, o resultado é mais fumaça do que fogo. A monotonia é o pior de tudo. Mousley passa grandes períodos dormindo e fumando no quarto, que divide com outro oficial. Já faz muito tempo que não escreve em seu diário.

Nesta manhã, quando olha pela janela, ele vê que tudo está mais frio e claro. Neve. O mundo todo se transformou. Os telhados marrom-avermelhados estão brancos, e a cidade ficou tão pitoresca que mais parece um quadro pintado à aquarela. As ruas se encontram vazias. O único sinal de vida vem das vozes das preces oriundas dos minaretes. A visão dessa repentina mudança realizada pela neve, "esse elemento divino, puro, quieto e secreto", o deixa cheio de novas energias, tirando-o da apatia, dando-lhe novas esperanças.

Ele pega seu diário e faz uma anotação, coisa não fazia desde outubro: "1º de fevereiro de 1917. Quatro meses se passaram. Quando escrevo estas palavras, a neve acabou de tingir o mundo de branco". Mais tarde, ele e outros oficiais britânicos vão até um monte nas proximidades. Lá, andam de trenó, "brincamos como crianças". No caminho de volta, fazem uma guerra de bolas de neve.

127. SEXTA-FEIRA, 2 DE FEVEREIRO DE 1917
Richard Stumpf recupera a esperança em Wilhemshaven

O barômetro mostra que a pressão atmosférica aumentou. Nesta manhã, os marujos que terminaram seu turno de guarda têm permissão para sair em uma marcha ou, mais exatamente, para fazer uma pequena excursão até Mariensiel. A banda do navio acompanha a marcha tocando seus instrumentos, as formalidades são mantidas ao mínimo e eles estão animados. Ainda há gelo. Stumpf fica impressionado com a beleza e a força do gelo, mas se dá conta de que ela logo desaparecerá, sem deixar rastros. Na volta, passam por Wilhemshaven.

O sms *Helgoland* passa mais uma vez por reformas e modificações. Estão, agora, desmontando os canhões de 8,8 centímetros. A Batalha da Jutlândia lhes ensinou que o seu alcance é insuficiente, tornando as peças inúteis. "Uma opinião", escreve Stumpf em seu diário, que dois anos atrás levaria quem a emitisse "ao fuzilamento como traidor". Nenhum tiro foi dado por esses canhões e os que os manejaram (incluindo Stumpf) perderam tempo. Ele tenta se consolar pensando que as peças seriam mais bem aproveitadas em terra firme.[7] Stumpf também percebe que algo grandioso está para acontecer. Ele recupera a esperança no futuro: "O mundo inteiro prende a respiração, enquanto a Alemanha prepara um golpe final devastador".

De volta ao navio, vão almoçar. O oficial de guarda aparece com um papel na mãos, "ótimas notícias", diz ele. É um telegrama de Berlim: "A partir de hoje, faremos uma guerra submarina irrestrita". Todos ficam "muito contentes", e logo não se fala em outra coisa a bordo. A maioria deles acha que é apenas uma questão de tempo até que a Grã-Bretanha caia de joelhos. "É uma sentença de morte para a Inglaterra." Esta é a variante alemã da luta "até o amargo fim", que os políticos franceses há muito tempo proclamam.

Stumpf pertence ao grupo dos que têm dúvidas sobre a situação e está disposto a aguardar quatro meses, até que ela se torne mais clara. Contudo, ele vê que de fato essa é uma forma de reagir ao bloqueio naval britânico de alimentos, que fez deste um gelado e infeliz "inverno do repolho" na Alemanha. É só isso que comem agora, repolho dos mais variados tipos, preparado de todas as maneiras possíveis. (A variação é tão limitada quanto o ingrediente. Há pudim de repolho, bolinho de repolho, purê de repolho, geleia de repolho, mingau de repolho, sopa de repolho, salada de repolho. Alguns chamam o repolho de abacaxi da Prússia.) O repolho costuma ser preparado com o ranço da gordura, e o cheiro é disfarçado pelas maçãs e cebolas que são cozidas com ele. A falta de gordura na alimentação aumentou as enfermidades intestinais e a falta de variedade na dieta causa muitos casos de edema. Os alemães, tanto civis quanto militares, perderam em média 20% do peso, e a maioria dos marinheiros emagreceu bastante. Stumpf perdeu apenas cinco quilos, mas recebe pacotes com comida de seus pais na Baviera.

Guerra submarina irrestrita? Por que não? Deixem os britânicos provar de seu próprio remédio: "Espero que eles passem tanta fome quanto o nosso povo na Saxônia ou na Vestfália".

---

7. Curiosidade histórica: usados em terra firme, esses mesmos canhões de 8,8 centímetros se mostraram bastante eficazes como canhões antiaéreos. A partir daí, construiu-se o que seria o canhão mais temido da Segunda Guerra Mundial, "o canhão de 88 milímetros alemão".

128. QUARTA-FEIRA, 7 DE FEVEREIRO DE 1917
Alfred Pollard encontra uma trincheira cheia de corpos
na periferia de Grandcourt

Pela primeira vez, ele está hesitante diante de uma missão. Para começar, porque acabou de retornar de uma. Mal teve tempo de descer na trincheira e já topa com o coronel, que o espera, impaciente, e manda que saia de novo. É quase uma hora da manhã, e a ordem que ele recebe é de patrulhar o vilarejo de Grandcourt "a qualquer preço". O velho repete duas vezes a expressão ameaçadora: "a qualquer preço". Pollard compreende a importância da missão. A Força Aérea relatou que os alemães abandonaram o local, e o coronel quer que o seu regimento chegue primeiro ao ermo vilarejo. (É uma questão de prestígio.) Pollard não sabe como chegar lá, visto que o rio Ancre fica entre eles e Grandcourt. Pergunta ao coronel como deve fazer para atravessar o rio e recebe uma resposta bastante curta: "Deixo isso a seu critério, Pollard".

A lua está cheia e faz muito frio. O chão está coberto de neve. Pollard e os quatro homens da patrulha tentam descer uma colina. Chegam até uma trincheira abandonada. Abandonada, mas não vazia. Há nela muitos corpos de soldados britânicos de outra divisão. Quando ele vê os corpos rígidos de seus compatriotas salpicados de neve, vem à sua lembrança que alguém lhe contou sobre um pelotão em posição de ataque que, pouco tempo atrás, foi vítima das baionetas alemãs. Até cair o último homem. Ele ouviu o caso, mas havia se esquecido dele. Circulam muitas histórias de unidades exterminadas e pelotões desaparecidos.

Quando, em seguida, começam a se movimentar em direção ao rio, Pollard se lembra da primeira vez que viu uma trincheira cheia de corpos. Foi durante o seu primeiro ataque, naquele dia quente de junho de 1915, em Hooge:

> Eu era como um menino que vê a vida através de olhos inocentes, cheio de esperança e otimismo. A guerra era uma grande aventura. Quando vi os corpos mortos por nossas granadas, senti compaixão dos homens que haviam perdido a vida. Agora eu era um homem e entendia que a guerra levaria anos para chegar ao fim. Eu agora olhava para os corpos na trincheira e nada sentia. Nem pena nem medo de logo estar morto. Não sentia nem raiva contra quem os havia matado. Não sentia nada. Eu era apenas uma máquina que fazia o melhor possível para executar a minha tarefa.

Pollard vê na neve as pegadas dos alemães que atacaram os homens na trincheira, o que acaba sendo um golpe de sorte, pois elas o levam, através de um pântano congelado, até o rio, onde há uma pequena ponte. Empunhando o revólver, ele a atravessa, à frente de todos, como de costume. Está tudo em silêncio. Ele acena para os colegas da patrulha para que atravessem também. Passo a passo, entram furtivamente no vilarejo. Silêncio. Estavam certos, os alemães haviam abandonado Grandcourt.

Nem Pollard nem ninguém dos Aliados sabe que o recuo dos alemães é parte de um plano que tem a linha de frente como objetivo. Novas posições fortificadas os aguardam mais para trás.

129. SEXTA-FEIRA, 9 DE FEVEREIRO DE 1917
Olive King conserta um automóvel em Salônica

Venta muito. Há sinais de neve no ar. Mais um inverno em Salônica. Mais um inverno nessa superpopulosa e ultrafortificada base militar de uma cidade que tem seu Exército seriamente subempregado. Nas ruas há uma miscelânea de uniformes: o azul-acinzentado dos franceses, o cáqui dos britânicos, o marrom dos sérvios, o marrom-esverdeado dos russos, o verde-acinzentado dos italianos. Além desse conglomerado poliglota há as tropas coloniais da Índia, da Indochina e do norte da África. Durante o outono foram feitas tentativas de expulsar os búlgaros no norte, mas o front mal se movimentou. Agora tudo está paralisado de novo. O tempo, como de hábito, está bastante instável: sol e calor em um momento, frio e vento em outro. Já vem nevando há dois dias, mas a neve não conseguiu expulsar o frio. Olive King está congelando no lugar onde agora se encontra: debaixo de sua ambulância.

Ela pensou em passar a manhã em alguma das piscinas quentes, perto do porto, mas o veículo tinha outros planos. Precisa ser consertado. Por isso, ela está nesta garagem gelada, desmontando a caixa de câmbio. Seus dedos estão azulados de frio. Venta muito lá fora.

Olive King faz parte do Exército sérvio agora. Ela e seus dois veículos. (Além da velha Ella, uma ambulância mais leve e mais rápida que comprou, da Ford. É essa ambulância que está sendo consertada no momento.) Como os sérvios ficaram quase sem nenhum veículo, ela tem muito o que fazer. Agora não precisa mais patrulhar lâmpadas nem cuidar de sacos de roupas e pertences dos soldados. Sua incumbência é fazer viagens longas e difíceis em estradas montanhosas estreitas e perigosas, das quais nunca ouviu falar na Europa Ocidental — nem chegam a ser estradas, são mais caminhos lamacentos e sinuosos. Nessa época do ano, a situação piora. Se as temperaturas ficam acima de zero, elas se transformam em uma pista de lama, e se ficam negativas, o que se encontra é uma pista de gelo.

Olive está mais próxima da guerra, e a guerra, mais próxima dela. A sra. Harley, "aquela idosa que deveria estar em casa tricotando meias", que foi sua companheira em muitas tarefas difíceis, faleceu há um mês. Foi atingida por uma granada inimiga (talvez búlgara, talvez austríaca) enquanto atendia refugiados em Monastir. De suas viagens ao norte, Olive trouxe consigo não apenas duas mochilas búlgaras carregadas de suvenires de guerra — cartuchos vazios, lascas de granadas —; trouxe também, gravada na memória, a imagem de um campo de batalha coberto de corpos meio soterrados. E vislumbrou pela primeira vez "o odioso inimigo" (na forma de prisioneiros de guerra búlgaros).

Além disso, está apaixonada, o que não é de estranhar — há algo no ar, na situação, no fato de ser forçada a viver na incerteza, que derruba os temores e convenções que em tempos de paz seriam um entrave. Essa paixão significa mais para ela do que tudo o mais no momento. Mais do que a guerra, que se tornou mero pano de fundo, imagens em uma paisagem, cotidiano monótono, às vezes bizarro, às vezes perigoso ou detestável, e com frequência muito irritante. Como quando estamos sonhando com algo agradável, mas somos acordados de repente.

O objeto de sua paixão é o charmoso oficial sérvio Milan Jovičić, chamado por todos de Jovi. Um jovem da idade dela, muito alegre, brincalhão, impulsivo e de boa aparência. O romance floresceu durante jantares e festinhas — pode-se imaginar o som chiado de "La Paloma" ao gramofone —, mas também sob o estresse do perigo compartilhado. Quando ela adoeceu de malária em setembro do ano passado, ele a visitava duas vezes por dia e lhe fazia companhia por muitas horas. A paixão parece ser correspondida e eles tentam esconder seus sentimentos dos demais, mas mesmo assim são objeto de fofocas. Ela fica muito irritada com a situação.

Não se trata apenas de uma relação passageira, ela já teve muitas desse tipo. Desta vez, é de verdade.

Olive está consciente de que algo mudou dentro dela nesses anos, o que a assusta. Ou talvez esteja mais preocupada em como os outros irão reagir perante tudo isso. Em uma carta ao pai, ela lhe conta sobre seu alistamento no Exército sérvio, além de escrever o seguinte: "Amado pai! Tenho pelo senhor um amor infinito, o senhor nunca terá ideia do quanto. Fico pensando se achará que mudei muito. Sei que a guerra me deixou bastante egoísta e muito mais independente do que eu já era".

Ela não menciona sequer uma palavra sobre sua paixão. Jovi é chamado de "apenas um amigo", o que em si é ousado o suficiente comparado com o que seria aceitável antes da guerra. Agora, são poucos os que se preocupam com vigilância e formas apropriadas de relacionamento social entre homens e mulheres solteiros. Não aqui nem agora.

Na hora do almoço, Olive King interrompe seu trabalho na gelada garagem e vai até o pequeno apartamento que divide com duas outras motoristas. Ela entra e logo liga a única fonte de calor do lugar, um aquecedor a querosene que precisa ficar ligado em qualquer época do ano. Olive se preocupa com o preço do querosene, que parece subir sem parar. Uma garrafa custa dezenove francos e dura apenas alguns dias. "Se os Estados Unidos entrarem na guerra, devem nos deixar comprar querosene com desconto."

Olive decide ficar em seu quarto por enquanto. Já fez a sua parte por hoje. O outro mecânico pode terminar o trabalho. Ela começa a pensar nas deliciosas maçãs da Tasmânia. Será ainda a época de maçãs na Austrália? Será que seu pai poderia lhe mandar uma caixa de maçãs?

130. UM DIA EM FEVEREIRO DE 1917
Florence Farmborough reflete sobre o inverno em Trostyanets

O inverno tem sido bastante difícil. Em dezembro, ela ficou sabendo da morte de seu pai, com 84 anos, e no mês passado faleceu o famoso cirurgião russo que tanto a ajudou. Nada acontece nesta parte da Frente Oriental. As grandes operações militares estão paradas devido às baixas temperaturas e à neve. O hospital de Florence atende poucos pacientes, algum ferido ou doente que aparecem de vez em quando. Não há muito a fazer.

A escassez de alimentos costuma ser grande durante o inverno, mas este ano está ainda mais acentuada. Há tumultos acontecendo em Moscou e em Petrogrado. Todos estão exaustos da guerra e a insatisfação é geral. Correm muitos boatos de distúrbios, sabotagens e greves. Antes de 1914, alguns especialistas em economia previram uma catástrofe se a guerra fosse prolongada. Eles tinham razão. Em todos os países envolvidos, o dinheiro — dinheiro real — já acabou e a guerra está sendo financiada com créditos ou notas promissórias. Assim, a crise de escassez de alimentos na Rússia não piorou apenas devido ao frio, mas por causa do aumento da inflação. Além disso, a alegria com as muitas vitórias do verão se transformou em decepção, pois se concluiu que tantas perdas não levaram a lugar algum.

As críticas contra os líderes da guerra e contra o czar vêm aumentando. Os rumores sobre o que aconteceu ou ainda acontece na corte são intensos: o assassinato do famoso monge Rasputin, há um mês e meio, parece confirmar a imagem de uma corrupção que chega ao mais alto escalão.[8] Florence nem tem feito caso dos acontecimentos, tão absorta está com as mortes de duas pessoas próximas a ela, mas sente pena do czar, que é visto como uma pessoa bem-intencionada e tola.

Sim, o inverno tem sido terrível. Quando o desassossego se junta à falta de atividade, leva a muitas preocupações, irritação geral e discussões intermináveis entre as pessoas da unidade. Florence Farmborough também se sente irritada: "Parece que estamos à espera de algo. Não dá para continuar assim. Muitas perguntas sem respostas. 'A guerra vai continuar?', 'Haverá paz entre a Alemanha e a Rússia?', 'O que os nossos aliados farão nessa situação?'".

"É um inverno triste", escreve ela em seu diário. "O frio e o gelo fazem o seu melhor para embotar nossos pensamentos e paralisar os nossos movimentos."

131. DOMINGO, 25 DE FEVEREIRO DE 1917
A avó de Elfriede Kuhr desmaia no lado de fora do açougue de carne de cavalo em Schneidemühl

Na rua onde Elfriede mora, há um açougueiro que vende carne de cavalo. Seu nome é sr. Johr e ele é judeu. Elfriede sabe que há muitas pessoas que não

---

8. O assassinato, em si, não mudou nada. Mas parece ter levado todo o sentimento de ódio e crítica pelo estranho favorito da imperatriz a se dirigir para a família real.

gostam de judeus, o que não é o caso dela. Uma vez brigou com um menino que chamara uma de suas amigas de judia porca. Muitos judeus e poloneses moram no bairro, mas aos olhos de Elfriede são todos alemães, ainda que de diferentes tipos.

Hoje a avó de Elfriede desmaiou no lado de fora do açougue. Algumas pessoas a carregaram para dentro do estabelecimento e ela logo voltou a si, deitada no sofá da sala do sr. Johr. Ela está tão fraca que ele é obrigado a levá-la de carroça para casa. Elfriede e o irmão ficam assustados ao ver a avó, tão pálida, ser carregada para a cama. Ainda bem que uma das vizinhas os está visitando e serve uma xícara de café para a velha senhora. Não há mais café de verdade, é claro. O que há agora é um café feito de cevada, mas a vizinha adiciona bastante açúcar de verdade para disfarçar o gosto, em vez do adoçante artificial que agora é comum. A avó de Elfriede bebe o café e se sente melhor. "Agora estou aquecida de novo, crianças."

Por que ela desmaiou? Será que é por trabalhar demais, como muitas outras pessoas? Ou porque, como todo mundo, se alimenta muito mal?

Elfriede está bastante preocupada com a saúde da avó. Ela apanha seus livros e vai fazer a lição de física junto dela, para poder cuidá-la ao mesmo tempo. Mas não são os assuntos de escola que ocupam os seus pensamentos no momento. Há menos de uma semana ela e uma amiga foram patinar em um campo congelado no rio. Havia muitas pessoas patinando ao som de um gramofone de manivela. Mais uma vez, ela encontrou aquele jovem tenente com quem conversou na escada da casa de sua colega. O nome dele é Werner Waldecker. Pouco depois da festinha, tinham se cruzado por acaso na rua e ficaram conversando, e o encontro terminara com ele beijando sua mão e dizendo que queria vê-la de novo. Isso aconteceu cinco dias atrás, na pista de patinação. Quando escureceu, ele a convidou para acompanhá-lo à confeitaria Fliegner, onde, embora não houvesse ecler, tomaram vinho quente e comeram roscas de açúcar. Ela ficou muito feliz durante o encontro. Depois, o tenente Waldecker a acompanhou até em casa e tentou beijá-la. Ela se desvencilhou dele e entrou correndo. Depois se arrependeu.

Não há muita coisa acontecendo agora de acordo com aquele mapa de guerra pendurado na sala de aula. Nada de importante ocorreu na África ou na Ásia nas últimas semanas. Ontem, infelizmente, 289 homens se renderam em Likuju, na África Oriental alemã, e várias trincheiras turcas foram tomadas pelos britânicos a sudoeste de Kut al-Amara, na Mesopotâmia. É tudo. As coisas estão muito calmas também na Itália e nos Bálcãs. Na Frente Ocidental, também não acontece nada, além de um ou outro ataque ocasional. É apenas a Frente Oriental que alimenta os jornais de notícias de guerra agora, sendo quase toda atividade, há meses, concentrada em uma área: a Romênia. Essa parte do mapa está cheia de bandeirinhas pretas, vermelhas e brancas, e talvez venha uma grande vitória em breve. A última aconteceu em 6 de dezembro, com a queda de Bucareste. Todas as crianças tiveram um dia livre. Elfriede aproveitou para fazer uma longa caminhada.

132. DOMINGO, 18 DE MARÇO DE 1917
Andrei Lobanov-Rostovski tenta entrar no Hotel Astoria em Petrogrado

"Apenas siga o fluxo", disse-lhe o médico. São duas horas da manhã e faz muito frio. Lobanov-Rostovski deixa que seu ordenança, Anton, tome conta da bagagem e vai direto para o hotel. Não há nenhum veículo estacionado na estação de trem, nenhum táxi, nenhuma carruagem. Ele vai a pé. Há algo estranho acontecendo. Ele cruza com patrulhas noturnas nas ruas escuras que "o examinam com suspeita". Passa por uma delegacia de polícia que foi incendiada. Na Morskaia, a famosa rua de comércio, percebe que os vidros das vitrines estão quebrados, as lojas foram saqueadas e há buracos nas paredes, causados por projéteis de armas de fogo.

Lobanov-Rostovski tem conhecimento dos distúrbios, é claro. Tudo começou no dia 8 de março, quando as mulheres saíram às ruas para protestar contra a falta de pão.[9] Na estação de trem de Kíev ele também viu algo parecido. Uma multidão invadiu o refeitório dos passageiros da primeira classe e, aos gritos, arrancou o retrato do czar da parede. Faz três dias que Nicolau II abdicou do trono. Lobanov-Rostovski ficou sabendo disso na quinta-feira, quando teve alta no hospital. Um oficial lhe contou a sensacional novidade sem alarde, em francês. Em seu diário, Lobanov-Rostovski comenta a notícia com otimismo: "Com um novo imperador ou um regente mais inteligente e mais enérgico, conquistaremos a vitória".

9. A insatisfação geral era grande, mas a razão de a revolta ter ocorrido bem nesse dia se deveu, ao menos em parte, ao tempo. Na época, fazia um frio muito intenso, que em 8 de março ficou mais ameno, de modo que muitos se sentiram motivados a sair às ruas para participar das manifestações.

É uma expectativa difícil de cumprir. Lobanov-Rostovski esteve doente de malária desde o Ano-Novo. Em 15 de março, o dia anterior à abdicação, deixou o hospital. Quando foi se inscrever no regimento, soube que seria enviado para um batalhão de reserva em Petrogrado. Ficou inconsolável com a decisão, pois ouvira falar que lá mandavam as tropas atirar nos manifestantes e grevistas nas ruas. Ele conheceu um médico, que tentou acalmá-lo e lhe perguntou se estava pensando em suicídio. Lobanov-Rostovski revelou o que sentia: "É a imbecilidade do governo que está causando esta revolução. Não é culpa do povo, mesmo assim me mandam para Petrogado para atirar nele". O médico o consolou e lhe deu um conselho que ficou gravado em sua mente: "Apenas siga o fluxo que tudo dará certo".

Lobanov-Rostovski chega ao Hotel Astoria, onde seu tio e sua tia estão morando temporariamente. Aí também há rastros da revolta. As paredes estão cheias de buracos de balas. Os vidros das janelas do andar térreo foram quebrados e estão cobertos por tábuas de madeira. A recepção está às escuras, as portas giratórias estão trancadas. Ninguém aparece para atendê-lo. Muito estranho. Ele vai até uma porta lateral, bate e é logo cercado por um grupo de marinheiros agressivos e armados. Eles apontam as armas para seu peito e o bombardeiam com perguntas ameaçadoras. "Onde está seu passaporte?" Ele responde que não tem. "Por que está armado?" Um jovem tenente da Marinha chega até eles e os convence a deixar Lobanov-Rostovski em paz: "Camaradas, deixem o homem passar! Ele acabou de chegar e nada sabe da revolução".

Uma vez na rua, Lobanov-Rostovski volta rápido para a estação de trem, onde pretende tomar chá e esperar o amanhecer.

Por volta das oito horas da manhã, ele faz uma nova tentativa. Escuta os apitos das fábricas ao longe. Está nevando, a temperatura subiu e as ruas estão molhadas. Tirando os vestígios de lutas, tudo parece quase normal. Multidões vão para o trabalho, como de costume. Uma coisa, porém, está diferente: há detalhes vermelhos em tudo, nos prédios e nos transeuntes. Os que passam apressados usam algo desta cor, seja um laço de fita, uma flor de papel ou um trapo preso em um botão da roupa. Até os automóveis e as carruagens elegantes estão enfeitados com alguma coisa vermelha. Os grandes pedaços de tecido pendurados na fachada das casas parecem quase pretos à fraca luz da manhã.

Dessa vez, deixam-no entrar no hotel. A recepção está com um aspecto deplorável. Cacos de vidro e móveis quebrados. Poças de neve derretidas cobrem os tapetes vermelhos. Gente entrando e saindo. Em um canto, há um grupo em volta de uma mesa recrutando pessoas para uma espécie de associação de oficiais radicais. O aquecimento não funciona mais. Dentro e fora, a temperatura é a mesma. Ele não vê sinal de seus parentes. "Tudo parecia estar desintegrando e ninguém sabia de nada."

Ele não tem como saber, nesse momento, que alguns dos mais sangrentos conflitos de toda a revolução ocorreram no luxuoso Hotel Astoria. Aqui estavam hospedados muitos oficiais de alta patente com suas famílias e alguém, ou talvez mais de uma pessoa, atirou nos manifestantes. Estes responderam com tiros de metralhadora. O lobby então foi invadido por homens armados, resultando em uma luta corpo a corpo no meio dos lustres de cristais e paredes espelhadas. Muitos oficiais foram mortos a tiros ou a baionetas. A adega de vinho do hotel foi saqueada. (Nessa época, em Petrogrado, havia uma mistura de indignação, protesto, vandalismo e pura criminalidade.)[10]

Lobanov-Rostovski sai de novo para as ruas molhadas de Petrogrado. Anoitece, e ele não descobre mais nada sobre o que está acontecendo. Mas ao menos encontrou os tios, que fugiram do Astoria para o Almirantado — para descobrir que distúrbios também estavam acontecendo ali. Do batalhão no qual iria fazer parte, recebe informações contraditórias: "A unidade se recusou a participar da revolução e foi totalmente exterminada. Foi a primeira a se colocar ao lado da revolução, e os soldados mataram todos os oficiais. Todos os oficiais foram salvos. E assim por diante".

Ele decide, preocupado, que amanhã tomará um táxi e se apresentará no quartel. "Apenas siga o fluxo que tudo dará certo."

133. SÁBADO, 24 DE MARÇO DE 1917
Andrei Lobanov-Rostovski é escolhido oficial do comitê das tropas

Sinais de revolta em todos os lugares. Os soldados se vestem com desleixo, não batem continência nem mostram nenhum sinal de respeito. Ele está prati-

---

10. Como disse o historiador Orlando Figes, a ideia de que a revolução de março foi pacífica não passa de mito. Na realidade, o número de mortos foi maior durante esses distúrbios do que durante a famosa revolução bolchevique em outubro do mesmo ano.

camente preso na caserna, à espera da resolução do conselho do batalhão. Irão aprová-lo?

Hoje é o dia da decisão. Sim, resolveram que ele será oficial do batalhão. Não significa que ele tem o mesmo status de antes. O comandante do batalhão lhe explica: os oficiais são como monarcas constitucionais, têm responsabilidade formal, mas não têm poder. Lobanov-Rostovski está aliviado. Se não o tivessem aprovado, poderiam até prendê-lo. Ou coisa pior. Ele escreve:

> Parece que o voto decisivo veio de um sargento que esteve sob meu comando. Ele contou ao comitê o que aconteceu em Rejitsa em 1916, quando, por minha própria conta e risco e contra as ordens do comandante do regimento, dei aos meus homens permissão de voltar para casa. Em seguida fui procurado por dois membros do comitê, que me informaram sobre a decisão tomada e me perguntaram, de forma educada, se eu gostaria de permanecer no batalhão. Na mesma tarde, ficamos sabendo que cinco oficiais do regimento de Moscou que haviam sido escolhidos um dia antes por seus soldados foram assassinados por eles durante a noite.

134. SEGUNDA-FEIRA, 26 DE MARÇO DE 1917
Rafael de Nogales participa da Primeira Batalha de Gaza

Rafael de Nogales não dorme há um dia e meio e está exausto. Com uma patrulha, seguiu o regimento inimigo e recebeu ordem de explodir a tubulação de água potável que os britânicos construíram desde o canal de Suez, passando pelo Sinai e chegando à antiga cidade costeira de Gaza. Em 36 horas se deslocaram, por alto, entre 150 e 160 quilômetros através do deserto. A missão fracassou. Nem sequer encontraram a tubulação. Quando entram no acampamento cavalgando, a única coisa em que ele pensa é no sono que precisa pôr em dia.

Há agitação no acampamento. Souberam que forças britânicas estão atravessando o grande *wadi*[11] localizado em frente à linha de defesa de Gaza, e as unidades disponíveis começam a se preparar para a batalha. A visão de toda essa atividade é o que basta para reanimar Nogales: "O cansaço extremo que sentia

---

11. Leito seco de um rio.

desapareceu no mesmo instante". Ele troca de cavalo e está pronto para a nova missão.

Nogales recebe ordem de conduzir a caravana, com seus camelos, cavalos e carroças, para uma posição segura. No acampamento ficam apenas as barracas brancas, como disfarce para o novo agrupamento. Depois ele volta para a cavalaria turca, que ficou vigiando um ponto importante do grande *wadi*, um ponto onde os adversários decerto irão atacar. Se os britânicos passarem por ali, podem chegar com facilidade até o alto-comando otomano em Tel el-Sharia.

Esse grande ataque dos britânicos é um sinal de que a guerra começa a se transformar no Oriente Médio. Desde que a segunda tentativa otomana de dividir o canal de Suez fracassou, no verão passado, eles partiram para uma contraofensiva. Suas tentativas demonstram que aprenderam com suas experiências anteriores. A linha de defesa natural e mais efetiva da Palestina, o deserto, foi penetrada por uma pequena ferrovia e pela impressionante tubulação de água potável que Nogales não conseguiu encontrar para explodir.

A noite é fria e enevoada.

De madrugada, ouvem o ruído de artilharia pesada, vindo de Gaza. O barulho se intensifica e eles escutam tiros de metralhadoras e rifles. O ataque começou.

Recebem um primeiro relatório: os britânicos conseguiram atravessar o *wadi* com inesperada rapidez. Tanques de guerra seguidos da artilharia começaram a atacar Gaza, ao mesmo tempo que a cavalaria contornou a cidade e ameaçou com a invasão pelo lado de trás. Nogales conversa com um oficial alemão que está muito pessimista. A situação da cidade é desesperadora. Talvez ela já tenha caído nas mãos do inimigo. Quando clareia, podem vislumbrar nuvens de fumaça e incêndios em Gaza.

Os regimentos de cavalaria otomanos continuam aguardando o ataque britânico. Nada acontece. Recebem ordem de avançar ao longo do *wadi*, em direção a Gaza. Nogales precisa transportar a munição em segurança, mas deixa de lado essa tarefa para procurar uma unidade que se perdeu. Depois de localizá-la, acompanha a unidade em direção a Gaza e às unidades britânicas que cercaram cidade. Nogales diz que, apesar do cansaço, é estimulado a seguir em frente por uma mistura de nervosismo e entusiasmo que "é inevitavelmente inspirada mesmo no coração mais insensível pelo uivo dos primeiros projéteis e pelos estalos secos de granadas explodindo no céu".

Aviões de combate britânicos voam sobre suas cabeças e jogam bombas. Logo, ele pode apreciar um "magnífico panorama" do campo de batalha ao redor de Gaza, que em uma extensão de trinta quilômetros está rodeado de espessa fumaça.

Nogales, então, se lembra de sua tarefa original. Ele deixa a batalha e cavalga com seu ordenança para procurar a coluna de veículos de munição. Seus cavalos estão cansados e suados. Os dois homens encontram a caravana e a veem ser bombardeada por engano, "com invejável precisão", pelas baterias de artilharia alemã que se encontram na Palestina para ajudar o Exército otomano. Depois de sofrerem muitas perdas, inclusive de animais de carga, são salvos por um piloto de guerra alemão que percebe o que está acontecendo e consegue fazer o sinal de cessar-fogo para a bateria.

Ao anoitecer a coluna de Nogales segue para Tel el-Sharia, onde encontra o comandante do front de Gaza, o general Friedrich Kress von Kressenstein. O alemão está nervoso e ocupado em enviar telegramas. Está convencido da derrota. Nogales também pensa assim, a situação toda é confusa. Ele fica muito surpreso quando, prestes a retornar ao campo de batalha, ouve dizer que o inimigo, sem nenhuma razão aparente, começou a bater em retirada.

A batalha terminou. Os dois lados se dizem derrotados, mas os britânicos foram simplesmente os primeiros a bater em retirada.

Nessa mesma noite, Nogales cavalga pela cidade destruída:

> A morte estava em todos os lugares. No meio da rua, entre destroços de carroças cheias de fuligem preta, centenas de corpos de pessoas e animais empilhados uns sobre os outros. Nas paredes enegrecidas das casas ainda fumegantes e a ponto de ruir, grandes manchas cor de púrpura lembravam cravos vermelhos, cravos de sangue que mostravam onde feridos e mortos haviam apoiado o peito ou a cabeça antes de dar seu último suspiro. Quando os últimos raios de sol desapareceram, ouviram-se as preces lamentosas vindas dos minaretes, para anunciar que o anjo abrira suas asas sobre o deserto onde milhares de soldados cristãos agora dormem um sono eterno e glorioso sob o céu estrelado da Palestina.

Ele cavalga de volta ao acampamento, onde seu cavalo tem um colapso de exaustão. Nogales se enrola em um cobertor, recosta a cabeça no flanco do animal e logo adormece.

135. DOMINGO, 1º DE ABRIL DE 1917
Sophie Botcharski visita a Duma em Petrogrado

Quando Sophie entra no enorme salão, percebe o quanto tudo mudou. Foi aqui, na magnífica Sala Catarina do Palácio de Inverno, que a sua unidade teve a cerimônia de despedida antes de partir para o front. Ela e as companheiras estavam entre os pilares de mármore, sob os lustres de cristal, enquanto eram abençoadas. Um político lhes desejou boa sorte e o coro da igreja "encheu a sala com seu entusiasmo".

Agora, ela mal reconhece a sala:

Nos belos pilares haviam pendurado cartazes de cores berrantes. O chão de tábuas de madeira estava todo arranhado e coberto de jornais velhos. Pontas de cigarro jogadas e sementes de girassol cuspidas sujavam o ambiente. Soldados andavam em grupos ou comiam, sentados no chão. Civis se reuniam em torno deles, dizendo que muito sangue já fora derramado. Perto de mim, um homem afirmava para um grupo de soldados que apenas os grandes proprietários de terra e os capitalistas tinham algo a ganhar com a guerra, e que eles deveriam parar de combater quando quisessem.

Grupos de soldados vão e vêm nos corredores do palácio e nas escadarias. Bandeiras sacodem no ar. Uma banda militar toca em uma sala vizinha.

A revolução começou há menos de um mês. Adversidades, desilusões, corrupção, privações, necessidades, escassez de alimentos e falta de confiança nas autoridades fizeram a sua parte. Um governo provisório tomou o poder. A situação é muito difícil e confusa. Há no ar um novo tipo de expectativa. Uma expectativa de renovação: espiritual, democrática, poderosa. Muitos dos que desejavam a queda do czar querem que a guerra continue.

Sophie Botcharski não tem dúvidas sobre o assunto. Ela viajou a Petrogrado por um motivo: quer avisar a Duma sobre uma ordem que chegou até a sua unidade e que ela e os seus companheiros consideram uma traição. Dizem que ela foi dada pelos soldados de Petrogrado, e que o conselho de trabalhadores e os comitês irão escolher quem terá o controle sobre todas as armas. Quem é responsável por isso? Os alemães? O velho antissemitismo dá as caras também. Não dizem ter visto um judeu distribuindo a ordem? Sophie foi encarregada da missão por ter contatos no partido liberal dos cadetes.

Depois de passar algum tempo nos corredores lotados pela multidão, ela enfim encontra um dos líderes da Duma que se mostra disposto a ouvi-la. Quando ele fica sabendo de onde ela vem, fica mais interessado e lhe pergunta: "Como está o ânimo dos soldados?". Ele apanha um papel e uma caneta para anotar tudo. Sophie começa a perder a coragem: "Se ele depende da visita de uma enfermeira para saber o que está acontecendo no front, estamos perdidos". O homem confirma que a ordem é verdadeira. Os soldados de Petrogrado e o conselho dos trabalhadores também se encontram aqui no palácio. O homem lhe diz que tem consciência de que a ordem é conspiratória, mas que logo os tirarão dali.

Sophie volta para a barulhenta Sala Catarina. Ela suspeita da capacidade dos cadetes de conseguir realizar a tarefa, e vê os soldados como presas fáceis de manipular e muito ignorantes.

No pódio, um discurso seguido de outro. Ela ouve primeiro o presidente do conselho dos soldados e trabalhadores, o menchevique Tcheidze, um homem de baixa estatura e braços compridos. Alguém diz que ele parece um macaco. Tcheidze tem "voz aguda, sotaque da Geórgia, mas consegue prender a atenção dos ouvintes. 'Camaradas', diz ele, 'enterrem suas baionetas no chão! Os oficiais já os oprimiram demais!'". Acusações e ameaças se cruzam no ar. Depois sobe ao pódio o mesmo homem que, em 1914, abençoou Sophie e suas colegas, o presidente da Duma, o robusto Mikhail Rodzianko, uma das pessoas por trás da abdicação do czar. Ele conta que tem dois filhos militares e argumenta pela continuidade da guerra. Ao som da banda militar, é aclamado. Ela escuta um soldado perguntar aos seus camaradas: "Eles falam em presidente e presidente, mas quem será o próximo czar?".

136. UM DIA EM ABRIL DE 1917
Pál Kelemen atira com sua metralhadora na periferia de Kolozsvár

A modernidade parece ter chegado também ao Exército austro-húngaro. A cavalaria, seu motivo de maior orgulho, a joia de sua coroa militar, com seus soldados nos mais elegantes uniformes, será desativada, pois não preenche mais nenhuma função prática e quase nunca participa das batalhas. Diversas tentativas foram feitas de incluí-la na ação, resultando em regimentos inteiros aniquilados por tiros de metralhadoras inimigas. De modo geral, ela tem sido incumbida de outras funções, como vigiar prisioneiros de guerra, patrulhar atrás das linhas e participar de desfiles coloridos e requintados. Além disso, os gastos com os animais são grandes, sobretudo com a alimentação, que é tão cara quanto escassa nos dias atuais.[12]

De nada adianta dizer que a cavalaria austro-húngara possui os uniformes mais bonitos de todo o continente. É mais uma parte da velha Europa que desaparece agora, quando os cavaleiros se despedem de suas jaquetas azuis enfeitadas de pele, das calças vermelhas bordadas, dos capacetes de couro adornados com uma crista, de suas plumas, fivelas, botões dourados, galões e das suas botas de couro marrom. Deverão agora juntar-se à infantaria, com suas tristes, práticas, baratas e anônimas roupas cinzentas, *hechtgrau*. O regimento de Kelemen também será desfeito, e ele não está nada satisfeito com essa mudança, não apenas porque o serviço é mais perigoso e exaustivo, mas também porque seu lado esteta e esnobe não considera a infantaria algo tão digno. Quando ele iniciou o curso para aprender a usar metralhadora, para se tornar oficial da infantaria, o capitão, "um homem de meia-idade, barbudo e de uniforme amarrotado", logo percebeu que Kelemen ainda usava as dragonas douradas típicas da cavalaria. O capitão lhe disse, rude: "Isso dever ser retirado". Kelemen não lhe deu ouvidos e ainda as usa.

O curso é extremamente entediante, assim como a cidade onde ele e os outros participantes estão morando. Tudo é um sofrimento. Nesta tarde, vão de carroça até um campo isolado de treinamento de tiro, para praticar. Eles passam por um vilarejo. A paisagem húngara plana e vazia se estende até o horizonte. Choveu há pouco e nuvens pesadas ainda encobrem o sol. Eles chegam ao local e Kelemen anota em seu diário:

> Deixamos a torre da igreja do vilarejo para trás. À direita, há uma cabana com o telhado coberto de palha, elemento central do campo de treinamento. Os alvos parecem espantalhos bizarros enfiados na lama, e em uma trincheira há duas metralhadoras prontas para serem usadas.

12. Um cálculo contemporâneo revela que quarenta trens por mês podiam sustentar uma divisão de 16 mil soldados da infantaria, ao passo que era necessário o quádruplo disso para sustentar a cavalaria. A disposição desta, sempre formada por colunas largas e extensas, que acabavam por bloquear a passagem por caminhos importantes, era outra desvantagem.

As balas atingem rapidamente os alvos. Depois do silêncio, sente-se dor nos ouvidos com aqueles ruídos típicos. Vou para o mais longe possível da metralhadora e observo o céu cada vez mais escuro até as faixas fuliginosas a oeste que anunciam a chegada da noite. Ao sul, nuvens coloridas em movimento e os últimos raios de sol refletidos nas paredes brancas de uma casa distante. O eco das balas das metralhadoras se espalha naquele imenso campo aberto.

Eu achava que apenas os soldados fossem testemunhas da prática de tiro com essas máquinas horrendas. Mas, vindo de uma nascente, vi surgir um bando de patos selvagens, as asas batendo rápido, voar num torvelinho, desnorteados. Uma das armas foi mirada em sua direção e alguns pássaros caíram. Amanhã teremos um bom jantar.

137. SEXTA-FEIRA, 20 DE ABRIL DE 1917
Rafael de Nogales e a etapa final da Segunda Batalha de Gaza

Eles se encontram bem atrás da linha e estão convencidos de que o pior já passou. Ontem a batalha atingiu o seu auge e Nogales participou de dois ataques da cavalaria. A primeira vez que receberam ordem de atacar foi como "uma ordem de execução" — cavalaria otomana contra metralhadoras britânicas. Por algum milagre saíram-se bem, apesar de tudo. Ele foi ferido na coxa, mas seu guarda-costas Tasim estancou a hemorragia com um grande naco de tabaco de mascar. "Ardeu muito, mas funcionou perfeitamente."

Há menos de um mês ocorreu a Primeira Batalha de Gaza, um combate confuso e com pesadas perdas para os dois lados, ambos pensando estar derrotados, mas a vitória acabou sendo otomana, já que o oponente, em parte pela escassez de água, abandonou o campo. A Segunda Batalha de Gaza é sobretudo resultado dos relatórios superotimistas (e na verdade minuciosamente inexatos) enviados a Londres mais tarde pelo comandante britânico na região. Eles fizeram com que o governo acreditasse que a vitória estava próxima: tudo que precisavam era de mais alguns soldados, mais algumas peças, mais um ataque.

Fortalecidos pelos reforços embarcados com rapidez (que incluíam oito tanques de guerra e 4 mil granadas de gás) e pela promessa de que receberiam mais se conseguissem abrir o caminho até Jerusalém, os britânicos desferiram ontem um grande ataque. A coisa toda degenerou em uma versão bronzeada das derrotas ocorridas na Frente Ocidental, com ataques aéreos, bombardeios maciços mas inúteis, tanques de guerra destruídos e ataques de infantaria malsucedidos em um bem construído sistema de trincheiras.

A divisão de cavalaria a que Nogales pertence contribuiu para a vitória, fustigando o flanco britânico. De madrugada, ele e os outros oficiais são procurados por um mensageiro do comandante em Gaza, o coronel Von Kressenstein, que lhes envia os parabéns e agradece pelo seu desempenho. A Segunda Batalha de Gaza está praticamente terminada. Os ingleses não conseguiram passar.

Um quarto de hora mais tarde, ao amanhecer, toda a divisão está a caminho de Abu Hereira, uma área pantanosa. Vão em busca de água para os cavalos e pretendem descansar um pouco. A grande quantidade de cavaleiros levanta muita poeira nesse ar tão quente, uma imensa nuvem que permanece no ar atrás deles como uma cauda gigantesca. Nogales fica preocupado, pois é provável que o inimigo consiga avistá-la e concluir que uma grande unidade se encontra em marcha agora. O comandante da divisão afasta os seus temores com um sorriso. Quando chegam ao pântano, enfileiram-se em colunas, regimento por regimento.

Mal têm tempo de apear dos cavalos quando algo acontece.

Ouvem primeiro os ruídos de motores. Em seguida, surgem seis ou sete aviões de guerra britânicos. Bomba atrás de bomba vão explodindo nos compactos retângulos de homens e cavalos. Bombas que, em menos de um minuto, causam mais estragos do que os que eles sofreram ontem ao longo de todo o dia:

> Quase duzentos cavalos jaziam no chão em agonia ou fugiam, enlouquecidos de dor, ensanguentados e com as entranhas à mostra. Eles levavam seus cavaleiros consigo, presos aos estribos, e esmagavam sob suas patas os soldados que, tolos demais, tentavam detê-los.

Rafael de Nogales está impressionado com os aviadores, que fizeram "um ataque particularmente brilhante".

Uma bateria antiaérea alemã nas proximidades consegue abater dois dos aviões inimigos. Um deles voa oscilante rumo ao horizonte e o outro começa a cair, com o bico direcionado para o chão. Nogales acompanha a aeronave com o olhar e a vê atingir o solo, envolvida por uma nuvem de fumaça. Ele monta em seu cavalo e, acompanhado de uma patrulha de lanceiros, galopa o mais rápido possível na direção à coluna de fumaça, a uns cinco quilômetros de distância.

Sua intenção é salvar o piloto ou, pelo menos, resgatar o seu corpo.

Nogales tem conhecimento de que forças árabes irregulares, que lutam provisoriamente ao lado do Exército otomano, matam, mutilam e saqueiam todos os inimigos feridos que encontram em seu caminho. Durante a noite, ele passou por muitos corpos nus e mutilados de soldados britânicos. Também topou com um guia que conduzia um cavalo carregado de armamentos, uniformes ensanguentados, botas, cintos e afins, que ele havia pilhado dos mortos em combate. O homem lhe mostrou até um objeto comprido e branco, que, iluminado pela luz da lanterna, mostrou ser um braço humano amputado acima do cotovelo — amputado por causa das bonitas tatuagens que o decoravam. Enojado, Nogales comprou o braço e de imediato o sepultou.

Ele chega ao lugar da queda do avião, mas já é tarde demais.

O piloto está morto, debaixo do que foi o seu avião. O corpo está nu. Seus pés foram arrancados, provavelmente porque os saqueadores não quiseram perder tempo desamarrando suas botas:

> O oficial morto tinha cabelos claros, uma mistura de castanho com vermelho, e era muito jovem. O único ferimento visível em seu corpo estava localizado em seu peito, um estilhaço de granada havia penetrado no pulmão. Devido ao choque de uma queda de mais de mil metros de altura, seus olhos azuis ou castanho-claros haviam saído das órbitas.

Acima deles voa um dos camaradas do piloto morto, em busca de vingança.

Alguma coisa acontece dentro de Nogales. Talvez seja devido à beleza da morte ou (como ele mesmo diz) pelo respeito que sente por um inimigo tão destemido, oficial e cristão como ele próprio, que não consegue deixar os seus corpos entregues aos abutres do deserto. Empunhando o revólver, obriga um homem a levar o corpo em seu camelo até Abu Hureira.

Ao chegar, Nogales ordena que o oficial receba um funeral apropriado. Na pressa, não conseguem arranjar um caixão, de modo que ele enrola o corpo em sua própria capa. Em seguida, Nogales arranca a cruz de ouro do pescoço que usava desde criança e a coloca sobre o peito do morto, como se fosse uma medalha.

138. QUARTA-FEIRA, 25 DE ABRIL DE 1917
Alfred Pollard escreve uma carta à sua mãe

O que o leva a prosseguir é a mesma esperança que faz com que generais persistam em seus planos e ataques: que o inimigo esteja sofrendo mais ainda do que eles mesmos. É apenas uma questão de tempo, de suportar um pouco mais. Então o inimigo será derrotado e a guerra será vencida. (O uso do termo "push" deriva desta mentalidade. Tudo de que se precisa é um empurrão decisivo, que obrigue os alemães a ficar de joelhos.) A planejada retirada alemã na França, para trás da Linha Hindenburg,[13] foi interpretada, não sem um fundo de razão, como um sinal de fraqueza.

A unidade de Pollard é uma das que têm seguido os alemães de perto. Em uma ocasião ele liderou sua companhia na subida de um morro e, pela primeira vez em quase três anos de guerra, pôde apreciar uma paisagem intocada por ela. Achou, então, que o final do conflito estava próximo, que deviam apenas aguentar um pouco mais. Ele ficou muito frustrado ao receber a notícia de que sua companhia seria dispensada — agora, que estavam tão próximos da linha de chegada. "Mas ordens são ordens e devem ser obedecidas." A companhia, com apenas 35 homens, marchou ao longo de estadas lamacentas. O sol de primavera era tão quente que nem precisavam usar seus casacos.

Quando o Exército britânico, no começo de abril, iniciou mais uma ofensiva, agora em Arras, Pollard encontrava-se em uma base militar, recuperando-se de um ferimento banal. Na escuridão, tinha tropeçado e torcido o pé. Ele quis participar do ataque de qualquer maneira, por isso foi até a parte do front onde seu batalhão aguardava para entrar em combate. Mais uma vez, foi utilizado para liderar patrulhas de reconhecimento em terra de ninguém.

Hoje ele escreve à sua mãe sobre suas últimas proezas:

> Outro dia, tive uma aventura muito emocionante nas trincheiras dos hunos. Eu cortei seu arame farpado e entrei em suas trincheiras, achando que estavam vazias.

---

13. A Linha Hindenburg era um sistema de defesa pesadamente fortificado e bem preparado entre Arras e Reims. Foi construída para encurtar o front alemão em cinquenta quilômetros e, assim, liberar umas dez divisões para serviço de reserva. Os alemães fizeram uma retirada estratégica para trás da linha em março de 1917.

Logo descobri que o lugar estava cheio de hunos e, por isso, eu deveria bater em retirada. Por sorte, consegui escapar. Ouvi rumores de que o comandante da brigada me recomendou para uma condecoração devido a essa pequena operação; assim, fique de olho nos jornais, talvez a senhora veja o meu nome mencionado neles. Não pense que me arrisquei demais sem necessidade. Apenas cumpri as ordens que me foram dadas.

Minha querida senhora, embora tenhamos deixado o front, ainda nos encontramos longe da civilização. A propósito, recebi mais uma caixa de discos, mas não posso ouvi-los neste péssimo gramofone até receber agulhas novas, portanto apresse-se em mandá-las, por favor.

Meu humor está excelente e me sinto muito bem. Por falar nisso, matei mais um alemão. Viva!

139. DOMINGO, 29 DE ABRIL DE 1917
Alfred Pollard detém um ataque alemão em Gavrelle

O intenso tiroteio lá na linha de frente não consegue atrapalhar seu sono, mas ele é acordado por um mensageiro. O homem traz ordens restritas para Pollard: ele deve organizar *imediatamente* a proteção dos flancos. Pollard sai às pressas de seu abrigo: "Não havia tempo para perguntar o que havia acontecido. Alguma coisa, era óbvio, havia saído errada. Eu tinha que agir logo".

O estranho é que, quando ele sai para o sol de primavera, está tudo quieto. Não se ouvem nem explosões de granadas nem tiroteios. Essa calma o deixa ainda mais preocupado. Pollard sente o coração bater cada vez mais acelerado. "Meu instinto me dizia que estávamos correndo risco de vida." Ele começa a olhar para as trincheiras das primeiras linhas. À direita, tudo parece em ordem. Ele olha à esquerda e então percebe algo, a uns oitocentos metros: um contra-ataque alemão. Nenhum soldado é visível, mas ele ouve o som característico das granadas de mão, "Bang! Bang! Zunk! Zunk!", e vê as pequenas nuvens cinzentas que se formam em seguida.

O contra-ataque prossegue durante cinco minutos.

Então acontece algo completamente inesperado.

Eles conseguem permanecer em suas posições, mas alguns soldados britânicos nas trincheiras ao lado começam a correr para trás. O pânico se espalha com rapidez. Uma multidão atravessa o campo, para longe do inimigo.

Pollard vê como o contra-ataque alemão se aproxima através do campo agora vazio, através das trincheiras de comunicação, atrás da segunda linha, em direção ao ponto onde ele se encontra. Num momento como esse, com soldados inimigos a apenas alguns minutos dele, um homem corajoso e de inteligência mediana se contentaria em organizar uma defesa e aguardar o confronto inevitável. As tropas alemãs são numerosas, no mínimo uma companhia, talvez um batalhão inteiro.

Mas Pollard não é um homem de inteligência mediana.

A princípio a sensação de choque enfraquece os seus joelhos. Ele é obrigado a se segurar na borda da trincheira para não cair.

Depois fui tomado por aquele estranho sentimento que já mencionei, que eu não mais agia com a minha própria consciência. Alguma força fora de mim, maior do que eu, pareceu assumir o controle das minhas ações. Levado por essa força misteriosa, corri para a frente.

Em primeiro lugar, ele consegue deter alguns dos soldados que correm em pânico. Então os posiciona nas crateras abertas pelas granadas e lhes dá ordem de atirar, não importando se vão acertar em alguém ou não. Empunhando seu revólver, e com três homens atrás dele equipados com não mais que seis granadas, Pollard se prepara para ir ao encontro dos alemães nas trincheiras de comunicação. Faz tudo isso sem se importar com o fato de que os oponentes estão em um grupo cem vezes maiores que o seu.

Pollard dá uma curta instrução aos três soldados. Ele irá na frente. Os três o seguirão, com as granadas preparadas. Quando escutarem seus tiros de revólver, jogarão uma granada de modo que ela caia a uns quinze metros à frente dele e além do próximo ângulo da trincheira.

Eles estão prontos.

Correm para a frente.

Nada veem nos primeiros cem metros. Tudo está vazio e eles se locomovem muito rápido. Encontram um soldado britânico sozinho: "Ele se tornou o quarto membro do meu pequeno exército". Eles continuam através da trincheira de comunicação vazia.

Depois de mais uns cem metros, Pollard faz uma curva e avista um soldado alemão com uma baioneta vindo em sua direção. Ele atira. Vê o alemão soltar a arma e cair, com as mãos apertando o abdômen. Duas granadas passam voando sobre a cabeça de Pollard. Mais um alemão aparece. Pollard atira mais uma vez. Mais um alemão fora de combate. As granadas explodem. Ele vê um alemão se virar e outros que se aproximam. Atira de novo. Mais granadas são detonadas: "Bang! Zunk!". Os alemães restantes recuam.

A essa altura, com o recuo do ataque alemão contra todas as expectativas, um homem corajoso e de inteligência mediana daria sua missão por terminada, ainda mais que todas as granadas foram utilizadas.

Mas Pollard não é um homem de inteligência mediana.

"Meu sangue estava fervendo. Eu sentia uma excitação só comparável àquela que se sente quando se passa pela defesa do time adversário no rúgbi para marcar um *try*."* Ele sai atrás dos alemães na trincheira de comunicação. Vislumbra sombras cinzentas. Atira, mas não acerta. Pensa melhor e começa a organizar a defesa. Sua especialidade são as granadas de mão e, para sua felicidade, encontra várias deixadas pelos inimigos. Pollard prefere as granadas alemãs às britânicas, em parte porque têm um alcance maior, e em parte por seu estrondo ser mais alto — psicologicamente, o barulho tem grande importância, pois assusta mais o oponente. Os homens pegam quantas conseguem carregar.

Depois de dez minutos, os alemães começam a preparar um contra-ataque. O combate toma a forma de um duelo de granadas de mão, que voam no ar em pequenos arcos. Estrondo seguido de estrondo. No ar há poeira e fumaça. Pollard tira o capacete para atirar com mais facilidade. A seguir retira também sua máscara. "Bang! Bang! Bang!" Quando as granadas inimigas caem entre suas pernas, os soldados do pequeno grupo rapidamente as atiram de volta. Os alemães, surpresos, não fazem a menor ideia que estão enfrentando apenas cinco homens. Não há como saber, pois em uma trincheira de comunicação o espaço é tão exíguo que só três ou quatro homens de cada vez podem participar do combate. Se eles saíssem das trincheiras e fossem combater no campo aberto, Pollard e a sua pequena tropa não teriam chance alguma.

A quantidade de granadas diminui com rapidez. Um dos soldados de Pol-

---

* *Try*: a maior pontuação no jogo. (N. T.)

lard o avisa sobre isso e lhe pergunta se não irão recuar. Pollard se recusa: "Eu não recuo".

Tudo volta ao silêncio.

"O contra-ataque alemão terminou de repente, assim como começou." Eles contam as granadas. Restam apenas seis. Quando Pollard e dois homens de seu pequeno grupo recuam ao longo da trincheira de comunicação para buscar as granadas deixadas para trás, encontram soldados da companhia dele, que estavam a caminho para ajudá-los. Com essa ajuda, combatem o próximo ataque alemão sem grande dificuldade.

Tudo fica em silêncio de novo.

Pollard passa o resto da tarde organizando a defesa das trincheiras de comunicação.

Continua tudo em silêncio.

Ao anoitecer, são dispensados. Pollard está exausto. Durante a marcha de volta, passam por uma cortina de gás, mas ele não aguenta colocar a máscara. Quando chegam até os veículos de cozinha, ele se sente nauseado. Uma xícara de chá bem quente alivia um pouco seu mal-estar.

140. TERÇA-FEIRA, 1º DE MAIO DE 1917
Os quatro minutos e meio de Willy Coppens sobre Houthulst

Trata-se, é óbvio, de um caso de presunção. Embora o avião ainda não tenha sua metralhadora montada, sendo totalmente dependente das armas dos observadores, Coppens já tomou sua decisão. Ele irá sobrevoar o território inimigo e procurar algum adversário para nele atirar. Coppens se sente "invulnerável" hoje. Está muito seguro, pois agora é um piloto hábil — embora com pouca experiência de batalha — e, além do mais, confia plenamente em sua máquina: um Sopwith 1½ Strutter, o avião mais rápido e mais moderno que já pilotou.[14]

14. Esse avião era usado por diversas forças aéreas, de várias maneiras e em vários lugares — da Frente Ocidental até a Oriental, nos Bálcãs, na Itália, na Mesopotâmia. Seu nome estranho provinha de "borda curta do corpo, saindo obliquamente de cada lado, para cima", de acordo com o especialista Kenneth Munson. Foi também a primeira aeronave britânica que, com ajuda de um mecanismo de sincronização (copiado de um avião alemão que se perdeu na neblina e aterrissou

Eles atravessam a linha de frente em Ypres. Agora a situação está tranquila na devastada cidade. Um pouco ao sul está ocorrendo uma ofensiva britânica em Arras e mais abaixo, em Aisne, mais uma batalha, nas proximidades de Le Chemin des Dames.[15]

O passeio aéreo toma o rumo do nordeste. Em uma altura de mais de 3 mil metros, voam sobre Langemarck e o antigo campo de batalha de 1914. Ao sobrevoar a grande floresta de Houthulst, Coppens encontra o que procura. Há quatro aviões alemães subindo. Ele os mantém sob observação, mas no momento não pretende fazer uma manobra de ataque. O que ele não percebe é a aproximação de outros quatro aviões inimigos, pelo outro lado.

Um erro clássico de principiante.

Coppens nada percebe até o momento em que é atingido.

Durante essa guerra, os pilotos têm sempre a probabilidade contra si. Os aviões são facilmente inflamáveis, a construção é frágil, os motores, fracos, a proteção, inexistente, e as armas, pouco confiáveis. Eles ainda não têm paraquedas.[16] (E, quando estes estiverem disponíveis, seu uso será proibido, para que os pilotos não abandonem suas aeronaves sem necessidade.) Os motores são acionados à mão, ainda no solo, já que não possuem motor de partida, e nada se pode fazer se param de funcionar no ar. (As batalhas aéreas ocorrem em uma altura de 3 mil a 6 mil metros, na qual as temperaturas muito baixas, o que sempre é um sofrimento para os pilotos em seus lugares abertos, causam também problemas nos motores.) Não é apenas o silêncio repentino depois de uma queda que Coppens acha desagradável, mas também o repentino silêncio da máquina, que significa a parada do motor no ar.

A questão é se alguém mais, além dos pilotos aliados, teve tantas dificulda-

---

no lado errado do front), podia atirar através da hélice. O 1½ Strutter foi um fator decisivo na conquista da superioridade no ar pelos britânicos durante o verão de 1916.

15. Esta última, devido às perdas e à decepção trazidas pela derrota, marcou o início de uma onda de motins no Exército francês. As duas batalhas estavam agora paradas, enquanto os inimigos enchiam seus depósitos de munição e material, além de retirar do front seus regimentos cansados, substituindo-os por outros. O lado oponente, claro, aproveitava a oportunidade para fazer o mesmo, e tudo poderia se reiniciar a qualquer momento. Com frequência, esse era um procedimento repetido continuamente.

16. Tampouco havia colete salva-vidas. Alguns pilotos tentavam compensar essa falta enrolando mangueiras de carro ao redor da cintura.

318

des nas batalhas aéreas quanto nesse final de verão de 1917. Fala-se, com pavor, desse "abril sangrento". Com a ajuda de máquinas tecnicamente mais avançadas, melhor treinamento e novas táticas, a Força Aérea alemã conquistou a superioridade no ar. O êxito deles agora atinge o apogeu, durante a ofensiva de Arras. No mês passado, os franceses recolheram muitos dos seus aviões danificados para reconstruí-los, mas os britânicos optaram por continuar na batalha, na vã esperança de que o fato de serem mais numerosos[17] compensasse suas falhas técnicas e de treinamento.

O resultado foi um massacre. Durante o mês passado, a Grã-Bretanha perdeu um terço de seus aviões de guerra. Um piloto britânico passa, em média, dezessete horas e meia no ar antes de ser abatido.

Willy Coppens está agora perigosamente perto de se tornar parte dessas estatísticas. Os projéteis do avião alemão o atingem com violência. Ele é alvejado por um fragmento de bala no lado esquerdo da cabeça, mas não fica ferido. A pancada, contudo, o joga para a direita, e o manche — e por consequência o avião — segue seu movimento involuntário. O que se revela um golpe de sorte, pois faz com que os tiros atinjam a lateral da aeronave.

Coppens tem a sensação de ter sido "atingido por chumbo derretido". Ele confessa mais tarde: "Ser atingido faz mal para o sistema nervoso".

Em pânico, ele se lembra de um conselho recebido há pouco de um aviador francês. Se um avião maior, de dois lugares, como o dele, for atacado por um menor, de um lugar, só resta uma coisa a fazer: virar o tempo inteiro, para a frente e para trás! O objetivo é dar o mínimo possível de chances para o inimigo acertar.

É isto que Coppens faz. Ele manobra, vira, balança, o tempo todo perdendo altitude em espirais irregulares. Seu avião não fica mais que alguns segundos estabilizado ao longo do voo. Ele mal vê os adversários, vislumbra de vez em quando um ou outro aeroplano, com suas cruzes negras pintadas, fazer alguma manobra para tentar um novo ataque. Pode escutá-los muito bem, e ouve também o seu observador disparar com suas metralhadoras contra eles.

Quando Coppens retorna para as suas linhas, os quatro combatentes alemães interrompem o ataque e se afastam. Quatro minutos e meio se passaram. Para ele, pareceu "uma eternidade". Durante a luta ele perdeu 1200 metros de altitude.

---

17. Em termos numéricos, a situação parecia boa. No início dos conflitos, eram 385 aviões de guerra britânicos contra 114 alemães. Mas estatística não é tudo.

Ao aterrissar, ele e os observadores examinam os danos causados na máquina. Contam 32 buracos de bala, dos quais 29 estão tão próximos do lugar do piloto que Coppens pode tocá-los sem sair do seu assento. Uma bala passou entre seus joelhos e depois muito perto da sua mão direita, que estava apoiada no manche. Tirando o fragmento de bala que encontra encravado no couro do seu capacete, ele não foi atingido. Coppens vê toda a experiência como um "milagre". Invulnerável?

Em Kastamonu, onde Edward Mousley está sentado escrevendo em seu diário, é primavera.

> A banda tem feito muito sucesso. Agora sou primeiro violinista e maestro da "orquestra". Além de tambor, dois clarinetes, flauta e banjo, temos cinco violinos, dois violoncelos e um contrabaixo. O Semínima[18] tem trabalhado muito na compilação das nossas músicas, a partir de qualquer coisa que recebemos pelo correio, solos de piano e muito do que anotamos de memória. Nós nos apresentamos todos os sábados à noite, cada vez em uma casa. Às vezes parecemos uma daquelas bandas que costumam tocar nas nossas cidades costeiras! Sinto falta daqueles concertos em Queen's Hall.

Mousley tem como passatempo escrever no *Smoke*, um jornal escrito à mão que é passado secretamente para os prisioneiros de guerra britânicos em Kastamonu. Além disso, está esboçando um projeto sobre direito internacional e trabalha com a possibilidade de fundação de um organismo supranacional após a guerra, "uma Sociedade de Nações ou Assembleia Internacional". Ele sente saudades de casa. Pensa em fugir.

141. SEGUNDA-FEIRA, 21 DE MAIO DE 1917
Harvey Cushing observa destroços no Atlântico

É o décimo dia que passam no mar. Tempo bom, sol brilhando, mar calmo. O navio se chama ss *Saxonia* e, a bordo, estão Harvey Cushing e seus colegas do

---

18. Apelido de um dos outros prisioneiros, talvez devido à sua aparência.

Hospital de Base nº 5. Eles constituem uma das primeiras unidades americanas mandadas para a guerra na Europa. Faz apenas um mês que os Estados Unidos entraram no conflito, "para garantir a democracia no mundo". A intervenção trouxe segurança aos britânicos em termos econômicos. Eles financiaram essa guerra a crédito, crédito que passou a se esgotar desde o ano passado, e os funcionários do governo vinham encobrindo o risco de um colapso econômico. Agora, no último minuto, o Reino Unido recebeu dinheiro americano e produtos americanos mais baratos.

Até agora, a viagem correu bem, mas com certa ansiedade. O ss *Saxonia* navega sem o acompanhamento de outros navios da frota, ziguezagueando nas ondas do Atlântico e alerta para qualquer sinal de submarinos. Todos usam colete salva-vidas o dia todo e fazem treinamento com os botes salva-vidas. À noite, veem-se as diferentes nuances de azul-acinzentado do navio, do mar e das nuvens.

As formalidades militares começaram a tomar conta dessa unidade essencialmente não militar. Guardas armados podem ser encontrados por toda a embarcação e há treinamentos no convés. As botas estão bem engraxadas e bem polidas. Quando os oficiais praticam a sua ginástica diária, os marinheiros e soldados são impedidos de assistir, para não perderem o respeito pelos seus superiores. Cushing está tendo dificuldades para se adaptar. Com surpresa recebeu suas esporas (apenas um símbolo da posição de oficial, pois nem há cavalos no Hospital de Base nº 5) e uma pistola (modelo M 1911) — "uma arma automática oleosa de aparência terrível". Ele não costuma carregá-la consigo e não tem a intenção de usá-la.

Não que Cushing tenha dúvidas sobre a guerra. Ele já estava convencido há muito tempo de que os Estados Unidos, mais cedo ou mais tarde, teriam que entrar nesse conflito mundial. Em Boston, trabalhou muito com a preparação de seus colegas de profissão para isso. O mês que passou na França, durante a primavera de 1915, atuando como uma espécie de médico observador, o levou a odiar a guerra como fenômeno, mas ao mesmo tempo diminuiu seus temores em relação a ela como acontecimento. Quase nunca sentiu medo nas ocasiões em que esteve no front, pois, como escreveu em seu diário naquela primavera, "quanto mais longe ficamos de casa e quanto mais nos aproximamos do lugar onde há guerra, menos escutamos e nos assustamos". Como neurologista, passou a se interessar pelo fenômeno conhecido como "choque de granada", e essa motivação puramente profissional permanece. Mas foram acrescentados a ela outros fatores muito mais importantes.

Naquela época, ele era um observador neutro, e ouvia as intermináveis histórias sobre as agressões alemãs com ceticismo. Seu frio distanciamento foi corroído em seguida. O momento decisivo teve lugar no dia 8 de maio de 1915. Ele estava voltando para os Estados Unidos, quando o navio em que viajava, nas proximidades da Irlanda, passou pelos destroços do RMS *Lusitania*, que havia sido afundado no dia anterior por um submarino alemão, matando 1198 pessoas, entre homens, mulheres e crianças, sendo 124 delas cidadãos americanos. Levou uma hora para atravessarem o trecho de mar repleto de destroços. Cushing, muito chocado, viu poltronas, remos e caixas boiando e, o pior de tudo, o corpo de uma mulher e de uma criança em um bote salva-vidas. À distância, um barco estava recolhendo os corpos, em troca do pagamento de uma libra por unidade.

São essas memórias que lhe vêm à mente agora, nesse dia de maio de 1917, quando vê os destroços de outro navio. Dessa vez, ele não vê nenhum corpo. Apenas os restos do navio, um pouco de lixo, um colete salva-vidas. Nessa mesma tarde, são escoltados por um antigo contratorpedeiro com o número 29 pintado no casco. O contratorpedeiro os segue a uma distância de meio quilômetro. Eles acenam, contentes. O alívio é grande. Cushing acha que muitos agora terão coragem de dormir no convés durante a noite.

Mais tarde, no convés superior, fazem um treinamento para carregar macas. Não estão acostumados com essa tarefa. O treinamento é feito com o auxílio de um manual. Suas novas malas militares se encontram empilhadas em um canto. Se tudo correr de acordo com os planos, o SS *Saxonia* chegará ao porto de Falmouth amanhã de manhã, às seis horas.

142. TERÇA-FEIRA, 29 DE MAIO DE 1917
Angus Buchanan observa a areia branca da praia em Lindi

Três meses podem passar muito rápido. Foi o quanto durou o período passado pela unidade de Buchanan na Cidade do Cabo. Visitar "um país bonito e em paz" é como estar no paraíso. Esse descanso era indispensável para o 25º Batalhão do Royal Fusiliers. Os últimos tempos na África Oriental haviam sido bastante difíceis para os oficiais e soldados, que estavam deprimidos e apáticos.

De qualquer maneira, não há muito o que fazer na estação chuvosa. Batalhões de homens da Nigéria, de Gana, do Quênia e das Antilhas ficaram guardando o front, debaixo de chuva.

Agora a unidade, descansada e recuperada, está retornando de navio para a África Oriental, para encerrar as suas missões. As forças de Von Lettow-Vorbeck estão encurraladas na parte sudeste da colônia, mas ainda não foram derrotadas. O novo aliado sul-africano, o comandante Van Deventer, concentra-se mais no combate direto, menos engenhoso e mais arriscado. (*Hard hitting* é o seu método.) Todas aquelas marchas tortuosas através da selva tinham como objetivo a diminuição das perdas nos combates, mas levaram as tropas até a completa exaustão. Todos têm o conhecimento de que as vidas que Smuts — o comandante anterior — salvou nos campos de batalha foram perdidas nos hospitais em número muito maior.[19] E muitos dos que, como Buchanan, foram evacuados para a África do Sul para recuperação se encontravam em estado tão deplorável que despertaram um grande mal-estar geral. A maioria das pessoas nunca tinha visto homens brancos nesse estado. Negros, sim, mas brancos?

O comboio carregado de tropas para a próxima ofensiva é composto por cinco navios. Eles ancoraram a menos de dois quilômetros de uma praia de areia branca, onde os soldados farão o desembarque. Logo adiante vislumbra-se a cidade de Lindi, que no momento se encontra nas mãos dos britânicos. Buchanan relata:

> Observamos a costa com sentimentos dúbios. A aventura ainda é tentadora, mas este país, com tudo o que possui, tem o poder de acabar com qualquer sonho. Dessa vez, observamos a costa com muito mais lucidez do que antes. Lá em frente há a selva, um mistério que nenhum ser humano conseguiu decifrar.

Um pequeno barco a vapor navega ao lado do navio. Os homens apanham seus pertences, seus equipamentos, suas armas e tomam lugar na pequena embarcação. Esta os leva até um escaler, para realizarem a última parte da viagem. Por fim chegam à terra firme, sapatos secos, carregados nas costas dos remadores negros, até a areia branca.

---

19. Dos 20 mil soldados sul-africanos mandados para a África Oriental, metade foi levada para casa devido a enfermidades graves.

143. QUINTA-FEIRA, 31 DE MAIO DE 1917
Richard Stumpf assiste à distribuição de vinte cruzes de ferro no SMS Helgoland

Quando não há nenhuma nova vitória para comemorar, comemoram-se as antigas. Há uma grande comemoração da Batalha da Jutlândia, ocorrida um ano atrás. O capitão do SMS *Helgoland* faz um discurso, "com os olhos em chamas". Seu discurso vai ficando cada vez mais inflamado, mais polêmico:

> Nossos inimigos querem alcançar um objetivo, a ruptura da ligação entre o nosso coronel e sua Marinha e seu Exército. Com a queda da casa de Hohenzollern, irão nos obrigar a um parlamentarismo semelhante ao da Inglaterra e da França. O que significa que, como eles, acabaremos controlados por comerciantes, advogados e jornalistas. Nesses países, sempre que se cansam de algum general ou de líder militar, simplesmente o despedem. Vamos precisar de um exército ainda mais forte e uma frota ainda maior quando a guerra terminar. Vocês devem ir contra todos os que desejam introduzir um governo parlamentarista na Alemanha, e nunca devem esquecer que a grandeza do país depende da dinastia de imperadores, de seu Exército e de sua jovem Marinha. Lembrem-se de uma coisa: os social-democratas em todos os países que são nossos inimigos querem nos aniquilar.

Ao final do discurso, todos saúdam "sua majestade, nosso coronel de guerra". Em seguida há a distribuição de vinte Cruzes de Ferro entre aqueles que participaram da batalha, um ano atrás.

Como sempre, Stumpf sente-se mal, intrigado e confuso. A energia do discurso e a força de suas palavras o deixaram bastante abalado. Ele não sabe se deve confiar no discurso ou em seu próprio julgamento da situação. Mas suas emoções o puxam em uma direção, enquanto sua razão o puxa para outra. Ele entende muito bem os sentimentos do capitão, e talvez também pensasse da mesma forma em seu lugar. Mas não é este o caso, pois ele não passa de um simples marinheiro, um "proletário sem propriedades", como ele próprio se define, e não pode apoiar "o aumento do poder autocrático do imperador, do Exército e da Marinha". É muito fácil falar daquilo que não se precisa pagar do próprio bolso. Stumpf não teme um sistema parlamentarista. Ele reconhece

324

que entre os inimigos há homens justos. Ele preferiria ser "um escravo inglês a um marinheiro alemão".

A preocupação, a irritação e a decepção que tomaram conta de Stumpf desde a eclosão da guerra têm como fundo a frustração que ele sente com a disciplina exagerada e a imensa monotonia causada pela inatividade da frota. Dentro dele há um sentimento de ódio direcionado à Alemanha, contra aquilo que vê como a causa de todos os males: o sistema de classes. Essa questão transformou o jovem patriota de 1914 no confuso e furioso radical de 1917.

A guerra se tornou algo que pouca gente previu e menos gente ainda desejava, e o sistema de classes é uma das coisas que foram desmascaradas: onde décadas de propaganda socialista e anarquista fracassaram em revelar as mentiras, a hipocrisia e os paradoxos da velha ordem, alguns anos de guerra conseguiram fazê-lo. E há poucos lugares nos quais os absurdos da Europa foram tão bem expostos como na Marinha alemã.

Marinheiros e oficiais vivem juntos, sentados, literalmente, no mesmo barco. Ao mesmo tempo, a condições de vida entre eles não poderiam ser mais diferentes. Desde a alimentação que recebem até suas acomodações (as cabines dos oficiais têm decoração luxuosa, com tapetes orientais, poltronas de couro e arte genuína). As condições de trabalho também diferem muito (os oficiais podem, às vezes, tirar meses de folga e, quando no porto, dormir em suas próprias casas, enquanto os marinheiros quase nunca recebem permissão para isso). A proximidade proporcionada pelo espaço físico no navio fez com que as diferenças ficassem muito mais visíveis. Além disso, a falta de atividade, de combates e de vitórias — em suma, de sangue — fez com que essas diferenças fossem ainda mais questionadas.

No Exército as coisas são diferentes. Também há hierarquia, mas, por razões práticas, as desigualdades nas condições de vida nunca são tão aparentes, e ainda se pode fazer referência às exigências e sacrifícios da profissão. Não há nada mais perigoso nessa guerra do que ser oficial de baixo grau da infantaria.[20] Na Marinha, contudo, as exigências para os oficiais são poucas e seus sacrifícios, ainda menores. Assim, que justificativa pode haver para seus privilégios que

---

20. A possibilidade de um segundo-tenente ou um tenente sobreviver à guerra era muito menor do que a de um soldado. Estimativas mostram que, proporcionalmente, os baixos oficiais sofriam seis vezes mais perdas que as outras categorias.

não o fato de que eles veem de uma classe privilegiada? E não há uma possibilidade real de que toda essa conversa bombástica de honra, dever e sacrifício acabe perdendo sua força e se revele um pretexto para manter as massas em seu lugar?

Até na comemoração de um ano da vitória, Stumpf percebe como o sistema de classes se manifesta. Os oficiais fazem uma festa privada que se estende até as quatro da manhã, ao passo que os marinheiros não ganham nada mais que "alguns barris de cerveja aguada", sendo a sua festa celebrada no convés. O que incomoda Stumpf não é apenas o fato de os oficiais ganharem tanto enquanto os marinheiros não ganham quase nada. O que o deixa particularmente perturbado essa noite é que muitos marinheiros ainda estão dispostos a se humilhar perante seus superiores (que riem deles com desdém), para ouvir apenas algumas palavras amigáveis ou receber algumas migalhas de sua mesa:

A comemoração dos oficiais mais parecia uma festa em um hospital psiquiátrico. O pior era ver os marinheiros implorando cerveja, cigarros e vodca a esses bêbados. Tive vontade de gritar de raiva ao presenciar essa humilhação. Alguns perderam o bom senso e afirmaram ser bons marinheiros e prussianos fiéis. Como recompensa, ganharam mais um copo de cerveja. No final, saudaram alguns oficiais e agradeceram a sua generosidade.

144. QUARTA-FEIRA, 6 DE JUNHO DE 1917
Paolo Monelli marcha até a linha de frente em Cima della Caldiera

Começa a anoitecer. Eles marcham. A longa coluna do batalhão vai subindo, ao crepúsculo. Todos sabem para onde estão indo. Os soldados que aqui estiveram durante as batalhas no ano passado mostram os lugares que reconhecem e citam nomes de soldados abatidos. "A vida dos sofrimentos." Olhar para baixo, para o vale banhado à luz do luar, leva Monelli a sentir um pouco de tontura, e seu cansaço faz com que ele logo perca o interesse pela paisagem e por tudo à sua volta. O que resta é a terra pisoteada e a própria exaustão.

Eles marcham através da planície, protegidos pela escuridão da noite, sentindo o ar frio proveniente da neve que ainda há nas montanhas. Ele vê algumas fogueiras grandes e homens dormindo. Essa é a unidade que irá atacar amanhã. Ele pensa: "Pobres coitados". Depois conclui:

Como alguns homens são mais desventurados do que eu. Não ser escolhido para participar desse primeiro ataque parece ser uma sorte muito grande e não entendo como eles conseguem dormir tranquilos, esses soldados que, uma vez fora das trincheiras amanhã, renunciarão a tudo que protege suas vidas. Temo por eles. (Não é tão diferente das ocasiões em que senti tontura ao ver homens em situações perigosas nas montanhas, para no dia seguinte vivenciar a mesma situação.)

Eles chegam ao seu objetivo no final do dia. Montam acampamento. Ele vê montanhas, neve e alguns pinheiros.

145. SEGUNDA-FEIRA, 11 DE JUNHO DE 1917
Angus Buchanan e o combate em Ziwani

Onde está o inimigo? Onde estão os nossos soldados? São estas as perguntas que sempre surgem durante as operações noturnas. À meia-noite, protegido pela escuridão, o 25º Batalhão do Royal Fusiliers, junto com o crescente número de batalhões de africanos, desembarca em um lugar no rio Lukuledi, a quinze quilômetros de Lindi e da costa. A ideia é boa. Dessa maneira, junto com outra unidade que sobe para o norte, poderão sobrevoar as fortes posições alemãs próximas à costa.

O problema é que uma marcha difícil de empreender durante o dia se torna quase impossível na escuridão da selva. Dessa vez, contudo, os que estão no comando pensaram nisso. A ideia é que o batalhão de Buchanan siga por uma ferrovia estreita que vai até Mkwaya. Eles marcham ao longo desse caminho, movimentando-se com rapidez na selva. Ficaram encharcados durante o desembarque no rio lamacento, mas agora já estão aquecidos. A questão é: onde estão o inimigo e o restante dos nossos homens? A esperança é que o batalhão de africanos esteja em algum lugar à esquerda, paralelo a eles.

Buchanan escuta o canto de um galo, claro e alto. Tem consciência de que estão próximos de algum vilarejo e de que já está amanhecendo. Ele vê uma luz fraca no horizonte e ouve os primeiros estrondos atenuados da artilharia ao longe. É uma das canhoneiras deles que foi descoberta e acabou entrando em combate. Logo ele escuta o ruído dos aviões britânicos. Eles sobrevoam a área para observar o adversário, que se encontra bem escondido na mata fechada.

Ao amanhecer, passam por Mkwaya, e aí a coluna vira para oeste, na direção de Mohambika. Duas horas mais tarde já é dia claro. Quando sobem em um monte perto de Ziwani, vislumbram pela primeira vez o inimigo. Do outro lado do vale, a mais ou menos 1500 metros, há vários grupos de *askaris* alemães. Eles também veem as baforadas de fumaça da artilharia inimiga, peças de 10,5 centímetros, que os alemães, com seu talento para a improvisação, salvaram de seu navio de guerra SMS *Königsberg*, que foi afundado pelos britânicos. Quando Buchanan e os seus homens começam a descer o vale para se aproximar do inimigo, percebem que este já se encontra lá. No mesmo instante, uma patrulha alemã vem ao encontro deles. Ocorre um tiroteio confuso. Os britânicos recuam para o morro. Logo fica bem claro que o batalhão vindo do lado esquerdo também fez contato com o oponente e o 25º Batalhão do Royal Fusiliers recebe ordem de cavar trincheiras e aí permanecer.

A tarefa de escavação dura toda a manhã e avança pelas primeiras horas da tarde.

Às duas horas, porém, algo acontece.

De uma distância de menos de trinta metros, os *askaris* abrem fogo de repente, utilizando seus rifles e metralhadoras. Totalmente ocultos, arrastaram-se através dos arbustos e da grama alta. Buchanan compara o barulho ao de uma trovoada.

Quando, mais tarde, conta o que aconteceu, ele tem dificuldade em descrever a cena com clareza, pois quando o combate começou "se perdeu a noção de tempo, de tudo, além de se saber que algo dramático estava para acontecer, algo cheio de energia que agia com uma rapidez febril".

Os britânicos tiveram sorte, já que o adversário cometeu erros muito comuns em uma luta na vegetação cerrada. Por instinto, mira-se alto demais e a maioria das balas passa sobre as cabeças inimigas. Há um inconveniente nisso, porém. Muitos dos projéteis atingem as colmeias penduradas nas árvores, e os insetos, furiosos, partem para o ataque imediato. As picadas dessas abelhas são um bocado dolorosas e, quando Buchanan escreve que a dor "quase os levou à loucura", ele não está exagerando. Esse tipo de coisa ocorreu várias vezes durante a guerra na África Oriental. Certa ocasião, ele viu um homem atacado por esses insetos perder literalmente a razão.

No início da noite, a luta termina. Os alemães batem em retirada e o 25º Batalhão do Royal Fusiliers permanece no morro. Todos os soldados britânicos estão com o corpo coberto por tumores amarelados e alguns têm dificuldade de enxergar, devido ao grande inchaço no rosto. Amanhã voltarão para Lindi.

146. QUINTA-FEIRA, 14 DE JUNHO DE 1917
Michel Corday caminha por uma avenida de Paris no início da noite

Um novo tema — não uma mera variação — foi acrescentado ao antigo. Compreensivelmente, tem relação com a entrada dos Estados Unidos na guerra. Michel Corday se encontra na Câmara dos Deputados e ouve René Viviani falar. Corday não tem uma boa opinião sobre ele. Não apenas por ser um mau político às voltas com rumores de vício em drogas, mas sobretudo pelo que fez, ou não, no ano de 1914. Viviani, homem de esquerda que foi primeiro-ministro na época da eclosão do conflito, nada fez para evitar a catástrofe; na verdade, ele foi um dos que pressionaram a respeito dos créditos de guerra que eram precondição para o envolvimento no conflito.

Os dias de Viviani como "Homem com Poder" estão praticamente acabados. Ainda há espaço para sua capacidade retórica, que sem dúvida é grande. Ele é especialista na arte da persuasão e em frases grandiloquentes e, como sempre nessas situações, o *como* se diz é tão importante quanto *o que* se diz. O discurso dele é também um "triunfo da oratória". Em regra, costuma dizer a mesma coisa que os outros, repetindo o já tão batido "até o amargo fim". Corday se assombra ao escutar uma novidade no discurso. A guerra ganhou um novo objetivo, um novo significado, como prega o discurso. Seu verdadeiro propósito agora é "que os nossos filhos não precisem perder suas vidas em conflitos semelhantes". Pois é. Eles combatem em uma guerra que dará fim a todas as outras. Ideia nova. Novo slogan.

Por volta de sete da noite, Corday caminha por uma das avenidas da cidade. Há grupos heterogêneos de pessoas nas ruas, um retrato da guerra. Ele vê

prostitutas com chapéus grandes como guarda-sóis, saias até os joelhos, seios à mostra, meias transparentes e muita maquiagem; jovens oficiais com os colarinhos abertos e esplendorosas medalhas; soldados aliados — britânicos musculosos, belgas inofensivos, portugueses infelizes, russos com suas impressionantes botas de marcha, rapazes de túnicas apertadas.

Corday também depara com um representante de um novo fenômeno da guerra, um soldado pedinte. Não se via esse tipo de mendigo antes, mas agora eles são uma visão bastante comum nos restaurantes e cafés da cidade. Muitas vezes têm até medalhas de condecoração presas ao peito, como a Croix de Guerre, um prêmio pelo heroísmo no campo de batalha. Eles vendem cartões-postais ou cantam canções patrióticas para ganhar alguns trocados.

O soldado pedinte que Corday encontra na calçada só tem um braço. Além disso, está embriagado. O homem passa pela multidão pedindo dinheiro a todos ou até aceitando um cigarro. Ele repete a mesma palavra o tempo todo: "Paz... paz...".

Mais tarde, Corday conversa com um conhecido, que lhe conta que os motins no Exército francês não terminaram e que mais de quatrocentos amotinados já foram fuzilados.[21] Essa pessoa também lhe fala sobre um rebelado que, ameaçado com esse destino, disse: "Se eles atirarem em mim, pelo menos vou saber por que estou morrendo".

147. QUARTA-FEIRA, 20 DE JUNHO DE 1917
Florence Farmborough volta para o front em Voloschyna

Sol forte de verão e muito calor. Chuva no ar. Ela avista as barracas cobertas de galhos, lá em cima da colina. Vê cavalos parados às sombras das árvores. Vislumbra pessoas tomando banho nas águas barrentas do rio. Florence se sente satisfeita por estar de volta. Agora está tudo tranquilo, mas ela ouviu dizer que o Exército planeja um ataque para os próximos dias. Então haverá muito o que fazer.

Florence se ausentou por alguns dias para se encontrar com algumas enfermeiras britânicas que trabalham em outra unidade. Foi tempo suficiente para ela ficar mais sensível a coisas que antes considerava normais. A comida, por exemplo. Ela mal consegue comer o mingau que lhes é servido, com aqueles pedaços de gordura boiando. A sopa de peixe é salgada demais. Apesar de estar

---

21. O número é exagerado. Nos julgamentos de guerra depois dos motins, cerca de 23 mil homens foram condenados e punidos, sendo quinhentos destes condenados à morte. Foram cinquenta homens fuzilados em frente aos seus camaradas. O número fora aumentado depois.

com fome, ela não ingere nada além de um pedaço de pão preto com uma xícara de chá. Florence acha a conversação deprimente e sente que há um clima de descontentamento geral.

Depois do jantar, eu e Sofiya fomos para o topo da nossa colina. Ao longe se viam as altas montanhas encobertas por uma neblina azulada. Os vilarejos de Saranchuki, Kotov e Ribnicki se estendiam lá embaixo; podíamos ver que as fazendas estavam destruídas e abandonadas. As trincheiras inimigas estavam bem visíveis; pareciam próximas demais das linhas russas — apenas a uns vinte metros de distância, segundo Sofiya ouviu falar. Nos campos ao redor havia papoulas, margaridas e algumas centáureas azuis. Um campo de papoulas é ao mesmo tempo reconfortante e aconchegante.

Nesse mesmo dia, Elfriede Kuhr escreve em seu diário:

Esta guerra é como uma assombração, como um cadáver onde os vermes se multiplicam. Já faz alguns meses que combates ferozes se desenrolam no oeste. Estamos lutando em Le Chemin des Dames, em Aisne e na Champagne. Toda a área se encontra cheia de ruínas, sangue e lama. Os ingleses possuem agora uma arma nova e perigosa, o veículo blindado sobre rodas, que passa por cima de qualquer barreira. Esses veículos blindados são chamados de tanques.[22] Ninguém consegue escapar deles, pois passam por cima de cada artilharia, cada trincheira, cada posição, deixando-os planos. Sem mencionar o que fazem com os soldados. Ninguém tem chance contra esses veículos. Nós temos o gás venenoso. Os ingleses e os franceses (ao contrário dos soldados alemães) ainda não possuem máscaras seguras com fornecimento de oxigênio. Há gases venenosos que penetram através das roupas. Que maneira horrível de morrer!

---

22. A designação tinha o objetivo de confundir os curiosos. O projeto era ultrassecreto e, para os que não faziam parte dele, dizia-se que as grandes máquinas eram veículos de transporte de água para as tropas, *water tanks*. A última palavra da expressão acabou por ser utilizada para designar esses veículos blindados.

148. SEGUNDA-FEIRA, 25 DE JUNHO DE 1917
O batalhão de Paolo Monelli entra no inferno no monte Ortigara

Agora serão eles. Estavam à espera desse momento. Assistiram, durante duas semanas, um batalhão após o outro ser despachado para o topo do monte Ortigara e, a cada vez, testemunharam o resultado final. Em primeiro lugar, vinham as macas trazendo os feridos, em seguida as mulas carregando os mortos e, depois de algumas horas, o que restara do batalhão. Assim funciona o mecanismo. Os batalhões são mandados para o fogo cerrado da artilharia e lá mantidos impiedosamente, até que percam a maioria de seus componentes. São, então, dispensados, e novos batalhões tomam o seu lugar. E assim por diante.

Em algumas ocasiões, cada lado executa seu ataque em vales cobertos de crateras ainda quentes da detonação das granadas. Na maioria das vezes, a infantaria tem como missão principal permanecer em determinado "ponto", o que parece ser uma escolha mais ou menos casual, mas na verdade é determinada de acordo com a realidade cartográfica habitada pelo estado-maior ou com o mundo ilusório dos comunicados de vitória. Em geral são "pontos" que Deus ou os topógrafos adaptaram a uma elevação, a qual recebeu um número que acaba por ser marcado no mapa, como 2003 ou 2101 ou 2105, apenas um número que depois é transformado em "alturas", para ser defendido ou conquistado.[23]

O dia começa mal. Quando Monelli acorda, o estrondo dos fogos da artilharia parece pior do que nunca. Ele sai de seu saco de dormir e vai ver o que está acontecendo. Depois de algum tempo, o batalhão recebe ordem de marchar. Uma longa fileira de homens carregados de equipamentos e armas passa a se locomover em direção à montanha, por um caminho estreito e difícil. O sol já começa a esquentar. Pelo visto será um dia bem quente.

Os rostos dos soldados expressam algo que Monelli chama de "uma calma resignação perante o inevitável". Na medida do possível, ele tenta nem pensar no que está acontecendo. Procura pensar nos detalhes, na parte prática da missão, e isso funciona muito bem para ele. Quando dá uma ordem a um dos soldados, percebe, para sua alegria, que sua voz soa animada e ao mesmo tempo controlada. Ele tem algum palpite? Não. Mas em sua mente ficou um verso de

---

23. No Exército alemão, são os "pontos azuis". Em seus mapas, as trincheiras inimigas são marcadas com números em azul.

um poema de Giosuè Carducci, ganhador do prêmio Nobel: "*Venne il dì nostro, e vincere bisogna*" — "O nosso dia é agora e temos que vencer". Monelli tem a sensação de ter sido transformado em um instrumento, um forte e bom instrumento controlado por uma força fora de seu próprio corpo. Ele avista uma coluna de mulas ao longe e as nuvem de fumaça, nas cores preta e laranja, causadas pelas granadas.

Eles chegam a uma gruta que se abre para a linha da batalha. Quando saírem daqui, estarão sob fogo cerrado. Junto à abertura da gruta, o espaço é bastante exíguo e está apinhado. Telefonistas e soldados da artilharia se encostam nas paredes da gruta para dar passagem a Monelli e aos seus camaradas. Trocam olhares com ele e com os demais caçadores de montanha. Monelli desvia o olhar: "Meu Deus, está mesmo terrível por lá".

O capitão diz apenas uma palavra: "*Andiamo!*". Vamos!

Eles tomam impulso e correm para o ar livre, um após o outro, em rápida sucessão, como se fossem pessoas pulando numa piscina de um trampolim alto. As metralhadoras austríacas, no outro lado, são postas para funcionar. Monelli corre para a frente, descendo. Ele vê um homem ser atingido na cabeça por um grande estilhaço de granada. Observa que o solo está coberto de pequenos buracos feitos pelas granadas. Vê muitos corpos, empilhados e chega à conclusão de que é tudo muito perigoso, deve-se ter cuidado. Ele se protege atrás de algumas rochas, tomando fôlego para o próximo passo. "A vida da gente passa em um momento de remorso, uma premonição vem à superfície e é rejeitada com pavor." Então toma coragem, joga-se para a frente, algumas balas passam por ele, "zio, zio", e consegue atravessar. Mas vê que o capitão permanece no mesmo lugar.

São avisados sobre o gás venenoso e colocam as máscaras. Ele retira a sua depois de cinco minutos, pois acha impossível correr com ela. Seguem em frente, descendo o vale, que está cheio de mortos, cadáveres dos combates do ano passado, que agora não passam de esqueletos vestidos de trapos, e os corpos ainda quentes e sangrando dos soldados recém-abatidos. Monelli chega a outra passagem perigosa. Uma metralhadora austríaca preparada os espera e atira em todos que tentam se aproximar. Uns seis ou sete já foram atingidos. Ele vê um homem hesitar — acertaram seu camarada. O homem fala em voltar, mas a volta também é perigosa. Ele o vê fazer o sinal da cruz e se jogar da montanha rochosa. A metralhadora continua atirando, porém o homem consegue escapar dos tiros, corre, salta e rola até o declive. Monelli faz o mesmo.

333

É por volta de meio-dia. O sol está muito forte.

Agora eles começam a subir para um cume. Monelli, enfim, alcança a posição da sua companhia. Posição? Trata-se apenas de uma longa fileira de rochas enegrecidas atrás de uma saliência, onde eles ficam aguardando imóveis, quietos, de olhos arregalados, passivos, mas estão lá. Um jovem soldado vê Monelli, levanta-se acenando para ele e é atingido por um tiro no peito, que o faz cair imediatamente.

Mais tarde, Monelli e o comandante de seu batalhão saem em busca da sede da brigada. Por fim a encontram em uma caverna na montanha. A entrada da caverna está revestida de sacos de areia e lotada de homens que se esconderam aí. O local está tão apinhado que os dois pisam em braços, pernas e corpos, mas ninguém parece reagir. Os oficiais se encontram no fundo da gruta, onde é escuro e reina um silêncio absoluto. Se Monelli e seu comandante esperavam ser recebidos com júbilo, ficam decepcionados. Os oficiais nem sabiam da chegada dos reforços na forma de dois batalhões e os recebem "sem entusiasmo". O clima dentro da gruta é de depressão, humilhação e resignação. Paira no ar uma sensação de estar à mercê de algo inevitável. O líder da brigada lhes diz: "Como podem ver, estamos cercados pelo inimigo, que pode fazer o que quiser conosco".

Apesar disso, eles saem da caverna com uma ordem para atacar, improvisada ao acaso pelo chefe da brigada. Monelli acha que algum dos superiores está enlouquecendo, pois as ordens recebidas se tornam cada vez mais contraditórias e incoerentes. Isso quando são recebidas, uma vez que o constante bombardeio da artilharia corta as linhas telefônicas a cada cinco minutos. Os soldados têm de ser mandados para o meio do fogo, do barulho e do zumbido das granadas para consertá-las. A ocupação mais perigosa no monte Ortigara é a de telefonista.

Mas não apenas os telefonistas são vítimas de um dos muitos paradoxos da guerra — neste caso, o fato de que a capacidade do Exército de causar estragos aumentou bem mais do que a capacidade dos generais de controlar e comandar suas tropas. Durante grandes batalhas, a comunicação é quase sempre interrompida, transformando os combates em uma luta cega e confusa em meio à fumaça das explosões das granadas.[24]

---

24. A tecnologia para uma comunicação efetiva no campo de batalha simplesmente não existia. Os novos aparelhos de rádio, sem fio, eram muito grandes, pesados e não confiáveis. A telefonia fixa funcionava bem quando as redes eram construídas em caráter permanente e as lutas não eram tão intensas, mas sob fogo cerrado os cabos eram atingidos com facilidade, resultando no

Anoitece. Há três diferentes aromas no ar: o dos vapores amargos dos explosivos, o cheiro doce da putrefação e o odor ácido dos detritos humanos. Todos fazem suas necessidades onde quer que estejam, abaixando-se ou deitando-se, tirando as calças na frente dos demais. Outra coisa seria bobagem. Amargo, doce e ácido.

Nessa noite, uma das companhias ataca a altura 2003 e a ocupa.

Três dias depois, os australianos a tomam de volta.

149. SÁBADO, 30 DE JUNHO DE 1917
Paolo Monelli retorna do monte Ortigara

Ele sobreviveu cinco dias lá em cima. Muitas vezes, ficaram sob o tiroteio cerrado vindo de todos os lados. A montanha parecia ter levado fortes descargas

---

corte de toda e qualquer comunicação. A essa altura, cabos estavam sendo enterrados a um metro de profundidade; esse tipo de serviço, porém, só podia ser executado quando estava tudo calmo no front. Diferentes tipos de sinalização óptica, como sinalizadores, heliógrafos, lâmpadas, semáforos e bandeiras, eram muito usados por todos os exércitos, mas exigiam boa visibilidade — algo escasso quando os combates se intensificavam. Outra possibilidade era transportar fisicamente as ordens e relatórios. Foram feitas experiências com cães mensageiros, mas o método se mostrou ineficaz em situações de bombardeio: esses animais, assim como os cavalos, tendem a se assustar demais sob o fogo de artilharia pesada. Todos utilizavam pombos-correio — só no Exército alemão foram 300 mil —, que às vezes constituíam o meio de comunicação mais confiável, pois, segundo os cálculos, nove entre dez pombos-correio chegavam ao seu destino. Houve casos de pombos condecorados, como o último que foi mandado pelos sitiados em Fort de Vaux, em Verdun, durante as batalhas de 1916. Ele chegou ao seu destino, mas morreu devido aos ferimentos, e ainda é lembrado no forte, com uma placa em sua homenagem. Também digno de nota é o famoso pombo Cher Ami, que durante os combates em Argonne, em outubro de 1918, apesar de alvejado com um tiro no peito e uma pata amputada, conseguiu entregar sua mensagem de uma unidade americana sitiada. Cher Ami foi condecorado com a Croix de Guerre e se encontra empalhado no Smithsonian, em Washington. Quando não havia alternativa, enviavam-se pessoas, em geral em duplas, na esperança de que uma delas conseguisse sobreviver e atingir o objetivo. Obviamente, era uma missão cheia de perigos. (Adolf Hitler trabalhou muitas vezes como mensageiro na Primeira Guerra Mundial e foi condecorado duas vezes por suas tarefas. Isso lhe deu certa vantagem mais adiante, fazendo-o triunfar sobre muitos generais que não possuíam esse tipo de experiência, pois viviam em um mundo de abstrações.)

elétricas. O solo tremia, saltava, crepitava. Eles viveram com os mortos e dos mortos. Usaram sua munição, comeram sua comida, beberam sua água, empilharam-nos sobre a barricada para deter as balas, ficaram em cima de seus corpos para evitar que os próprios pés congelassem. Depois de dois dias, perderam muitos homens. Mortos, feridos e com choque de granada. Monelli calculou que um em cada dez deles sairia ileso e ele tinha esperança de pertencer a esse grupo. Quando a artilharia inimiga fez uma pausa, procurou respostas sobre o destino, escolhendo passagens ao acaso em seu Dante de bolso.

E ele sobreviveu.

Monelli anota em seu diário:

> Surpreso por ter renascido, por poder receber novas impressões, sentado ao sol na porta da minha barraca. A vida é algo que mastigamos em silêncio, com dentes saudáveis. Os mortos eram camaradas impacientes que tiveram pressa de cumprir suas missões desconhecidas. Mas sabemos como somos atingidos pelas carícias amenas da vida. Bebericando alguma memória familiar agradável, e então o alívio de poder uma vez mais contar aos coitados lá embaixo que o filho pródigo está voltando — algo em que antes não se tinha nem coragem de pensar no dia em que partimos.

150. QUINTA-FEIRA, 19 DE JULHO DE 1917
René Arnaud vê Marie Delna ser vaiada em Noyon

Por que uma apresentação não pode ser encerrada de maneira tradicional, com *A Marselhesa*? O chefe da divisão está surpreso e bastante incomodado. O diretor do teatro explica, tão envergonhado quanto angustiado, que "aprenderam, com a amarga experiência, que quando o moral dos soldados está baixo, o melhor a fazer é evitar cantar o hino nacional francês diante deles".

Há três meses eclodiram motins no Exército francês e apenas agora as tropas podem ser consideradas prontas para combater de novo. Mas é só. Ainda há muita tensão.

Talvez os motins do final de abril sejam mais bem descritos como uma implosão da desilusão geral. Generais e políticos põem a culpa no incitamento socialista, na propaganda pacifista, na proliferação de ideias revolucionárias russas e assim por diante. A primavera foi uma época muito conturbada na França. Trata-se sem dúvida do mesmo cansaço em relação à guerra que abalou a Rússia e que, em alguns aspectos, se evidenciou de maneira similar: desobediência, greves e manifestações. Não são nem os sonhos de um futuro melhor que os levaram tão longe, mas sim o que está acontecendo no momento. Por baixo de tudo há uma grande decepção.

A grande ofensiva francesa de abril ocorreu sob exagero retórico e toques de fanfarra semelhantes à ofensiva em Champagne, no outono de 1915. Preparativos perfeitos, os alemães em situação crítica, um avanço garantido, o ponto decisivo atingido, muita determinação, vitória assegurada e assim por diante. A promessa de que a guerra estaria encerrada dentro de 48 horas fez com que todos canalizassem ali as energias que ainda lhes restavam. *Allons enfants de la Patrie/ Le jour de gloire est arrivé!* Mas houve muitas perdas e poucas conquistas, e, quando perceberam que não sairiam com tanta facilidade da situação, começaram a demonstrar sua insatisfação e a se revoltar.[25]

O batalhão de Arnaud não foi afetado pelos motins. Os soldados são originários da Vendeia, uma região de tradições nada revolucionárias. Eles souberam dos acontecimentos certa noite, quando, prestes a deixar a linha de frente após dez dias ali, foram informados de que a substituição foi adiada para dali a 24 horas. O batalhão designado para tomar o lugar deles se recusara a entrar nas trincheiras, até que várias reivindicações específicas fossem atendidas.

Deve ser por esse motivo que o chefe da divisão insiste em cantar *A Marselhesa* no final, já que as tropas de Arnaud não tiveram envolvimento nos motins. O diretor do teatro acaba concordando, mesmo contra sua vontade. A apresentação de hoje pode ser vista como uma expressão de solicitude para com as tropas que o comando militar agora se sente compelido a demonstrar, como

---

25. Na pior fase da ofensiva, 54 divisões estavam envolvidas, deixando grande parte da Frente Ocidental desprotegida. (O fato de o Exército alemão nada ter sabido dessa grande preparação, e não ter se aproveitado da situação, pode ser considerado a maior gafe da Primeira Guerra Mundial — sobretudo porque os alemães foram muito hábeis em explorar e apoiar o movimento bolchevique na Rússia, com o objetivo de enfraquecer o seu Exército.) Alguns amotinados exigiram paz imediata, outros ameaçaram marchar até Paris, enquanto o grosso do movimento se contentou em se recusar a atacar e elaborou listas de exigências de melhorias simples e concretas na alimentação e nos tratamentos médicos e licenças mais facilitadas. As execuções dos amotinados foram poucas e houve avanços consideráveis nas condições materiais.

resultado da insurreição. Para que muitos possam assisti-la, a apresentação acontece ao ar livre, e como estão em pleno verão isso não representa problema algum.

Ao final da apresentação, a estrela do evento sobe ao palco improvisado. Não é ninguém menos que Marie Delna, a melhor contralto da Europa na atualidade, com uma carreira de sucesso que já dura uma década. Ela cantou na Ópera de Paris, é claro, mas também no La Scala, em Milão, no Covent Garden, em Londres, e no Metropolitan, em Nova York. Em outras palavras, uma grande artista. Grande também em tamanho, como constatam Arnaud e toda a plateia presente. A figura delicada de sílfide que todos conhecem de fotografias e cartazes se transformou em uma mulher obesa. Contudo, ela ainda canta tão bem quanto antes, vestida em uma espécie de camisa branca e com uma bandeira francesa na mão. *"Aux armes, citoyens! Formez vos bataillons!/ Marchons, marchons!"* Claro que esta canção, que manda que todos peguem em armas, se organizem em batalhões e marchem adiante é um tanto provocativa nas atuais circunstâncias, já que muitos não querem fazer nada disso.

Quando ela termina de cantar, os aplausos da maioria dos soldados se misturam com vaias. O chefe da divisão fica furioso e dá ordem para que o homem que teve essa iniciativa seja identificado. O que se mostra uma tarefa inútil.

151. SÁBADO, 21 DE JULHO DE 1917
Alfred Pollard é condecorado com a Cruz Vitória no Palácio de Buckingham

Vinte e quatro soldados serão condecorados com a Cruz Vitória, mas apenas dezoito estão na área cercada do Palácio de Buckingham. Os outros seis receberão a insígnia postumamente. Alguns civis aguardam, são os parentes dos soldados mortos, a quem serão entregues as medalhas. Uma banda militar está tocando e a guarda de honra, portando bandeiras, está presente. Muitos espectadores tentam vislumbrar algo, através das altas grades que cercam o palácio.

As comemorações começaram assim que foi anunciado que Pollard seria condecorado com a Cruz Vitória, mas nada nelas pode ser comparado ao que o aguarda no Reino Unido. Desde que ele chegou em Londres, sua vida se tornou uma roda-viva de festas, convites para jantares, visitas ao teatro, gritos de júbilo, abraços e tapinhas nas costas. Com frequência ele fica envergonhado com essas manifestações em público, mas está muito satisfeito com a condecoração. Sempre que vai tomar um drinque, há alguém que insiste em lhe pagar a bebida. Quando ele vai a um restaurante de classe, acaba sendo reconhecido e recebendo a melhor mesa do local. Pollard ficou famoso. Sua foto aparece nos jornais.

Pollard também ficou noivo. De Mary Ainsley, "My Lady", aquela jovem que o rejeitou. Ele suspeita que antes foi rejeitado por não ser ninguém, apenas um simples soldado, mas agora a situação mudou. Ele é oficial e está para receber a maior distinção do Império Britânico. A guerra lhe deu mais autoconfiança, e certa noite ele abraçou a moça e despejou "uma torrente de frases meio incoerentes" sobre seu amor por ela. Na manhã seguinte, durante uma caminhada, Mary lhe disse que ainda não o amava, mas que seria errado decepcioná-lo, já que ele a amava tanto, e que o seu amor por ele poderia surgir a qualquer momento. O anel de noivado é de platina, enfeitado com diamantes e uma pérola negra. Eles passaram os últimos dias em um hotel na costa, com alguns amigos. Tomaram banho de mar, fizeram passeios de barco, assistiram a concertos musicais, apreciaram saborosos jantares e tiveram a sua primeira discussão.

Agora, ele e outros dezessete homens se encontram na área cercada do Palácio de Buckingham. Cada um dos oficiais traz uma espécie de gancho pregado ao uniforme, onde a medalha será pendurada pelo rei. Então a cerimônia tem início. Sob o olhar atento de todos, os guardas apresentam armas. A orquestra interrompe a música e começa a tocar "God Save the King". Os guardas de honra abaixam suas bandeiras. O rei aparece. O rei! Ele é seguido por sua comitiva. Os dezoito oficiais se perfilam, em posição de sentido. A orquestra fica em silêncio. "Descansar!"

Os oficiais são chamados um de cada vez. Pollard é o sexto. Como os demais, ele dá dez passos e se aproxima do monarca. Um coronel lê, em voz alta, o motivo da condecoração: "Por demonstrar, particularmente, muita bravura e determinação", e, ao mesmo tempo que são lidas as últimas palavras — "ignorando o perigo e enchendo os seus camaradas de coragem" —, o rei pendura a medalha com a fita vermelho-vinho em seu peito, dizendo-lhe alguns elogios. Em seguida, o rei lhe aperta a mão com força. O aperto é tão forte que lhe abre de novo o corte que ele teve na mão durante os dias de folga na praia. O jovem condecorado, de 25 anos, dá um passo para trás e faz continência.

Esse é o ponto alto da guerra para Pollard; na verdade, o momento mais importante de sua vida.

Ele, um funcionário de uma companhia de seguros de Londres, destinado a uma vida monótona e insignificante, alcançou mais do que já havia sonhado. Foi a guerra que tornou tudo isso possível.

Depois da cerimônia, uma programação com diferentes festividades e homenagens aguarda os condecorados. Amanhã ele retornará ao continente. Há um rumor de que uma grande ofensiva britânica está sendo preparada em Flandres. Uma nova sensação toma conta dele. Pela primeira vez, não está impaciente para voltar aos combates.

Nesse mesmo dia, Willy Coppens sai em missão de combate, pilotando pela primeira vez um avião de apenas um lugar:

> Sobrevoando Schoore, topei com um avião de dois lugares, que circulava a uma altura de 3200 metros. Eu o ataquei, mas nada aconteceu. O piloto atirou contra mim, mas também sem efeito algum. Meu avião não dava o menor sinal de ter sido atacado. A quinhentos metros de altura, desisti e ele desapareceu. Amaldiçoei a minha incompetência.

152. UM DIA EM JULHO DE 1917
Paolo Monelli assiste ao fuzilamento de dois desertores

Madrugada. Toda a companhia está aguardando em uma pequena clareira na floresta. Aqui se encontram também o pelotão de fuzilamento, o médico e o padre, que treme de medo diante do que está para acontecer. O primeiro prisioneiro é trazido.

> Aí está o primeiro condenado. Um choro sem lágrimas, um nó na garganta, nenhuma palavra. Seus olhos não expressam sentimento algum. Em seu rosto, apenas aquele medo apático das criaturas prestes a ser abatidas. Ele não consegue ficar em pé. Precisam amarrá-lo a um pinheiro, com fios de telefone. O padre, pálido como um cadáver, o abraça. O pelotão forma duas fileiras. É a primeira fileira que irá atirar. O ajudante do regimento já explicou: "Eu faço o sinal com a mão, depois, fogo".

Os dois prisioneiros são soldados da mesma unidade. Durante os horríveis combates no monte Ortigara, eles foram mandados para o vale, para executar um serviço de assistência. Exaustos dos combates, não retornaram ao front. Um tribunal militar em Enego os condenou à morte por deserção. A disciplina no Exército italiano é muito rígida, quase draconiana.[26] Depois do julgamento, eles foram levados de volta para sua unidade, que é responsável por sua execução (na presença de todos os soldados, para servir como um terrível exemplo). Dois policiais militares os escoltaram, sem coragem de lhes contar o que os aguarda. Eles ficaram trancados em uma pequena cabana, gritando, chorando e tentando negociar: "Prometemos patrulhar toda noite, senhor tenente". Em vão. Eles pararam de gritar, de pedir e de tentar negociar. O único som que se ouvia da pequena cabana era o seu choro. Os dois são muito experientes e estão em combate desde o início da guerra. Todos os exércitos funcionam a partir de uma união entre coerção e consentimento (espontâneo ou não); na verdade, esta guerra inteira se originou da junção de ambos. Quanto mais o consentimento vacila, mais se aumenta a coerção. Mas só até certo ponto. Quando o que resta é a coerção, tudo desaba.

O ajudante levanta a mão, dando seu último sinal.

Nada acontece.

Os soldados olham para o ajudante e para o prisioneiro amarrado e com os olhos vendados. Entre os soldados do pelotão de fuzilamento há muitos camaradas, "talvez até alguns parentes" do homem condenado.

Mais um sinal.

Nada acontece.

O ajudante, nervoso, bate palmas. Como se precisasse de um ruído para convencer os soldados a atirar.

Em seguida, ouve-se uma salva de tiros.

O corpo do condenado fica pendente, pois se encontra amarrado, caindo encostado ao tronco da árvore. Ele sofreu, em poucos momentos, a transforma-

---

26. Durante a guerra, o Exército italiano executou mais de mil soldados seus. Os ingleses executaram 361 e os alemães, 48. Mais de 15 mil soldados italianos foram condenados à prisão perpétua por crimes cometidos contra a disciplina militar, e muitos deles permaneceram presos mesmo depois do final do conflito, alguns até o ano de 1945. O comandante-chefe do Exército italiano, Luigi Cadorna, insistia numa "disciplina de ferro".

ção de pessoa para corpo, de sujeito para objeto, de criatura para coisa, de ele para isto. O médico o declara morto após examiná-lo. Ninguém tem dúvidas a respeito. Monelli vê que metade da cabeça dele foi arrancada pelos tiros.

O outro soldado é levado ao mesmo lugar.

Em contraste com seu companheiro desertor, ele está calmo e tem nos lábios algo que lembra um sorriso. Num tom de voz quase extático, diz aos homens do pelotão de fuzilamento: "Isto é justiça. Cuidem de acertar a pontaria — e não façam como eu fiz!". Uma confusão se instala no pelotão. Alguns querem ser dispensados, argumentando que já atiraram em outro homem. Muitas discussões. O ajudante pragueja e faz ameaças para restaurar a ordem.

Uma saraivada de tiros. O homem cai. Morto também.

O pelotão de fuzilamento é dispensado e os homens se afastam devagar. Monelli percebe como estão abalados com o acontecimento. Durante o resto do dia, não falam em outra coisa. Suas vozes são baixas, devido à vergonha ou ao choque. Monelli:

> Dúvidas e perguntas se instalam em nossas mentes, mas rejeitamos esses pensamentos com pavor, pois são como manchas em nossos princípios mais profundos. Esses princípios que aceitamos de olhos fechados como se fossem uma crença, com medo de não cumprirmos com a nossa obrigação de soldados. Pátria, necessidade, disciplina, uma linha no manual de instruções, palavras desconhecidas e incompreensíveis para nós. Morte por fuzilamento — isso faz as palavras ficarem claras e compreensíveis para nossas mentes tristes. Mas aqueles cavalheiros lá em Enego, não, eles não vieram aqui testemunhar a realidade das palavras da sentença que proferiram.

153. QUINTA-FEIRA, 2 DE AGOSTO DE 1917
Angus Buchanan participa do ataque ao cume do Tandamuti

Mais uma marcha noturna, mais um ataque. Em frente a eles, o cume gelado, que se destaca entre o verde da vegetação como o dorso de alguma criatura pré-histórica. Na crista da montanha, pode-se ver um imenso bosque. Nele se esconde um forte, que é o alvo da operação.

Às nove horas, inicia-se o principal ataque. O ruído constante das balas e o estrondo das granadas atravessam a selva. O primeiro a participar é o batalhão formado por africanos, o 3/4 King's African Rifles. Eles sofrem grandes perdas e a investida fica paralisada na subida. Agora entram em ação os homens de Angus Buchanan, o 25º Batalhão do Royal Fusiliers. Eles têm respeito pelos soldados nativos e até desenvolveram uma espécie de amizade com alguns dos mais experientes, algo impensável antes da guerra. Buchanan comanda o pelotão de metralhadoras do batalhão, e ele e seus homens devem subir até o topo. O tiroteio se transforma em um rugido.

Como as forças alemãs foram encurraladas em um canto da colônia e começaram a basear sua resistência em várias posições fortificadas, os combates se intensificam. Embora o número de soldados envolvidos agora seja bem menor do que nos combates anteriores, as perdas são três vezes maiores.

O desespero aumenta dos dois lados. Entre os alemães, porque esse é o último pedaço de seu próprio território dentro do continente africano. Entre os britânicos, porque receberam ordem de terminar a campanha o mais rápido possível. Não são apenas os créditos de guerra que estão por terminar, mas também a frota mercante. Desde que os alemães deram início à guerra submarina irrestrita, no fim de janeiro, eles vêm afundando mais navios do que os Aliados conseguem construir.[27] Além disso, um entre quatro navios não chega ao seu destino, ameaçando a manutenção e a provisão das ilhas britânicas, o que faz com que os comboios para a África Oriental sejam vistos como um verdadeiro luxo.

Depois da retirada do vale em Mohambika, os alemães se instalaram no cume do Tandamunti. Aqui o ataque e o contra-ataque têm sido cruzados, desde meados de junho. Agora está na hora, mais uma vez.

As duas companhias do 25º Batalhão do Royal Fusiliers seguem velozes até o amontoado de árvores, mas são paradas por uma *boma*, uma larga cerca de arbustos espinhosos, barreira tão eficaz quanto o arame farpado. São empurra-

---

27. A perda de navios era grande. Em janeiro de 1917, os submarinos alemães afundaram 35 navios, pesando no total 109 954 toneladas. Em abril, o número subiu para 155 navios e 516 394 toneladas. As perdas agora estavam diminuindo, graças ao sistema de comboios e às minas explosivas. Os aviadores também aprimoraram sua capacidade de afundar submarinos. Um caso curioso ocorreu no inverno de 1917, quando um avião austro-húngaro afundou, no mar Adriático, o submarino francês com o nome acadêmico de *Foucault* e salvou toda a sua tripulação, composta por 29 homens.

dos para o lado esquerdo. Nesse ínterim, Buchanan conseguiu colocar suas metralhadoras em posição correta, a menos de cinquenta metros da grande barreira. Um tiroteio intensivo tem início. Em pouco tempo, quatro de seus "melhores e mais capazes atiradores" são atingidos. Mas Buchanan é perseverante. Os tiros de suas metralhadoras chegam até o inimigo, enquanto as granadas passam zunindo sobre suas cabeças e explodem em uma nuvem de fumaça entre as árvores.[28]

Buchanan observa que os tiros vindos do forte começam a diminuir e acredita poder ouvir o toque dos corneteiros alemães no cume. Próximo à vitória, porém, ele recebe ordem de bater em retirada: os alemães começaram a contra-atacar do outro lado e eles correm o risco de ficar isolados. Quando Buchanan e os outros começam a recuar, ouvem ruídos de tiroteio ao longe. Todos os seus carregadores desapareceram. Ao longo do caminho, estão espalhados os seus pertences, jogados de qualquer jeito. Eles constatam que os *askaris* passaram por eles e só perceberam isso quando foram bombardeados de perto.

Mais tarde, chegam até o hospital do acampamento. Este foi saqueado pelas tropas alemãs, de maneira bastante estranha. Os líderes da unidade inimiga

> tiveram a audácia de mandar que os ordenanças nativos lhes servissem chá, enquanto roubavam todo o quinino e outros medicamentos de que precisavam. Mas esses homens trataram os feridos com consideração e impediram, com seus revólveres em punho, que seus próprios soldados africanos incomodassem os pacientes.

Enquanto a guerra em outras localidades se caracteriza por uma brutalidade crescente, os soldados brancos na África Oriental ainda mostram sinais de humanidade, mesmo tratando-se de seus inimigos. Esta camaradagem não é apenas um resquício da ideia dos anos anteriores a 1914 segundo a qual as colônias deveriam ser mantidas fora dos conflitos, mas é também uma expressão do pensamento de que eles — como uma gota de branco nesse oceano negro do

---

28. Muitos soldados odiavam os atiradores de granadas e morteiros, cujos projéteis, ao contrário das granadas comuns da artilharia, quase não faziam ruído quando jogados ao ar e, portanto, aterrissavam sem aviso. (Contudo, eles eram muito lentos, de modo que com frequência era possível ver sua aproximação.)

continente — compartilham uma espécie de destino colonial.[29] Prisioneiros brancos em geral são bem tratados, recebendo, muitas vezes, comida melhor que a dos soldados. Em uma ocasião, durante essa campanha, um médico alemão cruza a linha dos britânicos e exige seus equipamentos de trabalho de volta. Ele recebe seus pertences e retorna para o seu lado. E quando Von Lettow-Vorbeck é premiado com a Pour le Mérite, a maior distinção alemã, durante o combate, o general oponente lhe envia uma cortês carta de congratulações.

Buchanan e os outros do batalhão — aqueles que ainda conseguem se manter em pé — chegam ao acampamento de Ziwani por volta das onze da noite. Estão exaustos, pois passaram 22 horas em movimentação ou em combate.

Dentro de uma semana, atacarão o mesmo cume mais uma vez.

No mesmo dia, Harvey Cushing escreve em seu diário:

14h30. Chuva forte o dia inteiro, deixando todos tremendo de frio e cobrindo os feridos de lama e sangue. Alguns GSW[30] na cabeça, quando a lama é retirada pode-se ver que os ferimentos são leves. Outros são mais sérios que achávamos. A sala de exame se encontra lotada, o que torna impossível dar conta de tudo, e a desordem deixa qualquer um louco. As notícias também são péssimas. A maior batalha da história mundial está afundando em um pântano, e os canhões mais ainda.

154. QUARTA-FEIRA, 8 DE AGOSTO DE 1917
Florence Farmborough atravessa a fronteira da Romênia

Às sete da manhã iniciam sua marcha. Choveu bastante e as estradas estão lamacentas, mas ela vê beleza nessa paisagem montanhosa, com suas cores e contornos desbotados pela luz matinal. Eles cruzam o rio Prut, através de uma ponte onde prisioneiros austríacos estão trabalhando. Ela repara que a barraca dos prisioneiros está toda molhada. Alguns apenas estão lá sentados, sem nada fazer, apenas à espera de que o sol seque suas roupas.

29. Africanos cultos estavam começando a achar que a guerra levaria ao final do colonialismo.
30. GSW: *gun shot wound*, ferimento à bala.

Quando as carroças atravessam a ponte de tábuas e chegam à margem do outro lado, já se encontram na Romênia. De onde eles tiram o sentimento de esperança? Ontem, quando souberam que iriam para o país vizinho ao sul, todos no hospital ficaram muito contentes. Trata-se, no fundo, de uma fuga. Não estão fugindo apenas dos alemães, mas também das cenas de desintegração, desmoralização e retirada que caracterizaram a semana passada.

A essa altura, tudo fracassou, inclusive a "ofensiva da libertação",[31] a última tentativa do governo de prosseguir com a guerra. A unidade de Florence pertence ao Oitavo Exército, que a princípio conseguiu ultrapassar as linhas inimigas ao sul de Dniester, mas após um avanço de trinta quilômetros foi obrigado a parar, devido à falta de suprimentos e ao desânimo dos soldados. Os homens fizeram assembleias, discutiram as condições em que se encontram, formaram um comitê e reivindicaram o direito de escolher seus próprios oficiais. As deserções aumentaram muito e ocorrem às claras. Divisões inteiras se recusam a atacar o inimigo. Surpresa e confusa, Florence constata que a grande maioria dos soldados não quer mais combater. A irritação deles não se dirige apenas aos oficiais, agora também se estende às enfermeiras. Talvez por serem voluntárias ou por serem mulheres. Ou pelas duas razões. Elas passam a ouvir palavrões e ofensas e são assediadas sexualmente. Pela primeira vez, Florence sente medo dos soldados do seu próprio lado e tenta se manter longe deles.

Para além da fronteira, com sorte, ficarão livres de ver a decadência do Exército russo. E para além da fronteira unidades romenas e russas deram início à sua própria versão da ofensiva da libertação, que, segundo todos os relatos recentes, está obtendo certo sucesso. Assim, essa marcha é mais que bem-vinda, não apenas porque os leva para longe da guerra, mas os leva para um lugar onde podem de fato contribuir com algo.

Eles estacionam em um campo aberto para comer uma mistura feita de "carne e peixe amassados com uma sopa grossa onde havia folhas esverdeadas esquisitas que sem dúvida não eram cultivadas em uma horta". O sol está alto e faz muito calor. Florence ouve uma discussão — sobre política, é claro. Ela capta alguns detalhes: Kerenski vai demitir Brusilov, o herói deles, pois o res-

---

31. Agora mais conhecida como Ofensiva Kerenski, em homenagem a Alexander Kerenski, o primeiro-ministro do governo provisório menchevique, que a ordenou em julho desse ano, quando era ministro da Guerra.

ponsabiliza pelo fracasso da ofensiva. Vozes irritadas juntam-se ao bate-boca e Florence se sente incomodada. Mas não se envolve no debate e vai até o rio para tomar um banho e se refrescar um pouco, acompanhada de algumas colegas. Infelizmente, elas não encontram nenhum lugar onde tenham privacidade, pois há soldados por todos os lados. Elas voltam para a coluna, sentam-se à sombra de uma grande carruagem, e Florence tem tempo de escrever algumas cartas antes de receberem ordem de continuar a marcha. Já são quatro da tarde.

Mais tarde, chegam a uma colina íngreme, onde esperam sua vez de subir, já que os cavalos precisam de ajuda para puxar toda a pesada carga das carroças. Ela aproveita para escrever em seu diário:

> Um bando de soldados jovens ajudava cada cavalo e cada carroça a chegar ao topo, com muitos gritos e chicotadas desnecessárias. Os pobres animais, bastante assustados, sabiam o que se esperava deles e tentavam dar o máximo de si. Mas sua respiração ofegante e seus corpos suados testemunhavam o esforço de cada movimento que era exigido deles.

Eles prosseguem por estradas ruins, subindo e descendo por uma paisagem montanhosa, através de vilarejos de pequenas casas de madeira com janelas enfeitadas por cortinas, passando por mulheres e crianças em roupas exóticas e ricamente bordadas. Ela ouve uma senhora gritar de pavor ao ver a aproximação de tantos homens uniformizados e acha as palavras que escuta muito parecidas com o italiano. Esta é a Romênia, então. Eles param em uma cidadezinha e compram maçãs de comerciantes judeus, pagando-as com rublos. Não há mais ovos, pois os soldados já compraram todos. O ar do verão fica mais fresco quando eles penetram na bonita floresta de pinheiros.

Antes do anoitecer, decidem acampar em uma colina junto a uma aldeia. Devido ao calor, evitam armar as barracas e armam suas camas de campanha ao ar livre. A enfermeira-chefe conseguiu um jornal de três dias atrás e todas se sentam ao redor da fogueira para escutar as notícias. O assunto principal é o caos político que impera na capital russa, pelo qual Florence tem pouco interesse. Mas há uma reportagem que prende sua atenção e de algumas outras enfermeiras: na situação de crise atual, estão sendo organizados batalhões só de mulheres.

Ela sabe que há mulheres no Exército russo, chegou a conhecer algumas entre os feridos. Lembra-se de uma em particular, de quem cuidou na Galícia.

Tinha uns vinte anos e apresentava uma grande lesão na têmpora, causada por um projétil. A mulher queria retornar ao front o quanto antes. O novo batalhão militar feminino foi formado por iniciativa de Maria Bochkareva,[32] uma mulher da Sibéria de origem humilde que combateu com o marido e que, depois da morte dele, continuou no Exército. Ela foi ferida e condecorada diversas vezes, e chegou ao grau de sargento. O jornal a cita: "Se os homens se recusam a lutar pelo seu país, nós, mulheres, mostraremos a eles do que somos capazes!". Um batalhão composto apenas por mulheres já participou de combates durante a fracassada "ofensiva da libertação", em que recebeu ordem de permanecer em uma trincheira abandonada pelos desertores. Para Florence e as outras enfermeiras, é uma notícia fantástica.

A noite está quente. No céu estrelado, brilha uma lua grande e cheia.

155. SEXTA-FEIRA, 17 DE AGOSTO DE 1917
Olive King atravessa Salônica em chamas

No começo da tarde, ela fica sabendo que um grande incêndio começou na cidade e está disposta a ver tudo de perto. Quando ouve dizer que precisam de ajuda para salvar o depósito do comissariado sérvio, ela se coloca à disposição. Então, ao passar de carro pela rua Venizelo, percebe a gravidade da situação. O que no início era um fogo acidental se transformou em um incêndio de enormes proporções. Todo o bairro turco parece estar ardendo em chamas:

> É impossível descrever o caos nas ruas, a multidão em pânico tentando salvar seus pertences, carregados em carros de boi, nas próprias costas, em pequenas carroças puxadas por cavalos ou ainda naquelas carretas gregas antigas tão difíceis de dirigir aqui. As chamas se espalhavam, ouviam-se estrondos e viam-se milhões de faíscas quando alguma casa desabava. Um vento quente vinha do rio Vardar, e o tempo todo éramos atingidos por fagulhas e destroços queimados. Ainda não havia escurecido, mas tudo estava iluminado por um clarão vermelho, como se fosse um fantástico pôr do sol.

32. Maria Bochkareva, executada em 1920 como inimiga do povo, por suas ligações com o Exército Branco russo. Sua unidade era conhecida como Primeiro Batalhão da Morte de Mulheres Russas.

Até hoje, Salônica era um lugar intrigante, pitoresco e bonito, onde séculos de governo otomano deixaram a sua marca inconfundível. Aqui havia muitos minaretes, um imponente muro que rodeava a cidade e um grande mercado. Quem andasse pelo labirinto de becos e ruelas medievais podia achar, em um sentido puramente geográfico, que se encontrava na Europa, mas ao mesmo tempo reconhecia de imediato que o local era, cheirava e soava como o Oriente. E, na verdade, a cidade estava sob controle otomano havia menos de cinco anos. Longe de depreciá-la, o toque oriental a tornava ainda mais fascinante, e os anos de ocupação ocidental, com o afluxo de tropas de todos os cantos do mundo, só realçavam os seus contrastes e seu espírito cosmopolita. Aqui, mesquitas muçulmanas, catedrais bizantinas e basílicas gregas ortodoxas se misturavam com bondes, cinemas, teatros, bares, butiques luxuosas, restaurantes refinados e hotéis de primeira classe. Para algumas pessoas, contudo, Salônica não era apenas um conglomerado poliglota (Olive e muitos amigos seus falam um pidgin singular, no qual a base é o inglês, porém com uma significativa mescla de francês e sérvio), mas muito mais uma torre de Babel.

Bem, se essa era de fato a sua verdadeira reputação, a hora do castigo parece ter chegado. A ventania espalha o fogo com inesperada rapidez.

Olive faz várias viagens em meio ao mar de fogo crescente, salvando locais de abastecimento ou bens pessoais. Quando estaciona a pequena ambulância, precisa correr em volta dela para apagar as faíscas que a atingem. Enquanto dirige, buzina o tempo todo para poder passar entre a multidão, uns histéricos e em pânico, outros tão aflitos que se tornam apáticos. Olive observa que as duas coisas mais comuns que as pessoas resgatam de seus lares são espelhos grandes e armações de cama feitas de bronze. Quando o incêndio atinge o porto e o mar, ela percebe que uma parede de chamas de uns cinco quilômetros a separa da garagem. Mesmo assim, vai adiante e, quando fica sem gasolina, prossegue a pé, a fim de encontrar mais combustível.

Na desordem causada pelo incêndio, a disciplina militar sucumbe. Como de costume em situações como essa, grandeza e heroísmo se misturam com covardia e egoísmo. Uma onda de saques tem início. Muitos barris de vinho acabam estourando e espalham seu conteúdo pelas ruas da cidade "como sangue". Civis e militares se jogam no chão e lambem as poças de vinho. Quando Olive passa pelo lugar onde a bebida foi derramada, vê pessoas embriagadas e vomitando. Um depósito de granadas explode. Em vários lugares ocorrem tiroteios.

Quando o sol ressurge, após uma longa noite, o céu está tão encoberto de fumaça que o dia nunca fica claro por inteiro. Olive vai até o porto. Passa entre os cabos derretidos dos bondes. Vê civis e militares escavando entre as ruínas, em busca de despojos.

Olive King dirigiu durante vinte horas seguidas. Quando, exausta e faminta, retorna para seu quarto, encontra na entrada uma mulher desabrigada com nove crianças. Quase toda a cidade foi destruída pelas chamas, e 80 mil pessoas ficaram sem lar. Levará cerca de duas semanas para que consigam vencer o incêndio. Durante o restante da guerra, a cidade permanecerá como uma ruína de fuligem. A Tessalônica que existia antes do incêndio nunca mais será a mesma.

156. DOMINGO, 26 DE AGOSTO DE 1917
Harvey Cushing vê um mapa tridimensional

O front está quieto, mas a tranquilidade é apenas temporária. Todos já sabem disso. Passam a manhã trocando as ataduras dos feridos. Para Cushing, muitos dos pacientes que ele operou estão se recuperando bem — ou talvez seja apenas porque seu humor melhorou, depois de duas noites bem dormidas.

Ainda não há nenhuma unidade americana envolvida nos combates, de modo que Cushing e sua unidade hospitalar se mudaram para o norte, para o front em Flandres, onde desde o final de julho está em andamento uma ofensiva britânica, a maior de todas. Já há até nome para o acontecimento: a Terceira Batalha de Ypres.

Até agora foram realizados quatro grandes ataques. Tem chovido quase o tempo todo e o campo de batalha se transformou em um mar de lama. Até hoje, os êxitos foram poucos e as perdas, grandes. Mas é difícil saber muito a respeito do que está acontecendo e pouca gente tem uma visão geral da situação, pois a censura é rígida e os comunicados oficiais deixam a desejar. Cushing, contudo, tem alguns palpites certeiros sobre o rumo dos combates a partir do que observava no fluxo incessante de homens machucados que, em ambulâncias enlameadas, são trazidos até ele. Quantos foram feridos? Como está o moral deles? Demoraram muito para conseguir chegar ao hospital? Os feridos, em sua maioria, se encontram tão sujos de lama que um tempo maior que o habitual é gasto na operação de tirar suas roupas, limpá-los e procurar suas feridas. Aqueles que recebem vacina contra tétano têm um "T" escrito na testa com lápis de traço indelével. Ao lado do hospital há um cemitério que está sempre em expansão. As covas são escavadas por trabalhadores chineses vestidos de túnicas azuis.

A especialidade de Cushing são os ferimentos graves na cabeça. Ele tenta fazer oito cirurgias por dia. Com um avental emborrachado grosso e coturnos, realiza os procedimentos em uma barraca. Uma das técnicas que utiliza consiste em retirar, com todo o cuidado, fragmentos de granada do cérebro dos feridos com ajuda de um poderoso ímã. São poucos os soldados que chegam com lesões provocadas por balas comuns, e os danos causados por baionetas são ainda mais raros. Quase todos os seus pacientes foram atingidos por granadas e quase todos têm chagas múltiplas. Cushing se tornou um especialista em ferimentos e também aprendeu que lesões graves costumam estar ocultas por uma pequena ferida aparente.

O horizonte está pontilhado de balões de observação. Às vezes, caem bombas nas proximidades. Quando lhes sobra tempo, eles jogam tênis na cancha ao lado. Depois do almoço, Cushing vai com um colega até as outras unidades hospitalares nos arredores para visitar seus amigos. O tempo está bom, seco a agradável, pela primeira vez em muitos dias. Ruído de artilharia no ar. O caminho de Mont des Cats até Rémy passa por um monte alto e a vista é maravilhosa. Ao norte, eles podem distinguir a linha de frente em Ypres como uma faixa de clarões breves e intensos.

Um coronel canadense permite que Cushing veja algo que há muito tempo atiça sua curiosidade: um dos grandes mapas tridimensionais do campo de batalha, feito de areia em uma escala de 1:50, que é usado para o planejamento de ataques. Tudo está presente ali: cada floresta, cada casa, cada curva. As trincheiras aliadas são marcadas com uma fita azul e as alemãs, com uma fita vermelha. Cushing lê os nomes escritos em pequenas placas: Inverness Copse, Clapham Junction, Sanctuary Wood, Polygon Wood. Cushing não entende muito bem as placas, mas segundo o mapa o próximo alvo de ataque será Glencourse Wood, um bosque marcado de vermelho entre todas as outras placas azuis.

Eles não são os únicos a analisar o mapa. Há também vários oficiais fazendo o mesmo e tentando aprender mais sobre o terreno. Amanhã esses homens irão "até o topo".

Os dois médicos estão de volta na hora do jantar. Depois o comandante da unidade desaparece com o jornal de Cushing, que este ainda não leu, o *Times* de ontem. Quando Cushing lhe pede o jornal de volta, o comandante o esconde atrás das costas e aponta para o boletim do Exército que está pendurado à porta. Cushing, muito irritado, encontra o documento criptografado com seus códigos e coordenadas incompreensíveis:

Manhã	relatório	aaa	YAWL	relata	S.O.S	mandado
acima	ao redor	5	a.m.	esta	manhã	para
esquerda	se	CABLE	e	direita	se	LUCKS
front	J.14.A.5.8	para	direita	em	5	a.m.
Postos	em	J.14.A.7.4	foi	levada	em	Postos
em	J.14.A.8.8	está	ainda	mantido		aaa […]

Por volta da meia-noite, Cushing está deitado em sua barraca e ouve a artilharia pesada ao longe. Logo começa a chover de novo.

No dia seguinte, alguém conta a Cushing que, entre 23 de julho e 3 de agosto, 17299 pacientes das três unidades hospitalares desse setor foram dispensados ou enviados para outros locais para continuar seu tratamento. (Os mortos, é claro, não estão incluídos neste número.) O Quinto Exército tem outros doze hospitais semelhantes.

157. TERÇA-FEIRA, 4 DE SETEMBRO DE 1917
Edward Mousley viaja a cavalo até Ancara

O café da manhã é muito saboroso: salsicha, bolo, chá e geleia, que Mousley acaba de receber em um pacote de casa. Os guardas comem pão, azeitonas, melão e cebolas. Depois todos deixam para trás a pequena pensão, infestada de percevejos. No início, ele e o outro prisioneiro, um britânico com o braço quebrado, são acomodados na carroça puxada por cavalos, mas, quando começam a subir a montanha, têm que descer do veículo e caminhar, porque os animais estão muito fracos. A montanha é coberta de pinheiros altos. Eles estão sendo escoltados por uma gendarmaria a cavalo, para evitar sua fuga e protegê-los dos bandidos. Passam por uma cachoeira.

Mousley tem pensado em fugir e, durante o verão, fez parte de um grupo de prisioneiros que passou meses planejando uma corajosa fuga de Kastamonu. A ideia era seguir uma trilha na montanha e chegar ao mar Negro, onde uma pequena embarcação escondida na areia, equipada de remos, mas sem vela, estaria à sua espera. Disfarçado de turco, Mousley conseguiu treinar várias maneiras de enganar os guardas. Em uma dessas ocasiões, esteve prestes a ser descoberto e, depois disso, passou a ser objeto de rígida vigilância. Uma parte do grupo escapou, porém os prisioneiros foram (talvez) recapturados após terem sido (possivelmente) traídos ou (o que é mais provável) apanhados quando tentavam se passar por alemães.

Agora Mousley está deixando seu confinamento em Kastamonu. Ele ainda sofre com as sequelas do tempo que passou em Kut al-Amara. O pior de tudo é um ferimento nas costas, causado por um fragmento de granada. Algumas vértebras foram lesionadas e a dor não permite que ele durma à noite. Mas a razão de sua viagem para Ancara é que ele será examinado por um oftalmologista: toda a sujeira e poeira resultantes da detonação da granada provocaram uma inflamação quase constante nos olhos, o que no momento é mais irritante do que perigoso, mas pode se tornar sério. Quando recebeu uma carta de conhecidos do Departamento de Relações Exteriores, ele deu um jeito de assustar o comandante, dizendo que Londres está cuidando de seu caso com especial interesse, e o oficial turco providenciou sua remoção para Ancara. Mousley insistiu para receber tratamento em Constantinopla. Sua ideia é que será muito mais fácil fugir estando nessa cidade.

A subida da montanha leva boa parte da tarde. Por volta das três horas alcançam o passo. O topo da montanha, envolvido pela neblina, não fica muito longe. No desfiladeiro, fazem uma pausa maior e almoçam, antes de prosseguir. Mousley não gosta nem um pouco de Ali, o oficial responsável pelo transporte. Ali é colérico, louco pelo poder, agressivo e covarde. Eles tentam mantê-lo de bom humor, oferecendo-lhe cigarros a todo instante. Mousley gosta mais de Mustafa, o soldado incumbido de vigiá-los, e com quem os dois prisioneiros têm um bom relacionamento. Eles na verdade estão impressionados com o modo como essa "alma de camponês turco" cumpre seu dever com lealdade e sem se queixar, apesar de sofrer de malária.

A temperatura começa a subir. Mesmo que agora Mousley e o seu companheiro possam de novo andar no veículo, a viagem é um tanto desagradável.

Faz muito calor, a carroça sacode, os cavalos, enfraquecidos, às vezes caem, os arreios precisam ser arrumados a toda hora e, em certo momento, eles quase despencaram no precipício. Os olhos de Mousley estão cada vez mais irritados, mas ainda assim ele está de bom humor. Ele escreve em seu diário: "Esses dias foram maravilhosos, uma viagem em que se redescobre o mundo, uma jornada do sono ao sonho, da morte à vida".

Ao longo do caminho, Mousley reconhece detalhes vistos quando eles estavam sendo levados como prisioneiros para Kastamonu: aquela pequena cabana, aquele moinho, aquela casa armênia. Passam a noite em outra pequena pensão do mesmo nível da primeira. Depois de fumar, vão se deitar no telhado, talvez porque o local é cheio de percevejos ou, então, porque está quente demais.

Nesse mesmo dia, Angus Buchanan deixa para trás o C23, outro quente e insalubre acampamento na selva. Ele escreve:

No dia 4 de setembro, o batalhão deixou o C23 e avançou para oeste de Narunyu, para ocupar a linha de frente lá e liberar o Oitavo Regimento de Infantaria Sul-Africano, cujos soldados mal conseguiam se manter de pé devido às enfermidades e não tinham mais condições de continuar lutando. Aqui teve início a minha exaustão física, e a febre que me acompanhava começou devagar a vencer a minha resistência.

158. SEGUNDA-FEIRA, 10 DE SETEMBRO DE 1917
Elfriede Kuhr prepara um omelete em Schneidemühl

Todos agora só falam em comida, em armazenar mantimentos. Ninguém quer passar as mesmas privações do inverno passado, "o inverno do nabo". Por sorte, no porão da casa de número 17 na Alte Bahnhofstrasse, eles conseguiram armazenar batatas, pois compraram o sortimento inteiro do sr. Kenzler, e também nabos. Quase não têm pão ou gordura para cozinhar. A alimentação é particularmente pobre e monótona.[33]

33. O problema não era apenas o bloqueio naval inglês. No ano anterior, o governo tinha proibido a entrada no país de alimentos exóticos, como tangerina, uva-passa, abacaxi, gengibre e baunilha.

Mas Elfriede se tornou expert na preparação de omelete, um prato que ela e o irmão muito apreciam. Primeiro ela esfrega um pedaço de torresmo velho na frigideira. Depois acrescenta sal e batatas fatiadas, que são fritas com cuidado para não queimar. Bate um ovo com água, farinha, sal e pimenta. Adiciona um pedaço de cebola ou cebolinha verde, se houver. O truque é cobrir tudo de água, mas não em demasia, para que o omelete conserve o gosto de ovo.

Dois dias atrás, ela e sua amiga Trude foram passear com os tenentes Leverenz e Waldecker. Ainda estava calor e eles caminharam até Königsblick. O tenente Waldecker andou ao seu lado, a escutou, a abraçou, riu de suas histórias, olhou para ela de maneira estranha mas amorosa. Ele também beijou seus dedos, a ponta de seu nariz e sua testa. A certa altura, o tenente Leverenz, de brincadeira, levantou um dedo para o colega, dizendo: "Não, não. Menores de idade!". Depois ele e Trude se beijaram inúmeras vezes. O tenente Waldecker se contentou em segurar a mão e repousar a cabeça de Elfriede em seu ombro. Voltaram para casa ao anoitecer e ele a acompanhou até a escada da Alte Bahnhoftrasse. Então, murmurou que a amava. Ele, o tenente Waldecker, com seu belo uniforme de aviador, seu gorro de oficial, suas luvas de couro, sua Cruz de Ferro, seus olhos azuis e seu cabelo loiro. Ela ficou aturdida e feliz.

Apesar disso, ou talvez por isso mesmo, ela continua brincando de fingir com Gretel Wagner. O melhor é quando ela interpreta o tenente Von Yellenic e Gretel finge ser a enfermeira Martha. Agora há uma novidade na brincadeira: o tenente Von Yellenic está muito apaixonado ora por alguma moça imaginária, ora pela enfermeira Martha. Infelizmente, a sua amada já se encontra casada com um major e os seus sentimentos por ela não podem ser correspondidos, ficando apenas no plano do amor platônico.

São essas brincadeiras que ocupam seu tempo agora. De vez em quando ela vai até a estação de trem para ajudar a avó na cantina da Cruz Vermelha, ou para ver o transporte das tropas ou o trem que leva os feridos para o hospital, mas isso é raro agora. Aquelas linhas de bandeirinhas pretas e vermelhas sobre o mapa da sala de aula não lhe interessam mais. Na escola, quase nunca mencionam o que está ocorrendo no front. O assunto só é abordado quando algum amigo ou parente é morto em combate. Já faz muito tempo que tiveram um dia livre para celebrar alguma vitória de seu país. A guerra, escreve Elfriede em seu diário, "se transformou em uma situação de normalidade. Mal lembramos de como era em época de paz. Quase não pensamos mais na guerra".

159. SEXTA-FEIRA, 28 DE SETEMBRO DE 1917
Michel Corday visita Anatole France em Tours

O trem chega na estação de Tours na hora do almoço. Na plataforma, à espera, está Anatole France. É um homem corpulento, de barba branca, e usa uma boina vermelha. Eles vão de carro para La Béchellerie, a casa de campo do escritor, localizada em um pequeno monte a dois quilômetros da cidade.

A guerra tem sido uma provação para o velho escritor. Não que o tenha afetado de maneira direta. Nenhum parente seu está lutando no front e ele leva uma vida tranquila aqui, nos arredores de um afluente do Loire, desde agosto de 1914, quando muitos se mudaram para o sul, a fim de ficar longe do Exército alemão. Não, a provação vem do fato de que a guerra, desde o seu início, resultou em uma anulação amarga e desencantada de tudo em que ele acreditava.

Para ele, habituado ao confortante e harmonioso som de coros a lhe fazer elogios, foi um sofrimento ouvir a repentina avalanche de ofensas e ameaças apenas porque continuou reafirmando o que já dissera antes e se recusou a ser arrebatado pela febre belicista de 1914. Pego de surpresa, ferido e amedrontado, o velho senhor então se pôs voluntariamente à disposição do Exército, aos 71 anos de idade. Sua atitude foi considerada ridícula. Anatole France não é mais perseguido, e sim ignorado. Embora ainda se arrisque a dar despretensiosas sugestões de vez em quando, ninguém faz caso delas. Corday fica com a impressão de que ele não acredita mais na humanidade. Apesar disso, o grande poeta não consegue parar de tentar analisar o que está acontecendo. Ele diz a Corday que, em certos momentos, imagina que a guerra vai durar para sempre, e este pensamento quase o leva à loucura.[34]

Quando chegam a La Béchellerie, o almoço é servido. A casa de pedra, construída no século XVII, é muito bonita e decorada com objetos que France, colecionador inveterado, reuniu ao longo de muitos anos. Um dos visitantes de hoje diz que a casa parece mais "um antiquário". No meio do salão, reina um torso dourado da deusa Vênus. Há outros convidados para o almoço, entre os

---

34. Esse tipo de reação não era de todo injustificado. Em uma carta a outro conhecido, France escreveu: "Como se não bastasse a guerra causar apenas um grande sofrimento, ela também está fazendo de idiotas todos aqueles que ainda não ficaram loucos".

quais um comerciante de têxteis da cidade. Ele também está muito pessimista em relação ao futuro:

> A grande maioria em Tours deseja que a guerra continue, devido aos altos salários que proporciona aos trabalhadores e ao aumento do lucro dos comerciantes. A burguesia, cujo único alimento mental vem dos jornais reacionários, está convencida das vantagens de uma guerra sem fim. Concluindo, diz o convidado, é apenas o homem do front que é pacifista.

Eles passam a tarde na biblioteca, localizada em uma pequena construção no jardim. O assunto inevitável é a guerra, esta ferida que ninguém consegue deixar de cutucar. Eles discutem as últimas iniciativas de tentativa de paz — a alemã, a americana e, é claro, a que foi proposta pelo papa há um mês.[35]

Pode-se imaginar a atmosfera especial do ambiente. Um grupo de gente culta e em uma sala abarrotada de livros — pessoas como France e Corday, indivíduos sensíveis, refinados, humanistas radicais, obrigados a viver como estranhos ao seu próprio tempo, desgostosos e confusos com os acontecimentos que não conseguem compreender e com forças que não podem vencer. Será verdade que agora todos os caminhos para a paz estão fechados? Eles se agarram a fiapos de esperança. Talvez a tradução da resposta do presidente Wilson esteja incorreta. Talvez o memorando alemão que acompanhava a resposta ao papa tenha sido uma contrafação. Talvez haja uma estratégia secreta de negociação. Talvez, quem sabe, porventura. Por quê? Por quê? Por quê?

Palavras e pensamentos vão sendo expressos nessa sala tão aconchegante e as horas passam, velozes. Logo começa a escurecer. Uma lua cheia colore a paisagem outonal de prateado e branco.

---

35. As duas primeiras tentativas, na época, estavam fora de discussão: a americana, porque os Estados Unidos tinham entrado na guerra, e a alemã, porque seu idealizador, Bethmann Hollweg, perdera sua batalha contra os falcões em Berlim e deixara o gabinete. Em julho, a maioria do Parlamento alemão votara, com 212 votos contra 126, a favor de uma resolução que exigia a paz, sem ganhos territoriais ou indenizações. Tal decisão contrariava as ambições daqueles que, na prática, detinham o poder na Alemanha — o alto-comando militar, com o marechal Hindenburg e o general Ludendorff à frente. Isso significava que a suposta trégua civil de 1914 fora rompida, e a posição de Bethmann Hollweg como o homem que estava tentando equilibrar os pratos da balança se tornou insustentável.

160. SÁBADO, 13 DE OUTUBRO DE 1917
Harvey Cushing elabora uma lista com os casos do dia

O mau tempo continua. Chove quase o tempo todo e venta muito, quase como em uma tempestade. Cushing passa mais um dia junto à mesa de cirurgia. Ontem, às 5h25, foi iniciado mais um ataque a Ypres, apesar da chuva constante, da lama e da má visibilidade. Os sobreviventes contam ao médico sobre os feridos que se afogaram nas crateras abertas por granadas.

Ele começa o dia verificando os pacientes que o aguardam:

WINTER, E. 860594. Sétimo Borderers, 17ª Div. — Perfuração cerebelar. Sentado. Com capacete. Explodiu no ar. Inconsciente por algum tempo, não se sabe quanto. Arrastou-se até a trincheira, tremor nas pernas, tontura etc.

ROBINSON, H. 14295. Primeiro Inf. Sul-Africano, Nona Div. — Perfuração temporal direita. Ferido ontem c. 18h. Atingido, mas não inconsciente. Capacete perfurado. Mal andou vinte metros. Tontura, vômitos, dormência no braço esquerdo etc. Só foi trazido hoje de manhã devido à lama.

MATTHEW, R. 202037. Oitavo Black Watch — Perfuração parietal direita, hérnia cerebral. Ferido há três dias etc. Escocês de grande estatura.

HARTLEY, J. 26º M. G. C. Oitavo Div. — Ferido às 23h, consciente. Foi para a unidade. Acha que atingiu seu objetivo etc.

BOGUS. Terceira N. Z. Brigada de atiradores, Primeira Anzac. — Corte frontal. Duas noites na linha de frente. Circunstâncias terríveis. Andou novecentos metros depois de ferido etc.

BEATTIE. Sétimo Seaforths, Nona Div. — Carregador de macas, ferido quando buscava um terceiro (quatro por carregador) a menos de trezentos metros da linha de frente. Penetração occipital (?).

MEDGURCK. 11º Royal Scots, Nona Div. — Ferimentos múltiplos, inclusive na cabeça etc.

DOBBIE. Batalhão Household, Quarta Div. — Ferido perto de Poelcapelle ontem à tarde. Recebido aqui às 19h. Ressuscitação. Sério. Para o raio X etc.

Ao final do dia, Cushing se sente satisfeito. As cirurgias correram bem. Ele conseguiu utilizar a técnica de ímã para a retirada de estilhaços do cérebro de três pacientes.

Cushing compreende que o ataque não foi bem-sucedido, os feridos continuam a chegar. Ninguém leu nenhum jornal ou ouviu algum comunicado oficial. É impossível saber o que de fato aconteceu.

* * *

Dois dias depois, a tranquilidade volta a Ypres. O tempo melhorou. Ouvem falar que três divisões britânicas quase foram dizimadas e precisam ser retiradas do combate; reforços do Segundo Exército estão a caminho. À tarde, Cushing vê milhares de pássaros sobrevoando o pequeno bosque junto ao hospital. Alguém diz que são estorninhos.

161. QUARTA-FEIRA, 24 DE OUTUBRO DE 1917
Michel Corday comenta as conversas nas ruas de Paris

O quarto inverno sob a guerra bate à porta e a atmosfera em Paris está mais deprimente do que no ano passado, apesar de a escassez de muita coisa ser menos grave do que antes. Quem tem dinheiro consegue comprar o que quiser. O mercado negro se desenvolveu muito, deixando seus fornecedores cada vez mais ricos e com menos vergonha de seu comportamento. Muitos dos melhores restaurantes contrataram veteranos condecorados e inválidos como porteiros, e Corday se põe a pensar no que se passa na cabeça deles quando estão abrindo as portas para pessoas que não passam de "apetites personificados volumosos que se atiram em suas gamelas".

Corday escreve em seu diário:

> Na rua, ouvem-se pessoas fazendo seus pequenos planos. Com frequência elas dizem "Depois da guerra, vou…" no mesmo tom calmo com que diriam "Depois do banho, vou…". Comparam este acontecimento que despedaça o mundo com uma catástrofe natural. Nunca suspeitam que elas próprias seriam capazes de evitá-lo e que a vida parasitária dele tem base no seu consentimento.

162. DOMINGO, 28 DE OUTUBRO DE 1917
Harvey Cushing assiste à preparação dos canadenses em frente a Zonnebeke

Tempo levemente nublado. O frio está para chegar. Não há nada em seu ser que aceite a guerra. Sua ocupação diária é tentar consertar os estragos causados por ela, que chegam sem parar ao hospital. A experiência o faz consciente das despesas. Não se passa sequer um dia em que ele não tenha de lavar as mãos do sangue e da matéria cerebral de seus pacientes. Ele vem de uma família de classe alta de Boston e se sente muito desconfortável com sua situação atual, com a umidade constante, com as refeições sempre iguais, com o frio que torna difícil dormir na barraca. Ele trouxe consigo uma banheira portátil.

Bom, retomando o assunto das despesas. Cushing está consternado com o desperdício. Há abrigos onde o isolamento do solo foi feito com camadas e camadas de latas de comida fechadas. Encontraram no lixo 250 calças impermeáveis novas, próprias para vestir nas trincheiras inundadas, que foram simplesmente descartadas por alguma unidade após terem sido usadas apenas uma vez. Os soldados jogam fora tudo que é pesado ou não imediatamente necessário antes de partir para o combate, e depois dizem que os equipamentos foram perdidos durante a batalha e que precisam de novos. Rifles abandonados, cobertos de fuligem, são vistos por todos os lados, servindo de postes sinalizadores ou de estacas nas trincheiras. Durante cinco minutos de tiroteio, é gasto o equivalente a 80 mil libras em munição.

Além disso tudo, Cushing tem visto e ouvido muita coisa sobre como o Exército britânico administra a guerra aqui em Ypres. Anteontem, por exemplo, um de seus pacientes, um oficial da Quinquagésima Divisão, lhe contou uma história. O jovem estava deitado na cama, trêmulo, fingindo fumar um cigarro. Seu batalhão havia se perdido durante a noite na chuva e tentara cavar uma trincheira para se esconder. Havia lama por todos os lados, e o máximo que conseguiram fazer foi empilhar montinhos de terra encharcada e ficar atrás deles, deitados nas poças. Depois de terem recebido ordem de avançar naquela escuridão por duas vezes, enfim mandaram-nos atacar. Tentaram seguir o fogo pesado, mas ele estava se movendo rápido demais. De repente, viram-se frente a frente com uma série de bunkers de concreto alemães. "Bem, quase ninguém sobreviveu."

Cushing não consegue compreender por que um ataque não pode ser cancelado quando o tempo está péssimo. Ele já fez essa pergunta a um alto oficial britânico, que lhe respondeu que, infelizmente, isso não é possível. Não em cima da hora. Há muita organização envolvida, e o planejamento para que isso seja possível é bastante complicado. Este é um retrato da guerra.

Esse domingo está especialmente calmo. Apenas um ferido dá entrada no hospital, mas a batalha não terminou. Novos ataques vêm sendo preparados.

Um dos seus contatos no Segundo Exército prometeu levá-lo até o front, e hoje parece ser um bom dia para essa visita. Os dois se registram em um dos muitos postos de controle, trocam o carro por uma ambulância e vão para Ypres via Poperinghe. O trânsito se intensifica à medida que se aproximam da cidade. Eles seguem em zigue-zague pela estrada lamacenta, entre soldados marchando, motocicletas, caminhões, artilharia puxada por cavalos e ruínas. Depois de passarem pelo destruído Portão Menin, chegam a Potijze, onde estacionam o veículo e continuam a pé, por motivos de segurança. A linha de frente está a apenas alguns quilômetros de distância.

Cushing fica atônito. Não apenas com todo o restolho que há na lama — "cavalos mortos, tanques de guerra quebrados, aviões espatifados, baldes de cordite, granadas, morteiros, bombas, carroças abandonadas ou quebradas, arame farpado" —, mas também porque o lugar de algum modo corresponde às suas expectativas. Na verdade, é assim que ele aparece nas fotografias.

No caminho para Zonnebeke, soldados canadenses enlameados esbarram com caminhões, canhões e mulas carregadas de munição. Na beira da estrada, tropas aguardam a vez para continuar. O ar se enche dos ruídos dos canhões, que aumenta e diminui, mas nunca para. No céu nublado, aviões circulam, envoltos pelos breves jatos de fumaça do fogo antiaéreo. Cushing vê uma granada alemã cair a menos de duzentos metros de onde está e o jorro de terra negra que ela levanta, "como se fosse um gêiser". Ele testemunha mais uma explosão de granada, agora mais próxima. Sua própria reação o surpreende:

> O selvagem dentro de você o leva a gostar de toda essa miséria, esse desperdício, esse perigo e esse barulho glorioso. Você sente que, afinal de contas, é para isso que os homens foram feitos, e não para ficar sentados confortavelmente em poltronas, fumando cigarros, bebendo uísque, lendo jornais ou livros, e para fingir que tal verniz significa civilização e que não há um bárbaro escondido atrás do peitilho da camisa.

Em um momento de vertigem enquanto está à beira do abismo, esse homem, que conhece bem as dores e o sofrimento causados pela guerra, de repente e contra a vontade, pensa que pode também perceber sua grandeza e sua beleza, ou, enfim, as energias sombrias e devastadoras que formam a tragédia. Mas agora basta. Eles retornam a Ypres. Ele vê o sol se pôr atrás das ruínas medievais do lugar e seus últimos raios aprisionados por um balão de observação sendo arrastado para a noite.

Nesse mesmo dia, Florence Farmborough anota em seu diário:

No início da manhã, chegou um homem ferido por uma bala alemã. Ele logo soube que era o único soldado da sala ferido por um projétil inimigo. Ele andou de um lado para o outro, sentindo-se um verdadeiro herói entre todos os demais feridos que haviam causado seus próprios ferimentos ou que haviam se ferido por acidente.

163. TERÇA-FEIRA, 30 DE OUTUBRO DE 1917
Paolo Monelli bebe conhaque e aguarda as notícias

Há uma semana começou algo importante no Isonzo. O inimigo conseguiu, com apenas uma ofensiva, o que o Exército italiano não conseguiu com as suas onze tentativas: uma brecha. E o inimigo está avançando. Ninguém sabe exatamente o que aconteceu e o que está para acontecer. Eles continuam firmes em sua posição, prontos para passar o inverno em suas novas cabanas. Onde eles se encontram já há bastante neve.

Eles nada sabem. Não recebem jornais ou comunicados, apenas ouvem boatos, confusos, contraditórios e fantasiosos, como sempre. Ouvem falar que os alemães tomaram Udine. Que 200 mil italianos foram aprisionados. Ou seriam 300 mil? O clima entre eles está bastante pesado e quase não conversam. Monelli bebe conhaque para tentar afastar a angústia que sente.

Ele escreve em seu diário:

Notícias trágicas estão chegando do front, no leste. O inimigo invade a nossa pátria, os soldados largam as armas. Aqui, nada. A espera se torna ainda pior devido às cretinices administrativas, às assinaturas e circulares, à vaidade de comandantes nervosos e às piadas contadas pelos superiores que não respeitamos mais.

164. QUINTA-FEIRA, 1º DE NOVEMBRO DE 1917
Pál Kelemen vê um batalhão de infantaria retornar da linha de frente no Isonzo

Uma chuva constante e silenciosa cai do céu cinzento sobre a montanha. É início da noite e um batalhão de infantaria austro-húngaro começa a retornar depois de ter passado um período na linha de frente. Pál Kelemen os avista descendo da montanha.

A Batalha de Caporetto[36] pretendia apenas dar às tropas austro-húngaras, duramente pressionadas no Isonzo, um pouco de espaço para respirar diante da ameaça de mais uma ofensiva italiana. Mas alguma coisa — a neblina, o gás, o elemento surpresa, a estúpida disposição italiana, as experientes unidades alemãs treinadas em uma nova tática de movimentação —[37] tornou o avanço muito mais bem-sucedido do que esperavam. O Exército italiano, sentindo-se ameaçado no Isonzo, deu início a uma retirada em pânico em direção ao rio Tagliamento. Foi um grande triunfo para a dupla monarquia.[38]

O batalhão que Kelemen encontra na descida da montanha não participou do ataque, mas está marcado por ele. Ele anota em seu diário:

---

36. Caporetto foi o nome dado ao lugar após a guerra, quando a área passou a pertencer à Itália. Em 1917, ainda pertencia ao território austríaco e a pequena cidade se chamava Karfreit. O nome da ofensiva é um pouco enganoso. O verdadeiro avanço ocorreu ao norte de Caporetto/Karfreit. Hoje, o idílico lugar pertence à Eslovênia, chama-se Kobarid e possui um pequeno museu em homenagem à batalha.

37. As tropas alemãs haviam usado a nova tática pela primeira vez no início de setembro, quando, sem maiores esforços, romperam o front russo em Riga e puseram todo o 12º Exército para correr em direção ao norte. Mais tarde, no mesmo mês, unidades alemãs treinadas nas mesmas táticas conseguiram, na França, combater o avanço dos tanques britânicos em Cambrai.

38. A mais famosa descrição do malogro italiano em Caporetto é o livro *Adeus às armas*, de Ernest Hemingway. Apesar de seus méritos literários, contudo, não é nenhum relato em primeira mão. Hemingway chegou à Itália no ano seguinte e nunca esteve no cenário real do combate. A parte principal do livro foi escrita em Kansas City durante o verão de 1928, depois de ele consultar diversos mapas e obras históricas. Outra obra não tão famosa, mas escrita por uma pessoa que se tornaria conhecida, é *Infanterie greiftan* [Ataques da infantaria], de Erwin Rommel. As batalhas de que ele participou como jovem tenente em um regimento de caçadores são narradas com muitos detalhes, em uma linguagem levemente cubista, e com a ajuda de bom material cartográfico. Em Caporetto, ele recebeu a mais alta condecoração alemã, a Pour le Mérite.

Independentemente de os soldados descerem ou pararem, bloqueados por quem está à sua frente ou deitados na beira da estrada, parece ser impossível pensar que esses são os combatentes com os quais os governantes e generais estão defendendo a monarquia. É difícil acreditar que esse grupo de homens com a barba por fazer, uniformes amarrotados, sujos e molhados, botas arrebentadas e rosto exausto é o que costumamos chamar de "a nossa brava infantaria".

Agora fazem uma parada. O batalhão inteiro afunda no chão íngreme. Alguns soldados tiram latas de ração da mochila e, com ajuda das longas lâminas de seus canivetes, abrem-nas e levam a comida até a boca. Suas mãos estão enegrecidas de sujeira e calejadas. As rugas em seu rosto se esticam e se dobram de novo enquanto eles mastigam. Estão sentados sobre pedras molhadas e olham sem expressão para as latas de comida abertas.

Seus uniformes são feitos de um tecido de qualidade pior que o recomendado. As solas das botinas são de papel, fabricadas para dar lucro aos fornecedores do Exército, que estão dispensados do serviço militar.

Ao mesmo tempo, em casas intocadas pela guerra, a mesa está sendo arrumada para o jantar. Lâmpadas elétricas brilham. Guardanapos brancos, copos requintados, garfos e facas de prata reluzem. Cavalheiros, limpos e em trajes civis, acompanham suas damas até a mesa. Talvez haja até uma pequena banda de música tocando. Bebidas brilhando. Com sorriso no rosto, conversam sobre amenidades, pois uma conversa entre damas e cavalheiros deve ser leve e agradável.

Será que nessa noite eles pensam nos soldados em andrajos que, mestres em uma tarefa sobre-humana, carregam um fardo tão pesado para que tudo em casa continue como sempre? Como sempre? Para muitos a situação já ficou muito melhor.

165. DOMINGO, 11 DE NOVEMBRO DE 1917
Florence Farmborough ouve falar em golpe de Estado

Ele é muito elegante, quase bonito, o tenente de vinte anos que chegou ontem. Quando o carregaram para dentro, ela já percebeu que ele possuía "os traços clássicos dos russos do sul, com cabelos escuros cacheados e olhos azul-acinzentados, emoldurados por cílios escuros e muito longos". Ela também observou seu corpo, de formas quase atléticas. Seu nome é Sergei e seu ordenança o acompanha. O ordenança contou que o jovem tenente é o mais velho de uma família de sete irmãos, que se alistou voluntariamente aos dezessete anos e foi aceito na escola de formação de oficiais.

O jovem tenente é um paciente difícil. Ele está preocupado, atormentado, assustado. Além disso, quer fazer tudo a seu modo, contraria as ordens médicas, grita com o ordenança, que obviamente o ama e tenta ajudá-lo de todas as maneiras possíveis. Seu prognóstico não é nada bom. Ele tem ferimentos sérios no abdômen — sua bexiga foi rompida, e o intestino perfurado em diversos lugares. Os cirurgiões fizeram tudo o que era possível para salvá-lo, e agora só resta aguardar a sua recuperação. O jovem tenente grita com o ordenança: "Seu idiota, volte para as trincheiras! Volte para a linha de frente!". Florence vê como o outro se afasta em direção à enfermaria ao lado, escapando dos ataques de fúria de seu superior. Por alguma razão inexplicável, o tenente a chama de Zina. As alucinações já devem ter começado.

Eles ainda se encontram relativamente isolados no front romeno, mas hoje recebem notícias sensacionais vindas na Rússia. Há três dias ocorreu um golpe de Estado em Petrogrado, organizado por uma das facções revolucionárias, os bolcheviques. Desde então, os transtornos se espalharam. A situação é bastante confusa e há muitos boatos, mas parece que os bolcheviques estão no comando de Petrogrado, enquanto o governo de Kerenski ainda prevalece em Moscou. "Os nossos piores pesadelos se tornaram realidade: uma guerra civil está para eclodir na Rússia."

No começo da tarde, alguém faz uma terrível descoberta. O abdômen do tenente está escurecido. Gangrena. Sua morte é apenas uma questão de tempo.

Ela passa a noite toda a seu lado, deixando os assistentes cuidarem dos novos pacientes. O tenente logo fica inconsciente. Antes de morrer, chama sua mãe algumas vezes. A única coisa que Florence pode fazer para ajudá-lo é lhe dar altas doses de morfina.

O tenente falece às cinco e meia da manhã e seu corpo é levado para uma pequena sala. Florence o vê deitado lá, com os olhos fechados e as mãos cruzadas. A seu lado está o ordenança, muito pálido e quieto. Ouve-se o estrondo da artilharia muito bem agora, mas o ordenança parece não se importar com isso. Mais tarde, Florence escreve em seu diário:

> Não sei se suporto mais isso. Sempre tive esperança de que minhas experiências de guerra, apesar de toda infelicidade e amargor, seriam estimulantes para minha

vida espiritual, aumentando minha compaixão, "fortalecendo minha alma com muita bondade". Mas agora quero encontrar um lugar onde a paz impere.

Nesse mesmo dia, Willy Coppens participa da festa de uma unidade britânica de aviadores em Uxem. Ele foi convidado depois de ter se saído muito bem em um combate aéreo encarniçado entre dois aviões britânicos e sete aviões alemães. O seu esforço fez com que os pilotos alemães interrompessem o ataque. Ele relata:

> O jantar foi muito animado. Os agradecimentos dos pilotos que salvei na operação foram aumentando à medida que se consumiam generosas quantidades de bebida alcoólica. Fiquei cada vez mais convencido de que era de fato um herói, pois ganhei muitos elogios e bebi um bocado.

Mais tarde, Coppens volta de motocicleta para a base. Embriagado, passa a noite repetindo que é um herói. Seus camaradas pregam a porta de seu quarto, o que o obriga a sair pela janela de manhã.

166. QUARTA-FEIRA, 14 DE NOVEMBRO DE 1917
Harvey Cushing viaja de Paris a Boulogne-sur-Mer

As viagens de trem se tornaram bastante complicadas nos últimos tempos. Deve-se chegar à estação com uma hora de antecedência para garantir um lugar. A bordo, impera a lei da selva no que se refere aos assentos. Harvey Cushing está em Paris, mais uma vez, onde participou de reuniões de vários comitês que trabalham na melhoria do atendimento médico militar e em novos métodos de tratamento. Este seu lado prático e profissional que o leva à França ainda está atuante, mesmo que enfraquecido pela situação.

Cushing se ocupa com outros pensamentos nessa viagem que o conduz de volta a Boulogne-sur-Mer e ao hospital onde ele começou a trabalhar agora. Já passam das dez horas da manhã.

As pessoas com quem divide a cabine demonstram, com sua diversidade, o quanto essa guerra tornou tudo tão complicado. Há um casal francês de meia-

-idade, ela envolvida em seu xale e ele absorto na leitura do jornal. Há alguns militares russos, um deles com enormes suíças grisalhas. Há alguns soldados belgas, fáceis de reconhecer devido aos pompons pendentes do gorro, que Cushing acha "ridículas". Há um oficial português, em pé, reclamando no corredor (Cushing desconfia que se sentou no lugar do homem). Um piloto de uniforme azul lê a picante revista *La Vie Parisienne*, muito conhecida por suas ilustrações de mulheres seminuas — arrancadas da revista, as páginas acabam enfeitando trincheiras e alojamentos — e por seus inúmeros anúncios classificados de mulheres que buscam um (novo) marido e, sobretudo, de soldados à procura de uma "madrinha". Sabe-se ou suspeita-se que a maioria desses anúncios não passa de um código para relações ocasionais, e os militares americanos receberam avisos de seus superiores, exortando-os a não adquirir essa revista escandalosa.[39]

Cushing já começou a esquecer as prolongadas e sangrentas batalhas de Ypres, que chegaram ao fim há uma semana, quando tropas canadenses entraram no vilarejo de Passchendaele, que agora não passa de um amontoado de pedras. É óbvio que a liderança do Exército britânico deixou os ataques continuarem puramente por razões de prestígio e que eles não foram interrompidos até que pudessem dizer que tinham atingido o seu "objetivo".

Cushing se sente muito pessimista hoje. "Pensando no que se ganha com isso", escreve ele em seu diário, "e por que na verdade estamos aqui." Sua depressão atual é uma reação às notícias preocupantes que chegam da Rússia e da Itália. Os bolcheviques e o seu lema, "Paz agora!", tomaram o poder no Leste e o Exército italiano recuou de um rio para o outro. Será que a nova linha no rio Piave dará certo? (A razão de a unidade de Cushing ter sido designada às pressas para tomar conta daquele hospital em Bolougne-sur-Mer é que as unidades britânicas que ali se encontravam foram mandadas para a Itália.) Na sua opinião, os Aliados estão em péssima situação, só comparável com o que ocorreu no Marne em 1914.

Como sempre, esse clima de crise gera muitas críticas. Cushing observa os belgas e os russos na cabine. Os belgas, escreve ele, usam aqueles pompons ridículos "de acordo com o princípio de sacudir um pouco de feno em frente a um

---

39. Uma vez que os integrantes do Exército americano também estavam proibidos de consumir bebidas alcoólicas, avisos desse tipo contribuíam para reforçar a sua fama de puritanos.

asno". Os russos, que só comem e nada fazem, "são homens que se negam a lutar e, pior ainda, a trabalhar". Não há nenhuma união entre os Aliados, as adversidades chegam uma após a outra. Enquanto isso, "o alemão faz planos de romper a Frente Ocidental antes da primavera". Cushing não está otimista e sente, como milhares de outros, que as decisões na sua vida não mais lhe pertencem, que ninguém mais tem controle sobre o que quer que seja. "Uma virada no caleidoscópio pode transformar o nosso destino a qualquer momento."

O piloto guarda a revista e começa a ler um romance chamado *Ma P'tite Femme*. O trem balança.

167. QUINTA-FEIRA, 15 DE NOVEMBRO DE 1917
Paolo Monelli participa da defesa do monte Tondarecar

Neve derretida e lama. Na parte alta da montanha, os engenheiros ergueram uma cerca de arame farpado, com a intenção de impedir a passagem do inimigo. Não é a primeira vez que ouvem falar disso. Já aconteceu várias vezes no mês passado, mas a retirada italiana ainda não aconteceu. Eles trocaram de lugar, indo para outra montanha ou para o outro lado do rio. Do Isonzo para o Tagliamento, do Tagliamento para o Piave. Ao norte, no planalto de Asiago, o posicionamento se mantém, apesar de estar recuando aos poucos. Se um dos fronts recuar, a situação ficará bastante difícil.

A posição que eles defendem no monte Tondarecar está longe da ideal. Os campos de tiro estão em más condições e a rota que a companhia de Monelli tem para defender é longa demais. Ele conta com cerca de oito homens para cada cem metros. Monelli está controlado e decidido, angustiado com as retiradas e com a ameaça da derrota italiana, não apenas na batalha, mas também na guerra. Está disposto a dar tudo de si aqui, independentemente da má posição e do destino. Fez a última anotação no diário dois dias atrás. Escreveu sobre como é triste que todas essas montanhas agora estejam tomadas pelo inimigo. "Mas, quando baterem de frente com o nosso sofrimento e com o nosso ódio, não conseguirão passar."

Então, começa o ataque que estavam esperando.

Tropas inimigas começam a aparecer. Gritos e lamentos. Monelli vislumbra um enxame cinzento movendo-se com rapidez. Eles atacam em grupos densos. Densos demais para o ano de 1917. São os seus congêneres que os atacam, os caçadores dos Alpes austríacos. Gritos, lamentos e estrondos. Abrem fogo. As metralhadoras são postas em funcionamento, e os projéteis passam zunindo por eles. Monelli observa alguns de seus soldados: De Fanti, Romanin, Tromboni, De Riva. Eles estão barbudos, cansados e decididos a manter distância, assim como ele. O rosto deles expressa uma calma notável. Gritos, lamentos e estrondos. O enxame cinzento diminui o fogo, para e recua. Um dos outros oficiais começa a pular, triunfante, no canto da trincheira, gritando e ofendendo o inimigo. Os adversários desaparecem dentro de suas próprias trincheiras, deixando para trás aqueles que não se movem mais. Gritos. Há corpos pendurados na cerca de arame farpado. Eles chegaram muito perto.

Essa operação se repete mais duas vezes. Depois, tudo se aquieta. Um major da artilharia observa a linha cuidadosamente, constatando, com uma expressão de surpresa, que está tudo bem. Ele elogia a tropa e desaparece de novo dentro da trincheira.

Quando o combate termina, Monelli apanha seu diário. Abaixo da data de hoje, escreve: "*Non è passato*". "Ele não passou." Isso é tudo.[40]

168. SEGUNDA-FEIRA, 3 DE DEZEMBRO DE 1917
Elfriede Kuhr vê o caixão com o corpo do tenente Waldecker deixar Schneidemühl

Faz muito frio, mas ela permanece onde está. Espera há duas horas intermináveis, segurando uma rosa, que comprou com o seu dinheiro. Por volta das duas e meia, escuta os tambores, acompanhados de outros sons. Soldados marchando, instrumentos de sopro, música. Ela avista o cortejo. Primeiro vem a banda, depois o padre, o carro fúnebre, os enlutados, e por último uma guarda de honra formada por soldados de capacetes de aço e rifles.

Os enlutados? Ela deveria estar com eles, é um deles. O tenente Waldecker morreu. Perdeu a vida quando seu avião caiu, dois dias atrás. Elfriede ficou sa-

---

40. O leitor deve estar se perguntando como é possível contar, com detalhes, o que aconteceu nesse dia. A simples resposta é que além de outras fontes, felizmente, há mais material no prefácio à quarta edição do livro de Monelli sobre suas experiências na guerra (escrito em abril de 1928).

bendo ao chegar na escola ontem. Em sua cabeça, "um grande vácuo negro" se formou e ela começou a se mover mecanicamente. Depois o vácuo foi preenchido por dois pensamentos. O primeiro: que aparência ele tem agora? Estará sua cabeça esmagada, destroçada? E o segundo: como vou esconder meus sentimentos perante as pessoas?

O carro fúnebre se aproxima. Ela vê o caixão, que é marrom com a tampa lisa. Em cima deste, uma coroa de flores. Quando o veículo fica ao seu alcance, ela dá alguns passos à frente e joga a rosa sobre o caixão. A rosa desliza e cai no chão.

O carro passa pelos portões abertos do terminal de frete da estação de trem e Elfriede o segue. O morto será transportado no vagão de carga, um vagão vermelho-amarronzado. O caixão é erguido e ali, entre engradados, o padre recita algumas palavras de um livro de capa preta. Os soldados tiram o capacete. "Pai nosso", rezam juntos. A guarda de honra dá uma salva de tiros. Em seguida, silêncio. Elfriede sente o cheiro de pólvora. O caixão é acomodado no vagão, assim como a coroa de flores. Dois funcionários da ferrovia fecham as portas com estrondo.

Elfriede volta para a rua. Lá está a sua rosa. Ela a apanha. A flor está intacta. Ela a aproxima do nariz e sai correndo. A banda militar está tocando atrás dela.

169. TERÇA-FEIRA, 4 DE DEZEMBRO DE 1917
Andrei Lobanov-Rostovski se encontra sozinho no topo de uma montanha no passo de Pisoderi

Tiveram um bom começo. Saíram do acampamento ao pé da montanha de madrugada e deram início à longa subida. O caminho é muito estreito, mas está em ótimas condições. O tempo está bonito e a vista para a fascinante cadeia de montanhas da Albânia é maravilhosa. Depois de uma marcha de uns dez quilômetros, porém, surgem as dificuldades.

Andrei Lobanov-Rostovski se encontra nos Bálcãs, longe do lar e da pátria. Ele está aqui como voluntário em uma unidade enviada para reforçar o contingente russo em Salônica. Não há nele nenhum traço de espírito aventureiro, muito pelo contrário. A decisão de ser voluntário é um plano para escapar da Rússia, onde uma revolução política está se transformando em revolução social. "Muito sangue derramado e até o terror pode estar nos aguardando."

Como de costume, ele leu muito para entender os acontecimentos. Durante os últimos seis meses, mergulhou em obras de literatura histórica, livros sobre revoluções (a Francesa, é claro, mas também as de 1848) e relatos a respeito da disputa pelo poder entre Mário e Sula na Roma Antiga, por exemplo. Fez anotações e refletiu bastante, enquanto a Rússia desmoronava ao seu redor. Ele acha que encontrou um paralelo óbvio nas fases da Revolução Francesa. O que uma pessoa inteligente faria naquela época na França? Bom, essa pessoa deixaria o país antes do Terror e só retornaria após a queda de Robespierre. Assim, estaria livre daquele período destrutivo. É exatamente isso que ele pretende fazer, e por isso se alistou voluntariamente. O uniforme é seu asilo.

Salônica, contudo, foi para ele uma surpresa desagradável. Em parte, pela visão da cidade queimada: "Eu nunca tinha visto destruição tão grande. Quilômetros e quilômetros de casas incendiadas. A população civil — gregos, turcos, judeus, albaneses — estava vivendo na penúria, em barracas ou entre as ruínas do que sobrara de suas casas". O clima entre os soldados da unidade também não é dos melhores. Ficou claro para ele que o moral está muito baixo e que todos nutrem "ódio por esse front". Quase não acontecem combates, mas as enfermidades, sobretudo a malária, tiram muitas vidas. Quando se vai a um bom restaurante, os comprimidos de quinino são colocados à mesa junto com o sal e a pimenta. Os soldados de licença estão sempre envolvidos em brigas e até os oficiais vivem tendo divergências com comandantes de outros exércitos. Lobanov-Rostovski não se choca com mais nada, apesar de nunca ter presenciado algo parecido antes. Em geral, são homens da mesma nacionalidade que costumam entrar em conflito: britânicos, sérvios e russos contra franceses, italianos e gregos. Em algum lugar na montanha, um coronel francês meio louco fundou uma república independente, cunhou seu próprio dinheiro e lançou seus próprios selos.[41]

Nem os planos de Lobanov-Rostovski estão funcionando como ele imaginou. Os efeitos da revolução são sentidos até nos Bálcãs. No batalhão, ficaram especialmente preocupados ao saber que os bolcheviques começaram — ontem, na verdade — a negociar uma trégua com os alemães em Brest-Litovsk. Os soldados e os oficiais não comissionados vivem resmungando, contestam as

41. O coronel era Henri Descoins; o país, a República Autônoma Albanesa de Korçë, que voltou a fazer parte da Albânia em 1920.

ordens ou se negam a obedecer a elas, ou chegam atrasados à revista de tropas. Sentinelas adormecem em seus postos. Oficiais hesitam em entregar munição para seus homens. E Lobanov-Rostovski foi ameaçado. Depois do ocorrido, transferiram-no e o puseram no comando de outra companhia.

É com essa companhia que ele está atravessando a montanha em direção à divisão russa que se encontra próxima ao lago Prespa. O único caminho até lá cruza o passo de Pisoderi, a 1800 metros de altura. No início foi tudo muito fácil, mas mais acima ainda há neve e a estreita passagem se encontra coberta de gelo. Lobanov-Rostovski ouve gritos atrás de si e, quando se vira, vê uma das carroças deslizar e cair. Quando alcançam os destroços, um dos cavalos já está morto e ele é obrigado a sacrificar o outro. Depois o caminho fica cada vez mais íngreme e os cavalos não conseguem mais prosseguir. Os soldados são obrigados a empurrar a bagagem, metro por metro. As setenta mulas que carregam o equipamento de telégrafo se saem melhor na missão, mas, como não foram treinadas para isso, duas delas despencam no precipício. As horas passam e a companhia nada mais é que uma longa fileira de homens, carroças e animais que tentam avançar devagar nesse terreno tão difícil.

Durante a tarde, começa a nevar e eles ainda não cruzaram o passo. Lobanov-Rostovski faz a patrulha montado em seu cavalo, indo e voltando ao longo da extensa coluna. Lá pelas seis horas, atingem o topo. Começa a anoitecer. Em um campo coberto de neve, ele vê um soldado tentando fazer uma mula seguir adiante. Apesar do esforço, o animal não se move. Lobanov-Rostovski diz que esperará junto à mula enquanto o homem vai buscar ajuda.

Lobanov-Rostovski aguarda por muito tempo, mas o homem não volta. O que terá acontecido? Será que resolveram deixá-lo aqui? Ou não conseguem encontrá-lo no meio da neve e da escuridão? O ano foi cheio de decepções e adversidades para ele, mas esse acontecimento é o pior de todos: "Nunca tinha me sentido tão miserável. Fazia um vento forte. Havia muita neblina, o que impossibilitava a visibilidade. Já era quase noite e eu estava sozinho em uma montanha, segurando uma mula".

Por fim, ele ouve vozes e começa a gritar. São alguns retardatários em uma carroça puxada por cavalos. Eles o ajudam com a mula. Por volta das duas da manhã, a última carroça cruza o passo.

170. QUARTA-FEIRA, 5 DE DEZEMBRO DE 1917
Paolo Monelli é aprisionado em Castelgomberto

Desde ontem cedo ele começou a suspeitar que o fim estava próximo. O fim? Assim, com artigo definido e no singular? Esta luta pode ter mais que uma solução, mas parece estar muito longe de um final feliz. Depois de combates intensos, de terem sido expostos a gases venenosos, de sofrerem a ameaça de serem sitiados, de um contra-ataque fracassado e de lutas corpo a corpo, Monelli e sua companhia batem em retirada e ocupam outra posição, em um bosque em Castelgomberto. Ao amanhecer, porém, as tropas austríacas atacarão esse lugar também. "Agora é a hora. O momento que eu mais temia, desde o meu primeiro dia de guerra. É como se todo o passado, com todo o sofrimento da guerra, estivesse concentrado em um único momento trágico."

Faz muito frio, há neve e está escuro. Monelli e seus soldados estão com fome e com sede. A retirada de ontem foi tão precipitada que não houve tempo para comer ou trazer o jantar, já servido, junto com eles. O medo e a incerteza são grandes. Eles não sabem onde está o inimigo. Monelli manda que uma patrulha entre em contato **com os** seus, **que** deveriam estar à esquerda, mas ela não retorna. Eles mal conseguem dormir. A companhia possui um atirador de granadas, com o qual ficam atirando sem nem mesmo saber para onde. Eles têm dez caixas de granadas e querem se desfazer delas antes do próximo ataque. Além disso, por que o inimigo pode dormir e descansar, se eles não podem?

Madrugada. Assim que o dia clareia, começam a ser metralhados pelos austríacos. Em seguida, granadas voam. As trincheiras se enchem de fumaça. Olhos e ouvidos ardem. A situação está ficando — ou melhor, *já está* — desesperadora. A companhia está amedrontada, faminta e quase sem munição.

Desistem. Soldados austríacos os cercam.

Monelli puxa o revólver, joga-o longe e o vê escorregar no precipício. Nesse momento, ele está muito amargurado. Primeiro, trinta meses de guerra, e agora, isto. Ele vê vários soldados seus caírem no choro. Ouve um deles perguntar: "O que a mamãe vai dizer?".

171. SEXTA-FEIRA, 7 DE DEZEMBRO DE 1917
Willy Coppens se diverte em De Panne

Depois do almoço, já nos carros, prontos para partir, eles recebem um telefonema. Uma aeronave alemã está atacando algumas trincheiras no momento. É possível mandar alguns aviões de combate para tirá-la de ação? O piloto alemão se arriscou nesse mau tempo que tem mantido o esquadrão em terra há dois dias e encorajou seus homens a sair da monotonia em que se encontram e ir para De Panne em busca de diversão.

No palco do teatro do hospital estão Libeau[42] e sua famosa companhia. A trupe apresenta seus musicais e peças atrás do front e costuma atrair um público bem grande, de mil ou mais pessoas. A maioria da plateia é composta de militares franceses e belgas, muitos deles convalescentes, todos desesperados por um pouco de distração. Dois dos homens descem dos carros e se apressam para trocar de roupa. Os outros prosseguem ao longo da conhecida alameda até o teatro do hospital em De Panne. Eles veem o primeiro avião levantar voo no céu cinzento. É Verhoustraeten. Coppens o reconhece pela maneira especial como testa as metralhadoras. Agora ela lembra mais uma saudação, e talvez seja.

Mais tarde, durante um intervalo da apresentação no teatro, chega a eles, por telefone, uma notícia desagradável. Verhoustraeten morreu. Foi atingido por uma metralhadora disparada do solo. Seu avião tombou. Um breve silêncio cai entre os jovens uniformizados, mas em seguida eles continuam a conversar sobre trivialidades, "como se nada tivesse acontecido". A morte é algo muito comum, muito próximo, não podem perder tempo com ela. Pelo menos, se quiserem continuar fazendo o que já fazem.[43]

Mas a negação têm seus limites:

Mais tarde, me retirei dizendo "Boa noite, cavalheiros!". Passei pelo quarto de Verhoustraeten, que ficava ao lado do meu e agora estava na penumbra. Fiquei

---

42. Gustave Libeau (1877-1957), ator belga.
43. No momento, ao menos, a situação era favorável a eles. O massacre dos pilotos aliados na primavera já fora esquecido e a luta no ar agora se mostrava mais equilibrada. Na verdade, havia até sinais de que os alemães estavam se sentindo pressionados. Nessa área, como em outras, começava-se a perceber o peso do aparato aliado.

parado na porta, consternado, pensando em sua morte repentina. Até então eu não havia percebido o peso da tragédia. Comecei a me questionar se era necessário que ele tivesse perdido a vida dessa maneira, e uma hesitação tomou conta de mim.

172. QUINTA-FEIRA, 20 DE DEZEMBRO DE 1917
Pál Kelemen se impressiona com um batalhão de bósnios em Paderno

A grande ofensiva em Carporetto terminou. O inverno chegou, e as divisões alemãs desapareceram para treinar as suas táticas de infiltração[44] em outras vítimas. Ao mesmo tempo, reforços franceses e britânicos foram enviados para apoiar os enfraquecidos italianos. O front está paralisado ao longo do rio Piave.

Hoje, Pál Kelemen encontra com um batalhão de bósnios muçulmanos. Eles são tratados como uma unidade de elite, como as tropas coloniais muçulmanas a serviço da França. E costumam ser enviados para a ação em lugares onde a situação é excepcionalmente perigosa. O urbano e refinado Kelemen se sente assustado diante desses seres que considera exóticos. Ele não entende sua ânsia de lutar. O que esperam ganhar com essa guerra? A Bósnia foi anexada à Áustria-Hungria em 1908. Kelemen acha que ao menos uma parte dos bósnios mais velhos deve ter "resistido ao poder, tornando-se soldados confiáveis e persistentes". Mas ainda é impossível não ficar impressionado com eles:

> Guerreiros altos, magros, vigorosos, que me fazem lembrar um tipo especial de cedro, agora em extinção. Eles se encurvam um pouco, como que constrangidos por terem crescido tanto. Ao caminhar, enfiam a cabeça entre os ombros, e seus olhos pequenos e fundos observam tudo ao redor. Quando se sentam, cruzam as pernas, tiram o chapéu e fumam seu cachimbo com tranquilidade, como se estivessem de volta à sua terra, às suas lendas, aos seus fascinantes minaretes. Quase todos são homens maduros de barba pontiaguda e rosto crestado pelo sol. Agora

---

44. Nas táticas de infiltração, as forças atacantes, em vez de investir contra um front extenso e contínuo na esperança de conquistar toda a linha adversária, funcionavam como pequenas unidades móveis, que tentavam explorar os pontos fracos das defesas e simplesmente enganar as posições fortes, a fim de passar despercebidas por elas. Essas unidades móveis então se esforçavam para avançar o máximo possível nas áreas de retaguarda, de preferência alcançando a artilharia inimiga, sem a qual as posições fortes estariam perdidas.

fazem uma pausa para comer. As velhas latas de ração do Exército parecem estranhas entre os seus dedos ossudos. Eles mastigam a comida que lhes é desconhecida com cautela e sem prazer.

Nesse mesmo dia, Paolo Monelli chega ao seu destino, um antigo castelo em Salzburgo, agora transformado em prisão militar. Ele marchou durante quase duas semanas, em uma fila de prisioneiros de guerra abatidos e desmoralizados, com uniformes esfarrapados, cujas medalhas e insígnias de posto foram arrancadas. Houve disputas pelos alimentos, e muitos soldados aprisionados se aproveitavam do inevitável colapso da organização para se rebelar contra a disciplina rígida do passado e se vingar dos antigos superiores. Muitos estão contentes porque, para eles, a guerra terminou e mostram às claras a sua satisfação. Monelli observa que, embora triunfante, o oponente tem seus próprios problemas: os soldados austro-húngaros que ficaram assistindo à passagem da coluna de prisioneiros lhe pareceram desnutridos e muito magros. (O inimigo também dá sinais de estar desesperado, pois Monelli viu vários corcundas e até um anão entre seus homens.) É hoje que a vida de prisioneiro tem início para ele e para os outros, mas Monelli já sabe que sua existência no futuro previsível oscilará sem parar entre o tédio e a fome. Ele escreve em seu diário:

No dia 20 de dezembro, chegamos à fortaleza em Salzburgo, um quartel sombrio de muros altos, que não deixam o sol entrar. Ficamos tremendo de frio naquelas salas vazias. No inverno do norte, cercados de neblina e neve, a simples lembrança das festas natalinas se torna um tormento. Neste momento de tristeza, em que há mais amargura que fome, não tem nada que adoce ou deleite uma alma já sufocada em seu próprio ódio.

173. NOITE DE ANO-NOVO, 31 DE DEZEMBRO DE 1917
Alfred Pollard prega uma peça em alguns americanos em Le Touquet

Talvez seja o seu lado infantil que hoje se manifesta, talvez seja a sua crescente irritação com os americanos. Talvez as duas coisas.

É tarde da noite e Pollard entra com cuidado no comprido e estreito dormitório ocupado pelos oficiais americanos. Ele está acompanhado de três amigos. Todas as luzes estão apagadas. O luar penetra pelas janelas. O único som que se ouve é o dos homens dormindo pesado, aconchegados no saco de dormir e no cobertor.

Pollard sabe, como todos os outros, que os americanos são necessários. O Exército francês ainda não se recuperou por completo das grandes perdas e dos motins da primavera. Os britânicos ainda sangram depois da fracassada ofensiva em Ypres. Os italianos ainda estão enfraquecidos após o colapso em Carporetto. Na Frente Oriental, tudo indica que a Rússia está se retirando da guerra. Os bolcheviques tomaram o poder em Petrogrado, espalhando lemas de paz e declarando trégua com os alemães, uma trégua que já dura catorze dias. As divisões alemãs que estavam ocupadas no leste acabarão indo para o oeste. Então, os americanos são muito necessários — seus soldados, seu dinheiro, suas indústrias.

Se ao menos eles não fossem tão… tão… autoconfiantes…

Pollard pensou que os americanos aceitariam seus conselhos, que ficariam felizes de fazer parte do Exército britânico, mas estava enganado. Muitos dos oficiais americanos que ele encontra ou são notavelmente inocentes ou são arrogantes, acham que nada têm a aprender com os Aliados. Afinal de contas, eles próprios estão em guerra há um ano. (Bem, uma guerra medíocre, se é que assim podem ser chamadas aquelas suas escaramuças com bandidos mexicanos.)[45] Os recém-chegados se mostram experientes nos exercícios de caserna, e seus soldados são ávidos, atléticos e bem nutridos. Pollard, mesmo contra a

---

45. No México, uma guerra civil se iniciara em 1916, opondo o rebelde Pancho Villa ao presidente Carranza (um homem com o interessante nome de Venustiano). A propaganda aliada fazia de tudo para influenciar a opinião pública nos Estados Unidos de que Villa era uma espécie de ameaça, controlado pelos alemães. Villa aproveitara a oportunidade para receber pequenas somas de dinheiro de agentes alemães. Enfurecido com o apoio americano ao presidente Carranza, ele então atacara cidadãos americanos no norte do México e, em março de 1916, realizara um ataque surpresa no Novo México, investindo contra a cidadezinha de Columbus e matando mais de vinte americanos. Os Estados Unidos, como resposta, invadiram o norte do México. (Essa não era a primeira vez que o Exército americano invadia ou atacava outros países. Eles tinham lutado contra a Espanha em 1898, travado uma guerra colonial nas Filipinas entre 1899 e 1902, invadido a Nicarágua em 1912 e mandado fuzileiros navais para o Haiti em 1915 e para a República Dominicana em 1916. A invasão do México foi a segunda em poucos anos: em 1914, haviam realizado uma intervenção militar com o objetivo de apoiar o governo.) Durante um tempo, as forças americanas perseguiram Villa e seus aliados. A essa altura, as incursões de Villa além da fronteira dos Estados Unidos continuavam.

vontade, é obrigado a reconhecer tudo isso. Os americanos, contudo, acham que os métodos de ataque dos britânicos — que, a essa altura, se tornaram avançados, imaginativos e cada vez mais bem-sucedidos, mas que exigem uma conexão estreita entre as várias forças em serviço, com fogos de barragem acompanhados de pequenas unidades móveis bem armadas — são desnecessariamente artificiais e muito complicados.

Quando os britânicos escutam os americanos falar, às vezes ficam com a impressão de que estes querem combater como se estivessem ainda em agosto de 1914, correndo em fileiras cerradas com as baionetas preparadas. Pollard apenas balança a cabeça, em sinal de desaprovação. Uma hora os americanos irão aprender a lição, e o preço pago será em sangue.

Além disso, Pollard se sente incomodado com a proibição do consumo de bebida alcoólica dentro do Exército americano e com a hipocrisia que vem daí. Quando estão a sós, os oficiais americanos não hesitam em pegar a garrafa de bebida que mantêm escondida na bagagem. Nessa noite, contudo — véspera de Ano-Novo, pelo amor de Deus! —, os dezenove americanos do curso se negaram a participar das festividades. Todos foram se deitar às dez da noite! Pollard acha que os tranquilos americanos parecem mais funcionários de banco do que soldados de verdade.

Pollard se encontra agora em Le Toquet, onde ele e outros oficiais de diversas nacionalidades estão aprendendo a manejar a metralhadora Lewis. O verão e o outono foram bastante calmos. Diferentes tarefas foram atribuídas ao seu batalhão; entre elas, vigiaram a secretaria do quartel-general em Montreuil, e em setembro reprimiram a única revolta ocorrida entre as forças britânicas.[46] Pollard se sente dividido. Por um lado, a falta de atividade o deixa aborrecido e, por outro, ele enfim reconhece a verdade do que outros disseram no passado,

---

46. Trata-se do motim em Étaples, entre 9 e 12 de setembro. Em Étaples (chamada de "Eat--Apples" [coma maçãs] pelos soldados ingleses), perto da costa, havia um campo de treinamento, onde a disciplina era demasiadamente rígida. Tudo começou quando um soldado da Nova Zelândia que estivera de licença foi preso pela polícia militar e acusado de deserção. Os camaradas do soldado e outros insatisfeitos se uniram, exigindo sua libertação, o que resultou em brigas, tiroteio e na morte de um dos manifestantes. Mais soldados se juntaram ao protesto, expulsando a polícia militar do acampamento. Durante os dias que se seguiram, as manifestações e os distúrbios continuaram. Em 12 de setembro, o batalhão de Pollard e duas unidades confiáveis, armados de varas de madeira, conseguiram sufocar a rebelião.

mas que ele descartou como bobagem — que "os homens que têm uma mulher em casa pensando neles são menos propensos a se arriscar do que os descomprometidos". Ele suporta todas essas tarefas atrás das linhas, desde que possa participar do final da guerra.

Os quatro ingleses se aproximam da cama mais próxima pé ante pé, dois homens para cada cama.

A uma palavra de comando, levantam a cama no ar e derrubam o casulo com seu conteúdo, correndo para a próxima cama e assim por diante. Gritos de protesto ecoam nas paredes. Alguns dos americanos, meio dormindo, se debatem e dão socos nos próprios camaradas, que batem de volta. Uma luta confusa ocorre na escuridão. Antes que alguém acenda a luz, Pollard e seus companheiros, satisfeitos com a façanha, saem do quarto, desaparecendo na escuridão.

O ano de 1918 começou.

1918

Essa será nossa má ou boa herança. Será, de qualquer forma, nossa herança irreversível, que estará acorrentada à nossa memória para sempre.

Cronologia

28/JAN. Guerra civil irrompe na Finlândia.

18/FEV. Depois de um armistício, tropas alemãs começam a avançar de novo na Rússia.

03/MAR. Em Brest-Litovsk, a paz é celebrada entre as Potências Centrais e a Rússia.

09/MAR. A ofensiva aliada tem continuidade na Mesopotâmia.

21/MAR. Uma grande ofensiva alemã tem início no oeste. Grandes êxitos.

29/MAR. Contra-ataque francês no oeste. A ofensiva germânica é temporariamente paralisada.

03/ABR. Forças alemãs desembarcam na Finlândia e se colocam ao lado dos brancos.

04/ABR. Nova ofensiva alemã no noroeste da França. Vitórias significativas.

09/ABR. Uma ofensiva germânica tem início em Flandres. Vitórias significativas.

01/MAIO As primeiras unidades americanas chegam à Frente Ocidental.

07/MAIO Forças britânicas invadem Kirkuk, na Mesopotâmia.

24/MAIO Forças britânicas desembarcam em Murmansk.

29/MAIO Início da ofensiva germânica nos arredores de Aisne. Grandes êxitos. Logo chegam ao rio Marne.

15/JUN. Grande ofensiva austro-húngara no rio Piave, na Itália. Poucos êxitos.

15/JUL.	Grande ofensiva alemã no Marne. Algum sucesso.
18/JUL.	Intenso contra-ataque aliado. As forças alemãs são obrigadas a recuar.
08/AGO.	Início de uma intensa ofensiva aliada em Amiens. Grandes vitórias.
03/SET.	Retirada geral alemã para trás da Linha Hindenburg.
15/SET.	Uma ofensiva aliada na Macedônia força o recuo do Exército búlgaro.
19/SET.	Uma grande ofensiva britânica tem início na Palestina. Vitórias significativas.
26/SET.	Início da ofensiva americana em Argonne. Vitórias significativas.
28/SET.	Grande ofensiva aliada tem início em Flandres. Êxitos significativos.
30/SET.	A Bulgária se rende.
10/OUT.	Depois de poderosos ataques, toda a Linha Hindenburg é rompida.
24/OUT.	Ofensiva aliada em Piave. Vitórias muito significativas.
30/OUT.	O Exército otomano na Mesopotâmia se rende.
31/OUT.	Revolução em Viena. A dupla monarquia austro-húngara é dissolvida.
01/NOV.	O Exército sérvio liberta Belgrado.
03/NOV.	Um motim tem início na Marinha alemã em Kiel.
04/NOV.	Armistício entre os Aliados e a Áustria-Hungria.
09/NOV.	O imperador alemão anuncia a abdicação. Revolução em Berlim.
11/NOV.	Trégua. Todos os atos de guerra são interrompidos às onze horas.

174. UM DIA NO INÍCIO DE JANEIRO DE 1918
Pál Kelemen acompanha um combate aéreo em Castellerio

Lindo dia de inverno. Quando os fronts permanecem tranquilos, assim como aqui, no norte da Itália, os combates aéreos se intensificam. Um bombardeiro Caproni italiano ruge lá em cima. A defesa antiaérea austro-húngara atira sem parar e nuvens brancas se formam no céu, mas em vão.[1] As nuvens se desfazem ao vento. Um solitário monoplano austríaco se aproxima e tenta alcançar o lento bombardeiro. Pál Keleman anota em seu diário:

> O nosso aviador se aproxima cada vez mais da desajeitada aeronave e seus disparos de metralhadora podem ser ouvidos com nitidez no solo. De repente, o avião italiano se direciona para baixo. O nosso pequeno monoplano o sobrevoa por um momento, voando para o norte, enquanto o Caproni cai, com o motor parado, as asas sacudindo e atingindo o solo.
>
> Quando chego no local, o corpo de um capitão italiano, morto por um tiro de

---

1. Isso não era incomum: em 1918, as baterias de defesa antiaérea austro-húngaras precisavam de mais ou menos 3 mil tiros para acertar um avião, o que era considerado um ótimo número.

metralhadora, está caído na grama ao lado do avião. Uma asa desse gigante pássaro de guerra, retorcida e quebrada, penetrou no solo, e do seu motor perfurado vaza óleo.

O oficial italiano veste um traje de couro, e a única mácula em sua elegância é a maneira como sua boina lhe encobre o rosto. No pulso, há um belo relógio de prata, ainda funcionando. Seu corpo, relaxado dessa maneira, parece ser de alguém que está apenas dormindo.

Começamos a revistar os bolsos. Alguém me entrega a carteira. Além de cartas, dinheiro e bilhetes, há também um cartão dobrado ao meio, onde se lê: "Ingresso válido para o circo de Verona".

Aqui, neste lugar ermo cheio de crateras, a palavra circo é apenas uma denominação, impressa em um pedaço de papel. Os holofotes coloridos, o chão coberto de serragem, o chicote do mestre de cerimônias, a princesa cavalgando em seu vestido de tule, com joias faiscantes, a diversão das crianças foram agora deixados para trás por esse jovem que acabou de morrer. Nessa noite, os outros elegantes oficiais esperarão em vão por esse camarada. Mas a banda do circo tocará de qualquer maneira, e o palhaço, com seu rosto empoado, executará as mesmas piruetas de sempre sobre um pedaço de veludo pousado sobre a areia. As senhoritas flertarão à vista de todos, como na última vez em que ele foi ao circo, que talvez tenha sido ontem.

Eu quis colocar o ingresso de volta em sua camisa ensanguentada, de modo que, como em tempos pagãos, quando tudo que pertencera ao herói o seguia até a tumba, essa propriedade dele também desaparecesse da face da Terra e, em sua homenagem, houvesse ao menos um lugar vago no circo de Verona.

Nesse mesmo dia, Willy Coppens escreve em seu diário:

Durante uma patrulha no lado sul do nosso setor, em direção a Ypres, fui pego por uma tempestade de neve e fiquei completamente perdido. Nossos aviões possuem péssimas bússolas, localizadas no chão, onde não ajudam em nada. Eu não reconhecia lugar algum até que me peguei em frente ao monte Kemmel, e depois em Dunquerque, de onde foi fácil encontrar de novo minha unidade.

175. SEGUNDA-FEIRA, 7 DE JANEIRO DE 1918
Florence Farmborough chega a Moscou

O trem chacoalha enquanto atravessa uma paisagem de inverno salpicada de branco, iluminada pelo sol fraco da manhã. Eles logo se aproximam de lugares mais povoados. Ao meio-dia e meia chegam na estação de Moscou. A viagem desde Odessa levou uma semana, tal é o nível de desorganização na Rússia agora. E não foi apenas longa, mas também desconfortável. Muitas vezes Florence temeu por sua segurança.

O trem estava lotado. Entre os passageiros, soldados de todos os tipos e em todas as condições: alegres, agressivos, embriagados, prestativos, indelicados, eufóricos, furiosos. Em algumas etapas da jornada, pessoas viajaram sentadas em cima dos vagões. E houve quem quebrasse as janelas para poder embarcar em algumas estações. Assim como Florence, tinham deixado o front e a guerra para trás e queriam chegar em casa o quanto antes. A princípio, ficou decidido que todos de sua unidade viajariam juntos, mas isso não foi possível e eles acabaram se separando e se perdendo uns dos outros. Ao ajudar uma mulher grávida que se sentiu mal, alguém ocupou seu lugar, e Florence, com dor de cabeça, passou grande parte da viagem em pé. Quando trocou de trem em Kíev, conseguiu um novo assento e não teve coragem de levantar, com medo de perdê-lo, apesar de não ter comido ou bebido nada. Nem se importou com a fumaça dos cigarros, o cheiro de bebida, a algazarra dos soldados. A essa altura, toda a sua bagagem foi roubada.

Florence se sente deprimida e confusa ao descer do trem em seu uniforme velho e sujo:

> Eu voltara como uma mendiga, perdera tudo o que me era mais caro. Meu trabalho na Cruz Vermelha estava concluído. Meus tempos de guerra tinham terminado. Havia um vazio no meu coração e na minha mente que era muito doloroso. A vida parecia ter chegado a um beco sem saída. O que o futuro traria era um mistério. Tudo agora era vazio e escuro.

Não se passaram nem dois meses desde a última vez que Florence esteve em Moscou, mas a cidade sofreu grandes transformações. As ruas escuras são patrulhadas por soldados de braçadeiras vermelhas com sede de poder e com muita ânsia de atirar. (Muitas pessoas que ela conhece passaram a se vestir mal para não chamar a atenção dessas patrulhas.) À noite, ouvem-se tiroteios com frequência e os anfitriões dela dormem vestidos, para, se for o caso, poderem fugir com rapidez. A escassez de alimentos aumentou, e muitos estão morrendo de fome. A ração que recebem se limita a cem gramas de pão ou duas batatas por dia. É impossível comprar até um item simples e básico como o sal. Ainda há restaurantes funcionando, mas os preços são astronômicos e a carne em geral é de cavalo. O clima geral é de medo e incerteza.

176. DOMINGO, 27 DE JANEIRO DE 1918
Michel Corday faz considerações sobre o futuro

Já não faz o mesmo frio rigoroso. Há menos de duas semanas, a temperatura chegou a dezoito graus negativos. As autoridades tornaram a venda de absinto ilegal e os soldados estão proibidos de usar cachecol.[2] As tortas foram abolidas (os salões de chá agora vendem apenas pequenos bolos e biscoitos) e a ração de pão está para ser reduzida para 280 gramas diárias por pessoa. Circulam boatos de distúrbios iminentes nos bairros operários, de bombardeios iminentes em Paris, de uma ofensiva alemã iminente na Frente Ocidental. Fala-se também sobre a descoberta de um círculo de espionagem composto apenas de mulheres do mundo teatral parisiense.

Corday escreve em seu diário:

Os trabalhadores dos estaleiros em Clyde planejam entrar em greve no dia 31 de janeiro, "como se negociações de paz não tivessem começado antes dessa data". Aqui vemos, de fato, um novo desafio na luta entre o povo e seus governantes — o povo exige saber a razão pela qual os governantes obrigam-no a lutar. Levou quatro anos para que essa aspiração legítima viesse à tona. Na Rússia, ela já atingiu o seu objetivo. Agora está erguendo sua voz na Inglaterra também. Está começando a brotar na Áustria. Desconhecemos sua força na Alemanha e na França. Mas a guerra chegou a uma nova fase: a luta entre o rebanho e os seus pastores.

2. Corday não explica os motivos por trás dessa medida.

177. TERÇA-FEIRA, 29 DE JANEIRO DE 1918
Richard Stumpf lê uma convocação de greve geral a bordo do SMS Helgoland

O SMS *Helgoland* já se encontra há dois meses em doca seca. As extensas reformas deixaram o navio imundo. "Mal se pode tocar em alguma coisa sem ficar com as mãos sujas." Stumpf se resignou à situação. Todos estão muito insatisfeitos, mas, embora se fale muito de política a bordo, os marinheiros, na opinião dele, são muito desunidos, muito fáceis de enganar, muito preguiçosos e muito *burros* para fazer qualquer coisa a respeito do atual estado das coisas.

Stumpf tem cuidado de seus negócios particulares, encontrando nisso uma maneira agradável de gastar energia. Ele confecciona um sapato de cânhamo grosso trançado, que vende para os camaradas. Os negócios estão indo muito bem e ele montou uma sapataria improvisada na padaria do navio, longe dos olhares dos oficiais. Pelo calendário, ainda estão no inverno, mas, pelo tempo que faz agora, parece primavera.

Nessa manhã, acontece algo que contraria o pessimismo misantrópico de Stumpf. Corre o boato de que folhetos de cunho socialista foram encontrados a bordo. Em apenas alguns minutos, toda a tripulação fica sabendo do ocorrido. Os marinheiros se amontoam em grupos e os panfletos passam de mão em mão. Ele mesmo lê um exemplar, constatando que o folheto omite tanto o nome do autor quanto o lugar onde foi impresso. Muito do que está escrito nele é verdade, mas há também "muitas platitudes e frases idiotas". O lema principal é o seguinte: "Se a Alemanha não pode ser governada pelo sabre, vocês devem se preparar para uma greve geral".

Os tremores que hoje chegam ao porto de Wilhemshaven têm o epicentro em Viena, a muitos quilômetros daqui. Em meados de janeiro, uma onda de greves teve início nas fábricas de armamentos, como protesto contra a diminuição das rações de pão e a continuidade da guerra. O clima ficou tão ameaçador que a família real austríaca, escoltada por homens armados, deixou a capital. A onda de greves se espalhou rápido, inclusive em Budapeste e na base da Marinha em Cattaro, onde os marinheiros aprisionaram seus oficiais e penduraram bandeiras vermelhas. Agora tudo se acalmou na Áustria-Hungria, mas ontem, em Berlim, greves de grandes proporções começaram entre os trabalhadores das fábricas de munição e das metalúrgicas. O descontentamento na Alemanha também se deve à falta de alimentos e ao fato de que os líderes militares nada fazem para terminar a guerra. A verdade é que a Alemanha está quase indo à bancarrota. A causa das revoltas foi a notícia de que as negociações de paz com a Rússia em Brest-Litovsk deram em nada.[3] Os grevistas exigem paz, uma paz na qual nenhum lado precise sofrer com anexações ou indenizações de guerra, uma paz baseada no direito à autonomia do povo.

Nesse mesmo dia, as greves se espalham por toda a Alemanha. Mais de 1 milhão de pessoas em Munique, Breslau, Colônia, Leipzig e Hamburgo aderem ao movimento.

Antes do almoço, todos são chamados ao convés, uma seção de cada vez. Os oficiais começam agradecendo aos homens por terem informado o capitão a respeito dos panfletos e os exortam a fazer o mesmo no futuro. Ao mesmo tempo, todos são avisados da proibição de participar de greves ou outras manifestações políticas.

Stumpf acha difícil saber o que irá acontecer. Ele está bem consciente de que a insatisfação é geral: "Se alguém fosse manifestar seu descontentamento, uma grande revolução seria inevitável". Marinheiros e trabalhadores têm comentado muito sobre o assunto, mas não há resistência ou foco suficiente nos protestos. Depois de certo tempo, a energia costuma minguar. Esta é a sua experiência. Quando ele observa os operários a bordo, tudo parece normal. Eles não mostram nenhum sinal de estar prestes a entrar em greve, nem parecem estar simplesmente fingindo que trabalham.

Quando Stumpf se aproxima de um deles, ouve-o dizer: "A partir de amanhã, nada de ficar martelando". Stumpf interpreta o "martelando" como uma referência à guerra.

No dia seguinte, ficam sabendo que todas as licenças foram canceladas,

---

3. Grande parte da responsabilidade por isso pode ser atribuída aos bolcheviques. Desde 9 de janeiro, a delegação russa tinha sido liderada por Liev Trótski, que conduzira o processo todo com manobras claramente dilatórias. Trótski expressou sua estratégia para lidar com as Potências Centrais com o tipo de sofisma que lhe era característico: "Nem guerra, nem paz". Esse lema deixara os militares alemães furiosos. Pode-se mencionar também que, na mesma época, teve início uma guerra civil na recém-independente Finlândia. Finlandeses "brancos" e "vermelhos" começaram a brigar entre si, em um conflito que também era, em algum grau, um rebento da grande guerra. Isso porque, em parte, fora esta que tornara possível a sua independência, e em parte porque as unidades alemãs começaram a dar um apoio significativo aos "brancos", enquanto os russos se colocaram do lado dos "vermelhos".

devido aos problemas atuais em terra firme. Na hora do almoço, quase todos os trabalhadores a bordo largam as ferramentas e abandonam rapidamente o navio. Os marinheiros dão gritos entusiasmados, aconselhando-os a "nunca mais voltar". O sol está forte e se sente a primavera no ar.

Nesse mesmo dia, em Wimereux, uma pequena estação de águas ao norte de Boulogne-sur-Mer, Harvey Cushing participa do funeral do colega canadense John McCrae. McCrae não se tornou famoso por comandar o Hospital Geral Canadense nº 3, mas por um poema que escreveu. O poema chama-se "In Flanders Fields", e são poucos os que desconhecem sua famosa introdução:[4]

> *In Flanders fields the poppies blow*
> *Between the crosses, row on row,*
> *That mark our place; and in the sky*
> *The larks, still bravely singing, fly*
> *Scarce heard amid the guns below.**

Desde sua publicação, em dezembro de 1915, na revista *Punch*, foi um dos poemas mais citados e reproduzidos da época entre os Aliados. E sua mensagem descompromissada de continuidade da guerra foi usada na campanha para fazer com que os Estados Unidos entrassem no conflito:

> *We are dead. Short days ago*
> *We lived, felt dawn, saw sunset glow,*
> *Loved and were loved, and now we lie*
> *In Flanders fields.*

---

4. A história — citada com frequência — de que ele escreveu o poema em vinte minutos em maio de 1915, acomodado em uma pequena ambulância, arrasado depois de ter comparecido ao funeral de um amigo, não corresponde à verdade. Assim como a história de que ele jogou fora o pedaço de papel onde escreveu o poema, que foi recolhido por um colega.
* Em tradução literal: "Nos campos de Flandres as papoulas crescem/ Entre as cruzes enfileiradas,/ Que marcam nosso lugar; e no céu/ As cotovias, ainda cantando bravamente, voam/ Mal ouvidas em meio às armas na terra." (N. T.)

Take up our quarrel with the foe:
To you from failing hands we throw
The torch; be yours to hold it high.
If ye break faith with us who die
We shall not sleep, though poppies grow
*In Flanders fields.**

McCrae faleceu ontem, vitimado por uma simples pneumonia. Cushing escreve em seu diário:

> Nos encontramos no Hospital Geral nº 14 — uma tarde ensolarada — e andamos uns 1500 metros até o cemitério. Uma companhia de North Staffords, muitos serventes, enfermeiras e motoristas de ambulâncias canadenses seguiram em procissão, e Bonfire[5] foi levado por dois cavalariços. O cavalo estava enfeitado com a faixa branca do regimento e levava as botas de seu dono sobre a sela. Seis sargentos carregaram o caixão até o portão, e quando este baixou à sepultura ouviram-se tiros dos canhões ao longe, como se encomendados para a ocasião.

178. SEXTA-FEIRA, 1º DE FEVEREIRO DE 1918
O irmão de Elfriede Kuhr é convocado

Não soa como uma experiência agradável. Willi, o irmão de Elfriede, está irritado quando lhe conta que todos eles foram obrigados a ficar nus, em fila, em uma sala do quartel sem aquecimento. Até agora o pouparam do serviço militar, por razões de saúde. Ele tem o coração fraco e um problema nos joelhos, "devido à escarlatina". Mas foi reexaminado e considerado saudável. O Exército alemão, assim como todos os outros, necessita de soldados. Um médico apertou

---

* Em tradução literal: "Estamos mortos. Há poucos dias/ Vivíamos, sentíamos a alvorada, assistíamos ao brilho do crepúsculo/ Amávamos e éramos amados, e agora jazemos/ Nos campos de Flanders.// Continueis nossa luta contra o inimigo:/ A vós, de mãos debilitadas, lançamos/ A tocha; seja vossa para que a mantenhais alta/ Se quebrardes a palavra conosco, que estamos mortos/ Não iremos dormir, embora as papoulas cresçam/ Nos campos de Flanders". (N. T.)
5. O cavalo de McCrae.

o seu abdômen e escutou os seus pulmões, antes de declarar: "Tem uma saúde de ferro".

Willi está com muita raiva: "Que idiota! Ele deseja apenas obter mais munição para os canhões do imperador Guilherme!". Hans Androwski, um dos seus melhores amigos, dá risada e o provoca: "Que visão maravilhosa para eles! Você, nu! Um deus grego em plena juventude!". Depois o tom da conversa muda e começam a discutir o que Willi pode fazer. Androwski, dispensado por problemas sérios de visão, diz que ele deve fazer de tudo para evitar a infantaria. A Aeronáutica parece ser a melhor escolha, se for possível permanecer apenas no serviço administrativo, e não no controle de um aeroplano. "Você pode dizer que a sua letra é muito bonita!" Willi rejeita tudo que eles dizem e vê o lado negativo da situação: "Serviço militar prussiano. A minha vida acabou". Elfriede diz que é melhor ele não deixar a mãe ouvi-lo falar assim — ela ainda acredita na guerra. Irônica, acrescenta ainda que, quando Willi for morto, todos o considerarão um *herói*.

Eles passam, então, a falar da guerra. Elfriede faz a mesma pergunta que tantos outros também fazem: por que todas essas pessoas morreram? "Milhões de pessoas mortas para nada." Androwski não concorda com ela. Não acha que tudo foi em vão. Todos esses russos, através da morte, ajudaram a transformar sua pátria. Elfriede se zanga. "Através da morte? Se este for o preço, não quero mais revoluções!" Willi não diz nada, apenas rói as unhas.

179. SEXTA-FEIRA, 8 DE FEVEREIRO DE 1918
Olive King pondera sobre sua falta de sobrancelhas

É inverno, mas a temperatura não está baixa como de hábito. Corre o boato de que alguns oficiais italianos já tomaram banho. Olive King não mora mais naquela pequena casa em Salônica. Ela se mudou para uma cabana construída com uma caixa de madeira, que antes abrigou um avião.

Banho? Talvez seja falta do que fazer, o que não seria nenhuma novidade aqui em Salônica. Apesar dos reforços significativos que receberam, pouco aconteceu. Os críticos da operação, que são muitos no momento, chamam a cidade de o maior campo de detenção da Alemanha. Tentaram romper as linhas búlgaras no norte em 1917, mas não com muito êxito. (O próprio Sarrail foi dispensado meses atrás.) As enfermidades também atrapalham bastante. O Exército Oriental contava com 600 mil homens, mas, desde que a malária e a dengue começaram a se espalhar, há apenas 100 mil em serviço. Os hospitais estão lotados.

Olive King tem muito que fazer. Nos últimos tempos, viajou inúmeras vezes para Corfu, ou, mais exatamente, para Santi Quaranta, a cidade em frente à grande ilha. A Cruz Vermelha americana doou 29 ambulâncias para o serviço militar médico sérvio, e ela é uma das pessoas que têm dirigido os novos veículos até Salônica. Olive já conhece muito bem o caminho, que leva entre oito e dez dias para percorrer.[6]

As viagens pelas estradas estreitas e íngremes são difíceis e perigosas. Olive já esteve exposta a tempestades de neve e a falhas nos veículos. Ela observou que muitas vezes se sai melhor que motoristas homens, "que detestam desconforto, chuva, lama e frio". Ela diz adorar a sua "vida cigana". Sua saúde é ótima, com exceção de uma ou outra dor de dente. Olive sempre cura seus resfriados com uma mistura de água quente, rum e uma grande quantidade de açúcar.

Ela se dedica apenas ao trabalho, com o tipo de devoção obsessiva de quem precisa se distrair com algo. Seu caso de amor com Jovi, o capitão sérvio, terminou, o que foi um grande desapontamento para ela. Encontraram-se pela última vez em outubro, quando Olive recebeu a medalha de condecoração sérvia por bravura durante o grande incêndio. O encontro aconteceu em Corfu. (Ele estava a caminho de Londres para uma missão oficial.) Passaram alguns dias juntos e se despediram junto ao navio que o levaria para o continente. Ela chorou um pouco, mas sua vontade era berrar como uma criança. Depois sentiu-se muito só e deprimida. Ficou mais triste ainda ao receber uma carta de Jovi, que lhe contava que havia conhecido outra pessoa.

Agora ela se encontra em sua cabana de madeira e escreve, de novo, para o pai. Ele quer uma fotografia sua, algo que ela já lhe prometeu. Não que faltem oportunidades de tirar uma, pois há muitos fotógrafos na cidade: "Há sempre um soldado posando, com um sorriso debochado no rosto, cercado de amigos". No seu caso, ela não quer se deixar fotografar por razões estéticas. Certo dia, ao verificar por que seu fogareiro não acendia, um pouco de combustível espirrou

---

6. Hoje, a estrada que liga Salônica a Santi Quaranta tem 370 quilômetros, mas Olive não dirigia em uma estrada moderna.

394

e "minhas sobrancelhas, cílios e franja queimaram pela segunda vez este ano". Olive quer esperar que eles cresçam de novo. Em uma carta anterior, já avisou o pai que seria difícil para ela retornar para a vida que levava antes da guerra. "Oh, pai", escreve ela, "sempre me pergunto o que o senhor vai achar quando nos reencontrarmos, depois desses longos cinco anos. Tenho certeza de que me tornei uma pessoa rude após ter convivido apenas com homens. Não sou mais meiga nem atraente."

Na segunda-feira, viajará de novo para Santi Quaranta. No front, nada acontece.

180. SEGUNDA-FEIRA, 18 DE FEVEREIRO DE 1918
Willy Coppens sobrevoa Bruxelas ocupada

Coppens já fez tudo o que era possível: testou o novo motor, abasteceu os tanques, conseguiu um pequeno mapa, pegou uma pistola automática e uma caixa de fósforos (para queimar o avião, no caso de ser obrigado a ficar atrás das linhas inimigas). Apanhou também a sua melhor boina (para o caso de cair em mãos inimigas, pois não quer estar vestido de qualquer jeito nessa situação). É um lindo dia de inverno, de céu claro e sem nuvens.

Às 8h35, ele levanta voo. Seu alvo é Bruxelas. A cidade está ocupada pelos alemães e fica a mais de cem quilômetros de distância.

O objetivo do voo? Nenhum, como já reconheceram os generais belgas, razão pela qual eles proibiram os voos longos. O que ele planeja fazer é, na verdade, um ato de desobediência e pode acabar em corte marcial, mas Coppens está preparado para correr todos os riscos, inclusive o de sobrevoar de perto o território inimigo. Trata-se de uma questão de bravura e de vontade de realizar algo perigoso e notável. Durante a noite, só de pensar na viagem ele ficou muito empolgado. O voo não é apenas um prazer privado, mas também um estímulo para os belgas, que têm o país ocupado há três anos e meio. Mostrar as cores belgas será um ato de protesto, talvez necessário nestes tempos de insegurança e dúvidas.

Como tudo isso terminará? Poucos diriam que será com a vitória dos Aliados. Até os otimistas já contam com a guerra até 1919. O Exército francês ainda não se recuperou dos motins do ano passado, o britânico ainda sofre com o banho de sangue em Passchendaele e o italiano permanece em choque com a catástrofe de Caporetto. Os americanos estão a caminho, mas são muito poucos. A Rússia está afundada em caos revolucionário. Corre o boato de que há um grande deslocamento das tropas alemãs da Frente Oriental para a Frente Ocidental. Quando chegará esta tempestade?

Em Bruxelas, há outro atrativo — sua família. Coppens se corresponde com eles através de cartas enviadas via Holanda e sabe que estão vivos, mas não se encontram desde 1914. O fato é que ele quer rever sua cidade natal.

Pouco depois das nove horas, Coppens atravessa a linha de frente em Diksmuide a uma altura de 5400 metros. Ele vê dois aviões franceses SPAD abaixo dele, voando no sentido contrário. Que sorte. Os aeroplanos franceses atraem a atenção dos alemães. Ele observa os dois serem envolvidos pela fumaça da explosão de granadas. Coppens, ao que tudo indica, não foi visto e pode seguir adiante. Como não é um navegador experiente, ele o faz segundo os procedimentos usuais de voo, guiando-se por pontos de referência óbvios e bem conhecidos visíveis em terra, razão pela qual não vai direto para Bruxelas. Ele pega o rumo de Bruges até avistar seus telhados vermelhos ao longe, e de Bruges segue a linha ferroviária que passa por Gent, indo para a capital. Quando passa pelo sul de Gent, controla-se para não atacar um avião alemão que surge do nada, à sua direita.

Agora ocorrem os primeiros tremores de apreensão. Quando ele olha para trás, não consegue mais diferenciar as próprias linhas e não vê mais o rio Yser nem Diksmuide. Está sozinho. "Completamente só em um avião frágil" são as palavras que o acompanham em sua jornada. A sensação de isolamento que o envolve é tão forte que ele para de olhar para trás e fixa-se no horizonte, embora tal decisão possa lhe trazer surpresas desagradáveis.

Sobre Aalst, Coppens vislumbra Bruxelas. Quando se inclina para a frente, ele consegue visualizar o Palácio da Justiça, cujo domo colossal se destaca acima do grupo de telhados da parte sul da cidade. Contente mas confuso, começa a cantar bem alto. A canção é engolida pelo barulho dos motores.

Coppens passa acima de um trem. O primeiro sinal de vida.

Às 9h52, sobrevoa a cidade.

Próximo à Gare du Midi, Coppens pousa sobre um telhado. Dessa altura e nessa velocidade, consegue admirar a sua cidade. Na Avenue Louise, dois bondes passam um pelo outro em frente a algumas casas coloridas. No mercado na

Place Sainte-Croix, alguns comerciantes jogam verduras no ar com satisfação. Lá estão as árvores no Parc Solvay e o reservatório de água. Lá está a casa dos seus pais, uma casa branca de telhado vermelho. Seu lar! Coppens faz uma curva para a direita. Em uma janela, ele vislumbra a silhueta de duas mulheres e chega à rápida conclusão de que uma delas *deve* ser a sua mãe. Nos fundos, vê a janela de seu quarto. Através do vidro, acha que há cortinas vermelhas e algo o faz se lembrar do avião de brinquedo que ficava pendurado no teto oito anos atrás e que ainda deve estar lá.

Depois de treze minutos de voo sobre Bruxelas, Coppens deixa a cidade para trás, com suas ruas e becos, palácios e avenidas. Ele se dirige para Gent, depois para Diksmuide e então para o front. Ao longe, o mar do Norte brilha ao sol de inverno. Ele percebe que conseguirá voltar e se sente aliviado. A sensação não dura muito: "Quando pensei no que já passara e nos meus pais, fiquei tomado pelo desespero e senti que murchava por dentro. Eu nunca havia sentido uma dor assim, quase impossível de suportar".

Às 10h45, Willy Coppens aterrissa no aeródromo em Les Moëres. Ele vê os blocos estreitos de alojamentos, os hangares de plástico verde. Agora, "a sensação de depressão se transformou em triunfo" e ele começa a rir sem controle quando desce do avião. Ele acaricia a capota ainda quente e se afasta cantarolando.

181. UM DIA EM FEVEREIRO DE 1918
Pál Kelemen testemunha um acidente no caminho de Caldonazzo

Ele ainda se encontra no front alpino no norte da Itália, com vista para a planície do Friul. Quando o tempo está claro, pode-se vislumbrar o Mediterrâneo como uma linha azul brilhante ao longe. Ouvem falar de uma nova ofensiva austro-húngara, mas de onde tirarão forças para isso? A falta de alimentos e de munição está pior que nunca e a maioria das unidades conta agora com poucos homens. A temperatura começou a subir.

No planalto onde Kelemen se encontra, o abastecimento é feito por caminhões. Os motoristas precisam ser muito cuidadosos e experientes para manobrar os pesados veículos nesse terreno difícil e íngreme. Pál Kelemen escreve em seu diário:

Um general chega em seu automóvel, nesse dia bonito, para inspecionar uma das fortificações. Ao seu lado, o indispensável assistente — um oficial arrogante do estado-maior. O carro se lança para a frente sem o menor cuidado e buzinando sem parar para que um caminhão de provisões lhe dê passagem. O caminhão desvia o máximo que pode para o lado, mas ainda não há espaço para o automóvel do general passar.

Seu arrogante assistente se debruça para fora e grita: "Saia da frente, seu porco!". E o coitado do porco se afasta tanto para o lado que seu caminhão acaba despencando no precipício.

182. SEGUNDA-FEIRA, 11 DE MARÇO DE 1918
Michel Corday assiste a uma peça teatral na Comédie-Française

Hoje acontece a estreia da peça *Les Noces corinthiennes*, de Anatole France, em Paris. Michel Corday vai ao teatro acompanhado da esposa. Na metade do segundo ato, a apresentação é interrompida. Um dos atores anuncia que o alarme de ataque aéreo foi dado e que a cidade está sob ameaça de bombardeio alemão. Ouvem-se vozes vindas da plateia: "Continuem!".

Os atores retomam a atuação, apesar de metade do público já ter deixado o recinto. Corday está preocupado. Ele também gostaria de ir embora, mas se sente envergonhado perante todos os seus conhecidos que ali se encontram. Então, ele e sua esposa permanecem no teatro, o que acaba sendo uma experiência estranha. Enquanto os atores prosseguem com a encenação, ouve-se o barulho das sirenes e às 21h25 caem as primeiras bombas, que soam como uma lenta e aborrecida bateria.

Paris foi bombardeada várias vezes desde o início do ano — a última, três noites atrás. Os bombardeiros — máquinas grandes, de motores duplos e do tipo Gotha,[7] ou até maiores, com quatro motores do tipo Zeppelin-Staaken — costumam realizar seus ataques à noite. O céu então fica iluminado por faróis, explosões de granadas antiaéreas e sinalizadores.

Paris se tornou uma cidade sem iluminação noturna. Quando cai a noite,

---

7. Chamados pejorativamente de Wong-Wong pelos britânicos, devido ao barulho característico e não sincronizado de seus motores.

as pessoas se utilizam de pequenas lanternas que carregam consigo. (Os criminosos tiram proveito da situação e os roubos aumentam de maneira considerável.) Nos bondes e no metrô pintaram as lâmpadas de azul, e Corday acha que a luz delas faz com que as prostitutas, com maquiagem exagerada, fiquem com a cor de "cadáveres putrefatos". Prédios importantes e monumentos se encontram protegidos por sacos de areia e nas vitrines das lojas há papel colado para evitar que os vidros se quebrem em demasia. Depois do ataque de 30 de janeiro, Corday viu pedaços de uma cortina, restos de papel de parede e uma meia cor-de-rosa de mulher pendurados nas árvores em frente a uma casa bombardeada na Avenue de la Grande-Armée. Em todas as residências nos arredores as janelas foram estilhaçadas, e empregados limpavam e recolhiam os cacos de vidro, cobrindo as janelas provisoriamente com folhas de jornal.

Devido à escuridão e à altura de onde as bombas são atiradas — em geral, 4 mil metros —, não há possibilidade de se acertar em um único alvo. Esses ataques têm como objetivo aterrorizar a população, mesmo que de forma limitada. As consequências deles já começam a aparecer, as pessoas estão fugindo de Paris. Os aviões britânicos e franceses também realizam esse tipo de ataque, bombardeando as cidades alemãs de Stuttgart, Mainz, Metz, Mannheim, Karlsruhe, Freiburg e Frankfurt.[8] A cidade europeia mais bombardeada, além de Dover, é Londres. Primeiro ela foi atacada por zepelins, e quando, ao longo de 1916, estes não produziam mais os efeitos desejados,[9] passou a ser fortemente bombardeada. Mas mesmo lá o número de vítimas não tem sido muito grande — o maior deles, 162 pessoas em um ataque à luz do dia em 13 de junho de 1917.[10] Esses bombardeios, contudo, demonstram que mais um importante tabu foi rompi-

---

8. Durante toda a guerra, 2600 civis foram mortos pelos Aliados em bombardeios contra a Alemanha, enquanto 1736 civis foram mortos ou feridos nos bombardeios alemães contra a Grã-Bretanha. Na França, uma combinação de ataques aéreos e bombardeios de artilharia de longo alcance reultaram na morte de mais de 3300 civis.

9. Uma operação com zepelins acabou em total fiasco em novembro de 1916, quando uma frota foi mandada para Londres durante a noite e alguém teve a ideia de desligar os motores, para que não fossem percebidos. Um vento muito forte fez com que os zepelins se espalhassem por quase toda a Europa, e um deles foi parar na Argélia.

10. Nessa ocasião, Londres era apenas um dos alvos, e o número de mortos abrange as pessoas que perderam a vida em outros lugares.

do: os ataques têm como alvo a população civil desarmada. Corday acha toda a situação de uma barbárie sem igual.

Durante o intervalo entre o segundo e o terceiro atos, Corday e sua esposa vão até o vestíbulo, que se encontra quase vazio e onde uma estátua de Voltaire está protegida por sacos de areia. O intervalo se estende demais: há uma discussão com o diretor do teatro sobre se devem continuar a encenar a peça ou não. A decisão que tomam é de prosseguir, apesar dos bombardeios. "É claro", comenta Corday com desprezo. Ele sabe que todos gostariam de ir para casa, mas acabam permanecendo ali "por medo de serem criticados pelos outros, que também pensam da mesma maneira. O orgulho significa mais que a morte!".

Todos retornam à sala depois do intervalo e o terceiro ato é encenado. Quando a peça termina, ficam sabendo que os ataques continuam. Os atores convidam o público a se proteger no porão do teatro. Corday e a esposa se juntam às outras pessoas e descem para o porão, onde se encontram todos os bustos de mármore que enfeitavam o teatro, agora cobertos e protegidos com lonas. Corday vê um homem uniformizado pôr a sua boina na cabeça de Molière. Todos estão desanimados e apáticos, apesar das tentativas de uma atriz em distraí-los recitando poesia.

À meia-noite, alguém avisa que o bombardeio foi interrompido. Quando eles saem do teatro, uma densa neblina cobre as ruas. A luz das lanternas de bolso oscila na escuridão.

183. TERÇA-FEIRA, 12 DE MARÇO DE 1918
Rafael de Nogales ouve o estrondo dos canhões no rio Jordão

O quartel-general está instalado em um grande mosteiro franciscano e o clima é de preocupação. Será que o front a oeste do Jordão conseguirá se manter? Ouvem os ruídos de luta dos britânicos ao longe. A situação está tão crítica que todos os oficiais e demais militares que não exercem funções fundamentais receberam ordem de se alistar para combater. Eles são levados, de caminhão, em direção aos estrondos dos canhões.

Talvez esta não seja a melhor hora para uma visita de cortesia, como Rafael de Nogales decerto sabe quando chega ao mosteiro para ver o comandante. O homem a quem ele quer demonstrar estima é um militar que se transformou em uma espécie de ícone heroico: Otto Liman von Sanders, general prussiano e marechal de campo otomano. É neto de um judeu alemão convertido e foi inspetor geral do Exército turco antes da guerra.[11] Após a eclosão do conflito, foi o homem certo no lugar certo quando os Aliados desembarcaram em Galípoli e, como comandante do Quinto Exército, evitou algo que poderia ter se tornado uma rápida catástrofe para as Potências Centrais. Quem conhece o carismático Liman von Sanders percebe que ele é "um militar de educação superior, com muita energia, dinâmico, incansável e rígido consigo mesmo e com os outros". Ao contrário de muitos militares alemães enviados para o Oriente Médio para atuar como conselheiros ou comandantes, ele não tem problema nenhum em colaborar com os generais otomanos.[12] Há um mês, Liman von Sanders veio para a Palestina para de novo exercer sua famosa magia.

E ela se tornou mais do que necessária agora. Em novembro do ano passado, Gaza caiu nas mãos do inimigo, e em dezembro foi a vez de Jerusalém. A queda da primeira foi uma grande adversidade para os militares, e a da última, uma catástrofe política e para o prestígio geral. Agora o front começa em Jafa, no oeste, e vai até o rio Jordão, no leste. Hoje, os britânicos estão tentando passar pela ponte ao norte do mar Morto.

Durante a tarde, aumenta o ruído distante de batalha. Rafael de Nogales percebe que até deve se dirigir para a seção ameaçada, ou, como ele mesmo escreve: "Eu comecei a me preparar para contribuir com o meu grão de areia".

A expressão é, em si, um tanto quanto interessante. "Grão de areia" é um sinal de que até Nogales foi enfim afetado pelo sentimento de desilusão que já domina milhares de pessoas — a percepção de que o anonimato e a fácil substituição a que ele está sujeito o reduziram a um virtual nada, uma mancha, uma gota, uma partícula, uma coisa infinitamente pequena engolida por um enorme Algo ao qual o indivíduo é forçado a dar tudo de si, mas sem que seu sacrifício influencie o que acontece de um modo perceptível ou mensurável. É por essa razão que os heróis condecorados e os generais famosos são tão importantes:

11. A crescente influência alemã no Império Otomano nos anos anteriores à guerra era algo que preocupara muito os russos e fez com que eles pensassem em estratégias de guerra alternativas. Quando a Rússia, por sua vez, deu início à sua modernização militar, deixou o estado-maior alemão temeroso e o levou também a pensar em estratégias alternativas, e assim por diante.
12. O que significava, contudo, que ele tivesse poderes ilimitados. Por exemplo, sua tentativa de evitar o genocídio dos armênios foi ignorada.

eles representam alguma esperança de que o contrário disso ainda pode ser verdade.

Nogales ficou afastado do front depois da Segunda Batalha de Gaza, primeiro em Jerusalém, onde recebeu tratamento médico para um problema nos ouvidos, depois em Constantinopla, onde esteve apenas para descansar. Nessa, certa noite, quando se encontrava a uma mesa de jantar magnífica, entre pessoas alegres e magnólias em flor, sentiu "aquela estranha sensação que *la vie en salon* costuma despertar naqueles que carregam uma espada e usam botas com esporas douradas. E, sem que eu soubesse por quê, meus pensamentos se dirigiram para o mar, para minha pátria distante".

Quando Nogales se prepara para partir de novo para o front, recebe uma notícia inesperada. Os britânicos interromperam seus ataques e estão recuando.

Magia. Ou talvez apenas os motivos de sempre: equívoco, fadiga, inteligência falha.

Nesse mesmo dia, pela manhã, Corday e a esposa saem para dar uma caminhada. Ao longo do Boulevard Saint-Germain, veem seis crateras. Na Rue de Lille, uma bomba caiu em frente à antiga embaixada alemã e a porta foi empurrada para dentro. O casal visita Anatole France, que também esteve no teatro ontem.

Eles ficam sabendo a razão de o intervalo ter sido tão longo. Parte do texto da peça foi cortada, para que o espetáculo se encerrasse mais cedo. Os atores também queriam ir embora logo, e isso foi percebido em sua atuação. "Pela primeira vez, conseguiram pronunciar suas falas com a mesma rapidez que nos outros teatros", diz France.

Todos falam na grande ofensiva alemã que está por vir.

184. DOMINGO, 17 DE MARÇO DE 1918
Willy Coppens vê um inseto se transformar em um ser humano

Nada de importante aconteceu. As duas patrulhas, formadas cada uma por três aviões, estão retornando juntas para o aeródromo. Coppens vê um dos pilotos, De Meulemeester, fazer de repente um mergulho profundo e imediatamente o segue.

402

Coppens então entende o porquê da manobra: um lento avião alemão de dois lugares abaixo deles.

De Meulemeester o alcança primeiro e, seguindo à risca o manual, aguarda até o último minuto para abrir fogo. Acompanhando os movimentos do seu alvo, começa a atirar. Coppens o segue. Ele vê uma cauda de vapor azul sair da aeronave inimiga. Observa que os tiros continuam a acertá-lo e que o avião alemão faz uma guinada violenta e repentina, partindo-se. Resta apenas uma nuvem de fragmentos e pequenos pedaços do que foi o aeroplano.

Dessa nuvem de destroços se desprendem dois objetos. Um deles é o corpo do piloto, que, soltando fumaça negra, cai em seguida. O outro é o observador, ainda vivo, que primeiro mergulha de cabeça. O homem gira no ar devagar, com os braços esticados, como um crucificado. Coppens não consegue desviar o olhar da queda, mesmo quando o homem diminui de tamanho e vira um pequeno ponto no ar. Ele acha que agora o homem vai atingir o solo, mas a queda continua pelo que parece uma eternidade, até que de repente o ponto para.

Coppens está abalado: "Pobre coitado! Pobre coitado! Essa foi a primeira vez que vi o ser humano, e não pude mais persistir em meu velho sentimento de que se tratava de uma espécie de inseto gigantesco que eu tinha de eliminar".

Quando vira com seu avião, Coppens se aproxima dos restos da aeronave inimiga. Um mapa solto no ar fica preso por um instante em uma das pontas da asa.

Para se livrar desse objeto, ele precisa fazer "alguma manobra mais violenta". Começa a fazer um loop atrás do outro. Os demais o imitam.

185. QUINTA-FEIRA, 21 DE MARÇO DE 1918
Alfred Pollard ouve falar do avanço alemão no Somme

Na manhã de hoje tem início a grande ofensiva alemã da primavera. Apesar de saberem que os alemães moveram tropas e material do leste, e apesar de estarem aguardando um ataque há tempo, a surpresa acaba sendo grande. A maioria deles acreditava em uma repetição do que aconteceu na ofensiva dos Aliados, uma derrota lenta e inútil, de linhas de defesa praticamente impenetráveis. Mas, ajudado por uma bem-sucedida combinação de atuações furtivas, uma quantidade incomum de material na artilharia e as táticas de infiltração já testadas no leste e na Itália, o Exército alemão consegue executar um grande e inesperado avanço.

Alfred Pollard escreve:

> Percebemos que algo ia acontecer quando fomos instruídos a arrumar nossas coisas e a estar prontos dentro de meia hora. Foi muito interessante ver o efeito dessas ordens nos colegas do batalhão. Os que ainda não haviam estado na linha de frente se mostravam muito satisfeitos. Os demais podiam ser divididos em grupos: alguns, deprimidos; a maioria, indiferente; poucos, como eu, deliciados. Eu estava muito feliz. Depois de meses terrivelmente monótonos, a perspectiva de combater me animava.

186. DOMINGO, 24 DE MARÇO DE 1918
Harvey Cushing sente dificuldade em aproveitar a primavera em Boulogne-sur-Mer

Durante a noite caíram várias bombas. Agora faz calor e nessa manhã linda de primavera Cushing acompanha um general, que quer examinar os danos depois dos ataques de ontem. Uma bomba atingiu o depósito do hospital e tubos de raio X; entre os escombros, há cacos de recipientes de vidro e outros equipamentos de laboratório misturados com produtos químicos. Ouvem-se estalos quando eles caminham no local. O telhado foi arrancado, mas ninguém fora ferido, pelo menos no hospital. A pouca distância daqui algumas casas simples desabaram depois de serem bombardeadas de novo e, debaixo dos destroços, é provável que haja pessoas vitimadas pelo último ataque.

Depois eles se dirigem para o campo de prisioneiros de guerra nº 94, que fica próximo. O zeloso general também quer fazer uma inspeção no local. Cushing o acompanha, curioso. Quando eles chegam ao lugar, os prisioneiros alemães se encontram enfileirados junto ao arame farpado em dois grupos de uns quinhentos homens. Eles são bem tratados, moram em barracas limpas e podem receber pacotes de casa. Alguns dos oficiais alemães receberam uniformes novos, mandados pelo seu exército, que usam aos domingos, com as condecorações e tudo. Eles também se atêm com rigidez às normas de etiqueta militar, apesar do aprisionamento. Ouve-se o som do bater de calcanhares durante toda a visita. Cushing, porém, não está muito impressionado com os prisioneiros. Embora estejam bem nutridos, ele os acha baixos, até menores do que os soldados britânicos, e "não há muitos rostos inteligentes entre eles".

O general britânico também é meticuloso quanto às formalidades. Ele inspeciona os dois grupos, homem por homem. Comenta que vários alemães vestem casacos de veludo grandes demais e precipita-se contra um dos prisioneiros, que remendou sua calça cinza com um pedaço de tecido *azul*. Depois ele se põe a procurar algo que não esteja de acordo com as regras. No lixo, encontra algumas cascas de batata que poderiam ter sido ingeridas e um osso que poderia ter sido utilizado na sopa. Quando a inspeção termina, os prisioneiros desfilam em frente ao general em colunas de quatro homens, em uma clássica marcha prussiana.

À tarde, Cushing retorna para a espaçosa casa de praia onde vive agora. Através das janelas abertas, sente o ar quente e vislumbra o canal da Mancha e três contratorpedeiros à deriva pelo lado sul. Vê alguns "navios de carga exageradamente camuflados" ancorados próximos à terra firme. Ele vê também muitos barcos pesqueiros aguardando por ventos mais fortes. A maré está baixa. Na praia, muitas pessoas caminham, aproveitando o calor do sol, procurando mexilhões.

Cushing está inquieto e preocupado. A grande ofensiva alemã está sendo posta em prática e é direcionada, sobretudo, para o Quinto Exército britânico, que ainda não se recuperou das perdas sofridas na Terceira Batalha de Ypres no outono passado. Como sempre, as notícias são contraditórias, a censura impede que a verdade seja revelada e os boatos são muitos. Os britânicos parecem estar recuando e o hospital quase não recebeu mais feridos, o que não é bom sinal. É óbvio que os alemães estão avançando com tal rapidez que os britânicos não têm tempo de retirar os seus feridos. Granadas atiradas por uma espécie de canhão gigante começaram a atingir Paris. Cushing e seus colegas ainda não receberam novas diretrizes. A única coisa que ele pode fazer é "sentar ao sol, andar pela praia e aguardar, o que é a parte mais difícil". Ele olha para fora, através da janela, em direção à praia. Vê alguns oficiais sentados em um banco, brincando com uma criança.

187. QUARTA-FEIRA, 27 DE MARÇO DE 1918
Edward Mousley faz 32 anos em uma prisão em Constantinopla

Os últimos meses foram bastante diversificados. Depois sua transferência para Constantinopla, Mousley se arriscou em mais uma tentativa de fuga, no Natal. Tudo começou muito bem. Graças a uma mistura de boa preparação e blefe, ele e seus comparsas conseguiram chegar até a ponte de Gálata, onde pegaram um barco previamente adquirido por um ajudante e saíram navegando pelo mar de Mármara. O barco estava carregado de ovos e desprovido de equipamentos fundamentais de navegação. Nem baldes havia. O vento estava forte, o mar, alto e com muita correnteza. A vela logo ficou destruída e toda a fuga se transformou em uma espécie de farsa. Os tripulantes, cobertos de ovos quebrados, foram parar em terra firme em uma embarcação cheia de água. Não tiveram outra escolha a não ser retornar de maneira sub-reptícia para sua antiga prisão, e, uma vez lá, voltaram para suas celas, molhados e cheirando a ovo.

Depois disso, uma boa surpresa: foram transferidos para Bursa, uma estância termal muito agradável e conhecida por seus banhos de enxofre. A transferência se deu por ordem do dr. König, seu oftalmologista, que havia trabalhado como médico a bordo do SMS *Goeben*, um dos dois navios que, em 1914, levaram o Império Otomano a aderir à guerra.[13] Bursa era o lugar onde os generais britânicos ficavam detidos,[14] e por algum tempo Mousley pôde aproveitar os privilégios deles em matéria de boa alimentação, jornais relativamente recentes e grande liberdade de locomoção. Ele também jogou muito xadrez.

Então veio a ordem para ser transferido de novo para Constantinopla.

Mousley esperava ser mandado para casa, como parte de uma troca de prisioneiros, mas ontem foi levado para uma prisão de má fama. Acabou de saber que será levado à corte marcial, devido à sua tentativa de fuga. Ele está instalado em uma pequena cela escura junto com um árabe, um turco e um

---

13. O outro navio era o SMS *Breslau*. Em agosto de 1914, os dois estavam sendo perseguidos pela frota britânica do Mediterrâneo após terem bombardeado Bône, na Argélia, então colônia da França. Eles escaparam através do Dardanelos e, ao chegar a Constantinopla, foram oficialmente transferidos para a Marinha turca (assim como sua tripulação alemã). A colaboração é considerada útil no estabelecimento da aliança entre as Potências Centrais e o Império Otomano.
14. Com exceção de Townshend, que passou seu tempo de aprisionamento confortavelmente instalado em uma casa em uma das ilhas dos Príncipes, fora de Constantinopla.

egípcio. Quando olha através da janela gradeada, vê um longo corredor, uma latrina e um guarda de alta estatura, que anda de um lado para o outro.

Hoje é dia do seu 32º aniversário. Mousley não se sente bem e está com muita fome. Pede comida, mas ninguém parece se importar com isso. Ele encontra um jornal e não fica nada contente quando lê as notícias. A ofensiva alemã continua na França e parece impossível de ser bloqueada. Ele escreve em seu diário:

> Meus guardas e companheiros de prisão se divertiram demonstrando como os alemães estavam atacando os franceses e meus compatriotas. Eu, no entanto, aguardava a contraofensiva, esperando que não fosse tarde demais. Desejava que os alemães fossem obrigados a interromper suas operações, devido ao complicado sistema de comunicação necessário ao avanço de milhares de homens e de material que caracteriza a guerra moderna. Foi um aniversário muito infeliz, o pior de todos os tempos.

No final da tarde, acontece algo um pouco mais animador. Dois dos seus colegas de infortúnio começam a brigar. Maousley aproveita a oportunidade para sair sem chamar a atenção e deixar uma mensagem para um oficial da Royal Air Force que está aprisionado na cela ao lado.

188. SÁBADO, 6 DE ABRIL DE 1918
Andrei Lobanov-Rostovski saca seu revólver em Laval

Ele nunca esteve tão perto de atirar em uma pessoa durante toda a guerra, e o mais irônico é que se prepara para matar um compatriota. A odisseia de Andrei Lobanov-Rostovski continua. Uma jornada, não tão distante da segurança de seu lar, o levou para longe das ameaças da revolução.

Salônica não se mostrou como uma espécie de refúgio durante as agitações em sua terra natal. Os efeitos da revolução chegaram às tropas russas no exterior também, sobretudo quando os bolcheviques tomaram o poder nas mãos. Por que lutar agora? Lobanov-Rostovski prossegue em sua fuga. Agora em direção à França, como comandante da companhia de um batalhão composto por russos dispostos a lutar, trajando uniformes russos, mas a serviço da França. (A maioria dos soldados russos em Salônica se recusou a participar, formando, em vez disso, comitês revolucionários, agitando bandeiras vermelhas e cantando *A Internacional*. Eles foram conduzidos para um campo de trabalhos forçados na parte francesa do norte da África por homens da cavalaria marroquina.)

Mas a Revolução Russa se faz sentir até na França. Ou, dizendo melhor, apenas "a Revolução", porque o estado de espírito é o mesmo em toda uma Europa que está cambaleante, sombria, exausta, enfraquecida, ensanguentada e decepcionada depois de quatro longos anos de guerra. São quatro anos de promessas de vitórias rápidas e inebriante renovação que tiveram resultado contrário às expectativas. Lobanov-Rostovski chegou há pouco tempo no acampamento de Laval, onde as tropas russas da Frente Ocidental foram reunidas, mas ele já pode ver que "a alma do batalhão está prestes a ser contaminada".

O que não é tão estranho assim no contexto atual. A Rússia não é mais um país beligerante. Há um mês, foi assinado em Brest-Litovsk o tratado de paz entre os pressionados bolcheviques e os vitoriosos alemães.[15] No momento não há razões para se arriscar a vida. Quando o batalhão chegou a Salônica, o acampamento já estava cheio de tropas russas desmoralizadas e rebeldes, parte das quais estivera na França. O encontro com elas influenciou os recém-chegados. Além disso, Paris não fica longe, e as tropas são afetadas com facilidade pela agitação dos muitos revolucionários que se encontram na cidade.

Há muitas fontes de preocupação. Durante um desfile, alguém jogou um pesado parafuso no general responsável por todas as tropas russas na França. Todos os pelotões entraram em greve de repente e, assim como em Salônica, os oficiais são vítimas de ameaças anônimas de morte.

---

15. Tratava-se mais de um decreto expansionista do que um tratado, sob o qual a Rússia foi forçada a ceder o controle da Ucrânia, da Bielorrússia, da Finlândia, dos países bálticos, da Polônia e da Crimeia, a maioria deste tornando-se Estados independentes da Alemanha. O Cáucaso passou a pertencer ao Império Otomano. Além disso, a Rússia foi obrigada a deixar para os vencedores (ou vencedor — a Áustria-Hungria e a Bulgária sentiram-se frustradas e furiosas por ter de deixar os frutos da vitória para a Alemanha) enormes quantidades de petróleo e cereais, importantes equipamentos e material de guerra, como locomotivas, peças de artilharia e munição. Os cálculos demonstram que a Rússia (ou a recém-criada União Soviética) perdeu 34% de sua população, 32% de suas terras agrícolas, 54% de sua indústria e 89% de suas minas de carvão. Forças alemãs já haviam entrado na Geórgia, tendo em mente o petróleo, enquanto os generais alemães, inebriados com essa vitória, estavam agora falando com entusiasmo em transportar seus submarinos pelo mar Cáspio e talvez até invadir a Índia.

Hoje o batalhão irá para o front pela primeira vez. Quando Lobanov-Rostovski chega para inspecionar sua companhia nessa manhã, encontra o local vazio. É informado de que os soldados decidiram permanecer no acampamento. Está preocupado e nervoso, à beira de um ataque de nervos. Ele reconhece, com suas próprias palavras, que "se eu não tomasse uma atitude drástica, tudo estaria perdido". Mesmo sem saber o que fazer, ordena que todos os seus duzentos soldados deixem as barracas. Muito tempo se passa, mas eles acabam vindo.

Lobanov-Rostovski faz um discurso improvisado para seus homens. Diz que não se importa nem um pouco com a política, mas que agora, formalmente, eles fazem parte do Exército francês e juraram combater até o final da guerra. E que é obrigação dele fazer com que a companhia chegue ao front. Então pergunta se estão prontos para marchar. A resposta não tarda: "Não!".

Ele não sabe mais o que fazer e aguarda alguns minutos para repetir a pergunta. A resposta, de novo, é a mesma. "Durante esse tempo, minha mente trabalhava a toda e eu observava a cena como se estivesse sonhando." Lobanov-Rostovski percebe que a situação é crítica e, nesse momento de desespero, saca seu revólver, um gesto que reconhece depois como "muito teatral". Ele diz as seguintes palavras: "Esta é a terceira vez que lhes farei a mesma pergunta. Aqueles entre vocês que se negarem a me obedecer, deem um passo à frente. Mas aviso que atirarei no primeiro que assim fizer".

Há um silêncio geral.

Lobanov-Rostovski espera o pior. Se alguém der um passo à frente, ele conseguirá atirar? Depois de tê-los ameaçado, ele não tem opção. Contudo, há o risco de os soldados correrem em sua direção para linchá-lo. Isso já aconteceu. Nesse caso, ele usará seu revólver para acabar com a própria vida. "Recordo-me dos segundos de silêncio como uma espécie de alucinação. Meus pensamentos estavam confusos. O que iria acontecer?"

O tempo passa. Nada acontece. Cada momento de inação, cada segundo de hesitação dos soldados o aproximam de uma vitória pessoal. Os soldados compreendem o que está acontecendo; a rebeldia se transforma em docilidade. Alguém grita de uma das fileiras: "Não temos nada contra a sua pessoa, capitão!". Lobanov-Rostovski, ainda empunhando o revólver, responde com mais referências ao dever e aos princípios. O silêncio continua. Todos levantam as mãos e a companhia declara que irá ao front. Muito aliviado, ele dá folga aos soldados. Partirão amanhã.

Quando Lobanov-Rostovski deixa a praça de armas, sente-se como se estivesse embriagado. O chão debaixo de seus pés está rodopiando. Ele encontra um colega oficial, que o olha intrigado: "O que aconteceu? Seu rosto está verde e roxo".

189. SEGUNDA-FEIRA, 15 DE ABRIL DE 1918
Florence Farmborough chega a Vladivostok

O trem, vagaroso, entra em Vladivostok muito cedo. Das janelas do vagão, ela observa o porto, onde quatro grandes navios de guerra estão ancorados, um dos quais com a bandeira britânica hasteada. O alívio que sente ao ver a Union Jack é imenso, como se toda a tensão, todo o esforço e toda a preocupação se evaporassem em poucos instantes. Ela mal consegue se controlar: "Alegria! Alívio! Segurança! Quem pode compreender tudo o que aquela maravilhosa bandeira representava para nós, exilados, cansados e imundos depois da viagem? Era como se ouvíssemos uma voz querida nos recebendo de volta ao lar!".

A viagem desde Moscou levou 27 dias. Foram 27 dias a bordo de um trem de carga barulhento, viajando com estranhos, a maioria composta por estrangeiros em direção ao leste, em um vagão sujo e desconfortável, destinado ao transporte de prisioneiros. O frio também dificultou a viagem, e eles passaram fome e sede. Tinham tão pouca água que não lhes era permitido nem lavar as mãos. Seus bem organizados documentos de estrangeiros, cobertos com selos oficiais, os ajudaram a passar pelos desconfiados guardas vermelhos e pelos despóticos funcionários da ferrovia.

A decisão de viajar foi, em certo sentido, inevitável. Ela nada tinha para fazer, ao mesmo tempo que a situação na Rússia e em Moscou ficava insustentável, com a carestia, o desrespeito às leis e uma guerra civil iminente. Mesmo assim, não foi fácil decidir, e ela foi dominada por uma espécie de depressão. Um dia, uma de suas amigas a pegou chorando e ela não conseguiu explicar a razão de seu choro nem para si mesma, pois não havia uma resposta simples. Ela leu as anotações em seu diário e reviveu, com um tremor no corpo ou até com nojo, certas situações que havia vivenciado, perguntando-se: "Fui *eu*, realmente *eu*, que vi isso? Fui *eu*, realmente *eu*, que fiz aquilo?". E ela pensou em todos os mortos que vira, desde o primeiro, o pequeno Vassíli, aquele pobre cavalariço em Moscou que nem era vítima da guerra, mas que morrera vitimado por um tumor cerebral, e perguntou a si mesma: "Alguém se lembrará deles? Quem conseguirá se lembrar de tantas vítimas?". Quando, 27 dias atrás, se despediu de seus amigos e de sua família russa, ela se sentiu fria e cansada, e suas palavras não foram suficientes para demonstrar o que se passava em seu íntimo.

Eles saem do vagão e entram na cidade. Nas ruas, ela pode ouvir uma mistura de línguas, nacionalidades e uniformes. Há chineses, mongóis, tártaros, hindus, russos (naturalmente), britânicos, romenos, americanos, franceses, italianos, belgas e japoneses (dois dos navios ancorados no porto pertencem a eles). A intervenção estrangeira na Rússia se iniciou, e o que começou como uma tentativa de manter a Rússia na guerra se transformou em uma oposição aos bolcheviques em Moscou. Os mercados e lojas estão bem supridos. Há até manteiga para comprar. No consulado, ela fala com um funcionário, que lhe entrega vinte libras, mandadas por seu irmão na Inglaterra. Há um navio que a levará de volta, mas o funcionário não pode lhe informar a data da partida.

Ela se delicia com o pão branco e a geleia de morango que havia muito não comia.

Nesse mesmo dia, Harvey Cushing escreve em seu diário:

Faz frio demais para esta época do ano, com um forte vento do norte. Um avião luta contra o vento, sem muito sucesso. Ficar aguardando, sem nada para fazer, é terrível. Todos sofremos com isso, pois sabemos que em outros lugares muitos cirurgiões têm trabalho demais e não dão conta dele.

190. QUINTA-FEIRA, 18 DE ABRIL DE 1918
Michel Corday escuta a conversa de alguns jogadores de cartas em Paris

Mais um dia nublado. As preocupações diminuíram um pouco. A grande ofensiva alemã já dura um mês. O avanço em direção ao sul, rumo a Paris, parece ter sido interrompido, mas novos ataques foram realizados ao norte, em Flandres. Os alemães também começaram a se mover no Oise e no Meuse.

O assunto principal das conversas em Paris é, claro, o canhão gigante.

Desde 23 de março a capital francesa tem sido bombardeada quase todos os dias por alguma peça de artilharia especial, camuflada, em algum lugar atrás das linhas alemãs. Os projéteis são lançados a 130 quilômetros, uma distância tão sensacional que de início especialistas duvidaram que isso fosse possível.[16] A notícia do rápido avanço alemão, junto com o novo atirador de granadas (que pode ficar em funcionamento durante duas horas), criou uma sensação de pânico geral na capital francesa.

O clima traz à lembrança o que aconteceu em agosto de 1914, escreve Corday em seu diário. Cada conversa era iniciada com a mesma pergunta preocupada: "Você está sabendo de algo?". As estações ferroviárias estavam apinhadas, com gente tentando arranjar lugar em algum trem para deixar a cidade, e as filas se estendiam até as ruas. Nos bancos abarrotados, depositantes procuravam sacar seu dinheiro, com medo de perder tudo caso os alemães conseguissem avançar até a capital. Mais de 1 milhão de pessoas abandonaram Paris naquela época, instalando-se em cidades como Orléans, cuja população triplicou. O comércio diminuiu a olhos vistos. Empresas que comercializavam produtos de luxo eram as que mais sofriam e eram obrigadas a despedir seus funcionários.

Corday nota que a maioria que deixa Paris para trás não quer ser vista como covarde e, para isso, dá as mais diversas desculpas. Há uma piada circulando: "Não, não estamos indo pelas mesmas razões que os outros. Estamos indo porque estamos com medo". Ele acha tudo uma grande hipocrisia, não apenas no que se refere às razões pelas quais o povo está fugindo, mas também ao tipo de pessoas que escolhem deixar a cidade. Muitos dos que nesse momento abandonam Paris, segundo ele, antes defendiam a guerra, exortando outros a "lutar até o amargo fim!". Agora que se sentem à mercê do perigo, fogem correndo. (Corday também tem a impressão de que são os integrantes da classe alta

---

16. Graças a um tubo comprido, as granadas podiam ser atiradas até a estratosfera, onde a resistência do ar era mais baixa, fazendo os projéteis voarem mais longe. A pressão na hora do lançamento era tão extrema que o calibre do tubo se ampliava a cada tiro dado, fazendo com que cada granada precisasse ser mais grossa do que a lançada anteriormente. Da mesma forma, a expansão da câmara de ignição significava que a carga explosiva precisava ser aumentada o tempo todo. Depois de cerca de sessenta ou setenta tiros, o tubo devia ser trocado e o calibre passava dos originais 21 centímetros para 24 centímetros. A peça consumiu muito dinheiro e tempo para ser construída e, considerando esse custo, seu benefício foi muito pequeno.

e da classe média que o fazem em primeiro lugar. Eles possuem os recursos necessários para isso e têm contatos com quem pode ajudá-los.)

A incerteza também nutre o medo. O que está de fato acontecendo? A censura — até de cartas e cartões-postais — aumenta a sensação de que se está vivendo em uma terra de ninguém entre o sólido e o líquido, uma zona penumbrosa onde não se pode mais confiar no que a imprensa e os comunicados oficiais dizem. De muitas maneiras, ambos acabam por se tornar uma coisa só. Atualmente, é proibido afirmar algo pela imprensa que contradiga o que está escrito em qualquer pronunciamento militar. Até conversas entre amigos podem ser punidas. Se, em uma conversa, uma pessoa diz que os alemães estão mais próximos do que as autoridades afirmam, ou que os recursos do inimigo são maiores do que foi dito oficialmente, ela pode ser acusada de "alarmismo". Também é proibido, por exemplo, comentar onde as granadas disparadas pelo canhão gigante caíram ou que danos elas causaram — fazê-lo pode resultar na penalidade de catorze dias de prisão.[17]

A denúncia é a razão pela qual a maioria dos casos chega aos tribunais. Há muitos cidadãos voluntários, encarregados de ouvir conversas alheias nas ruas, que devem chamar um policial se ouvirem algo que julgam inapropriado. Os telefones também estão sendo vigiados. Hoje, Corday observa que novas advertências foram dadas em seu ministério: "Em tal dia, em tal hora alguém ligou do seu escritório para o prefeito de Amiens. Ele respondeu que a situação era crítica e que os britânicos, como sempre, estavam fugindo. Uma conversa muito suspeita".

Ou ainda: "O número tal de seu escritório telefonou para uma senhora, de número tal, e perguntou como estava a situação. Na conversa foram utilizadas expressões inapropriadas, e isso não deve se repetir".

Desde que os bombardeios começaram em Paris, Corday percebeu como a normalidade é importante para as pessoas e como o ser humano é capaz de se adaptar às mais diversas situações.

Quando as granadas começam a cair, por toda Paris policiais usam apitos e pequenos tambores para advertir as pessoas. Essas cenas são consideradas mais ridículas do que assustadoras. Não é fácil tocar tambores e apitar ao mes-

---

17. A punição para esse e outros casos similares era mais severa para os que usavam uniforme, pois o crime estava sujeito à jurisdição militar.

mo tempo, e moleques de rua, donas de casa e soldados acham tudo muito divertido, caindo na gargalhada. Então, soam os estrondos ao longe. Corday, que nunca ouvira uma explosão de granada em sua vida, descreve o ruído em seu diário como "oco, pesado e ecoante". Ele conta que certa manhã, quando um projétil caiu, as pessoas continuaram calmamente a bater seus tapetes e que essas batidas abafaram o eco da explosão. Um de seus amigos nem ouviu a explosão, devido à barulheira que os argelinos, agora responsáveis pela limpeza, faziam ao recolher o lixo.

Corday se sente intrigado com a situação: "A cinquenta metros da catástrofe, as pessoas continuam a comprar e a vender, a amar e a trabalhar, a comer e a beber". Na Sexta-Feira Santa, uma granada atingiu a igreja da Place Saint-Gervais, durante a missa. A igreja se encontrava cheia de fiéis, que rezavam pelos mortos da semana anterior. Setenta e cinco pessoas foram mortas quando o telhado caiu sobre elas.[18] Nesse momento, Corday estava no metrô, e quando ele saiu para a rua na estação Madeleine, uma mulher desconhecida lhe contou o que acabara de acontecer. "Muitos rapazes, sentados na balaustrada da estação, contavam piadas uns aos outros."

Corday está em um café hoje. Quatro homens na mesa ao lado jogam cartas e comentam os bombardeios dos últimos dias: "Eu escolho paus... Foram catorze mortos... Trunfo!... e quarenta feridos... Copas!... mulheres, inclusive!... Trunfo! Trunfo e uma de espadas!".

191. DOMINGO, 19 DE MAIO DE 1918
Willy Coppens atinge o seu quinto balão de observação

O dia está bonito. Willy Coppens voa em direção a Houthulst, onde há um balão de observação alemão que ele planeja derrubar. Se conseguir, será a sua

---

18. Esse alto número era raro. Uma pontaria certeira de tal distância era impossível e, em geral, as granadas lançadas ao acaso causavam menos mortes que isso. Na verdade, muitas explodiam sem fazer uma vítima sequer. Parte da explicação era que, com o objetivo de manter baixo o peso das granadas, os construtores alemães usavam uma carga explosiva bastante pequena. Soldados experientes que ouviram a explosão acharam que ela parecia ser de uma granada de 7,7 centímetros. Paris foi bombardeada 44 vezes entre 23 de março e 9 de agosto; 367 granadas atingiram a cidade, matando 250 pessoas.

quinta vitória no ar, e cinco vitórias é o que se exige para um piloto ser considerado um ás da aviação na Aeronáutica belga. Coppens não está só dessa vez. Vai acompanhado por um pequeno grupo de aviões, que o irão proteger contra os caçadores alemães. (Quando um balão é atacado, pode-se vê-lo de muito longe, pois o céu fica coberto de fumaça das baterias antiaéreas e aviões inimigos costumam partir de imediato para o resgate.)

Eles chegam à linha de frente em Diksmuide e avistam uma patrulha inimiga, que segue para o sul. Coppens e seus acompanhantes vão na direção deles. Os aviões alemães não parecem interessados em combater, apenas continuam em frente. Ele vê o balão. Jatos de fumaça das baterias antiaéreas começam a florescer no céu.

Às 9h45, Coppen se aproxima do balão e o bombardeia.

Quando ele aterrissa, é logo cercado pelos outros pilotos, que o querem cumprimentar pela façanha. Toda a movimentação acaba atraindo até os cães para o local, entre eles o fox terrier Biquet, o pastor-alemão Malines e o cocker spaniel Topsy. Mais tarde ele e outro piloto são chamados para o quartel-general em Houthem, onde o comandante da Aeronáutica belga o parabeniza por chegar ao grau de ás da aviação. Quando Coppens retorna, por volta de seis e meia da tarde, sai para patrulhar mais uma vez a linha de frente.

À noite, seu nome é mencionado, pela primeira vez, no comunicado oficial belga para a imprensa. Coppens está muito orgulhoso e empolgado. Sabe que o informe será não só divulgado amplamente atrás da linha de frente, como publicado dentro e fora do país. Ele vai para De Panne, onde entra em contato com pessoas que estão lendo o último comunicado. Coppens em pessoa relata "a satisfação infantil que sentiu" quando os soldados começaram a ler o comunicado em voz alta e chegaram ao seu nome — *seu nome!* "Mas isso foi no início, antes de eu ficar famoso e blasé."

Nesse mesmo dia, Richard Stumpf vê um navio de guerra ser enfeitado para a festa de Pentecostes. Ele anota em seu diário:

O pequeno navio *Germania*, que é utilizado para depósito de munição, tinha ancorado perto de nós. Seu mastro estava enfeitado com ramos de bétula. Alguns galhos verdes também haviam sido colocados ao longo das suas bordas. Pensei comigo mesmo que aquelas pessoas, apesar dos quatro anos de guerra, não tinham perdido o seu senso de beleza. Do contrário, por que alguém iria arriscar sua vida subindo naquele mastro tão alto?

192. QUINTA-FEIRA, 23 DE MAIO DE 1918
Harvey Cushing compra açúcar em Londres

O hospital fica no número 10 da Carlton House Terrace, perto de Pall Mall e com vista para St. James's Park. O exclusivo endereço revela que o lugar é uma instituição privada. Destinada apenas a oficiais feridos na guerra, foi fundada por uma senhora da alta sociedade inglesa, Lady Ridley.[19] Cushing está aqui para visitar um conhecido, o piloto Micky Bell-Irving.

Cushing se encontra em Londres por motivos oficiais. Ele se reunirá com pessoas importantes, que fazem parte do serviço médico militar britânico, para discutir a administração dos recursos relativos ao tratamento de distúrbios neurológicos. Não ficou nada triste em deixar Boulogne-sur-Mer por alguns dias. A segunda ofensiva alemã da primavera, que atingiu Flandres, já chegou ao fim e uma paz preocupante paira sobre o front. O ataque aéreo alemão continua intenso. A noite anterior à viagem de Cushing estava clara, enluarada e sem nuvens e Boulogne-sur-Mer foi pesadamente bombardeada.

Londres está sendo uma confusa experiência para Cushing.

Apesar de já estarem no final de maio, a cidade passa uma impressão sombria e depressiva. Há inválidos por todos os lados. A maioria das pessoas parece desejar a paz, e a opinião geral é de que, se os Estados Unidos não tivessem entrado na guerra, esta já teria terminado. Ao mesmo tempo, as pessoas ficaram mais abertas, a notória reserva inglesa parece ser algo do passado. Nas ruas e no metrô, Cushing foi abordado de maneira educada por vários londrinos, obviamente atraídos pelo seu uniforme americano, oferecendo-lhe ajuda ou dando-lhe explicações sobre coisas que não precisavam ser explicadas.

Há falta de alimentos em Londres, sobretudo de açúcar e manteiga. Quando Cushing, hoje, tomava seu desjejum no hotel, ele foi servido de pão francês besuntado com uma espécie de margarina nada apetitosa. E não havia açúcar

---

19. Prima do primeiro lorde do Amirantado, Winston S. Churchill.

para adoçar o café. Ao mesmo tempo, contudo, em uma loja para militares americanos ele conseguiu comprar um quilo de açúcar por alguns pence. A mercadoria foi entregue, discretamente, em uma caixa que originalmente continha Fatima Cigarettes e ele deu o açúcar para um conhecido seu inglês. Há de tudo para comprar, basta ter dinheiro e contatos. Cushing não observa nenhuma piora na saúde geral. As pessoas comem menos, andam mais, e "seus cérebros devem estar se sentindo bem com isso".

Cushing chega ao quarto onde o aviador está internado. Micky não foi ferido em combate, mas quando fazia acrobacias aéreas. Ele tinha feito vários loops quando uma asa se partiu de repente e o avião caiu de uma altura de 1500 metros. Sobreviveu como que por milagre, mas ficou gravemente ferido. Os médicos foram obrigados a amputar-lhe uma das pernas.

Micky está sentado em seu leito, segurando o que sobrou de sua perna. Sente dores horríveis e está sob efeito de uma forte dose de sedativos. Mesmo assim, cumprimenta o visitante com seu charme e educação habituais. Depois de alguns momentos, o americano percebe que o enfermo não o reconheceu. Mais tarde, Cushing escreve angustiado em seu diário: "Agora é apenas um detrito humano atormentado. Melhor seria se ele tivesse morrido".

193. QUINTA-FEIRA, 30 DE MAIO DE 1918
René Arnaud reencontra seu regimento em Villers-Cotterêts

A licença de Arnaud terminou quatro dias atrás e ele deixou Paris para se reencontrar com seu regimento e a companhia que ele agora lidera como capitão recentemente promovido. O regimento se movimentou para o leste, em direção ao novo avanço alemão. Há alguns dias teve início a terceira fase da ofensiva alemã da primavera, com ataques maciços dessa vez, no antigo campo de batalha nos arredores de Le Chemin des Dames. De novo, os êxitos alemães foram consideráveis: eles levaram consigo 50 mil prisioneiros de guerra e oitocentos canhões, e se locomovem com extrema rapidez em direção ao Marne, que fica a apenas noventa quilômetros de Paris.

Arnaud seguiu os mesmos procedimentos por três dias seguidos. Pela manhã, ele saía de Paris e pegava o trem para a área onde o regimento devia se encontrar, mas ao chegar ao local a unidade já havia partido. À tarde, estava de volta à capital francesa. É óbvio para ele que o alto-comando do Exército não sabe o que está acontecendo de fato e está tentando, através de repetidos movimentos à maneira de uma partida de xadrez, juntar tropas de reserva suficientes para preparar um contra-ataque.[20]

Hoje, quando chega ao seu destino, ele fica sabendo que seu regimento ainda se encontra no local, agora perto de Villers-Cotterêts. Ele pega carona em um caminhão de transporte de carne no último trecho da viagem. Arnaud não tem dificuldade em ver a ironia da situação.

194. SEGUNDA-FEIRA, 3 DE JUNHO DE 1918
René Arnaud lidera um ataque em Masloy

Ele é acordado com um solavanco. À sua volta, muitas árvores. Perto dele, o tenente Robin, nervoso. "Estão nos bombardeando!" Granadas alemãs de 7,7 centímetros caem ao redor deles. Estrondos altos e secos. Ele e o resto da companhia saem às pressas do vale onde passaram a noite. Correm em direção a algumas casas que ficam a menos de cem metros. Para sua sorte, a maioria dos projéteis inimigos não explode, um fenômeno cada vez mais comum.

Num porão, encontram-se com o comandante do batalhão que controla essa seção. Arnaud e sua companhia na verdade foram enviados como reservas de uma companhia de outro batalhão, em outra divisão. Durante a noite, eles se perderam e agora não sabem o que devem fazer. Mais uma vez, são os combates de defesa que os aguardam.

Ele percebe no Exército francês sinais de "uma mistura estranha: está perdendo o controle e retomando-o ao mesmo tempo". Os indícios de crise são muitos. Nas estradas, é comum ver soldados "que se perderam de seu regimento", uma expressão que ele já se cansou de ouvir. A preocupante falta de soldados de infantaria fez com que esta fosse preenchida às pressas com unidades da cavalaria. Isso é algo que os soldados comuns veem com malícia e mal disfarçada

---

20. Esses deslocamentos de trem confusos e frequentes ao longo da linha de frente foram a sorte dos alemães alguns meses depois. Chegara a vez deles de realizar essas movimentações, na tentativa de antecipar investidas do inimigo. Calculou-se que um terço do Exército alemão, em diversas ocasiões, viajou de trem pelo interior da França e da Bélgica.

alegria, pois eles acham que até agora os homens da cavalaria[21] levavam uma vida cheia de confortos atrás das linhas, aguardando tranquilamente pelo prometido, mas nunca realizado, avanço francês. O choque e a surpresa da decisão já passou. Agora o Exército francês se prepara para um contra-ataque. Ainda há uma sensação de pânico entre os soldados.

Arnaud explica a situação para o major no porão, dizendo que estão perdidos e que, por isso, ele põe sua companhia à disposição. O major agradece e a conversa é interrompida por um sargento gordo, que desce a escada às pressas:

"Major, os alemães estão atacando com tanques."

"Maldição!", gritou o major. "Temos que sair daqui agora!"

Com um rápido movimento, natural mas nada heroico, ele apanhou seu cinto e seu revólver, que estavam jogados em uma mesa. Então, lembrou-se de mim:

"Capitão, já que estão aqui, iniciem o contra-ataque!"

"Mas... em que direção, *mon commandant*?"

"Contra-ataque, sempre em frente!"

"Sim, *mon commandant*!"

Em apenas poucos minutos, a companhia de Arnaud se posiciona em duas colunas, com vinte metros de distância entre eles. Durante o inverno todo, ele treinou os seus soldados, uma tarefa que não foi das mais fáceis, pois muitos deles eram mais velhos, medrosos, inexperientes e destreinados, enfim, homens que passaram grande parte da guerra em posições protegidas, atrás da linha de frente, e que ali permaneceriam se não fosse a falta de soldados no momento. Arnaud vê suas colunas avançar em excelente ordem e fica bastante satisfeito. Quase como nos campos de treinamento.

A companhia avança. Todos se protegem, aguardam, vão para a frente, se abaixam de novo. Na terceira tentativa, ele vê que dois homens ainda se encontram no mesmo lugar e não acompanham os demais — estão sob o fogo inimigo. "Abaixem-se, homens, abaixem-se!" Todos param e aguardam. Eles se encontram na parte mais alta de um declive e podem avistar todo o caminho, até

---

21. A alegria se devia ao fato de que a unidade de oficiais da cavalaria era uma espécie de reserva especial para a impopular aristocracia francesa, o que tornava seus integrantes ainda menos simpáticos aos outros soldados.

o rio. Não vislumbram nenhum inimigo. Ou melhor, ao longe, sob uma árvore, Arnaud vê uma figura, que reconhece ser um tanque de guerra alemão. Ele decide que já basta:

> Um oficial inexperiente recém-chegado ao front, com a cabeça cheia de teorias, continuaria com o avanço e, assim, teria a maioria de seus homens vitimados para nada. Mas em 1918 já tínhamos experiência suficiente na realidade do campo de batalha para desistir da operação a tempo. Os americanos que agora chegavam em Château-Thierry não tinham essa experiência, e sabemos das imensas perdas que sofreram durante os poucos meses em que estiveram em atividade.

Arnaud entrega o comando a um de seus sargentos — o tenente Robin foi ferido no braço — e retorna para completar seu relatório. A ordem foi executada.

Mais tarde, eles são dispensados e podem se reencontrar com seu regimento.

Depois, Arnaud fica sabendo que um novo cargo o aguarda. Ele é nomeado comandante do batalhão, pois o major que antes estava nessa função foi ferido. O relato disso, como dado pelo homem que leva a mensagem, é o seguinte: "O maldito monte de bosta só foi atingido por um estilhacinho na mão e deu no pé. O puto — aquele ferimento não impediria nem o meu filho de ir à escola".

195. DOMINGO, 23 DE JUNHO DE 1918
Olive King é condecorada em Salônica

Será um dia de calor insuportável e muitas decepções. Olive sabe que vai ser condecorada mais uma vez. Agora, com a medalha de ouro sérvia por serviços prestados, a cerimônia está marcada para mais ou menos dez da manhã. Calculando conseguir chegar a tempo se levantasse por volta das nove, ela ficou acordada até as três da madrugada, escrevendo um relatório. (Olive está tentando abrir uma cantina para os motoristas sérvios mal pagos e às vezes subnutridos que trabalham com ela.) Mas alguém a acorda às seis horas, batendo com força na porta. Um rosto espiando pela janela lhe diz que aguardam por ela na garagem. Ela toma um banho rápido para despertar e sai.

A cerimônia de fato tem início às dez horas. Um coronel faz um discurso muito longo, elogiando as suas contribuições e pondo a medalha de ouro redonda e reluzente em seu peito. Olive observa que há uma pequena caixa sobre a mesa e que talvez receba mais uma medalha, mas para sua decepção não recebe mais nada. Por volta das onze e meia, é hora de se encontrar com Artsa, um dos motoristas sérvios, que prometeu ajudá-la a explicar a planta da cantina para os engenheiros sérvios que irão construí-la. Mas ele não aparece, como tinham combinado. Ela está com fome, pois não teve tempo de tomar café da manhã. Decide, então, almoçar. Nem isso dá certo. A mulher que faz a limpeza em sua cabana aparece para fazer a faxina da semana e Olive precisa estar presente. À tarde, chega a correspondência e ela espera que haja uma carta de seu pai, mas não recebe nada.

Muitas decepções. Grandes e pequenas. Tirando alguns pequenos conflitos, nada ocorreu no front em Salônica. Agora mandaram 20 mil soldados franceses e britânicos para a França, com o objetivo de impedir a nova ofensiva alemã por lá. (Há rumores de que os búlgaros, e não os Aliados, preparam um contra-ataque aqui — é o que alguns desertores lhe contaram.)

Olive King está exausta e irritada. Sente saudades de casa. Já está trabalhando aqui há 33 meses, sem nenhum período de licença. Não são apenas a monotonia em Salônica e a rotina que a fazem infeliz. Mais um caso de amor não deu certo. Depois da desilusão com Jovi, ela conheceu outro sérvio, o já mencionado Artsa. A relação entre eles ficou séria e ele a pediu em casamento. Mas seu pai não lhe deu permissão para se casar com o jovem sérvio. Olive aceitou a proibição sem maiores traumas.

Alguma coisa dentro dela parece ter se rompido. Assim, em uma carta anterior, quando de repente assumiu uma postura ideológica — contrariando seus velhos hábitos — e, com tremor na voz, começou a fazer exortações sobre geopolítica e os objetivos da guerra, pode-se concluir que ela estava tentando convencer a si mesma. Uma tentativa de estancar a hemorragia em sua alma através de palavras:

> Pelo visto, ainda há milhões de pessoas que não sabem por que a Alemanha entrou na guerra. Eles têm uma vaga ideia de que o país precisava ter acesso ao mar, por isso invadiu a Bélgica e até a Holanda, mas não da mesma maneira que queria a Sérvia, ou seja, para poder se unir à Turquia. A única maneira de salvar o Império Britânico é apoiar o sonho iugoslavo de união e colocar um Estado forte a impedir a marcha para o leste.

Já é noite e Olive King se encontra em sua pequena cabana de madeira com todas as janelas e portas abertas. Faz muito calor. O vento que refrescou os últimos dois dias desapareceu. Ela está "cansada e cheia de tudo". Derrama um pouco de água-de-colônia nos pés e a assopra, sentindo sua evaporação como uma pequena e fria carícia.

196. DOMINGO, 30 DE JUNHO DE 1918
Harvey Cushing discute o futuro em Paris

Lá fora, sol forte e um lindo dia de verão. Aqui dentro, melancolia. É o homem à sua frente que transmite essa sensação. Seu nome é Édouard Estaunié, um escritor de 56 anos que ficou famoso antes da guerra com seus romances psicológicos e sociomoralistas. (Ele pertence à mesma geração de Marcel Proust e às vezes é mencionado com Anatole France e Louis Bertrand.)[22] A casa está vazia e silenciosa. Estaunié mandou a família para longe, para fugir dos ataques quase diários dos bombardeiros e dos canhões de longo alcance alemães.

Cushing se tornou versado em ataques aéreos. Quando ele e um colega chegaram em Paris, algumas noites atrás, sua viagem de metrô foi interrompida pelo alarme de ataque aéreo. Pouco depois, puderam acompanhar o ataque da varanda do Hôtel Continental, com vista para os Jardins das Tulherias: "O avião Gotha, luzes, granadas, explosões, chamas, um pequeno incêndio e Paris às escuras". Passaram pela Place Vendôme, onde as calçadas estavam cobertas de cacos de vidro, e as casas marcadas pelas explosões. Não são esses ataques, que já duram meses, que fizeram com que Estaunié entrasse em depressão, mas a situação geral da guerra.

Há mais de um mês teve início a terceira ofensiva alemã, dessa vez contra o nordeste de Paris. Os alemães comprovaram, de novo, que conseguem romper a linha dos Aliados onde desejarem. Foram muito rápidos. Duas semanas atrás fizeram uma pausa. Agora encontram-se a apenas setenta ou oitenta quilômetros de Paris. Todos estão na expectativa de que os alemães retomem o avanço, e a capital francesa será o próximo alvo.

22. Estaunié ficou conhecido por ter cunhado a palavra "telecomunicação" em 1904. Engenheiro de formação, ele trabalhou na empresa de correios e telégrafos francesa.

É um colega seu, Cummings,[23] que conhece Estaunié e o levou para visitá-lo. Os três não conseguem parar de falar na guerra. O escritor está apavorado e deprimido com os estragos dos últimos meses, que atingiram muitas das belas e grandes cidades francesas: "Primeiro, Reims, depois Amiens, agora Soissons, logo será a vez de Paris". Estaunié acredita sinceramente que a capital será atacada e está convencido de que a única coisa a fazer é travar uma batalha final heroica: "Melhor enfrentar o inimigo e perder 40 mil homens do que perdê-los em uma retirada, como da última vez". Cushing e Cummings não concordam. Deve-se preservar o Exército acima de tudo, para que ele possa continuar lutando. Não, responde Estaunié, veja-se o caso do Exército belga ou do sérvio. Eles foram preservados, mas seus países não existem mais. A França também vai desaparecer, mas fará isso até que o último homem caia. *C'est effroyable.*

Os dois americanos prosseguem na tentativa de apresentar um contra-argumento e sugerem que eles próprios representam um: o Exército americano na França está ficando mais forte. Cushing ouviu dizer que chegaram cinquenta ou mais divisões, compostas de 750 mil homens. Com essa ajuda, não seria possível deter o avanço alemão? E há a gripe mortal que começou a se espalhar em Flandres — segundo rumores, ela já afetou seriamente o inimigo. Mas é difícil de convencer o francês. Estaunié então se torna filosófico: historicamente, na luta entre a justiça e a barbárie, a barbárie sempre triunfou.

Entristecidos com as profecias pessimistas do francês, Cushing e seu colega deixam a casa pesarosos e saem para o calor do sol. Eles estão perto da torre Eiffel, do Arco do Triunfo e de outros monumentos famosos. Caminham pelas ruas de Paris durante toda a tarde, ansiosos para ver o máximo possível e guardar tudo na memória. Ambos têm a sensação de admirar tudo pela última vez.

197. TERÇA-FEIRA, 16 DE JULHO DE 1918
Edward Mousley escreve um soneto em uma colina de Bursa

É como se duas pessoas estivessem dentro de sua mente. Ou talvez seja apenas o conflito entre razão e emoção.

---

23. Não se tratava do poeta e. e. cummings, que foi motorista de ambulância na França durante certo tempo (junto com o amigo John Dos Passos), mas que já voltara para os Estados Unidos, depois de passar três meses aprisionado na França, acusado de espionagem (leia-se: pacifismo).

Uma parte dele desconfia que a guerra chegou ao seu momento crítico. Parece que os alemães não estão conseguindo avançar na França e os seus aliados (os austro-húngaros, os búlgaros e os otomanos) já mostram muitos sinais de estar cansados da guerra. Mousley se sente bem. Ele convenceu a justiça militar otomana a absolvê-lo da acusação de tentativa de fuga. O seu passado como estudante de direito, com especialidade em direito internacional, e sua tática de contra-ataque o ajudaram. Ele está de volta entre os oficiais prisioneiros em Bursa, onde, sob severa vigilância, pode pescar e assistir ao futebol.

Uma parte dele se desespera ao assistir aos melhores anos de sua vida sendo passados sob aprisionamento.

Hoje, Mousley se encaminha mais uma vez para a estância termal. Como de costume, um guarda o acompanha. Faz muito calor. Ele se sente cansado e desanimado. Os dois caminham pelas colinas que rodeiam Bursa. A vista é magnífica, sobretudo a da alta montanha, Kesis. Mousley percebe que não terá tempo de ir aos banhos. Ele se senta em um canto e escreve um soneto:

> *One day I sought a tree beside the road*
> *Sad, dusty road, well known of captive feet —*
> *My mind obedient but my heart with heat*
> *Rebelled pulsating 'gainst the captor's goad.*
> *So my tired eyes closed on the "foreign field"*
> *That reached around me to the starlight's verge,*
> *One brief respite from weary years to urge*
> *Me to forget — and see some good concealed.*
> *But skyward then scarred deep with ages long*
> *I saw Olympus*[24] *and his shoulders strong*
> *Rise o'er the patterned destinies of all the years*
> *Marked with God's finger by the will of Heaven —*
> *Tracks men shall tread, with only Time for leaven —*
> *That we might see with eyes keen after tears.**

---

24. Olimpo é o nome grego de Kesis. O soneto foi escrito quando ainda havia uma minoria grega nesta parte da Turquia. A guerra que os expulsaria de lá chegaria dentro de alguns anos.

* Em tradução literal: "Um dia sentei-me debaixo de uma árvore ao lado da estrada/ Triste, empoeirada estrada, que os pés dos prisioneiros conhecem tão bem —/ Minha mente obediente e meu coração em chamas/ Com batidas fortes revoltou-se contra os carcereiros./ Meus cansados

Mais tarde, ele reconhece que "há poucos momentos como este", ao considerar sua explosão lírica. Ele acrescenta em seu soneto um pouco do dialeto que aprendeu em seus anos na prisão: "A necessidade de sobrevivência, a busca por alimentos e dinheiro, criou uma organizada rede de intrigas e planos e exigiu muita da nossa atenção".[25]

198. SEXTA-FEIRA, 26 DE JULHO DE 1918
Michel Corday observa algumas mulheres em uma rua ventosa em Paris

Nessa manhã, Corday vai de trem para Paris. Como de costume, escuta a conversa dos outros passageiros. Alguém diz: "Estamos avançando!". Um tenente francês mostra o jornal para um militar americano (uma pessoa que ele não conhece e que talvez não saiba francês), apontando para o texto em negrito e dizendo: "Excelente!".

Um senhor está muito feliz com os últimos resultados positivos do Exército. Em meados do mês, os alemães iniciaram mais uma ofensiva, dessa vez nos arredores do Marne, que foi evitada por um contra-ataque aliado. Agora o inimigo interrompeu seus ataques e passou para o outro lado do conhecido rio. A tentativa dos alemães em vencer a guerra com um golpe mortal deu em nada. O fracasso da operação ficou mais que claro, tanto para os estrategistas como para a população civil. O resultado do ataque seriam avanços em vários lugares na linha de frente dos Aliados — avanços que só parecem impressionantes vistos no mapa, e que na prática não passam de recuos. Corday ouve o entusiasmado senhor explicar a nova e inesperada situação no front para um capitão desconfiado:

---

olhos se fecharam perante 'essas terras estranhas'/ Que me envolviam até o céu estrelado./ Uma pequena pausa diante do laborioso ano que me estimulava/ A esquecer — e ver algo de bom./ Mas, no céu então marcado pelos anos,/ Eu vi o Olimpo e seus ombros fortes/ Erguer-se sobre o destino formado por muitos anos,/ Marcado pela vontade do céu pelos dedos de Deus —/ Pessoas devem seguir os caminhos e são moldadas pelo tempo —/ Com as lágrimas aguçando o nosso olhar". (N. T.)

25. O que Mousley expressa fica muito melhor no original, em que ele utiliza trocadilhos intraduzíveis, como: "*plots and plans and pots and pans*".

"Estou lhe dizendo, são 800 mil homens se preparando para ir até lá."

O capitão não acreditou e perguntou: "O senhor tem certeza?".

Ao que o outro respondeu: "Oitocentos mil homens e vamos aprisionar toda a cambada!". Ele se recostou e, com o dedo, seguiu a operação no mapa impresso na primeira página do jornal: "Veja aqui, aqui e ali!".

O capitão, agora convencido, disse: "Estão mesmo acabados! Devem odiar estar nessa situação! Imagine-se no lugar deles…".

Nesse mesmo dia, Corday ouve falar da morte de uma mulher que, no início da guerra, acabou isolada em Lille, atrás das linhas alemãs. Mais tarde ela conseguiu ir ao encontro do marido, que, ao ouvi-la "elogiar os oficiais alemães devido ao seu comportamento cavalheiresco", matou-a com uma navalha. Agora ele foi absolvido.

Mais tarde, Corday anda por uma rua em Paris. Venta muito. Seu amigo está de bom humor, pois recebeu notícias do filho, que é sargento do Exército. O amigo fica mais animado ainda quando vê o vento levantar as saias das mulheres. Tudo mudou com a guerra, inclusive a moda feminina. Ao longo dos anos, por motivos mais práticos do que ideológicos, as cores se tornaram mais sóbrias, o material, mais simples, os modelos, mais adequados para o trabalho e para uma vida ativa. E essas mudanças afetaram tanto o que está à mostra quando o que fica escondido: as excessivas e emperiquitadas roupas íntimas usadas antes da guerra desapareceram e foram substituídas por peças menores e com menos enfeites. A quase obsessão com as curvas herdada do século XIX, que exigia espartilhos engomados que restringiam os movimentos, caíram de moda. As linhas agora são mais retas e as saias nunca foram tão curtas — e confeccionadas com um tecido tão leve e tão fino. As senhoras na rua precisam se esforçar para manter as saias no lugar quando venta forte. Na frente de Corday e de seu amigo, caminha uma jovem. Um vento forte levanta sua saia até a cintura e o amigo de Corday sorri, muito satisfeito.

199. UM DIA DE VERÃO EM 1918
Paolo Monelli e a vida atrás da cerca de arame farpado em Hart

Ele tentou escapar em duas ocasiões — na primeira, apenas dez dias depois de ter chegado ao castelo de Salzburgo. E foi capturado nas duas.

Alguns dos prisioneiros se adaptaram à vida na prisão, decididos a aguardar até o final da guerra. Monelli, contudo, está perecendo com a melancolia. Ele se sente aprisionado num presente eterno, imutável e odioso. Tem 26 anos e acha que está perdendo a juventude nesse lugar. Talvez já tenha perdido. Ele passa os dias relembrando o passado, pensando na paz e em uma vida normal, com as atividades do dia a dia. Agora tudo isso parece impossível ou até inacreditável, como andar em uma calçada com sapatos recém-engraxados ou tomar chá num café com uma jovem conhecida. Ele pensa muito em mulheres. O grau de frustração sexual dos prisioneiros é bastante alto. A comida é intragável e escassa. A fome está sempre presente.[26]

Agora ele se encontra em Hart, que é o seu terceiro campo para prisioneiros. Eles vivem em barracas compridas, abafadas e cheias de moscas. Além da cerca de arame farpado, vislumbra-se um cenário rural bucólico, com cheiro de feno recém-cortado, e em algum lugar além das montanhas verde-azuladas no horizonte fica a Itália. Monelli escreve:

Hoje é exatamente como ontem. Nada muda. Hoje, como ontem e como amanhã. Chamada pela manhã nos dormitórios, inspeção noturna para controlar se está tudo desligado. Uma vida sem sentido, em que não se pensa mais no futuro, pois não se tem nem coragem de pensar sobre isso. Uma vida monótona, inalterável, cheia de memórias frustrantes.

Os passos nos intermináveis corredores das barracas, iluminadas apenas por luzes que entram pelo teto, nos levam a pensar que já estamos mortos e sepultados. Somos apenas cadáveres inquietos, que deixam suas sepulturas para dar uma caminhada com os outros mortos. Ódio dos camaradas com quem os austríacos nos obrigam a ter intimidade, um odor terrível causado por quinhentos prisioneiros, um rebanho faminto e egoísta, corpos jovens destinados à ociosidade e à masturbação. E não é que eu pense que sou melhor que eles, apesar dos meus ocasionais momentos de lucidez, e apesar de uma conversa animada com amigos sobre batalhas do passado que ainda consegue me estimular e confortar ao longo das humilhações do dia.

Mesmo apesar de eu ter aprendido a jogar xadrez; mesmo apesar de às vezes me

---

26. Isso incluía também os guardas do campo. A escassez de alimentos era geral na Áustria--Hungria a essa altura, em grande parte devido às condições caóticas e à falta de transporte.

apertar contra a cerca de arame farpado como uma expressão do meu desejo pelas mulheres que passam; mesmo apesar de contra minha vontade eu dar um quilo de arroz para a refeição em comum, como se fosse uma contribuição obrigatória. E, quem sabe, mesmo apesar de eu me humilhar pedindo emprestado a um camarada aquele livro pornográfico.

200. DOMINGO, 28 DE JULHO DE 1918
Elfriede Kuhr trabalha no hospital infantil de Schneidemühl

Elas fazem o máximo que podem. Quando os bebês não ganham o seu leite, elas lhes dão arroz cozido, mingau de aveia ou apenas chá. Quando as fraldas começam a escassear, o que é frequente, elas utilizam no lugar um novo tipo, feito de papel. Não são muito boas, pois ficam grudadas na pele e machucam bastante ao ser retiradas.

Havia substitutos para tudo. Café que não é café, alumínio falsificado, imitação de borracha, bandagens de papel, botões de madeira. A inventividade pode até parecer impressionante, mas o mesmo não pode ser dito dos produtos dela resultantes: tecido feito de fibra de urtiga e celulose; pão feito de uma farinha mista de cereais, batata, feijão, ervilha, trigo-sarraceno e castanha-da-índia (que só se torna palatável alguns dias depois de assado); cacau feito de ervilhas torradas e centeio, com a adição de alguns condimentos químicos para dar um gosto parecido; carne feita de arroz amassado, cozido em gordura de ovelha (e enfeitada com um osso falso, de madeira); tabaco feito de raízes e casca de batata seca; solas de sapato feitas com pedaços de madeira. Existem 837 preparados aprovados para substituir a carne na fabricação de salsichas e 511 substitutos de café registrados. As moedas de níquel foram substituídas por moedas de ferro, as caçarolas de alumínio por panelas de ferro, as telhas de cobre por telhas de folha de flandres. O ano de 1914 foi substituído pelo ano de 1918, no qual tudo é mais frágil, mais fino, menos resistente. Produtos de mentira para um mundo de mentira.

Elfriede Kuhr está trabalhando em um hospital infantil em Schneidemühl. Foi difícil para ela se acostumar com este trabalho. Levou algum tempo para conseguir conter seu nojo ao ver sangue, pus e escaras ou cabeças cobertas de crostas. Quase todas as crianças se encontram desnutridas ou sofrem de alguma enfermidade resultante da desnutrição profunda. (Essa desnutrição é consequência, em parte, do bem-sucedido bloqueio britânico e, em parte, dos problemas nos sistemas agrícola e de transporte que ocorrem na Alemanha, por causa do esforço de guerra. Mesmo quando há alimentos, faltam trens para transportá-los.) Essas crianças também são vítimas da guerra, tanto quanto os soldados mortos no front ou as crianças a bordo do *Lusitania*, que morreram afogadas. Nos últimos anos, a mortalidade infantil dobrou no país.[27]

Muitas das crianças pequenas foram abandonadas por suas mães, jovens esposas de soldados que chegaram ao limite de suas forças. Elfriede escreve:

Pobres bebês! Só pele e osso, morrendo de fome. Que olhos grandes elas têm! Quando choram, ouve-se apenas um som fraco. Um dos meninos não viverá por muito tempo. Seu rosto lembra o rosto seco de uma múmia. O médico lhe dá injeções de soro. Quando me debruço sobre seu berço, o pequeno me olha com seus olhos grandes, que parecem os de um homem adulto, ciente do que acontece, mas ele tem apenas seis meses de idade. Em seu olhar vejo uma pergunta, na verdade uma censura.

Quando tem oportunidade, ela rouba fraldas de verdade para que o pequeno não precise sofrer com aquelas horríveis fraldas de papel.

Elfriede se levanta às seis da manhã, começa a trabalhar uma hora mais tarde e seu expediente termina às seis da tarde. Seu irmão, Willi, foi convocado como soldado da Aeronáutica e ainda está em treinamento. Quando ela o encontrou depois de ele ter se alistado, achou que estava com uma péssima aparência em seu uniforme e ainda por cima com aquele chapéu de verniz esquisito na cabeça. O mais triste foi vê-lo parado, com o olhar perdido ao longe, as mãos ao longo do corpo. Assim era quando ela brincava de tenente Von Yellenic,

---

27. A mortalidade entre mulheres também aumentou muito. Em 1916, subiu para 11,5% e, em 1917, para 30,4%, devido às condições de vida durante a guerra. A mortalidade entre os idosos em 1918 era 33% mais alta que em 1914. Foi estimado que 762 mil civis alemães morreram durante o conflito por desnutrição e enfermidades. Em Viena, o peso médio das crianças de nove anos baixou de trinta para 22,8 quilos; na mesma cidade agora eram consumidos apenas 70 mil litros de leite por dia, ante os 900 mil litros consumidos antes da guerra. Muitas instituições para doentes mentais e idosos foram fechadas simplesmente porque seus pacientes morreram de fome. Pode-se acrescentar ainda que o número de nascimentos diminuiu de maneira drástica.

só que isso agora é realidade, e muitas vezes pior. Elfriede viu Willi duas semanas atrás, no aniversário dele. O irmão lhe disse duas vezes: "Tudo está prestes a estourar".[28]

201. TERÇA-FEIRA, 6 DE AGOSTO DE 1918
Pál Kelemen vê alguns prisioneiros de guerra americanos em Arlon

Ele vive com conforto em uma parte da casa de dois andares, tendo um quarto, uma sala e uma entrada independente só para si. Parece até que o apartamento foi construído para ser alugado. Mas quem vai de férias para esta parte da Bélgica agora? Como um gesto simbólico de colaboração e agradecimento,[29] o Exército austro-húngaro enviou quatro divisões, junto com seus famosos morteiros de 30,5 centímetros, para a Frente Ocidental. Pál Kelemen está em um deles. A viagem de trem desde o Friul levou oito dias, passando pelos terríveis campos de batalha do Isonzo, pela Áustria ("cidades, cultura, mulheres, mas em todo lugar os sintomas do cansaço da guerra multiplicados por mil"), através da Alemanha (onde ele viu a cidade de Metz destruída e em pânico), passando por Luxemburgo e entrando no território belga, até a pequena cidade de Arlon. Quando o trem chegou na estação, a região estava sob o fogo intensivo da artilharia. Ele sentiu medo.

Arlon está ocupada há quatro anos. Os alemães fizeram o possível para que a cidade continuasse a ter a sua vida normal, mas não tiveram sucesso nessa missão. Lojas, restaurantes e hotéis continuam abertos como antes, mas qualquer um pode observar que a vida aqui nada tem de normal, pois os bombardeios são constantes, atingindo alemães e belgas, sem distinção. Todos os dias, às oito da noite, a cidade para. Há o toque de recolher, com precisão prussiana, e as luzes são todas apagadas. Não há comparação com a despreocupação austríaca, tão charmosa e ineficiente. Aqui se exerce uma disciplina rígida. Outro sinal de anormalidade é a falta de homens no local, com exceção dos idosos ou dos muito jovens, e a presença dos prisioneiros russos, usados como trabalha-

---

28. A frase exata em alemão foi: "*Es kracht im Gebälk*".
29. Depois de ser salvo pela intervenção alemã em inúmeras ocasiões desde 1915 na Frente Oriental, nos Bálcãs e na Itália.

dores. Os homens da cidade se encontram no Exército belga, na Alemanha para trabalhos forçados ou em outro lugar qualquer. Os alemães tentam se aproveitar ao máximo, em termos econômicos, dessa e de outras regiões ocupadas.

Veem-se mulheres por todos os lados, o que agrada a Kelemem, com seu grande interesse pelo sexo oposto. Mas logo fica claro que existe um muro intransponível entre ele e as belgas. A população civil não tem nenhum respeito pelos ocupantes e até evita olhá-los. Quando algo lhes é perguntado, os belgas fingem não compreender, demonstrando total desprezo com seus olhares e gestos. Na esperança de cair nas graças da proprietária da casa onde mora, Kelemen tentou explicar que ele é *húngaro*, e não alemão, e que os húngaros já lutaram contra os alemães inúmeras vezes. Mas a mulher pareceu nada entender. Em Arlon ele já reparou em "uma jovem charmosa", e alguns dias atrás, ao vê-la diante de uma janela aberta, foi até lá para conversar com ela em francês. Ele mal havia começado a falar quando uma mulher mais velha apareceu e tirou a jovem da janela. Mais tarde, Kelemen ficou sabendo que a moça é filha do chefe de polícia local, que foi aprisionado pelos alemães.

A quarta ofensiva alemã começou em meados do mês passado, dessa vez junto ao Marne, mas parece ter o mesmo destino da anterior: muito sucesso no início e grandes perdas para os adversários (anunciadas em manchetes em negrito e ao som triunfal de sinos de igreja pelos alemães), seguidos de uma gradual diminuição no avanço, como resultado de problemas de manutenção dos equipamentos e a resistência mais firme dos Aliados, que logo recorreram a unidades de reservas. O envolvimento de tropas americanas também está se tornando cada vez mais visível. Os recém-chegados combatem com uma imprudência que beira a indiferença, absolutamente contrários aos novos insights sobre táticas militares adquiridos nos últimos anos, e, em consequência disso, sofrem muitas perdas desnecessárias. Sua presença faz diferença, sobretudo quando se pensa que a ofensiva alemã estava quase atingindo seu objetivo *antes* que os americanos entrassem no jogo. Há três dias a unidade alemã está de volta ao ponto em que começou.

Arlon fica muito próxima da seção do front onde ocorreu a última ofensiva e as unidades austro-húngaras foram chamadas como reforços no front alemão. Hoje, Kelemen vê, pela primeira vez, um pequeno grupo de prisioneiros americanos ser levado embora. Para ele, essa visão é bastante desmoralizante. Ele anota em seu diário: "Sua espantosa forma física, seus uniformes de excelente qualidade, o couro de suas botas, cintos e tudo o mais, seus olhares seguros, apesar de serem prisioneiros, levaram-me a reconhecer o que quatro anos de guerra fizeram aos nossos soldados".

Nesse mesmo dia, Harvey Cushing escreve em seu diário:

Estou de cama há três dias, sem diagnóstico, mas com o que considero que seja a gripe espanhola, com seus três dias de tosse. Voltei depois de dois dias agitados em Château-Thierry, sem jantar, com frio e molhado, em um automóvel aberto, por volta de uma hora da manhã. De repente me senti muito velho, e o motorista precisou me ajudar a subir as escadas. Eu rangia os dentes e estava bastante fraco.

202. SÁBADO, 17 DE AGOSTO DE 1918
Elfriede Kuhr contempla um bebê morto em Schneidemühl

Noite quente de verão. Agora ele está morto, aquele menininho de seis meses que era o favorito de Elfriede. Faleceu ontem, em seus braços: "Ele descansou a cabeça, que parecia pesada para aquele corpo tão frágil, em meu braço e morreu sem ruído algum".

Agora são três horas da manhã e Elfriede vai mais uma vez olhar o corpo do bebê. Ele jaz em uma cama coberta por uma tela e levada ao corredor, onde está mais fresco. Ela colocou flores do campo ao redor do corpo da criança, mas o resultado não ficou como esperara: "Rodeado de flores, ele mais parecia um anão idoso que já estava morto fazia cem anos".

Quando ela agora contempla o pequeno corpo, ouve um ruído vindo da cama. Parece uma pulsação, soando às vezes mais alto, às vezes mais baixo e desaparecendo. Intrigada, Elfriede chega mais perto. Sim, o barulho vem da cama. Ela olha, escuta e, apavorada, percebe que ele vem do menino morto. Será que ele está vivo? Talvez seja o som dos seus pulmões. Ela se aproxima ainda mais e vê que está saindo um som de sua boca. Ele está tentando respirar!

Ela se recompõe e tenta abrir a boca do menino, para que ele possa respirar melhor.

De sua boca sai uma enorme mosca varejeira.

Elfriede tenta pegá-la, enojada.

Depois, ela arruma com esmero a tela sobre a cama, deixando-a apertada — bem apertada.

203. SÁBADO, 24 DE AGOSTO DE 1918
Harvey Cushing examina mãos paralisadas em Salins-les-Bains

Tem chovido quase o dia todo. A viagem pela montanha é lenta e difícil, mas vale a pena. A vista é arrebatadora, assim como a paisagem, intocada pela guerra. Cushing faz parte de uma pequena delegação em visita à Estação Neurológica nº 42, alojada na antiga fortaleza da montanha de Salins-les-Bains, ao sul de Besançon.

Cushing está aqui por razões puramente profissionais. O Exército tem vários hospitais neurológicos, e o nº 42 é especializado em um tipo de lesão neurológica que se caracteriza por mãos e pés paralisados. O primeiro caso desperta nele um grande interesse. Todos os médicos militares conhecem o fenômeno: homens com as mãos paralisadas e com cãibras, muitas vezes retorcidas e voltadas para o antebraço, em uma posição permanente e em um ângulo aparentemente impossível. Uma espécie de origami muscular. É raro encontrar alguma lesão nos membros afetados. Os pacientes, por assim dizer, simplesmente aparentam estar congelados. Cushing está surpreso com as variedades do distúrbio. Os médicos franceses até desenvolveram uma tipologia: *main d'accoucheur* [mão de parteiro], *main en bénitier* [mão de pia de água benta], *main en coup de poing* [mão de soco], e assim por diante.

Em geral, a enfermidade surge depois de o paciente passar um longo período engessado ou imobilizado, mas também pode ter outra causa, esta também bastante conhecida pelos médicos. O problema, muitas vezes, afeta homens que se feriram sem gravidade em combate, mas que temem ser mandados de volta para o front. Sua mente, consciente ou inconscientemente, parece ignorar a insignificância do ferimento, piorando seus efeitos.

O tratamento consiste em psicoterapia e é feito por um capitão chamado Boisseau. Ele é muito competente, e Cushing, espantado, o vê em ação no atendimento de um "autodeformado" recém-chegado: o capitão consegue, apenas com palavras, curar o soldado de sua paralisia. Em uma sala, pode-se ver uma pequena coleção de muletas, bengalas, coletes e suportes que eram utilizados por ex-pacientes.

O êxito do método não é garantido. No vilarejo ao pé da montanha, há uma caserna para onde são mandados os pacientes depois do tratamento. Lá eles são divididos em três grupos: a) recuperados e prontos para serviço no front, b) casos não esclarecidos e c) enfermos permanentes. Cushing e seus acompanhantes assistem à partida do primeiro grupo. Um dos neurologistas franceses nota que, entre estes, há um homem que teve uma recaída. Ele é levado de imediato para a Estação Neurológica nº 42, e ali, após três dias em isolamento, será de novo submetido à psicoterapia: "Uma mente lutando para ganhar o controle sobre outra, que tem boas razões para resistir".

Debaixo de chuva forte, eles voltam para Besançon. Mais tarde, um dos seus guias convida a delegação para a ceia.

204. DOMINGO, 1º DE SETEMBRO DE 1918
Willy Coppens está resfriado em Les Moëres

Já não faz mais o calor de agosto. Muita coisa aconteceu no mês passado. Coppens acrescentou à sua lista tiros certeiros em mais seis balões de observação alemães, sua especialidade. (Ele derrubou 27 desde o começo do ano.) Ele conhece os perigos, pois muitas vezes retornou com buracos feitos pelos projéteis do inimigo em seu Hanriot (são consertados com remendos brancos, que se destacam contra o azul-claro da aeronave). Uma semana atrás, quase foi alvejado por um avião alemão, que se aproximou sem chamar a atenção.

Coppens ainda está eufórico. Na manhã de 10 de agosto, ele derrubou três balões em uma hora e meia. "Enquanto o voo durou", ele escreveu,

> todo esse sucesso, aliado à sensação de ter escapado do perigo, era embriagador, mas assim que aterrissei e estava de volta na companhia do esquadrão, o combate que tinha me deixado tão empolgado um momento antes perdeu muito do seu significado. A alegria morreu e a monotonia tomou de novo seu lugar.

Quando eles não estão voando, suas vidas se caracterizam por uma inquietação juvenil. Ele e os outros pilotos se divertem — frequentam festas, vão a restaurantes e teatros, jogam tênis na quadra que construíram no aeródromo e pregam peças uns nos outros. Na mais recente, telefonaram para outro esquadrão, dizendo a quem atendeu que o rei Alberto lhes faria uma visita.

Hoje, Coppens está de cama, devido a um resfriado, o que não é nada comum, já que o tempo que ele passa ao ar livre e nas alturas parece protegê-lo contra essas banalidades. Ele lê uma carta de seu pai, que ainda se encontra na Bruxelas ocupada. Coppens escreve:

> A carta foi formulada utilizando a linguagem imaginativa costumeira que usávamos para esse propósito, mas consegui ler nas entrelinhas e entendi que ele ouvira falar das minhas últimas conquistas contra o nosso odioso inimigo. Porém, em uma frase em que ele me pedia para ter cuidado, senti seu temor por eu estar arriscando minha sorte e que esta poderia se virar contra mim. Não seria um medo natural e profético?

205. TERÇA-FEIRA, 10 DE SETEMBRO DE 1918
Elfriede Kuhr lê uma carta de sua mãe

O outono chegou. A maioria das lâmpadas de rua está desligada devido à falta de gás. Não há mais batatas. A avó de Elfriede está enferma e passa a maior parte do tempo deitada no sofá. Uma das vizinhas tem um irmão cuja perna foi amputada há pouco. O irmão de Elfriede está trabalhando em um escritório do Exército. Elfriede declarou morto o seu personagem imaginário, o tenente Von Yellenic, pois essas brincadeiras não lhe agradam mais. (Ela e sua amiga Gretel realizaram um verdadeiro funeral. O tenente Von Yellenic foi condecorado com uma Cruz de Ferro de papelão e a cerimônia teve como fundo musical a marcha fúnebre de Chopin. Houve uma salva de três sacos de papel estourados; Gretel chorou, inconsolável.)

Hoje, Elfriede e seu irmão recebem uma carta de sua mãe:

> Meus filhos, este outono está me deixando deprimida. Chove muito e faz frio. E, acreditem, perdi meu cartão de racionamento de carvão. A primeira coisa que farei amanhã; é entrar em contato com o fornecedor, para ver o que está acontecendo. Ainda bem que ele gosta muito de mim e acho que não irá me deixar passar

necessidade. O trabalho no escritório está acabando comigo, não tenho mais forças. Sinto falta da liberdade e da música. Mas quem pensa, nesta situação, em estudar música? Se a srta. Lap não viesse para suas aulas noturnas, o piano já estaria aposentado. A visão das salas de música vazias me deixa triste. Em Berlim, todos querem a paz. Mas que tipo de paz teremos? Será algo a aguardar com alegria? Perderemos tudo se formos vencidos. Nossos bravos soldados! Queridos Gil e Piete,[30] torçam pela pobre Alemanha! Que todo este sangue não tenha sido derramado em vão!

206. SEGUNDA-FEIRA, 14 DE OUTUBRO DE 1918
Willy Coppens é ferido em Thourout

Se Coppens soubesse que iria participar da patrulha da madrugada, teria se deitado mais cedo. Ele retornou, de motocicleta, por volta da meia-noite (tudo já estava em silêncio e as luzes apagadas), leu as ordens para o dia seguinte, à luz da chama de um fósforo, e concluiu que precisaria se levantar muito cedo.

Agora são cinco da manhã e ele deve ter dormido umas quatro horas. Coppens sabe por que deve se levantar tão cedo. Hoje, o Exército belga partirá para uma ofensiva, aumentando a pressão sobre o Exército alemão. O final parece próximo.

O problema é que o tempo está nublado e cinzento. Os aviões já foram retirados de seus hangares de lona verde, mas mal podem ser vistos nessa escuridão. Não há luz suficiente para voarem. Ainda não. Assim, eles aguardam.

Às cinco e meia, os canhões abrem fogo a leste. Suas faíscas se misturam com os finos raios de sol do amanhecer. Coppens nunca ouviu um fogo de artilharia tão intenso nessa seção do front. Ele se vira para o homem ao seu lado e diz: "É este o final da guerra?".

Às 5h35 chega um oficial com uma chamada de emergência da linha de frente: é preciso destruir o balão de observação de Thourout. A artilharia belga está sendo atingida com uma contrabarragem muito precisa e o líder deve estar naquela *saucisse* ("salsicha" é a denominação usada para esses veículos) que está voando um pouco atrás da linha inimiga. Esses balões, presos ao solo com a ajuda

---

30. Forma carinhosa com que sua mãe os chamava.

de cabos de aço e equipados com uma cesta, na qual um ou dois observadores, por telefone, informam quem está em terra sobre o que está acontecendo, são utilizados por todos os exércitos. São de grande ajuda para a artilharia, mas os soldados da infantaria os odeiam, e constituem um alvo bem-vindo, se bem que perigoso, para os aviadores. As "salsichas" são protegidas por agrupamentos de baterias antiaéreas, e pôr fogo nos sacos cheios de hidrogênio é mais difícil do que se pensa. É preciso muita coragem e projéteis especiais, na forma de munição incendiária ou de foguetes.[31] O êxito não é de modo algum garantido.

Às 5h40, Coppens levanta voo no seu Hanriot azul-claro. Seu companheiro de voo é um novo piloto, Etienne Hage. As nuvens estão pesadas, encobrindo a uma altura de novecentos metros. Coppens e Hage se posicionam logo abaixo, a uma altitude de oitocentos metros. O sol tenta aparecer entre o céu nublado de outubro. Os dois pilotos voam em direção ao front na semiescuridão.

Quando se aproximam das linhas de trincheiras, Coppens percebe que não terão de lidar apenas com um balão, mas com dois. Um deles, como esperado, sobrevoa Thourout a uma altitude de quinhentos metros. Ao mesmo tempo, outro balão começa a subir em Praet-Bosch — já atingiu uma altura de seiscentos metros e continua a subir.[32] Coppens sabe, por experiência própria, que nessas situações se deve sempre atacar em primeiro lugar o balão que está voando mais baixo, porque logo que uma "salsicha" é atacada, as pessoas que se encontram no solo começam a puxá-la para baixo, e agora que os alemães começaram a utilizar guinchos com motor, tudo pode ocorrer muito rápido. Além disso, se um balão de observação chega muito perto do solo, as baterias podem acertar o adversário com facilidade — em tal circunstância, continuar com esse tipo de ataque é o mesmo que cometer suicídio. (Os pilotos britânicos têm como regra, por exemplo, nunca atacar as "salsichas" que estiverem a menos de trezentos metros do solo.)

Hage, contudo, é inexperiente e ansioso. Coppens se dirige para o balão de Thourout, mas Hage se posiciona em frente a Coppens, obrigando-o a atacar primeiro o balão de Praet-Bosch.

---

31. As batalhas entre balões e aeroplanos eram um encontro entre a tecnologia do século XIX e a do século XX. Não surpreende que a modernidade levasse vantagem, e um balão desse tipo tinha uma vida útil média de uns quinze dias. A expectativa de vida dos observadores, contudo, aumentava pelo fato de que, desde 1916, a tripulação era equipada com paraquedas (ao contrário dos pilotos), embora estes precisassem de uma altura mínima de sessenta metros para ser usados.
32. A altura máxima para esses balões é de 1500 metros.

Às seis horas, Coppens faz o primeiro disparo. Ele observa que o tecido do balão arde em chamas e, assim, começa a voar em direção ao outro. Hage não vê que o balão está pegando fogo, pois as chamas se espalham com vagar no ar úmido. Então, ele volta para atacar de novo. Coppens, confuso, vê que começaram a baixar o balão de Thourout. Ele também percebe a aproximação de aviões que não consegue identificar. Será o inimigo? Ele não pode deixar Hage sozinho, então volta a tempo de ver o balão de Praet-Bosch se incendiar e, todo enrugado, cair no solo.

Agora, por fim, os dois pilotos se dirigem para o balão de Thourout.

O balão está perdendo altitude rápido. Quando o alcançam, já atingiu o perigoso limite de trezentos metros.

Apesar disso, Coppens voa através de um inferno de bombas e granadas. Ele está voando tão baixo que consegue escutar "o latido maldoso" das metralhadoras, um ruído que costuma ser engolido pelos roncos dos motores.

Pouco depois, às 6h05, ele está tão próximo do seu alvo que já pode atirar. Em seguida sente uma batida forte na perna esquerda. Uma onda de dor passa pelo seu corpo. A batida foi tão forte que sua perna direita se estica involuntariamente, pressionando o pedal e atirando o avião em uma espiral descendente. A terra e o céu trocam de lugar, várias vezes. Sua mão, acometida pela cãibra, se agarra ao gatilho, e projéteis são lançados ao redor do aeroplano.

A cãibra cede um pouco e, com esforço, Coppens consegue controlar a queda. Sua perna esquerda está inerte e sem vida. Ele sente que está perdendo muito sangue. (Mais tarde, ficará sabendo que um projétil penetrou na cabine e atingiu a sua perna, expondo os músculos e rompendo a tíbia e as artérias.) Com o pé direito, contudo, ele ainda consegue manobrar os pedais.

Coppens tem agora apenas dois pensamentos em mente. O primeiro: ele tem que retornar para suas próprias linhas, pois *não quer* ser aprisionado. O segundo: ele não pode ficar inconsciente, para não cair.

Tonto de dor e da perda de sangue, ele arranca os óculos de piloto e o capacete de couro, colocando-os debaixo da jaqueta. Retira também a echarpe de seda que o protege do frio, pois este agora é necessário para que ele se mantenha acordado.

E funciona.

Ao chegar ao front belga, Coppens faz com que o avião caia em um pequeno campo junto a uma estrada. Soldados vão até ele às pressas para ajudá-lo e, na pressa de tirá-lo da cabine manchada de sangue, literalmente despedaçam o aeroplano.

Coppens é transportado de ambulância até o hospital em De Panne, com mais dois outros soldados feridos. Ele perdeu bastante sangue e está muito enfraquecido. Sente muita dor e tem a impressão de que a viagem nunca chega ao fim. O caminho é conhecido, pois já o percorreu inúmeras vezes, e, deitado no veículo sem janelas, tenta reconhecer o local onde se encontram e quanto tempo falta para chegarem.

Às 10h15, a ambulância estaciona junto ao Hôpital de l'Océan. Coppens ouve o motorista dizer que ele, o famoso piloto, está morrendo, e o carregam em uma maca para dentro do hospital. À espera do médico, ele tira a sua jaqueta. Esta é a sua última lembrança.

Depois dessa inconsciência, a combinação de febre, éter e clorofórmio o deixa mergulhado em imagens flutuantes de uma espécie de sonho: salas de operações e médicos de uniformes brancos; uma figura alta e magra debruçada sobre ele, colocando-lhe uma medalha no peito; um homem que o visita com uma espada em punho e lê um comunicado. E aquela sede, a constante sede que sempre acompanha as grandes perdas de sangue.

Mais tarde, ele relembra, com horror, "esses dias terríveis de noites intermináveis". Depois de uma semana, ainda não se sabe se ele sobreviverá. A perna esquerda foi amputada. "As minhas condições gerais pioraram e a minha coragem desapareceu. Eu não tinha mais forças para resistir. Ser anestesiado todos os dias acabou comigo. Apesar de todos os cuidados médicos, eu me transformei em um ser muito nervoso."

Às vezes, ele cai em uma depressão "assustadora demais para se descrever em palavras". As noites são ainda piores.

207. TERÇA-FEIRA, 15 DE OUTUBRO DE 1918
Alfred Pollard adoece em Péronne

É uma viagem de trem bastante desagradável. Apesar de ter consigo um cobertor, ele está tremendo de frio. Sem mencionar a terrível dor de cabeça. Quando ele consegue relaxar e adormecer, "tem pesadelos estranhos".

Pollard está a caminho do front. Deseja sentir "as tensões do ataque" pela última vez. O Exército alemão iniciou uma retirada geral e o fim parece próximo. Mas não é apenas a excitação da batalha que o atrai. Poder estar presente no momento decisivo é uma questão de honra.

Durante esse ano, Pollard esteve ocupado com diversas tarefas atrás do front. Nos últimos tempos, ele vem selecionando soldados ativos entre os muitos não combatentes uniformizados que cuidam do transporte de bagagem e das áreas da retaguarda. Para cada homem nas trincheiras, há pelo menos quinze ou mais envolvidos em tarefas de apoio, e estas vão além da provisão de rações e munição para o front. Mas as perdas do Exército britânico são tão grandes que a falta de soldados nas linhas de frente se tornou crítica. (A França enfrenta o mesmo problema e começou a recrutar soldados muito jovens, de dezessete anos.) Os escolhidos para serem treinados por Pollard são tudo menos homens dispostos a lutar: variam de pessoas com algum tipo de deficiência física leve a criminosos condenados que foram libertados apenas para participar do combate — entre estes, há onze assassinos. Pollard exige muita disciplina e é rude com eles. Seu uniforme é feito sob medida.

A notícia de que seu batalhão retornará ao front fez com que Pollard pedisse demissão de seu cargo no serviço de treinamentos. Agora ele está a caminho de Péronne, onde espera que haja alguém de seu batalhão à sua espera. Ele treme de tanto frio e tem pesadelos terríveis devido à febre.

Desembarca em Péronne algumas horas depois da meia-noite. Faz frio e o céu está estrelado. Ninguém o aguarda na estação, então ele deixa seu ordenança cuidando de sua bagagem. A cidade está vazia, silenciosa, escura e parece abandonada. Faz um mês que foi recuperada pelas tropas australianas. Pollard caminha pela cidade e, guiado pelas estrelas, se dirige para o leste. Mais cedo ou mais tarde deve alcançar o front. Lá haverá alguém para lhe informar onde se encontra o seu batalhão.

Os passos de Pollard ficam cada vez mais trôpegos. Ele cai e se levanta, com muito esforço. Está doente, contaminado pela influenza, que se espalha por toda a Europa e pelo mundo. A doença teve origem na África do Sul, mas é conhecida como "gripe espanhola", ou apenas como "a espanhola".[33]

---

33. A epidemia matou pelo menos 20 milhões de pessoas, ou seja, mais que a própria guerra. (Alguns falam em 40 milhões, outros em 100 milhões de vítimas.) A primeira onda de gripe espanhola surgiu no verão de 1918 e afetou sobretudo o Exército alemão. Quando este precisou de

A estrada se torna cada vez mais estreita. Ou são suas próprias pernas que não lhe obedecem mais? Dentro dele há um último combate, entre o corpo cada vez mais enfraquecido e uma alma que se recusa a aceitar este fato — a mesma alma que o motivou a arriscar sua vida vezes sem conta, apesar das perspectivas desfavoráveis. O cérebro febril de Pollard se enche de "estranhas fantasias".

Ele tomba de novo. Tenta se levantar, mas "cai em um abismo", e a sua última lembrança é que sua queda nunca tem fim.

208. SÁBADO, 26 DE OUTUBRO DE 1918
Edwad Mousley testemunha um bombardeio em Constantinopla

Por volta das duas horas da tarde, Mousley escuta as explosões. Aviões. Ele e os outros pacientes do hospital correm para fora, para ver o que está acontecendo. O céu está azul. Sete aviões velozes sobrevoam Constantinopla, seguidos pela fumaça das granadas. Bombas caem por todos os lados. Nuvens de fumaça branca sobem através dos telhados, cúpulas e torres. Mousley observa, satisfeito, que o Ministério de Guerra parece ter sido atingido.

Os aviões voam em perfeita coordenação (o que o faz pensar em uma fileira de aves de caça), passando pelo Chifre de Ouro, rumo a Beyoğlu, jogando algumas bombas contra a ponte de Gálata e outras sobre a embaixada da Alemanha. Depois voltam mais uma vez, indo em direção à ferrovia, que fica ao lado do hospital. Uma metralhadora, posicionada em um jardim da vizinhança, começa a atirar e o seu ruído se une ao som dos canhões antiaéreos. Mais algumas bombas caem e uma delas atinge um quartel.

---

todas as suas tropas para os ataques a Paris, um grande número de soldados foi vitimado pela enfermidade. O que tornou essa epidemia tão impressionante (além da alta taxa de mortalidade, que atingiu 2,5%, em comparação com o 0,1% de uma gripe comum) foi o fato de que jovens adultos, em geral o grupo etário mais resiliente, foram os mais afetados. As razões disso ainda não são claras. Os sintomas também eram excepcionalmente violentos: dores de cabeça terríveis, febre altíssima e tosse dolorosa acompanhada de secreção. Em três dias o enfermo morria ou sarava. Embora originária da África, a gripe foi chamada de "espanhola" porque a imprensa da Espanha, que não era censurada, foi a primeira a dar a notícia da sua chegada no país. A essa altura, porém, a doença já se espalhara para muitos dos países em guerra.

Os jatos de fumaça da defesa antiaérea continuam perseguindo os aviões, sem conseguir atingi-los. A defesa antiaérea desiste e as nuvens de fumaça se evaporam. Um aeroplano otomano está a caminho de atacar os adversários. Alguns turcos ao lado de Mousley apontam, orgulhosos, para o aviador solitário. Dois dos sete aviões deixam seus companheiros de lado e vão na direção dele. Sons de metralhadoras no céu azul. Após alguns instantes, o avião otomano oscila em direção ao solo. Os outros sete desaparecem rumo ao oeste.

Passadas algumas horas, Mousley fica sabendo dos resultados do ataque. Em termos materiais, os estragos foram mínimos. Um coronel turco foi morto, mas os efeitos no moral são muito maiores. Além de bombardearem, os sete aviões jogaram folhetos com um cálculo detalhado dos êxitos e das derrotas de ambos os lados na guerra. Talvez o mais importante, o ataque estilhaçou de uma vez por todas o grande senso de invulnerabilidade que reina em Constantinopla. A cidade está em estado de choque. Mousley escreve em seu diário:

> Quando se entende quão reduzido era o apoio oficial que manteve a Turquia na guerra durante muitas crises, quão indiferente grande parte da população se sentia no que se refere a fazer parte de tudo isso, e quão avessa ela estava a continuar apoiando a Alemanha, pode-se compreender como a propaganda e os ataques aéreos teriam criado uma compreensão crítica do que, de fato, a guerra significava.

Mais tarde, ele fica sabendo que a raiva despertada pelo ataque não é direcionada contra aqueles que o cometeram, ou seja, os britânicos, e sim contra a Alemanha. Em Beyoğlu, alemães foram atacados e seus oficiais, ameaçados por mulheres furiosas, armadas com facas.

209. QUARTA-FEIRA, 30 DE OUTUBRO DE 1918
Harvey Cushing ouve um jovem capitão contar sua história em Priez

Cushing não está disposto a deixar que sua enfermidade o desanime. Ele se internou há dez dias, relutante, embora soubesse que não estava nada bem. Cushing estava com tonturas, tinha dificuldades para caminhar e mal conseguia abotoar as roupas. O hospital fica em Priez e agora ele está convalescendo.

442

Ele se recupera lendo romances, dormindo, matando moscas e fazendo torradas na pequena lareira.

Mesmo que seu corpo ainda mostre os sinais da doença, sua mente está tão lúcida como antes e ele sente falta das suas antigas atividades. Um dos pacientes em seu corredor é um jovem capitão, seu compatriota, e Cushing já aprendeu a entender o que o rapaz diz apesar de sua gagueira e reconhece, de longe, o som de seus passos trôpegos e convulsivos. O rapaz parece sofrer de alguma forma de choque de granada. O médico de Cushing sabe de seu interesse por casos como este e o deixa participar, como ouvinte, nas ocasiões em que atende o paciente.

Hoje, ambos os médicos realizam uma entrevista final com o balbuciante capitão, e Cushing resume o caso em seu diário.

O paciente, referido como B, tem 24 anos, é louro, de cabelos bem cortados, de altura mediana, corpo musculoso. Ele jogou futebol americano. B não consome álcool e não fuma. Teve uma infância e juventude sem problemas. É membro da Guarda Nacional desde 1911, esteve a serviço na fronteira durante a guerra no México em 1916, se alistou em 1917, foi promovido a segundo-tenente oito meses depois e chegou à França, com o 47º Regimento de Infantaria, em maio de 1918.

B foi transferido de um dos hospitais militares localizados no front para tratamento de seus graves problemas psicossomáticos em Priez. Com exceção de algumas queimaduras causadas pelo gás mostarda, o paciente não apresentava outros ferimentos ou lesões desde que deixou a linha de frente em 1º de agosto. Mas sofria de problemas sérios de visão e tinha dificuldade de locomoção. B insistia que o que lhe faltava era descanso, e foi necessário usar um pouco de violência para interná-lo. Quando B chegou a Priez, já estava cego e mal conseguia andar.

Assim que chegou à França, B prestou serviços em várias unidades na linha de frente, para observar e adquirir experiência, o que fez com que logo entrasse em combate. Em maio, ele participou da retirada britânica no Somme; no início de junho, esteve junto com a Marinha quando esta passou por seu batismo de fogo na floresta de Belleau; e, em meados de julho, acompanhou uma unidade francesa que se defendeu contra repetidos ataques alemães.

No final de julho, foi mandado em um caminhão, junto com seu regimento, para a fronteira a oeste de Reims, onde os franceses e americanos estavam preparando um contra-ataque. A ideia era que o regimento prestasse auxílio, como uma espécie de corpo de bombeiros, aos Aliados que necessitavam de ajuda. Na noite do dia 26 de julho, atravessaram uma floresta cheia de gás. Pela manhã, foram obrigados a participar de um ataque que já havia começado. Como ele não era mais que um tenente, não tinha conhecimento dos planos. Esse foi o primeiro combate do qual a sua unidade participou. Mal chegaram ao campo de batalha e já estavam sob o fogo cerrado do inimigo. O tenente-coronel e um dos majores ficaram gravemente feridos, e em seguida foram mortos o outro major e o capitão de B. Com isso, B acabou se tornando o oficial mais alto do batalhão.

Nessa situação caótica, apareceu, "saído do nada", um general que B não conhecia. Ele apontou para B e disse: "Vocês cruzarão um rio lá adiante e irão invadir uma cidade chamada Sergy". O batalhão já estava cansado depois da marcha noturna e da batalha, mas B os fez se prepararem para a nova missão. Eles avançaram por um campo onde o trigo lhes alcançava a cintura, sob fogo pesado da pesada artilharia alemã, atravessaram o rio (que provou não ser mais largo que um córrego) e invadiram Sergy. Por volta de dez horas da manhã, haviam livrado a cidade dos inimigos. Mais tarde, foram expostos a um fogo de barragem, e a artilharia alemã partiu para o contra-ataque.

Assim continuaram, em um revezamento de ataque e contra-ataque. Durante cinco dias, Sergy trocou de invasor cinco vezes. O batalhão deixava a cidade e ia até o estreito rio e ao pequeno moinho que B escolheu para servir de quartel e posto de socorro. Contra-atacaram em várias ocasiões, retomando a cidade. Eles haviam começado com 927 soldados e 23 oficiais. No final do quinto dia, restavam apenas dezoito soldados e um oficial. Os outros haviam sido feridos ou mortos.[34] Cushing escreve:

> B reconhece que a situação o estava deixando bastante nervoso. Ele era responsável pela proteção contra o gás, porque grande parte de seus homens já havia sido intoxicada e muitos estavam com graves queimaduras.[35] Além disso, como oficial

34. Sergy é hoje apenas um vilarejo, a oeste de Reims, perto da autoestrada E 50. Fica a menos de dois quilômetros do segundo maior cemitério americano da Primeira Guerra Mundial (6012 mortos). O cemitério hoje é coberto de verde e fica quase exatamente onde era a linha de frente em julho e agosto de 1918. O "rio", como na época, não passa de um pequeno córrego.
35. Eles haviam sido expostos ao gás mostarda, que penetra com facilidade nas roupas, nas solas de sapato e na pele. (Basta encostar em algum objeto que tenha tido contato com o gás para que

da inteligência, ou, em outras palavras, como mensageiro, ele devia informar várias vezes, durante o dia e durante a noite, o que se passava no front. Essa era uma tarefa muito necessária, pois as linhas telefônicas para o 168º.[36] logo foram cortadas e não havia ninguém que pudesse ler as mensagens. Durante todo esse período não houve nenhuma conexão entre eles. Ele também fazia o papel de paramédico, encaminhando os feridos para o moinho, sob fogo inimigo. O próprio B realizou duas amputações de pernas utilizando um canivete e um antigo serrote, que encontrou no moinho. Certa noite, haviam carregado 83 homens em macas improvisadas e os levado para as linhas traseiras.

Quando tudo se acalmava, passavam as noites em busca de alimento ou munição junto aos seus ou os tomavam dos inimigos mortos em combate. Chegaram a ter apenas vinte balas por homem. Usavam também armas, munição e até granadas alemãs,[37] o que causou grandes perdas entre os homens. As granadas de mão alemãs explodiam em apenas três ou quatro segundos, diferenciando-se das nossas, que explodiam após quatro ou cinco segundos. A comida alemã que encontravam era boa: salsichas, pão e carne em conserva argentina.

Os soldados menos exaustos eram encarregados de reunir os feridos, uma tarefa bastante exigente, já que estes só podiam ser carregados aos poucos, um ou dois de cada vez, dependendo das circunstâncias. Muitos soldados continuavam lutando apesar dos ferimentos, pois na prática eram obrigados a isso. Em geral um homem são e um ferido lutavam juntos e, se o último não conseguisse ficar de pé, ele se sentava e carregava as armas extras com munição. As crateras feitas pelas granadas eram a única proteção deles.

Fora durante um desses dias que B viu pela primeira vez um caso de choque de granada. Ele não entendia o que estava acontecendo com o homem, achava que ele era apenas covarde. Cada vez que era detonada uma granada nas proximida-

---

se fique ferido, ou inalar o vapor das roupas infetadas pelo gás, para se ficar doente.) A princípio, nada se percebe. Passadas duas horas do contato, a pele começa a ficar avermelhada e, depois de oito ou nove horas, começa a inchar. Depois de um dia, surgem numerosas massas de bolhas, que acabam formando grandes feridas. Essas feridas são de difícil cicatrização e afetam sobretudo os olhos, o nariz e a boca. Nos casos piores, podem levar à sepsia e à morte, mas em geral os pacientes se recuperam depois de seis semanas sob cuidados médicos e hospitalares.

36. O regimento que controlava a seção à sua direita.

37. B utiliza a expressão "*potato masher hand grenades*", já que essas granadas se assemelham a espremedores de batatas.

des, o homem corria para se proteger, tremendo muito. Mas sempre retornava e continuava com sua missão. Ele não suportava as explosões. Todos ficavam trêmulos depois do incessante fogo da artilharia, em que granadas altamente explosivas se misturavam com o gás.

Uma das piores coisas era o gás lacrimogêneo, que cheirava a pera podre e os fazia espirrar e, muitas vezes, vomitar em suas máscaras, o que os obrigava a retirá-las. Todos sentiam os efeitos, de uma maneira ou de outra, e as lágrimas lhes prejudicavam a visibilidade.

Na segunda-feira, B ficou como que anestesiado devido a um estilhaço de granada que atingiu seu capacete — segundo ele, foi como ser atingido na têmpora por uma bola de beisebol. Os homens com frequência achavam que haviam se ferido — eles podiam sentir uma batida na perna e ver sangue escorrendo e um corte nas calças, quando na verdade tratava-se apenas de um hematoma e o sangue vinha da ferida de um homem ao seu lado.

O paciente relata para Cushing e seu colega que eles foram dispensados ao pôr do sol da quarta-feira. Embora mal tivessem dormido durante seis dias, foram obrigados a marchar a noite toda. Na hora do almoço no dia seguinte, fizeram uma pausa e receberam uma refeição quente. Um tenente-coronel mais compreensivo obrigou os soldados a se deitar e dormir.

B não descansou. Ao descobrir que perdera o seu livro de códigos, pegou emprestada uma motocicleta e voltou para Sergy. Lá, encontrou o livro no bolso de sua jaqueta, que colocara sob a cabeça de um camarada ferido. O homem estava morto. Quando B estava prestes a deixar o local, notou que havia um ferido que fora esquecido na margem do rio. B tentou carregá-lo, mas acabou no meio do tiroteio. O ferido foi atingido por tiros de metralhadora e morreu, e uma explosão ocorreu perto de B. Atordoado, ele pegou a motocicleta e saiu rápido de lá, ainda sob fogo.

Quando voltou, seus homens logo perceberam que havia algo errado com ele. B tremia, gaguejava e mal conseguia sentar. Deram-lhe uísque para beber e derramaram água fria sobre ele. Nada adiantou. B estava se sentindo muito mal, vomitando, com fortes dores de cabeça, zumbido nos ouvidos, tontura e começou a enxergar uma névoa amarelada. Não tinha coragem de adormecer, pois achava que estaria cego quando acordasse. Depois disso, passou a ter falhas de memória.

Ao final da consulta, indagam como o paciente se sente:

O pior de tudo agora são os sonhos, que não são bem sonhos. No meio de uma conversa, aparece o rosto de um alemão que matei com minha baioneta, escuto o som do sangue escorrendo e vejo seu rosto distorcido. Vejo também o rosto do homem que um dos nossos soldados decapitou, golpeando-lhe a nuca com uma faca afiada.[38] Antes de o homem cair, seu sangue jorrou no ar. Sem falar nos cheiros terríveis! Não suporto mais ver carne na minha frente e é horrível ter aquele açougue bem debaixo da nossa janela. A cada dia que passa, tento me acostumar.

O paciente deseja retornar ao front para participar da grande ofensiva final, mas não está em forma para isso. Cushing anota o diagnóstico do jovem capitão de 24 anos: "psiconeurose resultante do cumprimento do dever".

210. DOMINGO, 3 DE NOVEMBRO DE 1918
Pál Kelemen ouve falar que a censura na Hungria foi abolida

É um bom sinal. Ele estava almoçando com os outros, em Arlon, quando um intendente chegou correndo, com uma expressão de pânico no olhar. A censura oficial foi abolida em Budapeste e os jornais podem, agora, publicar notícias *sobre qualquer assunto*! Entre a correspondência, encontraram alguns exemplares das últimas edições e, nas primeiras páginas, exigem, em negrito, que as tropas húngaras retornem para casa: "Deve haver um final para o derramamento de sangue para uma potência estrangeira, em um país estrangeiro".

O comandante da divisão dá ordem imediata de examinar a correspondência e confiscar todos os jornais encontrados. As notícias podem ter um efeito devastador no já vacilante moral atual dos soldados. Dito e feito. Correspondência revisada minuciosamente e nenhum outro jornal encontrado.

Os oficiais ficam aguardando, nervosos, algum sinal de que os homens souberam da novidade, mas durante a tarde ocorrem apenas alguns "incidentes menores". À noite, aparecem alguns exemplares do jornal, ninguém sabe de onde, e

---

38. B se refere à *bolo knife*, uma faca com função e tamanho semelhantes aos de um machete. A grande diferença entre ambos reside no peso e no ângulo da lâmina.

estes passam de mão em mão entre os soldados. "Com esforço e à luz de velas, lemos em voz alta uns para os outros, e soldados e oficiais não comissionados discutiram apenas o que constava nesses jornais."

211. SEGUNDA-FEIRA, 4 DE NOVEMBRO DE 1918
Richard Stumpf e cinco momentos críticos em Wilhemshaven

Ar de outono. Tempo cinzento. Ele veste seu uniforme de desfile e sai para a manifestação. A atitude dos oficiais sugere que os marinheiros podem se sair vencedores. Uma mudança definitiva ocorreu entre os homens. A velha autoconfiança alemã parece ter se dissolvido, os que estão no comando têm um comportamento confuso, estranho e covarde. Depois de alguns protestos insignificantes, os homens têm permissão para deixar o navio. "Eu não posso deter vocês", diz o primeiro oficial a Stumpf.

Há uma semana, toda a frota se preparou para navegar e executar o seu último ato heroico, mas foi impedida por motins em vários navios.[39] Richard Stumpf acha que sabe o que aconteceu: "Muitos anos de injustiças se transformaram em uma perigosa força explosiva que agora está para ser detonada". A desobediência é diária. Na semana passada, Ludendorff deixou seu posto de comandante supremo e, segundo os boatos, logo será a vez de o imperador seguir o exemplo, abdicando o trono. Em um dos navios, um tenente foi linchado.

Há uma onda de decepção, raiva e frustração em toda a Alemanha. Ela não se refere apenas às injustiças, à guerra, aos preços altos e à escassez de alimentos. É também o resultado da própria propaganda, que, de maneira consistente (e com considerável êxito), ocultou as más notícias, escondeu os problemas e gerou expectativas exageradas.[40] A desilusão foi muito grande. A opinião pública se permitiu, durante aquelas semanas de verão em 1914, ser estimulada a tal frenesi que "transformou todas as circunstâncias da vida e fez com que esta pudesse

39. A operação proposta era, na prática, um suicídio coletivo, criada de maneira independente por vários oficiais da Marinha de inteligência limitada que, no último minuto da guerra, queriam salvar sua própria "honra". Seu plano imbecil gerou revolta entre os marinheiros, o que foi o início da revolução alemã, uma das ironias da história.

40. Ainda no início do ano, podiam-se encontrar alemães que tinham a esperança de que a guerra acabaria com a Bélgica e que a Alemanha tomaria grandes territórios da França e da Rússia.

ser expressada em termos de tragédia heroica sobre-humana ou através de luta sagrada contra as forças do mal".[41] Isso significou que, por anos, qualquer coisa que não a vitória total fosse impensável. Agora, contudo, em total desapontamento, a opinião pública pendeu para o sombrio e amargo polo oposto.

O próprio Stumpf se sente dividido, como sempre. Para ele, é uma pena que a guerra esteja perdida, mas talvez desde o início já fosse impossível vencê-la. Ele acolhe com alegria o fato de o dia da prestação de contas ter chegado, mas acha perturbador que aqueles que mais gritavam em apoio aos homens fortes da guerra sejam os mesmos que agora mais gritam para que eles sejam sacrificados. Talvez haja um elemento de consciência pesada misturado ao seu regozijo maldoso. O senso de drama é grande e aumenta a cada dia, mas, apesar das circunstâncias, ele próprio se sente animado: "Estou vivenciando a situação sem fortes emoções".

A multidão de homens uniformizados se movimenta ao longo do cais, em direção ao quartel vigiado por marinheiros armados. O que acontecerá agora?

Quando os manifestantes se aproximam dos homens armados, estes os recebem com gritos de júbilo. Pessoas chegam de todos os lados e a multidão, que aumenta a cada minuto, segue adiante. O que farão? De vez em quando, alguém tenta parar a procissão, tenta falar e obter uma decisão. A confusão é geral. Afinal, decidem ir até o SMS *Baden*, a nau capitânia da frota, para resgatar sua tripulação.

É quando ocorre o primeiro momento crítico do dia:

> Um duelo verbal foi travado entre o capitão do navio e vários porta-vozes dos manifestantes. A tripulação do *Baden*, que estava reunida no convés superior, seria o prêmio do vencedor. Se o capitão fosse um bom orador, os nossos porta-vozes seriam obrigados a voltar atrás e não convenceriam nenhum dos homens. Tanto o pálido capitão quanto o conselho dos marinheiros mostraram-se fracos. Como consequência disso, um terço da tripulação decidiu nos seguir.

O crescente grupo segue adiante, devagar, tentando arrebanhar outros marinheiros. A marcha não tem um objetivo em especial, e não há ninguém que comande a manifestação. Stumpf e alguns colegas buscam seus instrumen-

---

41. Para citar o escritor australiano Frederic Manning.

tos. O som das antigas marchas militares incita a multidão a caminhar mais rápido ao longo do cais e atrai mais espectadores.

O próximo momento crítico ocorre na Petersstrasse, onde a rua está bloqueada por um pelotão armado de quarenta homens sob o comando de um tenente. Os soldados, porém, parecem não querer usar suas armas e vão ao encontro dos manifestantes. "Foi cômico ver a reação do tenente quando entendeu que ficara completamente só." A multidão segue adiante, dirigida mais por um instinto coletivo que pela lucidez.

Em frente a um portão trancado, um major idoso, pistola em punho, tenta parar a multidão. Este é o terceiro momento crítico. O portão logo é aberto e o major, desarmado. Alguns tentam lhe arrancar os brasões, e o homem é deixado para trás. Stumpf sente pena do velho, que "tentou, corajosamente, cumprir com sua obrigação".

Eles formam agora uma multidão de 10 mil homens, reunidos no campo de treinamento, onde uma plataforma improvisada será logo tomada por uma sucessão de oradores. Os discursos se contradizem, vão desde avisos de paz e ordem até "as mais absurdas exigências", que são, infelizmente, aplaudidas. Stumpf está convencido de que qualquer ideia seria aprovada pela multidão em uma situação como essa.

Mais uma vez a multidão se põe em movimento. As pessoas da cidade controlam tudo por trás das janelas fechadas. As mulheres que passam ouvem "comentários de baixo nível e assovios". Uma bandeira vermelha — um lençol tingido — ondula no ar acima do mar de cabeças e ombros. Eles atravessam a Deichbrücke, sobre o canal Ems-Jade, e chegam à divisão dos torpedeiros. Esse é o quarto momento crítico. As tripulações dos torpedeiros aplaudem com entusiasmo, mas não desembarcam para se unir à manifestação. Em seguida, vem a explicação: "Estamos almoçando". De fato, é hora do almoço, e muitos começam a falar em comida. "Nervosos e apressados, fomos adiante."

Chegam, afinal, ao quartel-general da Marinha. Esse é o último momento crítico. Agora o resultado das negociações com o comandante local, o almirante Krosigk, será anunciado.

O silêncio é compacto quando um homem sobe em uma estátua em frente ao prédio. O almirante Krosigk concorda com alguns pontos: "As exigências foram aceitas!". Júbilo. Aplausos. Eles exigem rações melhores, rotina para as licenças, a criação de um comitê para monitoramento dos direitos de guerra, menos rigidez na disciplina,[42] liberdade aos presos no início dos motins. Alguém grita: "Abaixo o imperador Guilherme!". O orador decide ignorar o grito. Um trabalhador do estaleiro, "com um rosto clássico de criminoso", segundo Stumpf, exige a criação de uma "união soviética". Aplausos. O primeiro orador recomenda que todos voltem para os seus postos. Risos.

A manifestação se dispersa.

"Todos desparecem em direção à cantina mais próxima."

212. QUARTA-FEIRA, 13 DE NOVEMBRO DE 1918
Pál Kelemen retorna desmobilizado para Budapeste

Crepúsculo. O clique-claque nas junções dos trilhos. A viagem prossegue. Teve início há alguns dias, quando os últimos soldados embarcaram em Arlon, tarde da noite, iluminados por lanternas portáteis. Desde então se encontram a bordo do trem, que tem feito pausas inexplicáveis. Através da Bélgica, da França, da Alemanha, da Áustria. Os oficiais viajam juntos, em um vagão de passageiros especial; os soldados, com os equipamentos, em um vagão de carga.

Na Alemanha, foram tratados como "pestilentos". Como aconteceu nos últimos dias no oeste, quando as autoridades alemãs quiseram a qualquer preço evitar que os soldados húngaros contaminassem, com suas ideias de revolta, mais uma parte do Exército alemão que ainda estava disposta a lutar. A disciplina, que já estava enfraquecida, acabou de vez durante a viagem. Sob a influência do álcool, muitos no trem estavam completamente embriagados, alegres, agressivos e gritavam bastante. De vez em quando se ouviam tiros dados para o alto por soldados bêbados ou em regozijo.

Quando se aproximavam da Áustria, o trem foi parado por autoridades alemãs, que exigiram que eles entregassem todo e qualquer equipamento de guerra, para que não caísse nas mãos dos grupos revolucionários austríacos, que os aguardavam no outro lado da fronteira. Algo grave poderia ter acontecido nessa ocasião, pois os soldados bêbados se recusaram a entregar suas armas.

---

42. Por exemplo, um marinheiro que se dirigisse a um oficial teria apenas de mencionar o grau ou título do oficial uma vez, no início da conversação, e não ao final de cada frase, como era exigido até então.

Os alemães, então, se contentaram em apreender os cavalos, as cozinhas portáteis e afins. (Quando eles cruzaram a fronteira e foram recebidos por "civis animados, barbudos, malvestidos e de braçadeiras", nada mais havia a fazer a não ser lhes entregar as máquinas de escrever.)

Agora que estão na Áustria, o clima ficou mais exaltado e mais ameaçador. A cada estação, soldados deixam o trem, em geral aliviados, ao mesmo tempo que outros embarcam, embriagados. Também foram dados muitos tiros ontem. Furtos e ameaças estão aumentando de maneira significativa. Na viagem para Budapeste, Kelemen vai acompanhado de Feri, seu ordenança, Lori, seu cavalariço, e por outro ordenança, Benke. Eles se revezam em protegê-lo e deram um jeito de esconder sua bagagem em outro vagão.

Anoitece. Luzes penetram através das janelas. Gritos de júbilo e tiros são ouvidos dos vagões de carga na parte traseira do trem. Este fica parado em uma estação. A impaciência toma conta dos soldados. Eles atiram várias vezes através das portas abertas do trem. Alguns se aglomeram ao lado de fora do vagão dos oficiais, que se encontra quase vazio. Eles gritam, exigindo dinheiro para comprar vinho. Ouvem-se mais tiros. Os vidros são quebrados e os cacos se espalham pelo chão. Antes que algo grave aconteça, o trem se põe em movimento e os encrenqueiros são obrigados a embarcar rápido.

Para além dos vagões enferrujados, o gradual adensamento de casas indica que estão se aproximando dos arredores de Budapeste. O trem para em uma pequena estação em Rakós. O relógio marca meia-noite. Keleman e seus três companheiros de jornada aproveitam a oportunidade para desembarcar. O alívio que ele sente em estar em sua cidade natal é passageiro, pois um trabalhador ferroviário lhe conta sobre o caos atual. Pessoas que se dizem revolucionárias andam pelas ruas saqueando lojas e arrancando as insígnias, medalhas e demais pertences dos oficiais que retornam.

"Profundamente deprimido" e escondendo suas insígnias militares sob o casaco, Kelemen sai da pequena estação e caminha ao longo das ruas escuras, vazias e silenciosas. Está em busca de alguma espécie de transporte, pois quer muito levar para casa a sua sela, o seu rifle, a sua espada e todos os outros objetos que o acompanharam desde 1914. Depois de procurar durante uma hora, faz uma carruagem parar.

Com a bagagem acomodada no assento da carruagem, os quatro são levados para a cidade. Às quatro da manhã, chegam à casa dos pais de Kelemen. Ele toca a campainha da porta principal. Nada acontece. Ele toca de novo. Toca mais uma vez e então o porteiro aparece. Ele se aproxima, cauteloso. Kelemen o chama pelo nome e abre o casaco para lhe mostrar suas insígnias. O porteiro os cumprimenta "com satisfação", abrindo o pesado portão para que Kelemen e os outros possam entrar.

Eles pegam o elevador de carga até a porta da cozinha. Como não quer acordar os pais, Kelemen se deita para dormir no closet do hall de entrada.

Epílogo

Assim, ela por fim acabou, para Pál Kelemen e para todos eles.

Elfriede Kuhr se encontrava no mesmo lugar onde vivia quando a guerra começara, quatro anos antes — Schneidemühl. Ao menos uma cena era igual à do passado: havia uma multidão reunida em frente à redação do jornal e, assim como em 1914, a situação estava mudando com tanta rapidez que as notícias mais recentes eram anunciadas através de anotações feitas à mão em quadros de avisos e escritas com caneta azul nos jornais empilhados. Mas, ao contrário de quatro anos antes, a desordem e a falta de união eram muito maiores agora. Elfriede viu um menino chorando, inconsolável, pois dissera algo ofensivo e alguém lhe batera. Quase não se ouviam gritos de júbilo, e as discussões eram muitas. Soldados andavam pela rua de braços dados, cantando. Um tenente que começou a gritar com eles teve o gorro arrancado da cabeça. Pálido, recolheu o gorro do chão. Alguns civis chamavam os soldados de traidores. Elfriede correu para casa. Logo, alguém bateu à porta. Era Androwski, o amigo de seu irmão, e ele se jogou em uma cadeira e gritou: "A guerra está morta! Viva a guerra!". Quase em seguida, chegou o irmão. Ele estava sem gorro, sem cinto, uniforme rasgado, os botões arrancados, assim como as insígnias e divisas. Seu rosto mostrava sinais de choque e perplexidade. Androwski começou a rir da situação e, após hesitar um pouco, seu irmão deu um sorriso.

Richard Stumpf ainda se encontrava em Wilhemshaven. O que começara como loucura se transformou em histeria. Havia rumores de que tinham sido traídos e que tropas leais ao antigo regime estavam a caminho:

As ruas pareciam um hospício. Homens armados corriam de um lado para o outro. Podia-se até ver algumas mulheres carregando caixas de munição. Que loucura! Era assim que tudo iria terminar? Depois de cinco anos de combates brutais, iríamos agora apontar as armas contra os nossos compatriotas?

Mais tarde, ele se sentou para escrever, quando de repente ouviu gritos de júbilo, sirenes, tiros de armas de pequeno calibre e até de canhões. Foguetes sinalizadores estouraram no céu da tarde, em uma paleta de vermelho, verde e branco. Ele pensou: "Um pouco mais de dignidade não faria mal a ninguém".

Andrei Lobanov-Rostovski estava em um campo de treinamento em Sables d'Olonne, perto da costa do Atlântico. Ele não chegara a ir para o front com sua rebelde companhia e acabara passando um período entediante e desmoralizador na reserva, à espera de ser chamado. Depois disso, fora contaminado pela gripe espanhola. Estivera muito doente, com alucinações e febre alta, mas havia se recuperado, para então ser informado de seu rebaixamento do posto de comandante da companhia, o que o deixara bastante aliviado. Na mesma época, estava completamente apaixonado por uma jovem russa que vivia em Nice. Durante o período de convalescença, ele continuara a devorar livros de história, e os estudos reforçaram sua convicção de que os bolcheviques não ficariam no poder por muito tempo. Ainda que ele achasse, assim como muitos outros, que a guerra estava no fim, não conseguia imaginar sua vida longe do uniforme. "Minha própria personalidade fora engolida pela situação toda. Acredito que é uma reação normal diante da mentalidade da guerra, e talvez atinja milhões de soldados." Seus colegas oficiais fizeram discursos, exortando-os a integrar o Exército Branco e a participar da guerra civil, que estava prestes a estourar na Rússia. Lobanov-Rostovski não sabia o que fazer.[1] Naquela manhã, como sempre, estavam treinando lançamento de gra-

1. Seus estudos intensivos de história fizeram com que ele pensasse na intervenção armada na Rússia pelas nações aliadas como uma má ideia. Reino Unido, França, Estados Unidos, Japão e os outros países envolvidos na verdade não tinham um plano. Originalmente, haviam começado a

nadas de mão, quando um oficial francês apareceu e disse, irritado: "Interrompam todo e qualquer treinamento. A trégua foi decretada". Na cidade, teve início um "selvagem carnaval". Pessoas se abraçavam e dançavam nas ruas. A comemoração continuou por toda a noite.

Para Florence Farmborough, a guerra havia terminado no momento em que o navio, com ela e os outros refugiados a bordo, deixara o porto de Vladivostok. O navio para ela era como um palácio flutuante. Eles embarcaram ao som de música e, quando entrara em sua cabine, parecia estar sonhando. Havia lençóis brancos, toalhas brancas e cortinas brancas nas janelas.[2] Mais tarde, ela ficara no convés e vira esse país chamado Rússia, "que amo tanto e ao qual fui sempre fiel", desaparecer ao longe, até restar apenas uma sombra azul-acinzentada no horizonte. Em seguida, surgira uma névoa azulada sobre o mar, impossibilitando-a de ver algo mais. Então, ela se dirigira para sua cabine e lá permanecera. Dissera a todos que se sentia enjoada em alto-mar.

A família de Kresten Andresen alimentara a esperança de que ele tivesse sido feito prisioneiro pelos britânicos ou que estivesse aprisionado em algum lugar, por exemplo, na África. Eles nunca mais ouviram falar dele, e suas investigações não tiveram resultado.[3]

---

intervenção não para apoiar os brancos, mas para manter na guerra seu grande aliado oriental. De início, foram até encorajados pelos bolcheviques. Ele sentia agora que o apoio geral para os brancos enfraquecera.

2. Um dos primeiros passageiros que ela conheceu a bordo fora Maria Bochkareva, a sargento que fundara os batalhões de mulheres e que agora era procurada pelos bolcheviques. As unidades femininas haviam sido fiéis a Kerenski até o fim, e alguns dos soldados de Maria Bochkareva se encontravam no Palácio de Inverno quando ele fora invadido.

3. Um homem chamado Christian Andresen, dado como desaparecido em 10 de agosto de 1916, está sepultado no cemitério alemão de Wervicq-Sud (área 4, sepultura 140). Pode tratar-se ou não de Kresten. O cemitério situa-se junto à fronteira belga, mais próximo de Ypres do que do Somme, e não fica claro de imediato por que o corpo de Kresten teria ido parar tão longe, ao norte. Há duas explicações possíveis. A primeira é que seus restos mortais podem ter sido levados para lá durante um dos inúmeros reenterros que ocorreram na França depois da guerra, quando corpos foram transferidos de muitos cemitérios pequenos para outros maiores. (Esta é a razão pela qual, em diversos cemitérios de guerra, há valas comuns nas quais constam muitos nomes. Escavava-se todo o cemitério, onde os mortos repousavam em sepulturas individuais, e colocavam-se, sem qualquer cerimônia, todos os restos mortais encontrados em uma única sepultura. Esse fenômeno era bastante comum.) A outra explicação tem relação com a primeira. O corpo teria sido levado para lá durante uma das escavações, mas buscado por alguém do cemitério dos prisioneiros de guerra, que

Michel Corday estava em uma cidadezinha no campo, e não em Paris. Assim como a maioria, ele decidira, semanas antes, ficar longe de tudo, e suspeitava que o fim estava próximo. A atitude das pessoas que ele encontrara nessa ocasião variava. A alegria com a vitória era geral, viam-se muitos sorrisos nos rostos. Alguns, contudo, insistiam que não deviam ficar satisfeitos com a situação, e sim ir adiante, invadir a Alemanha e submetê-la aos mesmos sofrimentos que a França tinha enfrentado. Outros não tinham esperanças, já haviam se decepcionado antes. E havia quem ainda estivesse preso à ideia propagandística de que "paz" era uma palavra feia e apenas aguardava o curso dos acontecimentos. Uma frase se tornara clichê: "Quem acreditaria nisso quatro meses atrás?". Ele vira soldados italianos já a caminho de casa, muito alegres, pois sua guerra chegara ao fim. Às sete horas daquela manhã, o quartel-general local foi alcançado por uma notícia no rádio, que dizia que o armistício fora firmado. Sinos tocaram, soldados dançaram nas ruas carregando bandeiras e flores. Na hora do almoço, ficaram sabendo que o imperador alemão fugira para a Holanda.

Alfred Pollard se encontrava em Montreuil, no quartel-general da Força Expedicionária britânica. Mais uma vez, seu batalhão havia sido enviado para prestar serviço de sentinela. No início de novembro, a unidade servira como reserva ambulante, sem participar de combates. Algo que ele lamentava em consideração aos seus soldados, mas pelo qual, no fundo, era grato. "Teria odiado perder essa façanha." Pollard havia se recuperado da gripe espanhola e, quando ele e seus colegas souberam da trégua, passados alguns minutos das onze horas, todos "ficaram loucos de alegria". Ao longo do dia, deram gritos de júbilo, ouviram música, visitaram outros oficiais, festejaram a vitória e relembraram os mortos. Ele estava provavelmente embriagado quando, à tarde, alguém o convidou para entrar na sala secreta de operações do comando e dar uma olhada em um enorme mapa com as posições das divisões do Exército alemão. Satisfeito, percebeu que a maioria das unidades alemãs estava concentrada em frente ao Exército britânico e que havia menos unidades perto dos belgas e dos americanos.

---

se encontrava no lado do front dos Aliados. (Havia tais cemitérios nessa vizinhança.) Nesse caso, o que aconteceu com Kresten pode ter sido o seguinte: ele caiu em mãos do inimigo no dia 8 de agosto de 1916, foi transferido para o norte e logo faleceu. Talvez estivesse gravemente ferido, o que explicaria a ausência do nome dele nas listas de prisioneiros de guerra.

William Henry Dawkins fora sepultado, ao pôr do sol, no mesmo dia em que morrera, em um cemitério improvisado ao sul da enseada Anzac. Seu corpo ainda repousa no mesmo lugar, a menos de vinte metros da água.[4]

Sophie Botcharski estava passeando por uma gelada Moscou, com alguns amigos dos tempos de exército. A grande metrópole se tornara um lugar escuro e deprimente. As luzes estavam apagadas em quase todos os lugares e, devido à falta de gás, havia pouca iluminação nas ruas, praticamente vazias. Muitas lojas tinham sido fechadas e em seus muros viam-se buracos feitos à bala. Um caminhão transportando homens armados passou por eles. Eram bolcheviques. Em uma calçada, ela viu dois homens em uniformes velhos removendo a neve. Ela compreendeu que eram antigos oficiais, pois suas insígnias haviam sido arrancadas. Sophie e seus amigos passaram por um idoso, que ela suspeitou pertencer à classe dos recém-espoliados, um homem "com uma cabeça de estudioso, que vendia jornais com tamanha timidez e educação que ninguém se importava com ele". Eles entraram em uma rua lateral, coberta de neve. Em sua direção, vinha um grupo de soldados. Sophie e seus companheiros olharam para eles e viram que carregavam metralhadoras. Quando os dois grupos se cruzaram, Sophie reconheceu um dos homens — era Alexis. Foi um reencontro muito amigável e alegre. Ele e os outros soldados haviam sido desmobilizados, mas não tinham para onde ir, nem o que comer. Então decidiram levar consigo as metralhadoras, "por razões de segurança". Ela disse: "São tempos difíceis". Ele respondeu: "Há cheiro de sangue".

René Arnaud se encontrava na linha de frente, dentro de uma cratera feita por uma granada e que agora servia como quartel-general do batalhão. Ele acabara de fazer 25 anos, mas se esquecera completamente do seu aniversário. Na escuridão, apareceu um major, que disse que ia substituí-lo, pois Arnaud teria um posto de comando fora do front. Arnaud relatou: "Logo entendi que a guerra acabara e que eu havia sido salvo. Eu estava livre daquela angústia cruel que sentira durante esses três anos e meio. Não seria mais perseguido pelo fantasma da morte". Ele mostrou tudo ao substituto, sem se importar com os tiros de metralhadora e as detonações das granadas, porque "eu estava feliz e aliviado. Sentia-me invulnerável".

4. O cemitério é conhecido como Beach Cemetery e fica na estrada entre Kelia e Suvla. A sepultura é a de número 3, na área 1, fila H. De lá pode-se atirar uma pedra no mar Egeu.

Rafael de Nogales estava a bordo de um navio a vapor a caminho do Bósforo. Viu as bandeiras inimigas por todos os lados: a da Itália, a da França, a da Grã-Bretanha. Teve certeza de que a maioria dessas bandeiras ondulava sobre casas pertencentes a "armênios, gregos e levantinos".[5] À noite, ele foi parar em uma festa preparada por algumas moças gregas, que queriam comemorar a trégua. Rumores se espalhavam. Alguns líderes dos Jovens Turcos tinham fugido da cidade a bordo de um torpedeiro alemão. Uma revolta militar estava sendo planejada na Anatólia, como protesto contra "a intervenção aliada nos assuntos internos da Turquia", e, Nogales acrescenta, essas intervenções "continuam a causar sérios conflitos armados, enquanto os Aliados insistem na divisão da Síria, da Palestina, da Arábia e da Mesopotâmia, em mandatos e protetorados". Uma semana depois, ele se dirigiu ao Ministério de Guerra e pela segunda vez pediu demissão. Agora, seu pedido foi aceito sem problemas.

Harvey Cushing ainda se encontrava internado no hospital de Priez. No dia do armistício, seu ordenança lhe trouxe um espelho e uma escova de unhas, e levou consigo a jaqueta do uniforme, para costurar nela novas insígnias: Cushing fora promovido a coronel. Durante certo tempo ele analisara as notícias de vitória nos jornais com crescente surpresa — como podia ter acontecido tão rápido? — e seguira o avanço dos Aliados em um mapa com ajuda de alguns alfinetes e um fio de algodão. Às quatro e meia da tarde, comemorou o armistício em seu quarto, com a cozinheira, o padre do hospital e um colega cirurgião. A comemoração fora bastante calma. Eles se sentaram em frente à lareira, beberam chá e falaram sobre religião e futuro.

Para Angus Buchanan a guerra terminara em setembro de 1917, em um hospital de campo em Narunyu. Algumas semanas antes ele e os soldados do 25º Batalhão do Royal Fusiliers haviam substituído uma unidade de infantaria da África do Sul. Os homens estavam praticamente apáticos sob o infernal calor africano. A quantidade de soldados e carregadores diminuía a cada dia. O próprio Buchanan estava entre os exaustos e enfermos. Durante alguns dias ele tinha lutado para se manter ativo, apesar da febre alta, e conseguira, com muito esforço, se levantar cedo como os outros. Mas chegara o dia em que ele não tivera mais forças. Levaram-no para o hospital: "Eu estava abatido, completamente fatigado". Os seus camaradas temiam por sua vida. Ele fora acomodado

---

5. Nogales utiliza essa palavra como sinônimo de judeus.

em uma cabana para aguardar sua evacuação para Lindi e depois, de barco, para Dar es-Salaam. A guerra terminara para Angus Buchanan. Um homem uniformizado entrara. Era O'Grady, o comandante do setor, um homem para quem Buchanan já trabalhara. O'Grady havia lhe dito algumas palavras encorajadoras e lamentado que as coisas tivessem chegado a esse ponto. E então, quando "ele se foi", relatou Buchanan, "eu escondi o rosto na escuridão da cabana e chorei como uma mulher".

Willy Coppens se encontrava no hospital em De Panne, onde estava em tratamento desde que fora ferido, em meados de outubro. Haviam surgido algumas complicações. A ferida da amputação não tinha cicatrizado e ele caíra em depressão profunda. (Coppens fora condecorado por todos os países aliados, inclusive por Portugal e pela Sérvia, mas, embora sempre tivesse tido apreço por condecorações, nada disso havia ajudado. Ele sabia que não poderia usar tantas medalhas ao mesmo tempo no uniforme e que a paz vindoura levaria a um mercado de insígnias sem paralelo.) À tarde, ecoaram de repente gritos de júbilo e risadas que penetravam nas enfermarias e corredores do hospital. Para seus ouvidos, o regozijo se transformou em algo que quase lembrava o último suspiro de um homem agonizante, mas amplificado e distorcido. A trégua acabara de ser anunciada. Coppens estava confuso: "Eu deveria estar alegre, mas foi como se uma mão fria apertasse a minha garganta. Eu me sentia angustiado perante o futuro. Compreendi que um período da minha vida chegava ao fim".

Olive King estava em Salônica, tendo retornado havia pouco da Inglaterra. (A razão da viagem fora a necessidade de providenciar a necessária permissão oficial para a realização do seu próximo grande projeto — o estabelecimento de uma rede de cantinas para ajudar refugiados e soldados sérvios.) Os dias passados na Inglaterra constituíram uma experiência um tanto confusa para ela. Ao mesmo tempo que se sentira muito só e ansiosa para retornar de imediato, não queria mais voltar para Salônica. Voltara mesmo assim, e ficara bastante contente com essa decisão. Sua unidade já havia seguido para o norte, atrás do Exército búlgaro. (Nos últimos instantes da guerra, os milhares de soldados em Salônica tiveram muito o que fazer e em setembro haviam forçado a rendição da Bulgária, que foi seguida da rendição do Império Otomano, gerando um efeito dominó que se completou com a capitulação da Áustria-Hungria.) Os dois veículos de Olive haviam sido levados por sua unidade. Sua cabana de madeira fora transferida para outro lugar e se encontrava quase vazia. Seus pertences tinham sido empacotados pelos seus amigos sérvios. Antes da viagem para Belgrado, Olive revisara tudo o que juntara durante todos esses anos. A maior parte ela considerara "lixo". Jogara fora inclusive um baú cheio de roupas velhas e pilhas de jornais e revistas. Tudo aquilo já fazia parte do passado.

Vincenzo D'Aquila se encontrava a bordo de um navio cargueiro, nos arredores das Bermudas, a caminho de casa. Sua cidadania americana, aliada ao fato de que ele nunca tinha feito o juramento militar, fora provavelmente a sua salvação. Com a opinião pública americana em mente, as autoridades italianas não quiseram fazer dele um mártir. Mesmo tendo sido obrigado a permanecer na Itália, e uniformizado, não fora obrigado a retornar ao front. Por fim, após algumas complicações burocráticas, concederam-lhe a permissão para retornar aos Estados Unidos. Depois de perder o navio para Nova York, D'Aquila conseguira lugar no cargueiro americano *Carolyn*, que zarpara de Gênova em setembro. Em Gibraltar, o navio fora carregado de minério e a seguir, devido ao aviso de que havia submarinos na área, o capitão tomara uma rota mais segura, passando pelo Brasil. A caminho do norte, em novembro, foram surpreendidos por algo incomum: uma embarcação navegava, à noite, com as luzes todas acesas. Ao amanhecer, viram outro navio. Eles fizeram sinais com bandeiras: "A guerra terminou?". A resposta foi tecnicamente correta: "Não, é apenas um armistício".

A guerra de Edward Mousley terminou quando ele subiu no barco que o levaria da prisão em Constantinopla para a liberdade em Esmirna. "Tudo é empolgação e desordem", escreveu ele em seu diário. "Séculos de cativeiro terminaram. Por fora, aparento calma, mas estou ocupado demais para analisar psicologicamente o fantástico final dessa terrível eternidade." A bordo do navio havia muitos prisioneiros de guerra recém-libertados. Ele dividiu a cabine com um homem que estivera na artilharia em Kut al-Amara e que se passara por louco para ser libertado. Quando o navio partiu, já era noite. Os contornos da cidade desapareceram na noite. Primeiro as formas suaves das grandes mesquitas, depois as linhas bem marcadas dos altos minaretes. Mousley foi para a cabine e ficou algum tempo com seu camarada, fumando e escutando o barulho das ondas. Quando ele e o amigo retornaram para o convés, a cidade havia desaparecido de todo. A única coisa que podiam ver era o seu brilho na água: "Era Constantinopla, a cidade eterna, a bela, a terrível". Nenhum deles disse mais nada.

Paolo Monelli se encontrava na estação ferroviária em Sigmundsherberg, no nordeste da Áustria. Ele e os outros prisioneiros de guerra italianos estavam livres fazia alguns dias, quando dominaram suas confusas e desmoralizadas sentinelas com uma mistura de argumentação e violência. Tudo ficara de pernas para o ar. Alguns de seus camaradas tinham ido para a cidade, para se embriagar e encontrar mulheres. Outros começaram a planejar um grande ataque a Viena. Soldados italianos, armados de rifles austríacos, patrulhavam a estação de trem, ajudando a manter a ordem. Tropas de soldados húngaros tinham passado por ali de vez em quando e causado alguns tiroteios. As telefonistas austríacas trabalhavam normalmente. Nessa manhã, Monelli e um pequeno grupo de ex-prisioneiros escutaram um oficial austríaco, conhecido por ser um homem amigável, traduzir, palavra por palavra, os termos do armistício. Monelli estava muito aliviado por estar livre e pelo fato de a guerra ter terminado, mas sentiu certa amargura: "Esta será nossa má ou boa herança. Será, de qualquer forma, nossa herança irreversível, que estará acorrentada à nossa memória para sempre".

Coda

No dia 10 de novembro o padre do hospital veio e fez um pequeno discurso. Agora sabíamos tudo.

Fiquei muitíssimo indignado durante esse pequeno discurso. O velho e bondoso homem estava trêmulo quando nos informou que a Casa de Hohenzollern não tinha mais permissão de exibir a coroa imperial alemã, que nossa mãe pátria se tornara uma "república", que devíamos rezar ao Todo-Poderoso para que não se negasse a abençoar essa mudança e nunca abandonasse o nosso povo. Ele não conseguiu se privar de dedicar algumas palavras à família real, destacando os seus méritos na Pomerânia, na Prússia, em toda a pátria alemã. Então ele começou a soluçar, e todos ficaram com o coração pesado naquela pequena sala. Acredito que não houve quem conseguisse conter as lágrimas. Mas o velho senhor retomou o discurso e começou a dizer que nós agora devíamos finalizar essa longa guerra e pensar no futuro da nossa nação, uma vez que a perdêramos e estávamos dependentes da misericórdia dos vitoriosos, que ficaríamos sujeitos à opressão, mas que a trégua estava baseada na confiança em nossos inimigos — nesse momento, não suportei mais ouvir suas palavras. Era impossível para mim permanecer ali; então saí aos tropeções, voltei para o dormitório, joguei-me na cama e enterrei meu rosto em brasa no travesseiro. [...]

Foram dias terríveis e noites ainda piores. Eu sabia que tudo estava perdido. Para ter esperança na misericórdia do inimigo, é preciso ser imbecil, ou então mentiroso e traidor. Durante essas noites o ódio cresceu dentro de mim, um ódio contra os autores dessa atrocidade. Durante os dias que se seguiram, reconheci qual seria minha missão [...].

Decidi me tornar político.

Adolf Hitler, *Minha luta*, 1925

Referências bibliográficas

AGEJEV, M. *Roman med kokain*. Estocolmo, 1999.

AKÇAM, T. *A Shameful Act: The Armenian Genocide and the Question of Turkish Responsibility*. Nova York, 2006.

ANDERSON, R. *The Forgotten Front: The East African Campaign 1914-1918*. Londres, 2004.

ANDRESEN, K. *Kresten breve: Udgivne af Hans Moder*. Copenhague, 1919.

ÅNGSTRÖM, T. *Kriget i luften: Med skildringar av flygare i fält*. Estocolmo, 1915.

ANÔNIMO. *Instruction for the Training of Divisions for Offensive Action*. Washington, 1917.

_____. *Notes on the Construction and Equipment of Trenches*. Washington, 1917.

_____. *Manual of the Chief of Platoon of Infantry*. [S.l.], 1918.

_____. *Instruction provisoire pour les unités de mitrailleuses d'infanterie*. Nancy, 1920.

_____. *British Trench Warfare 1917-1918: A Reference Manual*. Londres, [s.d.].

ARNAUD, A. *La Guerre 1914-1918: Tragédie-Bouffe*. Paris, 1964.

BARBUSSE, H. *Elden. En halvtropps dagbok*. V. I-II. Estocolmo, 1917.

BERTIN, F. *14-18. La Grande Guerre. Armes, uniformes, materiels*. Rennes, 2006.

BLOXHAM, D. *The Great Game of Genocide: Imperialism, Nationalism and the Destruction of the Ottoman Armenians*. Oxford, 2005.

BOTCHARSKI, S.; PIER, F. *The Kinsmen Know How to Die*. Nova York, 1931.

BOUVENG, G. *Dagbok från ostfronten*. Estocolmo, 1928.

BRADLEY, C. G. *Western World Costume: An Outline History*. Nova York, 1954.

BRUCE, A. *The Last Crusade: The Palestine Campaign in the First World War*. Londres, 2003.

BUCHANAN, A. *Three Years of War in East Africa*. Londres, 1919.

BUFFETAUT, Y. *The 1917 Spring Offensives : Arras, Vimy, Le Chemin des Dames*. Paris, 1997.

_____. *Verdun: Guide historique & touristique*. Langres, 2002.

BUFFETAUT, Y. *Atlas de la Première Guerre mondiale, 1914-1918: La chute des empires européens.* Paris, 2005.

CARLSWÄRD, T. *Operationerna på tyska ostfronten med särskild hänsyn till signaltjänsten.* Estocolmo, 1931.

CHRISTIERNSSON, N. *Med Mackensen till Przemysl.* Estocolmo, 1915.

COPPENS, W. *Jours envolés: Mémoires.* Paris, 1932.

CORDAY, M. *The Paris Front: An Unpublished Diary 1914-1918.* Nova York, 1934.

COX, I. "The Larks Still Singing". *Times Literary Supplement,* 13 nov. 1998.

CRON, H. *Geschichte des Deutschen Heeres im Weltkriege 1914-1918.* Berlin, 1937.

CURTI, P. *Artillerie in der Abwehr: Kriegsgeschichtlich erläutert.* Frauenfeld, 1940.

CUSHING, H. *From a Surgeon's Journal 1915-1918.* Toronto, 1936.

D'AQUILA, V. *Bodyguard Unseen: A True Autobiography.* Nova York, 1931.

DADRIAN, V. N. *The History of the Armenian Genocide: Ethnic Conflict from the Balkans to Anatolia to the Caucasus.* Nova York, 2003.

DAVENPORT-HINES, R. *Sex, Death and Punishment: Attitudes to Sex and Sexuality in Britain since the Renaissance.* Glasgow, 1991.

_____. *The Pursuit of Oblivion: A Social History of Drugs.* Londres, 2002.

DAWKINS, W. H. "Letters and Diaries". In: INGLE, J. *From Duntroon to the Dardanelles: A Biography of Lieutenant William Dawkins Including His Diaries and Selected Letters.* Canberra, 1995.

DEFENTE, D. (Org.). *Le Chemin des Dames 1914-1918.* Paris, 2003.

DELAPORTE, S. *Les Gueules cassées: Les blessés de la face de la Grande Guerre.* Paris, 1996.

ERICKSON, E. J. *Ordered to Die: A History of the Ottoman Army in the First World War.* Londres, 2001.

FARMBOROUGH, F. *Nurse at the Russian Front: A Diary 1914-18.* Londres, 1977.

FERGUSON, N. *The Pity of War.* Londres, 1999.

FERRO, M. *The Great War 1914-1918.* Londres, 1973.

FEWSTER, K. (Org.). *Gallipoli Correspondent: The Frontline Diary of C. E. W. Bean.* Sydney, 1983.

FIGES, O. *A People's Tragedy: The Russian Revolution 1891-1924.* Londres, 1997.

FITZSIMONS, B. *The Big Guns: Artillery 1914-1918.* Londres, 1973.

FLEX, W. *Die russische Frühjahrsoffensive 1916.* (Der grosse Krieg in Einzeldarstellungen. Heft 31). Oldenburg, 1919.

GATELY, I. *La Diva Nicotina: The Story of How Tobacco Seduced the World.* Nova York, 2001.

GÉNÉRAL DE M*** (pseud. de Henry Dugard). *Slaget vid Verdun.* Estocolmo, 1916.

GENERALSTABENS KRIGSHISTORISKA AVDELNING. *Några erfarenheter från fälttåget i Rumänien 1916-1917.* Estocolmo, 1924.

GENERALSTABENS UTBILDNINGSAVDELNING. *Från fälttåget i Serbien augusti 1914. En strategisk-taktisk studie.* Estocolmo, 1935.

GIEROW, K. R. *1914-1918 in memoriam.* Estocolmo, 1939.

GILBERT, M. *First World War.* Londres, 1994.

GLEICHEN, E. (Org.). *Chronology of the Great War 1914-1918.* Londres, 1988.

GOURKO, B. *Minnen och intryck från kriget och revolutionen i Ryssland 1914-1917.* Estocolmo, 1919.

GRIFFITH, P. *Battle Tactics of the Western Front: The British Army's Art of Attack 1916-18.* Londres, 1994.

GUDMUNDSSON, B. I. *Stormtroop Tactics: Innovation in the German Army 1914-1918*. Londres, 1995.

GUÉNO, J.-P.; LAPLUME, Y. (Orgs.). *Paroles de Poilus: Lettres et carnets du front 1914-1918*. Paris, 1998.

HAICHEN, M. (Org.). *Helden der Kolonien: Der Weltkrieg in unseren Schutzgebieten*. Berlim, 1938.

HARRIES, M.; HARRIES, S. *Soldiers of the Sun: The Rise and Fall of the Imperial Japanese Army*. Nova York, 1991.

HEDIN, S. *Kriget med Ryssland: Minnen från fronten i öster mars-augusti 1915*. Estocolmo, 1915.

_____. *Bagdad, Babylon, Ninive*. Estocolmo, 1917.

HEYMAN, H. *Frankrike i krig*. Estocolmo, 1916.

HIRSCHFELD, G.; KRUMREICH, G.; RENZ, I. *Enzyklopädie Erster Weltkrieg*. Paderborn, 2003.

HIRSCHFELD, M.; GASPAR, A. *Sittengeschichte des Ersten Weltkrieges*. Hanau, 1929.

HITLER, A. *Mein kampf: En uppgörelse*. Estocolmo, 1934.

HOLMES, R. *Firing Line*. Londres, 1987.

HOLMGREN, A. *Krigserfarenheter: Särskilt från fyra österrikisk-ungerska fronter*. Estocolmo, 1919.

HORNE, J.; KRAMER, A. *German Atrocities 1914: A History of Denial*. New Haven, 2001.

JOHANN, E. (Org.). *Innenansicht eines Krieges. Deutsche Dokumente 1914-1918*. Frankfurt, 1969.

JOHANSSON, K. *K. J. själv*. Estocolmo, 1952.

JOHNSTON, M. A. B.; YEARSLEY, K. D. *450 Miles to Freedom: The Adventures of Eight British Officers in their Escape from the Turks*. Londres, 1922.

JÜNGER, E. (Org.). *Das Anlitz des Weltkrieges: Fronterlebnisse deutscher Soldaten*. Berlim, 1930.

JÜNGER, E. *In Stahlgewittern*. Stuttgart, 1992.

KEARSEY, A. *A Summary of the Strategy and Tactics of the Egypt and Palestine Campaign with Details of the 1917-18 Operations Illustrating the Principles of War*. Aldershot, 1931.

KEEGAN, J. *The First World War*. Londres, 1998.

KELEMEN, P. *Hussar's Picture Book: From the Diary of a Hungarian Cavalry Officer in World War I*. Bloomington, 1972.

KING, O. *One Woman at War: Letters of Olive King, 1915-1920*. Melbourne, 1986.

KISCH, E. E. *Bland pyramider och generaler*. Estocolmo, 1977.

KLAVORA, V. *Schritte im Nebel: Die Isonzofront. Karfreit/Kobarid. Tolmein/Tolmin 1915-1917*. Liubliana, 1995.

KOERNER, P. (Org.). *Der Erste Weltkrieg in Wort und Bild*. V. I-V. Munique, 1968.

KOLATA, G. *Spanska sjukan. Berättelsen om den stora influensaepidemin 1918 och jakten på det virus som skapade den*. Estocolmo, 2000.

LAFFIN, J. *Combat Surgeons*. Londres, 1970.

LEFEBVRE, J.-H. *Verdun: La plus grande bataille de l'Histoire racontée par les survivants*. Fleury--devant-Douaumont, [s.d.].

LETTOW-VORBECK, P. von. *Meine Erinnerungen aus Ostafrika*. Leipzig, 1920.

LIMAN VON SANDERS, O. *Five Years in Turkey*. Londres, 2005.

LJUNGGREN, J. *Känslornas krig. Första världskriget och den tyska bildningselitens androgyna manlighet*. Estocolmo, 2004.

LOBANOV-ROSTOVSKI, A. *The Grinding Mill: Reminiscences of War and Revolution in Russia, 1913--1920*. Nova York, 1935.

LUDENDORFF, E. *Mina minnen från kriget 1914-1918*. Estocolmo, 1919.

MALMBERG, H. *Infanteriets stridsmedel och krigsorganisation under och efter världskriget*. Estocolmo, 1921.

MANNING, F. *Her Privates We*. Londres, 1943.

MARÉN, N. G. *Skuggor och dagrar från världskriget: Minnen och stämningar från en studieresa mot ostfronten, Sept. 1915*. Uppsala, 1916.

MARLOW, J. (Org.). *Women and the Great War*. Londres, 1998.

MCDONALD, L. *The Roses of No Man's Land*. Londres, 1980.

_____. *Somme*. Londres, 1985.

MCMORAN WILSON, C. (Lorde Moran). *Modets anatomi*. Estocolmo, 1958.

MESSENGER, C. *Trench Fighting 1914-18*. Nova York, 1972.

MEYER, G. *Der Durchbruch am Narew: Juli-August 1915*. (Der grosse Krieg in Einzeldarstellungen. Heft 27/28). Oldenburg, 1919.

MIHALY, J. (pseud. de Elfriede Kuhr). *... da gibt's ein Wiedersehen!: Kriegstagebüch eines Mädchens 1914-1918*. Stuttgart, 1982.

MILLER, H. W. *The Paris Gun*. Londres, 1930.

MOBERLY, F. J. *The Campaign in Mesopotamia 1914-1918*. V. I-II. (*Official History of the War*). Londres, 1923.

MOLLO, A. *Army Uniforms of World War I: European and United States Armies and Aviation Services*. Nova York, 1978.

MONELLI, P. *Le scarpe al sole: Cronaca di gaie e tristi avventure di alpini di muli e di vino*. Milão, 2008.

MORRIS, J. *The German Air Raids on Great Britain 1914-1918*. Londres, 1925.

MOUSLEY, E. O. *The Secrets of a Kuttite: An Authentic Story of Kut, Adventures in Captivity and Stamboul Intrigue*. Londres, 1921.

MUNSON, K. *Stridsflygplan 1914-19*. Estocolmo, 1970.

MUSIL, R. *Diaries 1899-1914*. Nova York, 1998.

NEIBERG, M. S. *Fighting the Great War: A Global History*. Londres, 2005.

NEUMANN, P. *Luftschiffe*. (*Volksbücher der Technik*). Leipzig, [s.d.].

NOGALES, R. de. *Four Years Beneath the Crescent*. Londres, 2003.

NORDENSVAN, C. O. *Världskriget 1914-1918*. Estocolmo, 1922.

OUSBY, I. *Vägen till Verdun: Frankrike och det Första världskriget*. Estocolmo, 2002.

PITREICH, M. von. *Lemberg 1914*. Estocolmo, 1929.

POLLARD, A. O. *Fire-Eater: The Memoirs of a VC*. Londres, 1932.

RACHAMIMOV, A. *POWs and the Great War: Captivity on the Eastern Front*. Oxford, 2002.

RAZAC, O. *Histoire politique du barbelé: La prairie, la tranchée, le camp*. Paris, 2000.

REICHSARCHIV. *Der Kampf um die Dardanellen 1915*. (*Schlachten des Weltkrieges*. V. 16). Berlim, 1927.

_____. *Der Durchbruch am Isonzo*, parte 1: *Die Schlacht von Tolmein und Flitsch*. (*Schlachten des Weltkrieges*. V. 12a). Berlim, 1928.

_____. *Flandern 1917*. (*Schlachten des Weltkrieges*. V. 27). Berlim, 1928.

_____. *Herbstschlacht in Macedonien Cernabogen 1916*. (*Schlachten des Weltkrieges*. V. 5). Berlim, 1928.

_____. *Ildirim: Deutsche Streiter auf heiligem Boden*. (*Schlachten des Weltkrieges*. V. 4). Berlim, 1928.

REICHSARCHIV. *Die Tragödie von Verdun 1916*, partes 3 e 4: *Die Zermürbungsschlacht.* (*Schlachten des Weltkrieges.* V. 15). Berlim, 1929.

_____. *Gorlice.* (*Schlachten des Weltkrieges.* V. 30). Berlim, 1930.

REISS, R. A. *Report Upon the Atrocities Committed by the Austro-Hungarian Army During the First Invasion of Serbia.* Londres, 1916.

ROBERTS, N. *Whores in History. Prostitution in Western Society.* Londres, 1992.

ROCHAT, G. "Les Soldats fusillés en Italie". *14-18. Le Magazin de la Grande Guerre,* n. 29, dez. 2005--jan. 2006.

ROMMEL, E. *Infanteri greift an. Erlebnis und Erfahrung.* Potsdam, 1941.

SAUNDERS, A. *Dominating the Enemy: The War in the Trenches 1914-1918.* Stroud, U. K., 2000.

SCHAUMANN, W. *Vom Ortler bis zur Adria: Die Südwest-front 1915-1918 in Bildern.* Viena, 1993.

SCHAUMANN, G.; SCHAUMANN, W. *Unterwegs zwischen Save und So a: Auf den Spuren der Isonzofront 1915-1917.* Klagenfurt, 2002.

SCHREINER, G. A. *The Iron Ration: Three Years in Warring Central Europe.* Nova York, 1918.

SCHWARTE, M. (Org.). *Kriegslehren in Beispiehlen aus dem Weltkrieg.* Berlim, 1925.

SIBLEY, J. R. *Tanganyikan Guerrilla: East Africa Campaign, 1914-18.* Londres, 1971.

SIMČIĆ, M. *Die Schlachten am Isonzo: 888 Tage Krieg im Karst.* Graz, 2003.

SLOWE, P.; WOODS, R. *Fields of Death: Battle Scenes of the First World War.* Londres, 1990.

SONDERHAUS, L. *Franz Conrad von Hötzendorf: Architekt der Apokalypse.* Viena, 2003.

STONE, N. *The Eastern Front 1914-1917.* Londres, 1998.

_____. *World War One: A Short History.* Londres, 2007.

STRACHAN, H. *The First World War.* Oxford, 2001. V. 1: To Arms

STRUCK, E. *Im Fesselballon.* Berlim, 1918.

STUMPF, R. *Warum die Flotte zerbrach: Kriegstagebuch eines christlichen Arbeiters.* Berlim, 1927.

TAYLOR, A. J. P. *Världskriget 1914-1918.* Estocolmo, 1967.

TRANSFELDT. *Dienstunterricht für den Infanteristen des Deutsches Heeres.* Berlim, 1916.

TURBERGUE, J.-P. (Org.). *Les 300 Jours de Verdun.* Paris, 2006.

TYLDEN-WRIGHT, D. *Anatole France.* Londres, 1967.

WATTRANG, K. *Det operativa elementet i världskriget.* Estocolmo, 1924.

WILLERS, U. *Tysklands sammanbrott 1918.* Estocolmo, 1944.

WILLET, C.; CUNNINGTON, P. *The History of Underclothes.* Londres, 1951.

WILLIAMS, J. F. *Corporal Hitler and the Great War, 1914-1918: The List Regiment.* Nova York, 2005.

WILSON, T. *The Myriad Faces of War: Britain and the Great War, 1914-1918.* Oxford, 1988.

WINTER, D. *Death's Men: Soldiers of the Great War.* Londres, 1979.

WINTER, J.; PARKER, G.; HABECK, M. R. (Orgs.). *The Great War and the Twentieth Century.* New Haven, 2000.

WIRSÉN, E. af. *Minnen från och krig.* Estocolmo, 1942.

WITKOPF, P. (Org.). *Kriegsbriefe gefallener Studenter.* Munique, 1928.

Créditos das imagens

Todos os esforços foram feitos para determinar a origem das imagens publicadas neste livro, porém isso nem sempre foi possível. Teremos prazer em creditar as fontes, caso se manifestem.

RETRATOS

1. Elfriede Kuhr.

2. Richard Stumpf, do livro *War, Munity and Revolution in the German Navy: The World War I Diary of Seaman Richard Stumpf* (New Brunswick, 1967).

3. Pál Kelemen, utilizada com autorização de Diane Halasz.

4. Andrei Lobanov-Rostovski, utilizada com autorização de Igor Lobanov--Rostovski.

5. Florence Farmborough.

6. Kresten Andresen.

7. Michel Corday. Gravura comprada pelo editor francês Grégory Martin, crédito desconhecido.

8. Alfred Pollard.

9. William Henry Dawkins.

10. René Arnaud, utilizada com autorização de Laurence Dubrana.

11. Rafael de Nogales.

12. Harvey Cushing.

13. Angus Buchanan, do livro *Out of the World North of Nigeria*, de Angus Buchanan (Nova York, 1922).

14. Olive King.

15. Willy Coppens.

16. Vincenzo D'Aquila.

17. Edward Mousley.

18. Paolo Monelli.

A FRENTE OCIDENTAL

1. SMS *Helgoland*, o navio de Richard Stumpf: Bundesarchiv.

2. Uma coluna de soldados da infantaria belga na praia de De Panne: ECPAD [Agência de Comunicação e de Produção Audiovisual de Defesa].

3. Sanctuary Wood, outubro de 1914: IWM (Imperial War Museum).

4. Vista de Kiel, com a base naval ao fundo, 1914: Ullstein Bild.

5. Rua em Lens: Bundesarchiv.

6. O forte de Douaumont, em Verdun, sob intenso bombardeio, 1º de abril de 1916: Ullstein Bild.

7. Carregadores de água em Zonnebeke, agosto de 1917: Ullstein Bild.

8. Cena litorânea em Boulogne-sur-Mer: IWM.

9. Escombros de uma ponte em Villers-Cotterêts: IWM.

10. Péronne: Ullstein Bild.

11. Marinheiros reunidos para uma manifestação em Wilhelmshaven, no início de novembro de 1918: Ullstein Bild.

ÁFRICA ORIENTAL

1. A guerra chega à África, 1914: Bundesarchiv.

2. Tropas nativas alemãs durante combate em algum lugar na África Oriental: Bundesarchiv.

3. O rio Pangani, na África Oriental Alemã: Bundesarchiv.

4. Em Lindi, tropas nativas britânicas dos King's African Rifles em formação, setembro de 1916: Ullstein Bild.

5. Os destroços do SMS *Königsberg* no delta do rio Rufiji, no verão de 1915: Bundesarchiv.

6. Grupo de operadores de metralhadoras sob domínio alemão, em algum ponto da África Oriental: Bundesarchiv.

A FRENTE ORIENTAL

1. O Exército russo, mobilizado, reúne os cavalos em St. Petersburg, 31 de julho de 1914: Ullstein Bild.

2. Prisioneiros de guerra russos em Uszoker Pass, nos Cárpatos, na primavera de 1915: Ullstein Bild.

3. Traslado de prisioneiros russos capturados durante as batalhas de maio e junho de 1915: Ullstein Bild.

4. Cavalaria australiana atravessando o rio Vístula na altura do burgo de Praga, em Varsóvia: Ullstein Bild.

5. Tropas alemãs em Minsk, 1918: Getty Images.

6. Vista de Schneidemühl, 1917: AWM (Australian War Memorial).

7. Praça Vermelha, Moscou, outubro de 1917: Ullstein Bild.

8. Trem carregado de austro-húngaros voltando para casa: Ullstein Bild.

O FRONT ITALIANO

1. Companhia de manutenção austro-húngara perto de Santa Lucia: Bundesarchiv.

2. Caçadores de montanha italianos, 1915: Getty Images.

3. Tropas montanhistas austro-húngaras durante escalada nos Alpes, 1915: IWM.

4. Cima Undici, 1916: Museo Storico del Trentino.

5. Monte Cauriòl, 1916: Museo Storico Italiano della Guerra, Rovereto.

6. Hospital militar austro-húngaro no Monte Ortigara: Museo Storico del Trentino.

7. Prisioneiros de guerra italianos e algumas tropas alemãs vitoriosas em Udine, outubro de 1917: Museo Storico Italiano della Guerra, Rovereto.

OS BÁLCÃS E O DARDANELOS

1. Suprimentos, feridos e banhistas na enseada Anzac, 1915: AWM.

2. A praia V, no extremo sul da península de Galípoli, 1915: Ullstein Bild.

3. Companhia de manutenção austro-húngara na Sérvia, entre outubro e novembro de 1915: Ullstein Bild.

4. Rendidas, tropas sérvias rumam a Montenegro para depor as armas, fevereiro de 1916: Ullstein Bild.

5. Na Macedônia, população local assiste a um avião alemão que decolando para ir a combate, 1917: Ullstein Bild.

6. Acampamento militar britânico no subúrbio de Salônica, abril de 1916: IWM.

7. Salônica logo após o grande incêndio, agosto de 1917: AWM.

ORIENTE MÉDIO

1. Fortificações em Erzurum, 1916: Getty Images.

2. Vista aérea de Kut: Ullstein Bild.

3. Navios britânicos supercarrecados no rio Tigre, 1916: IWM.

4. Rendida, Jerusalém recebe os vitoriosos, 1º de dezembro de 1917: Getty Images.

5. Ruínas de Gaza, novembro de 1917: IWM.

6. O front palestino sob ataque: Getty Images.

7. Vista aérea de Bursa: Ullstein Bild.

Índice remissivo

Os números referem-se aos capítulos.

abelhas 145

abortos 108

abusos 34, 36, 43, 45, 59, 74, 90, 100, 109, 126, 141

acidentes aéreos 97, 192

acordo Sykes-Picot 110

Alepo 45, 80

Aliche 3

aliança britânica e japonesa 2

álcool 16, 55, 62, 78, 92, 95, 101, 106, 107, 113, 114, 123, 125, 126, 143, 155, 162, 165, 166, 173, 175, 176, 212, Epílogo

Andresen, Kresten 7, 15, 17, 29, 42, 63, 81, 89, 93, 102, 109, Epílogo

Áncara 125, 157

antissemitismo 4, 7, 90, 131, 135

arame farpado 17, 88

Arlon 201, 210, 212

armênios 36, 45, 67, 80, 157, 183, Epílogo

Arnaud, René 27, 54, 95, 96, 98, 99, 104, 150, 193, 194, Epílogo

Arras 42, 137, 140

artilharia 27, 37, 41, 54, 58, 68, 72, 75, 96, 99, 109, 110, 111, 127, 145, 162, 174, 186, 190, 194, 196, 201, 206, 208, 209

Artois 52, 54

Asiago 95, 111, 167

Astoria (hotel em Petrogrado) 132

atirador 27, 36, 66, 72, 75

atirador de granada 153, 162, 170

automutilação 76, 162

Bagdá 64, 72, 80, 100, 125

balões de observação 99, 191, 204, 206

bandeiras 8, 135, 151, 177, 188

Barrés, Maurice (jornalista e demagogo francês) 96

Belgrado 4, 59, 65, Epílogo

Berlim 1, 2, 9, 108, 119, 127, 177

Bertrand, Louis (escritor francês) 196

Bethman Hollweg, Theobald von (político alemão) 124, 159

Botcharski, Sophie 26, 41, 48, 88, 123, 135, Epílogo

bombardeios aéreos 1, 28, 34, 48, 79, 80, 134, 182, 186, 192, 196, 201, 208
Brest-Litovsk (paz) 169, 173, 177, 188
Briand, Aristide (político francês) 16, 22
brincadeiras 18, 108, 205
Brusilov, Alexei (militar russo) 111, 154
Bruxelas 34, 180
Buchanan, Angus 33, 51, 71, 86, 94, 98, 103, 110, 116, 118, 120, 122, 142, 145, 153, 157, Epílogo
Budapeste 3, 113, 177, 210, 212
Bursa 187, 197

cães 30, 45, 137, 191
canal da mancha 32, 34, 186
cadáveres 5, 55, 99, 109, 110, 114, 116, 119, 128, 134, 137, 148, 149, 202
Cadorna, Luigi (militar italiano) 152
Cairo 20, 35
canal de Suez 20, 24, 105, 134
canções e músicas 1, 2, 20, 47, 106, 108, 111, 115, 123, 127, 131, 138, 140, 205, 211
capacetes de aviadores 97, 206
Caporetto 163, 173, 180
Carducci, Giosuè (poeta italiano) 148
Cárpatos 10, 12, 111, 113
Cattaro 82, 177
Cáucaso 30, 36, 42, 188
cavalaria 8, 10, 14, 50, 55, 79, 80, 134, 136, 137, 194
cavalos 22, 31, 57, 64, 72, 80, 86, 91, 94, 113, 137, 154, 169, 176, 212
cenários 88, 112, 113, 121, 137, 143, 146, 151, 153, 161, 163, 172, 179, 186, 195, 206, Epílogo
censura 112, 124, 190, 207, 210
Champagne (província) 52, 54, 147, 150
chances de sobrevivência 96, 140, 143, 148, 149, 200, 209
Chateau-Thierry 194, 201
Chemin des Dames, Les 140, 147, 150, 193
choque de granada 116, 123n, 215, 357, 372, 486, 488-9, 490

Churchill, Winston S. (político inglês) 35, 192
cinemas e filmes 20, 35, 108, 112, 124
Clausewitz, Carl von (militar alemão) 111
Clemenceau, Georges (político francês) 106
Coca-Cola 123
coletes salva-vidas 140, 141
comboios 14, 141, 152
Comédie-Française 182
comida 7, 9, 11, 15, 17, 18, 20, 22, 40, 51, 58, 72, 78, 79, 80, 89, 98, 100, 112, 113, 115, 124, 127, 129, 147, 157, 158, 175, 176, 186, 189, 192, 200, 211
Constantinopla 30, 157, 187, 208, Epílogo
Coppens, Willy 34, 67, 97, 140, 151, 165, 171, 174, 180, 191, 204, 206, Epílogo
Corday, Michel 11, 16, 19, 23, 46, 52, 76, 107, 112, 117, 124, 146, 159, 161, 176, 182, 190, 198, Epílogo
Corfu 74, 106, 179
coronel 14, 21
Correios 14, 16, 17, 20, 24, 27, 35, 39, 43, 54, 55, 61, 79, 82, 87, 88, 89, 93, 103, 106, 109, 112, 114, 118, 121, 124, 129, 138, 153, 154, 157, 174, 179, 180, 190, 195, 204, 205, 210
corrida armamentista da Marinha 2
cosméticos 11, 48, 57, 111, 146, 182
cummings, e. e. (poeta americano) 196
Cushing, Harvey 32, 141, 153, 156, 160, 162, 166, 177, 186, 189, 192, 196, 201, 203, 209, Epílogo
Crimeia 117, 188
criminalidade 19, 132, 157, 182
Ctesifonte 64, 80
curdos 36

D'Aquila, Vincenzo 49, 56, 58, 69, 73, 77, 87, 115, Epílogo
Dante 95, 149
Dar es-Salam 118, Epílogo
Dawkins, William Henry 14, 20, 24, 27, 35, 36, 38, 85. Epílogo
De Panne 34, 171, 206, Epílogo
Delna, Marie (cantora de ópera francesa) 150

478

dentes 32, 38, 57, 126, 179
deserto do Sinai 134
desertores 13, 33, 105, 152, 194
desperdício 162
Dikmuide 180, 191
disciplina 21, 56, 152, 172, 186, 211
Dniester 109, 154
doenças sexualmente transmissíveis 107, 108
Donau 56
Dos Passos, John (escritor americano) 196

educação 7, 13, 14, 67, 194, 200, 207
enfermidades 10, 80, 82, 86, 90, 98, 105, 110, 117, 120, 127, 129, 169, 176, 179, 204
equipamentos 15, 54, 85, 99, 201, 212
escuta telefônica 190
espionagem 1, 4, 30, 176
Esquadrão do Oceano Pacífico (unidade da Marinha alemã) 14
Estaunié, Édouard (escritor francês) 196
estratégias da Marinha 21, 83
execuções 59, 105, 152
Expedição de Pascha 105

Farmborough, Florence 5, 25, 37, 43, 52, 57, 68, 75, 90, 99, 101, 107, 110, 117, 130, 147, 154, 162, 165, 175, 189, Epílogo
ferimentos 7, 32, 54, 101, 137, 156, 157, 160, 165, 192, 194, 203, 206, 209, Epílogo
ferimentos no rosto 92
ferrovias 1, 3, 4, 17, 50, 51, 54, 71, 76, 82, 111, 134, 166, 193
Feydeau, Georges (dramaturgo francês) 107
Flameng, François (pintor francês) 107
Flensburg 7, 17
floresta de Belleau 209
floresta de Trônes 109
fome 100, 127, 130, 172, 199, 200,
fotografias 14, 106, 110, 114, 124, 162, 179
France, Anatole (escritor francês) 10, 159, 182, 196
front do Isonzo 56, 58, 95, 162, 163, 167, 201

front de Salônica 61, 79, 106, 129, 155, 169, 179, 188, 195, Epílogo
fumo 10, 72, 105, 119, 125, 200

Galípoli 35, 37, 38, 65, 183
gás e máscaras 26, 39, 41, 81, 114, 123, 137, 139, 147, 148, 209
Gaza 134, 137, 183
guerra americano-mexicana 173, 209
Guerra dos Bôeres 33, 51, 86
guerra nos Bálcãs 1912-3, 36
guerrilha 59, 74, 94, 118, 122
Gevgeli 61, 65
Goethe, Johann Wolfgang von 23, 76
Goltz, Colmar von der (militar alemão) 80, 111
Gorizia 110
Gorlice 37, 40, 43, 52
granadas 8, 17, 38, 54, 134
granadas de mão 54, 55, 57, 75, 98, 99, 121, 139, 209, Epílogo
greves, motins e perturbações 35, 89, 130, 132, 140, 146, 150, 169, 172, 175, 177, 188, 210, 211, 212, Epílogo
gripe espanhola 201, 207, Epílogo
Guilherme II 2, 69, 124, 143, 211
Guillemont 109, Epílogo

Halil Pascha (militar otomano) 80, 100
Hedin, Sven (aventureiro sueco) 100
Helgoland, SMS (navio de guerra alemão) 2, 6, 21, 60, 83, 97, 119, 127, 143, 177
Hemingway, Ernest (escritor americano) 163
Hindenburg, Paul von (militar alemão) 8, 28, 149
Hitler, Adolf 148, Coda
holofote 37, 111, 181
Houthhulst 140, 191

iluminação 16, 124, 182, 205
Ilhas Keeling 14
Immelmann, Max (aviador alemão) 102
imprensa 4, 9, 11, 14, 16, 22, 51, 52, 62, 65, 70,

80, 82, 92, 99, 112, 114, 115, 124, 131, 135, 138, 140, 151, 145, 156, 159, 160, 162, 163, 166, 187, 198, 210, 211, Epílogo
inflação 89, 130
iniciativa de paz 124, 159
inválidos 146, 161

Jafa 183
Jaurés, Jean (militar francês) 16
Jerusalém 183
Joffre, Joseph (militar francês) 54
Jordão 182
judeus 3, 4, 7, 36, 80, 90, 105, 110, 131, 135, 154, 169, Epílogo
Jünger, Ernst (escritor alemão) 109
Jutlândia (batalha) 97, 119, 127, 143

Kastamonu 126, 140
Kelemen, Pál 3, 10, 12, 31, 40, 56, 59, 62, 74, 78, 82, 113, 136, 164, 172, 174, 181, 201, 210, 212, Epílogo
Kemal, Mustafa (militar turco) 37
Kilimanjaro 86
King, Olive 39, 61, 65, 79, 106, 129, 155, 179, 195, Epílogo
Kisaki 118, 120
Kressenstein, Friedrich Kress von (militar alemão) 134, 137
Kuhr, Elfriede 1, 9, 18, 22, 47, 53, 92, 108, 131, 147, 158, 168, 178, 200, 202, 205, Epílogo
Kut al-Amara 64, 66, 68, 72, 80, 84, 85, 92, 100, 131, 157, Epílogo

lago Tanganica 51, 86
lago Vitória 51
Langemarck 15, 140
Lemberg 3, 4, 10, 40, 42
Lemnos 35, 38
Lens 63
Lettow-Vorbeck, Paul von (militar alemão) 51, 98, 122, 142, 153
licença 7, 46, 68, 75, 76, 89, 107, 112, 113, 117, 133, 143, 151, 169, 176, 177, 193, 195, 211

Lille 198
Liman von Sanders, Otto (militar alemão) 183
Lindi 142, 145, Epílogo
Lobanov-Rostovski, Andrei 4, 8, 28, 48, 50, 111, 132, 133, 169, 188, Epílogo
logística 80, 86, 88, 98, 105, 111, 118, 136, 136, 200
Lomza 28
Londres 33, 34, 151, 179, 182, 192
Loos 54, 55
Loti, Pierre (escritor francês) 22
Ludendorff, Erich (militar alemão) 8, 159, 211
Lusitania, RMS (navio de passageiros americano) 141, 200
Luzuna 10

Marne 22, 193, 198, 201
mar Cáspio 188
mar Negro 126, 157
Marrocos (perturbações) 24
Maxim's (restaurante em Paris) 107
meios de conexão 10, 22, 23, 83, 109, 148, 190, 209
mendigos 146
mercado negro 112, 125, 161
Mbuyuni 94
McCrae, John (médico e poeta canadense) 176
metralhadoras 122, 136, 148, 153, 173, Epílogo
Metz 182, 201
Meuse 17, 54, 190
minorias 7
mobilizações 1, 2, 4, 7, 9, 16, 19, 34, 212
Mohambika 145, 53
Mokotov 4
Mombasa 51
Monastir 129
Monelli, Paolo 70, 72, 88, 95, 114, 118, 125, 144, 148, 149, 152, 163, 167, 170, 172, 199, Epílogo
monte Cauriòl 114, 118
monte Tauro 126
monte Tondarecar 167
Montigny 81, 89, 93

Moscou 5, 37, 75, 175, 189, Epílogo
Mosul 100
Mousley, Edward 64, 66, 68, 72, 80, 84, 85, 91, 92, 100, 126, 140, 157, 187, 197, 208, Epílogo

narcóticos 35, 80, 123, 146
navios de guerra 2
nestorianos 45
Neuve Chapelle (batalha) 44, 54
neve 10, 12, 17, 18, 26, 28, 30, 65, 70, 74, 75, 80, 88, 90, 95, 123, 125, 126, 128, 129, 130, 169, 170, 174, 179, Epílogo
Nicolau II 130, 132
Nova York 49, Epílogo
Nogales, Rafael de 30, 36, 45, 67, 80, 105, 134, 137, 183, Epílogo
Noyon 17, 42, 150
Nureddin Bey (militar otomano) 80

óculos de proteção 97, 206
ofensiva de Brusilov 101, 111
ofensivas de libertação 154
ofensiva de Narocz 88, 90, 111
Odessa 175
odores 14, 26, 31, 57, 66, 72, 74, 86, 96, 99, 114, 148, 199, 209
óleo 64, 188
Opatov (batalha) 8
Orléans 190
Ortigara 148, 149, 152

Palestina 105, 134, 183, Epílogo
Panarotta 70
paraquedas 140 206
Paris 10, 32, 46, 107, 112, 146, 150, 161, 166, 186, 188, 190, 193, 196, 198
passatempos 72, 115, 121, 123, 125, 126, 131, 151, 156, 171, 174, 182, 187, 190, 197, 199, 204, 209
Passchendaele 166, 180
penteados 54, 106, 108, 117
Péronne 207
Petrogrado 132, 133, 135

Piave 166, 167, 172
pidgin 155, 197
piolhos 61, 65, 77
Plymouth 33, 51
pombo-correio 148
Poincaré, Raymond (político francês) 46, 117
Pollard, Alfred 13, 44, 55, 116, 121, 128, 138, 139, 151, 173, 185, 207, Epílogo
preservativos 10
Priez 209, Epílogo
Princip, Gavrilo (terrorista sérvio) 24
prisioneiros de guerra 9, 42, 100, 101, 109, 126, 154, 157, 162, 170, 172, 186, 187, 199
propaganda 2, 9, 11, 52, 54, 64, 99, 148, 201, 211
prostituição 19, 62, 90, 107, 146, 182
Prut 154
Przemysl 10
Punch (revista britânica) 176
punições 7, 8, 22, 23, 60, 90, 99, 115, 155, 188, 190

Q-Ships 83

Ras al-Ayn 100, 125
Rasputin (religioso charlatão russo)
ratos 116
Reims 196, 209
recrutamento 13, 49, 70, 178, 194, 207, 209
refugiados 10, 17, 29, 30, 101, 129
religião 29, 43, 58, 69, 73, 77, 110, 113, 165, 190, Envoi
retórica 2, 19, 46, 52, 54, 64, 96, 112, 114, 124, 143, 146, 159
Revolução de Março 132, 133, 135, 150
Revolução de Outubro 165, 166, 169, 173, 175, 178, 188, 189, 211, Epílogo
rinocerontes 71
rio Mgeta 120
rio Pangani 98, 118
rio Rufiji 120, 122
Rodzianko, Mikhail (político russo) 135
Rommel, Erwin (militar alemão) 163

481

Sanctuary Wood 55, 156

Sandomierz 8

San 43

saques 17, 51, 70, 100, 101, 132, 137

Sarajevo (atentado) 24, 74

Sarrail, Maurice (militar francês) 61, 65, 106, 179

Scapa Flow 83

Schleiffenplanen 4

Selous, Fredrick Courteney (aventureiro inglês) 33, 120, 122

Sembat, Marcel (político francês) 16

sepulturas 15, 37, 53, 95, 97, 99, 101, 108, 156, 168, 176, Epílogo

Sergy 209

sexo 74, 107, 108, 114, 154, 166, 199

sinalizadores 27, 42, 99, 111, 182, Epílogo

simuladores 96, 104, 115, 203

Smuts, Jan (militar sul-africano) 86, 122, 142

soldados mulheres 154, Epílogo

som 17, 27, 44, 55, 68, 70, 72, 125, 139, 190, 194

Somme 27, 102, 109, 116, 124, 209

Sopwith 1½ Strutter 140

Spee, Maximilian von 14

Stumpf, Richard 2, 6, 21, 60, 83, 97, 118, 127, 143, 177, 191, 211, Epílogo

submarinos 21, 49, 119, 124, 127, 141, 153, 188

Suécia 83, 100, 101

suicídio 58, 123

suvenires 22, 32, 72, 89, 129

Tagliamento 164, 167

Tandamuti 153

Tanneberg 8, 9, 28

tanques de guerra 112, 137, 147, 194

tática de infiltração 163, 172, 185

Thiaumont 104

Tigre 64, 80, 84, 92, 100

torpedeiro Gotha 182, 196

Towshend, Charles (militar inglês) 66, 80, 100, 187

trabalhos forçados 201

transtorno de estresse pós-traumático 36, 77, 87, 115, 141, 149, 203, 209, Epílogo

tropas coloniais 32, 51, 64, 68, 98, 100, 117, 122, 129, 142, 145, 152, 172

Trótski, Liev (revolucionário russo) 177

Tsingtao 2, 14

túnel Tavannes 112

uniformes, roupas e moda 3, 11, 15, 19, 25, 26, 99, 107, 112, 113, 126, 129, 136, 186, 198, 201

Van 36

Varsóvia 48, 107

Verdun 95, 96, 98, 99, 104, 111, 112, 124

Viena 60, 177, 200, Epílogo

Villa, Francisco "Pancho" (rebelde mexicano) 173

Vimy 54, 63

Viviani, René (político francês) 146

Vladivostok 189, Epílogo

Wilhemshaven 83, 127, 177, 211, Epílogo

Wilson, Woodrow (político americano) 124

Ypres 34, 44, 55, 156, 160, 162, 173, 186

zepelins 16, 221, 34, 48, 79, 98, 182

Zillebeke 55

Ziwani 145, 153

Zonnebecke 162

ESTA OBRA FOI COMPOSTA PELA SPRESS EM MINION E IMPRESSA EM OFSETE
PELA GEOGRÁFICA SOBRE PAPEL PÓLEN SOFT DA SUZANO PAPEL E CELULOSE
PARA A EDITORA SCHWARCZ EM JUNHO DE 2014